UM PASSO ATRÁS

A marca FSC® é a garantia de que a madeira utilizada na fabricação do papel deste livro provém de florestas que foram gerenciadas de maneira ambientalmente correta, socialmente justa e economicamente viável, além de outras fontes de origem controlada.

HENNING MANKELL

UM PASSO ATRÁS

Tradução
Christina Baum

Companhia Das Letras

Publicado mediante acordo com Leopard Förlag (Estocolmo)
e Leonhardt & Høier Literary Agency A/S, Copenhague.

Grafia atualizada segundo o Acordo Ortográfico da Língua Portuguesa de 1990, que entrou em vigor no Brasil em 2009.

Título original
One Step Behind

Projeto gráfico
Alceu Chiesorin Nunes
Bruno Romão

Capa
Claúdia Espínola de Carvalho

Foto de capa
Don Smith/ Getty Images

Preparação
Andressa Bezerra Corrêa

Revisão
Ana Maria Barbosa
Huendel Viana

Dados Internacionais de Catalogação na Publicação (CIP)
(Câmara Brasileira do Livro, SP, Brasil)

Mankell, Henning
Um passo atrás / Henning Mankell ; tradução Christina Baum. — 1ª ed. — São Paulo : Companhia das Letras, 2016.

Título original: One Step Behind.
ISBN 978-85-359-2604-0

1. Ficção policial e de mistério (Literatura sueca) 2. Romance sueco I. Título.

15-06181 CDD-839.73

Índice para catálogo sistemático:
1. Romances : Literatura sueca 839.73

[2016]

EDITORA SCHWARCZ S.A.
Rua Bandeira Paulista, 702, cj. 32
04532-002 — São Paulo — SP
Telefone: (11) 3707-3500
Fax: (11) 3707-3501
www.companhiadasletras.com.br
www.blogdacompanhia.com.br

Há sempre mais sistemas
desordenados que ordenados
DE ACORDO COM A SEGUNDA LEI DA
TERMODINÂMICA.
Giuseppe Verdi, abertura de *Rigoletto*

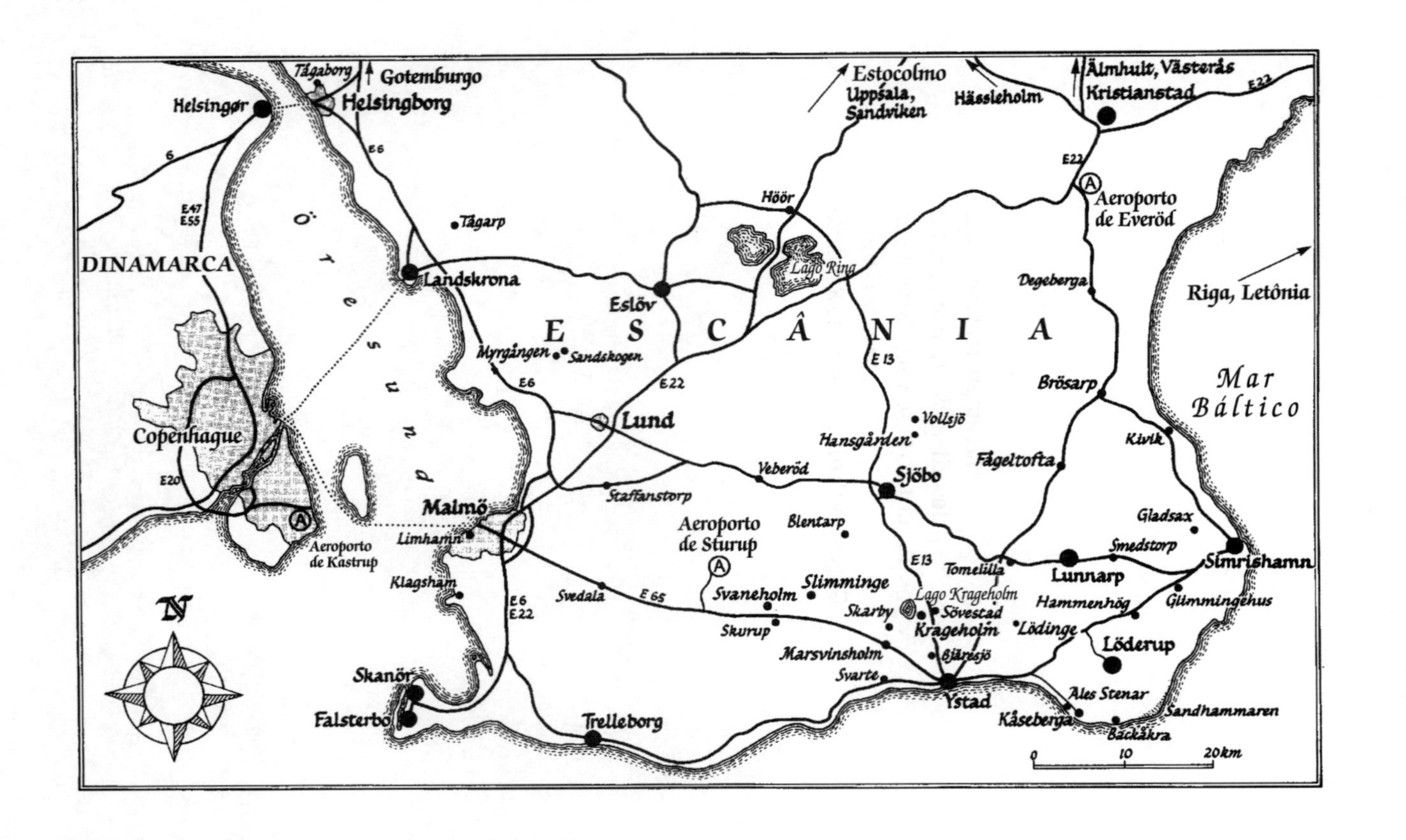

Tågaborg
Gotemburgo
Helsingør
Helsingborg
E6
6
E47
E55
Tågarp
Öresund
DINAMARCA
Landskrona
Eslöv
Höör
Lago Ring
Estocolmo
Uppsala,
Sandviken
Hässleholm
Älmhult, Västerås
Kristianstad
E22
Aeroporto
de Everöd
Degeberga
Riga, Letônia
E S C Â N I A
Myrgången
Sandskogen
E13
Mar
Báltico
Copenhague
Lund
Brösarp
Vollsjö
Hansgården
Kivik
Fågeltofta
E20
Veberöd
Sjöbo
Staffanstorp
Malmö
Aeroporto
de Sturup
Blentarp
Gladsax
Limhamn
Aeroporto
de Kastrup
Smedstorp
Simrishamn
Tomelilla
Lunnarp
Klagshamn
Svedala
E65
Svaneholm
Slimminge
Lago Krageholm
Hammenhög
Glimmingehus
Sövestad
Skarby
Krageholm
Lödinge
Löderup
Skurup
Marsvinsholm
Bjäresjö
Svarte
Skanör
Ystad
Ales Stenar
Sandhammaren
Falsterbo
Trelleborg
Kåseberga
Backåkra
0
10
20km

Prólogo

Parou de chover logo depois das cinco da tarde. O homem agachado ao pé da árvore tirou cuidadosamente o casaco. A chuva não havia durado mais do que meia hora, nem tinha sido forte, mas ele estava encharcado. Teve um acesso de raiva. Não queria se resfriar. Não agora, em pleno verão.

Pôs o casaco no chão e se levantou. Suas pernas estavam rígidas. Balançou uma de cada vez para ativar a circulação, enquanto olhava ao redor à procura de algum sinal de vida. Sabia que as pessoas aguardadas não chegariam antes das oito da noite, o plano era esse. Mas havia sempre a possibilidade, embora remota, de aparecer alguém caminhando por uma das trilhas que serpeavam a reserva natural. Somente isso fugia de seu controle, era o único detalhe que não podia prever. Mesmo assim, não estava preocupado. Era a noite do solstício de verão. Não havia acampamentos ou áreas para piquenique na reserva, e o grupo tinha escolhido o local com muito cuidado. Eles queriam ficar a sós.

O ponto de encontro fora determinado duas semanas antes. A essa altura, ele já seguia esses jovens de perto havia vários meses. Inclusive visitara a reserva assim que a decisão foi tomada, mas fez de tudo para não ser visto enquanto andava por lá.

Ao ver um casal de idosos caminhando em sua direção, se escondeu atrás das árvores até que eles passassem.

Mais tarde, quando descobriu o ponto exato onde seria a comemoração do solstício, se deu conta de que o local era ideal. Ficava num vale, encoberto por vegetação rasteira e espessa e cercado por árvores. A escolha não poderia ter sido melhor — nem para o grupo, nem para ele.

As nuvens carregadas de chuva se dispersaram. O sol apareceu e logo o tempo esquentou. Apesar de ser junho, ainda fazia frio. Os habitantes da Escânia reclamavam desse início de verão, e ele concordava. Sempre concordava. Era a única maneira de driblar os obstáculos da vida, pensou, e escapar das dificuldades e armadilhas que pudessem cruzar seu caminho. Havia aprimorado a arte de concordar.

Olhou para o céu. Não choveria mais. A primavera e o início do verão tinham sido realmente muito frios. Mas agora, no fim da tarde que antecedia o solstício, o sol finalmente apareceu. Será uma bela noite, pensou. E também memorável.

O ar cheirava a grama molhada. Ouviu um som de bater de asas em algum lugar. À esquerda, abaixo da colina, avistava-se o mar. Ficou parado, de pernas abertas. Cuspiu um chumaço de fumo de mascar que começava a se desfazer na boca e enterrou-o na areia com a sola do sapato. Nunca deixava uma pista sequer. Com frequência pensava em largar o fumo. Era um vício, e isso não lhe convinha.

O grupo tinha decidido se encontrar em Hammar. Era o melhor local, já que dois deles viriam de Simrishamn e os outros, de Ystad. Iriam de carro para a reserva natural, estacionariam por lá e andariam até o local escolhido. Por um bom tempo, os amigos não conseguiram chegar a um acordo, as alternativas e propostas foram analisadas várias vezes. Mas quando um deles sugeriu esse local, os outros aprovaram — talvez porque não podiam mais esperar. Uma pessoa do grupo se encarregou da comida, outra foi para Copenhague alugar as fantasias e perucas. Não deram chance ao azar. Levaram em conta até a possibilidade de mau tempo. Às duas da tarde da véspera, um deles pegou uma sacola de pano e enfiou dentro dela uma lona grande impermeável, um rolo de fita adesiva e umas estacas de alumínio velhas. Se chovesse, teriam um abrigo.

Estava tudo a postos. Só havia um pormenor que não poderia ter sido previsto: uma jovem adoeceu — justo a que estava mais entusiasmada com a festa de comemoração do solstício. Ela conhecera os outros havia menos de um ano. Naquela manhã, acordou enjoada. A princípio, achou que estava apenas nervosa, mas duas horas depois, ao meio-dia, começou a vomitar e percebeu que estava com febre. Mesmo assim, esperava que passasse. Porém quando sua carona chegou para buscá-la, ela abriu a porta, com as pernas trêmulas, disse que não se sentia bem e não se juntaria ao grupo.

Então, pouco antes das sete e meia da noite, apenas três deles se reuniram em Hammar. Mas não permitiram que isso estragasse seus planos. Tinham experiência, sabiam que percalços assim eram normais.

Estacionaram os carros na entrada da reserva, pegaram suas cestas e se embrenharam pela mata. Um deles julgou ter ouvido, ao longe, o som de um acordeão. Fora isso, só havia o canto dos pássaros e o barulho do mar à distância.

Quando chegaram ao local, tiveram certeza de que haviam feito a escolha certa. Não seriam perturbados até o amanhecer.

Não havia uma nuvem no céu. A noite do solstício seria clara e bela. Eles tinham começado a organizar os preparativos da festa no início de fevereiro, quando sentiam falta das noites claras de verão. Tinham bebido muito vinho e discutiram longamente sobre o significado preciso da palavra “crepúsculo”. Quando é que esse momento exato, entre luz e sombra, acontece? Como é possível descrever com exatidão uma paisagem crepuscular? O que conseguimos ver de fato quando a luz passa por esse obscuro estado transiente de penumbra? Não tinham conseguido chegar a um consenso. A questão do crepúsculo não foi resolvida. Mas começaram a planejar a festa naquela noite.

Os jovens chegaram ao local e colocaram suas cestas de piquenique no chão. Depois se separaram e trocaram de roupa atrás dos arbustos, equilibrando pequenos espelhos de maquiagem nos galhos para verificar se as perucas estavam bem colocadas.

Nenhum deles percebeu o homem que observava seus preparativos ao longe. Ajeitar a peruca foi a parte mais fácil; difícil foi vestir os espartilhos, enchimentos e anáguas, enquanto arrumavam a gravata e os babados, além de aplicar as camadas espessas de pó de arroz. Cada detalhe tinha que ser perfeito. Era apenas um jogo, mas eles levavam a sério.

Às oito da noite, saíram de trás dos arbustos e se entreolharam. Foi um momento de tirar o fôlego. Mais uma vez, haviam abandonado sua própria época para ingressar em outra. Agora mergulhavam no tempo de Bellman, o orgiástico poeta do século XVIII.

Aproximaram-se e desataram a rir. Mas não tardaram a recobrar a compostura. Estenderam uma grande toalha, abriram as cestas e puseram para tocar uma gravação com várias interpretações das peças mais famosas do repertório de Bellman, as *Epístolas de Fredman*. Assim, a festa começou.

Disseram uns aos outros que, quando o inverno chegasse, eles recordariam daquela noite. Era mais um segredo que partilhavam.

À meia-noite, ele ainda não havia se decidido. Sabia que dispunha de tempo de sobra. Os jovens ficariam até o amanhecer. Talvez até ficassem mais e dormissem durante toda a manhã. Conhecia o plano deles nos mínimos detalhes, o que lhe dava uma sensação de poder sem limites. Só ele, que tinha o controle da situação, poderia escapar.

Logo depois das onze, percebeu pelas vozes que os três já

estavam bêbados, e mudou cuidadosamente de posição. Tinha escolhido o seu ponto de partida durante a primeira visita que fizera ao local: um pouco acima da colina, onde a vegetação era densa. De lá, ele tinha uma visão panorâmica de tudo o que se passava na toalha azul-clara e poderia se aproximar sem ser visto. De tempos em tempos, os jovens se levantavam para se aliviar. Ele observava cada movimento.

Passava da meia-noite. Continuava à espera. Um detalhe o fazia hesitar. Tinha alguma coisa errada: o grupo deveria ter quatro pessoas; uma moça não apareceu. Ele especulou sobre as possíveis causas da ausência. Não havia explicação. Algum imprevisto. Será que a jovem havia mudado de ideia? Será que estava doente?

Ouvia a música e os risos. Às vezes, se imaginava sentado com eles na toalha azul-clara, com uma taça de vinho na mão. Mais tarde, ele experimentaria uma das perucas. Talvez também uma das fantasias? Havia tantas coisas que poderia fazer. As possibilidades eram infinitas. Não teria mais poder sobre eles, mesmo que ficasse invisível.

Continuou à espera. Os risos aumentavam e diminuíam. Em algum lugar, por cima de sua cabeça, passou uma ave noturna.

Às três e dez da madrugada, não podia mais esperar. Tinha chegado o momento, a hora que havia escolhido. Não se recordava da última vez que usara um relógio. Sentia o tique-taque contínuo das horas e dos minutos dentro do seu corpo. Tinha um relógio interno e estava sempre no horário.

Lá embaixo, sobre a toalha azul-clara, o silêncio reinava. Estavam deitados, abraçados uns aos outros, ouvindo a música. Não sabia se os jovens dormiam, mas estavam tão absortos que não perceberam que ele estava em pé, atrás deles.

Tirou o revólver com silenciador do bolso de seu casaco. Olhou de relance ao redor, então caminhou furtivamente até a árvore localizada logo atrás do grupo e parou por alguns segundos. Ninguém percebeu nada. Deu mais uma olhada em volta. Não havia vivalma. Estavam sozinhos.

Avançou e atirou na cabeça de cada um dos jovens. Não conseguiu evitar que o sangue espirrasse nas perucas brancas. Tudo aconteceu tão rápido que mal teve tempo de registrar o que se passava. Mas agora eles jaziam mortos a seus pés, ainda abraçados uns aos outros, como estavam segundos antes.

Desligou a música e escutou. Os pássaros cantavam. Olhou de novo em volta. Não havia mais ninguém, é claro. Guardou a arma e estendeu um guardanapo por cima da toalha. Ele nunca deixava uma pista sequer.

Sentou-se no guardanapo e contemplou os jovens que há pouco riam e agora estavam mortos. A paisagem idílica ficou intacta, pensou. A única diferença é que agora eles eram quatro, como fora planejado.

Serviu-se de vinho. Normalmente não bebia, mas agora não podia resistir. Depois experimentou uma das perucas. E comeu qualquer coisa — não estava com fome.

Às três e meia da madrugada, levantou-se. Ainda tinha muita coisa para fazer. Os primeiros visitantes da reserva normalmente chegavam cedo. Na eventualidade remota de alguém se afastar da trilha e ir até o vale, não encontraria nenhum vestígio. Pelo menos não por enquanto.

A última coisa que fez antes de deixar o local foi revistar as bolsas e roupas das vítimas. Descobriu o que procurava: os três tinham levado o passaporte. Guardou-os no bolso do casaco. Naquele mesmo dia, mais tarde, seriam queimados.

Olhou ao redor pela última vez. Pegou uma pequena câmera do bolso e tirou uma foto.

Só uma. Era como se contemplasse uma pintura de um piquenique do século XVIII, mas alguém havia manchado o quadro com sangue.

Era madrugada do solstício de verão. Sábado, 22 de junho de 1996. Seria um belo dia. Finalmente, o verão tinha começado na Escânia.

PRIMEIRA PARTE

1.

Na quarta-feira, 7 de agosto de 1996, Kurt Wallander quase morreu num acidente de carro na zona leste de Ystad. Era cedo, pouco depois das seis da manhã. Ele estava no carro, atravessando Nybrostrand, a caminho de Österlen. De repente, um caminhão apareceu na frente de seu Peugeot. Ele ouviu a buzina estridente enquanto girava o volante para o lado.

Parou no acostamento e só então foi tomado pelo medo. Seu coração palpitava. Ficou tonto e sentiu um mal-estar, como se fosse desmaiar. Segurou firme o volante. Só quando se acalmou, entendeu o que acontecera: ele havia cochilado enquanto dirigia. Caiu no sono o tempo suficiente para que seu carro fosse parar na outra pista. Mais um segundo e teria morrido, esmagado por um caminhão pesado.

Sentiu um vazio ao tomar consciência do que se passara. Lembrou-se de um episódio ocorrido anos antes, quando quase atropelou um alce perto de Tingsryd. Mas daquela vez o dia estava escuro e havia neblina na estrada. Agora tinha cochilado ao volante.

A fadiga. Ele não entendia por quê. O cansaço surgiu inesperadamente, pouco antes do início de suas férias, em junho. Tinha resolvido tirar férias mais cedo, mas choveu ininterruptamente. Só quando voltou a trabalhar, pouco depois do solstício de verão, é que o tempo melhorou na Escânia. O cansaço persistia. Sempre que se sentava, acabava cochilando. Mesmo depois de uma longa noite ininterrupta de sono, tinha dificuldade de sair da cama. Frequentemente tinha que parar o carro para tirar uma soneca.

Sua filha Linda percebera a falta de energia do pai durante a semana em que estiveram juntos na ilha de Gotland. Eram os últimos dias de férias e eles se hospedaram numa pousada em Burgsvik. Passaram o dia explorando a extremidade sul da ilha e jantaram numa pizzaria antes de retornar à pousada. A noite tinha sido especialmente bela.

Ela perguntou categoricamente sobre o seu cansaço. Ele estudou o rosto da filha à luz de querosene e percebeu que a pergunta fora premeditada, mas ignorou. Não havia nada de errado. Era de esperar que usaria boa parte de suas férias para colocar o sono em dia. Linda não perguntou mais nada. Mas Wallander sabia que a filha não tinha acreditado nele.

Agora não podia mais ignorar aquilo. Seu cansaço não era normal, alguma coisa estava errada. Parou para pensar e se indagou se tinha mais algum sintoma que pudesse ser um sinal de doença. Às vezes, acordava no meio da noite com cãibra, mas fora isso não sentia nada. Sabia o quanto estivera perto da morte. Não podia mais adiar; naquele mesmo dia, marcaria uma consulta com seu médico.

Ligou o motor, abriu os vidros e partiu. Embora já estivessem em agosto, o calor era intenso. Wallander estava a caminho da casa de seu pai, em Löderup. Por mais vezes que percorresse aquela estrada, não conseguia aceitar que não encontraria mais o pai sentado no ateliê, eternamente impregnado de aguarrás, diante do cavalete em que pintava seus quadros, sempre com o mesmo tema: uma paisagem serena, com ou sem uma ave de caça em primeiro plano, e um sol suspenso por um fio invisível acima das árvores.

Fazia quase dois anos que recebera o telefonema de Gertrud para dizer que encontrara seu pai caído no chão do ateliê, morto. Ainda se lembrava — com uma clareza fotográfica — do trajeto que fizera até Löderup, sem conseguir acreditar que fosse verdade. Mas as dúvidas se dissiparam por completo quando avistou Gertrud no quintal. Ele sabia o que o esperava.

Dois anos se passaram num piscar de olhos. Sempre que podia, mas não tanto quanto deveria, visitava Gertrud, que continuava morando na casa de seu pai. Depois de um ano, eles começaram, de fato, a limpar o ateliê. Encontraram trinta e dois quadros acabados. Uma noite, em dezembro de 1995, eles se sentaram à mesa da cozinha de Gertrud e fizeram uma lista das pessoas a quem dariam os quadros. Wallander ficou com dois, um com a ave de caça e outro sem. Linda ficaria com um e Mona, a ex-mulher dele, com outro. Para sua surpresa — e decepção —, sua irmã Kristina não quis nenhum quadro. Gertrud já tinha vários, então sobraram vinte e oito para dar de presente. Depois de hesitar um pouco, Wallander enviou um quadro para um detetive em Kristianstad, com quem mantinha um contato esporádico. Mas depois de se desfazer de vinte e três quadros, entre eles um para cada parente de Gertrud, ainda sobraram cinco.

Wallander não sabia o que fazer com eles. Nunca teria coragem de queimá-los. Tecnicamente eles pertenciam a Gertrud, mas ela insistira para que ele e Kristina ficassem com as telas. Afinal, ela aparecera bem tarde na vida de seu pai.

Wallander já passara da entrada para Kåseberga, não tardaria a chegar. Pensava na tarefa que tinha pela frente. Numa noite de maio, quando ele e Gertrud passeavam ao longo da trilha de tratores que separava os campos de linhaça, ela lhe disse que não queria mais viver na casa de seu pai. Sentia-se muito só.

“Eu preciso partir antes que ele comece a me assombrar”, disse a viúva.

Instintivamente, Wallander compreendeu o que ela queria dizer. Talvez ele também reagisse da mesma forma. Enquanto caminhavam pelos campos, Gertrud pediu-lhe que a ajudasse a vender a casa. Não havia pressa; poderia esperar até o fim do verão, mas gostaria de se mudar antes do outono. Sua irmã, que vivia no subúrbio de Rynge, perdera o marido recentemente e queria que ela se mudasse para lá.

Agora era o momento. Wallander tirou um dia de folga. O corretor de Ystad chegaria às nove da manhã, e juntos acertariam um preço de venda razoável. Antes disso, Gertrud e ele encaixotaram os últimos pertences de seu pai. Haviam terminado de empacotar o resto na semana anterior. Martinsson, um de seus colegas, levou seu reboque e fizeram várias viagens ao depósito de lixo, nos arredores de Hedeskoga. Wallander sentiu um mal-estar. Parecia-lhe que os vestígios da vida de uma pessoa inevitavelmente acabariam no depósito de lixo mais próximo.

Tudo o que agora restava do pai — além das lembranças — eram umas fotografias, cinco quadros e algumas caixas com cartas e documentos velhos. Nada mais. Sua vida acabara, e todas as providências haviam sido tomadas.

Wallander pegou a estrada que conduzia à casa do pai. Avistou Gertrud, que o esperava no quintal. De modo surpreendente, percebeu que ela estava com o mesmo vestido que usara no dia do casamento. De súbito, sentiu um nó na garganta. Era um momento solene para aquela senhora: estava deixando sua casa.

Beberam um café na cozinha, onde se viam as prateleiras vazias atrás das portas entreabertas dos armários. A irmã de Gertrud viria buscá-la naquele dia. Wallander ficaria com uma cópia da chave e daria a outra para o corretor. Juntos examinaram o conteúdo de duas caixas. No meio das cartas velhas, Wallander se surpreendeu ao descobrir um par de sapatos de criança, que pareciam recordar-lhe a infância. Será que o pai os guardara durante aqueles anos todos?

Carregou as caixas até o carro. Quando fechou a porta, viu Gertrud na escada, sorrindo.

“Sobraram cinco quadros. Você não se esqueceu deles, não é?”

Wallander fez que não. Foi até o ateliê do pai. A porta estava aberta. Embora tivessem feito uma boa limpeza, o cheiro de aguarrás persistia. A panela que o pai usava para fazer as infindáveis xícaras de café continuava em cima do fogão.

Possivelmente, esta é a última vez que venho aqui, pensou. Ao contrário de Gertrud, não me arrumei para a ocasião. Estou vestindo minhas roupas velhas e largas. E se a sorte não estivesse ao meu lado, estaria morto como meu pai. Linda teria que levar meus últimos pertences para o depósito de lixo. No meio das minhas coisas, ela encontraria dois quadros, um deles com uma ave de caça no primeiro plano.

O lugar lhe dava medo. O pai continuava naquele ateliê escuro. As pinturas estavam encostadas numa parede. Então levou os quadros até o porta-malas do carro e os cobriu com um cobertor. Gertrud continuava na escada.

"Tem mais alguma coisa?", ela perguntou.

Wallander meneou a cabeça. "Não tem mais nada", respondeu. "Nada."

Às nove da manhã, o carro do corretor imobiliário parou no quintal. Para seu espanto, Wallander reconheceu o homem que saiu de dentro do automóvel. Seu nome era Robert Åkerblom. Alguns anos antes, a mulher dele fora brutalmente assassinada, e o corpo jogado num poço desativado. Aquela tinha sido uma das investigações mais horripilantes e difíceis de sua carreira.

Franziu o cenho. Decidira contatar uma agência imobiliária grande, com escritórios espalhados pela Suécia. A empresa de Åkerblom, se é que ainda existia, não pertencia a essa agência. Wallander pensava ter ouvido que talvez tivesse sido fechada pouco depois do assassinato de Louise Åkerblom.

Ele se aproximou da escada. O homem não havia mudado, estava exatamente como Wallander se lembrava. No primeiro encontro, na delegacia, ele caíra em prantos. Sua preocupação e tristeza pela perda da esposa eram sinceras. O detetive lembrava que eles eram membros de uma Igreja evangélica. Metodista, para ser mais preciso.

Cumprimentaram-se com um aperto de mão. "Voltamos a nos encontrar", Robert Åkerblom disse.

Sua voz soava familiar. Por um momento, Wallander ficou confuso. O que deveria dizer? Mas Åkerblom tomou a iniciativa.

"Ainda sofro com a perda dela tanto quanto sofri na época", disse devagar. "Mas para as minhas filhas é ainda pior."

Wallander lembrava-se das duas meninas. Elas eram tão pequenas que não tinham como entender o que realmente havia acontecido.

"Deve ser duro", disse. Por um instante, receou que se repetisse o que houve no último encontro: que o viúvo começasse a chorar. Mas não aconteceu.

"Tentei continuar tocando meu negócio", disse Åkerblom, "mas eu não tinha mais forças. Quando me ofereceram uma vaga numa agência concorrente, aceitei. Nunca me arrependi. Não preciso mais ficar até tarde examinando a contabilidade e posso passar mais tempo com as meninas."

Gertrud se juntou a eles e os três retornaram à casa. Åkerblom fez algumas anotações e tirou fotos. Depois tomaram um café na cozinha. O preço sugerido pelo corretor era mais baixo do que Wallander esperava, mas depois ele se deu conta de que era três vezes o que o pai pagara pela propriedade.

Åkerblom partiu pouco depois das onze horas. Wallander cogitou ficar até a irmã de Gertrud chegar para buscá-la, mas ela pareceu ler seus pensamentos e disse que não se importava de esperar sozinha.

"O dia está bonito", disse ela, "o verão finalmente chegou, apesar de já estar quase no final. Vou me sentar no jardim."

"Se quiser, eu fico. Estou de folga hoje."

Gertrud fez que não com a cabeça. "Venha me visitar em Rynge", ela disse. "Mas espere algumas semanas até eu me instalar."

Wallander entrou no carro e partiu em direção a Ystad. Decidiu ir direto para casa e marcar uma consulta com seu médico. Depois reservaria um horário para lavar as roupas na lavanderia do prédio e faria uma faxina em seu apartamento. Como não estava com pressa, escolheu o caminho mais longo. Gostava de dirigir, contemplando a paisagem e deixando a imaginação correr solta. Tinha acabado de passar por Valleberga quando o telefone tocou. Era Martinsson. Wallander parou no acostamento.

"Tentei falar com você a manhã toda", disse Martinsson. "É claro que ninguém me disse que você estava de folga hoje. Sabia que a sua secretária eletrônica não funciona?"

Wallander sabia que a secretária às vezes travava. Logo percebeu que tinha acontecido alguma coisa. Embora fosse policial havia muitos anos, a sensação era sempre a mesma: o estômago travava e ele prendia a respiração.

"Estou ligando do escritório do Hansson", disse Martinsson. "A mãe da Astrid Hillström está aqui e quer falar com você."

"Quem?"

"Astrid Hillström. Uma das jovens que sumiu. É a mãe dela."

Wallander lembrou então a quem ele se referia.

"O que ela quer?"

"Ela está muito preocupada. Sua filha lhe enviou um postal de Viena."

Wallander franziu a testa. "O fato de a filha finalmente escrever não é uma boa notícia?"

"Ela tem certeza de que a filha não escreveu o postal. Está preocupada e diz que não estamos fazendo nada."

"Como é que podemos fazer alguma coisa se parece que não aconteceu nenhum crime e tudo indica que eles partiram de férias por livre e espontânea vontade?"

Martinsson levou um tempo para responder. "Não sei exatamente por quê", disse. "Mas tenho a sensação de que há alguma coisa no que ela diz. Talvez haja."

Wallander imediatamente deu mais atenção ao colega. Com o passar dos anos, aprendera a levar a sério os palpites de Martinsson. Na maioria dos casos, ele estava certo.

"Você quer que eu vá aí?"

"Não, mas acho que eu, você e Svedberg deveríamos nos reunir amanhã cedo para discutir o caso."

"A que horas?"

"Que tal às oito? Eu aviso o Svedberg."

Wallander desligou e continuou sentado por um instante, observando o trator arando o campo. Pensou no que Martinsson havia dito. Ele próprio tinha falado várias vezes com a mãe de Astrid Hillström. Recapitulou mentalmente todos os acontecimentos. Alguns dias depois do solstício de verão, foi comunicado o desaparecimento de um grupo de jovens. Aconteceu logo após seu regresso das férias chuvosas. Examinou o caso com alguns colegas. Duvidara, desde o início, que tivesse acontecido um crime e, três dias mais tarde, chegou um cartão-postal de Hamburgo com uma foto da estação de trem. Wallander recordava a mensagem, palavra por palavra: *Vamos viajar pela Europa. Só devemos voltar em meados de agosto.*

Hoje era quarta-feira, 7 de agosto. Não tardariam a voltar para casa. Agora havia outro postal de Viena, enviado por Astrid Hillström. O primeiro fora assinado pelos três. Os pais reconheceram as assinaturas. A mãe de Astrid hesitara, mas acabou se deixando convencer pelos outros.

Wallander olhou de relance pelo retrovisor e arrancou em direção à estrada. Talvez o pressentimento de Martinsson estivesse correto.

Ele estacionou na Mariagatan e carregou as caixas e as cinco telas para o apartamento. Em seguida se sentou ao lado do telefone e ligou para o seu médico. Ouviu a mensagem da secretária eletrônica dizendo que ele estava de férias e só voltaria no dia 12 de agosto. Wallander questionou se deveria esperar até lá, mas não conseguiu afastar a ideia do quanto estivera perto da morte naquela manhã. Ligou para outro médico e conseguiu marcar uma consulta para as onze horas do dia seguinte. Reservou horário na lavanderia do prédio e começou a limpar o apartamento. Quando terminou de arrumar o quarto, estava completamente exausto. Passou o aspirador no chão da sala e depois o guardou. Deixou as caixas e pinturas no quarto que Linda usava durante suas visitas esporádicas. Bebeu três copos de água na cozinha e se perguntou por que estava tão sedento e cansado. Qual seria a causa?

Já passava do meio-dia e Wallander percebeu que estava com fome. Uma olhadela na geladeira foi o suficiente para perceber que não tinha quase nada. Vestiu o casaco e saiu. O dia estava bonito. Enquanto caminhava em direção ao centro da cidade, examinou os valores das propriedades nas vitrines de três agências imobiliárias e concluiu que o preço sugerido por Robert Åkerblom era justo. Não obteriam mais do que trezentas mil coroas pela casa de Löderup.

Parou num quiosque, comeu um hambúrguer e tomou duas garrafas de água mineral. Depois foi à sapataria de um conhecido seu e usou o banheiro. Quando voltou à rua, não sabia o que fazer. Achava que deveria usar seu dia de folga para ir às compras. Não tinha comida em casa, mas estava sem ânimo para voltar, pegar o carro e dirigir até o supermercado.

Assim que saiu de Hamngatan, atravessou os trilhos dos trens e virou na Spanienfararegatan. Quando chegou à beira-mar, passeou ao longo do cais e contemplou os barcos a vela, imaginando como seria velejar. Nunca tinha experimentado. Sentiu vontade de urinar novamente e usou o banheiro do café do porto. Bebeu outra garrafa de água mineral e se sentou num banco da praia, em frente ao prédio vermelho da Guarda Costeira.

A última vez que tinha estado ali fora no inverno, na noite em que Baiba partiu. Já estava escuro quando a levou ao aeroporto de Sturup, e o vento fazia os flocos de neve rodopiarem à luz dos faróis. Ficaram sentados em silêncio. Depois de vê-la desaparecer no portão de embarque, regressou a Ystad e sentou no mesmo banco. O vento estava gelado e forte, mas continuou ali; então se deu conta de que estava tudo acabado. Ele não veria Baiba de novo. A separação era definitiva.

* * *

Baiba veio a Ystad em dezembro de 1994. Wallander perdera o pai havia pouco tempo e tinha acabado de concluir uma das investigações mais difíceis de sua carreira. Mas naquele outono, pela primeira vez em muitos anos, o inspetor também começou a fazer planos para o futuro. Decidiu sair da rua Mariagatan, se mudar para o campo e arranjar um cachorro. Chegou inclusive a visitar um canil à procura de um filhote de labrador. Ia começar do zero. E o mais importante de tudo: queria que Baiba fosse viver com ele. Ela o visitou no Natal, e Wallander notou como a namorada e a filha se deram bem. Contudo, na véspera do Ano-Novo de 1995, poucos dias antes de ela retornar à Riga, eles conversaram seriamente sobre o futuro. Talvez Baiba pudesse se mudar para a Suécia definitivamente no próximo verão. Começaram a procurar um lugar para morar. Foram várias vezes ver uma casa nos arredores de Svenstorp, num loteamento de uma antiga fazenda. Mas depois, numa noite de março, quando Wallander já estava na cama, ela ligou para ele de Riga e disse que tinha dúvidas, que não queria se casar e se mudar para a Suécia — pelo menos não por enquanto. Ele achava que iria convencê-la, porém a conversa acabou numa discussão desagradável. Era a primeira vez que brigavam e, depois disso, ficaram sem se falar por um mês. Finalmente, Wallander ligou para ela e decidiram que ele iria para Riga no verão. Passaram duas semanas perto do mar, numa casa velha emprestada por um dos colegas dela da universidade.

Deram longos passeios pela praia e Wallander resolveu esperar que Baiba abordasse os planos para o futuro. Mas quando ela finalmente tocou no assunto, foi de maneira vaga e descompromissada. Não agora, ainda não. Por que as coisas não podiam continuar como estavam?

Quando Wallander regressou à Suécia, estava deprimido e não sabia em que pé tudo estava. Não se viram durante todo o outono. Tinham conversado, feito planos, considerado várias alternativas, mas nada se concretizou. Sentiu ciúmes. Será que ela tinha outro homem em Riga? Um homem que ele não conhecia? Em várias ocasiões, ele telefonou no meio da noite e, embora ela insistisse que estava sozinha, ele tinha a nítida sensação de que estava acompanhada.

Baiba foi passar o Natal em Ystad naquele ano. Linda passou a véspera de Natal com eles antes de viajar para a Escócia com seus amigos. E foi então, uns dias antes do Ano-Novo, que Baiba disse a Wallander que nunca poderia viver na Suécia. Tinha ruminado por muito tempo essa hipótese, mas agora não havia dúvidas: ela não queria perder o emprego na universidade. O que faria na Suécia, ainda mais em Ystad? Poderia, talvez, trabalhar como intérprete. Mas o que mais? Wallander tentou, em vão, convencê-la a mudar de ideia. Porém sem dizer explicitamente, ambos sabiam que estava tudo acabado. A relação de quatro anos não tinha nenhum futuro. Wallander passou o resto daquela noite de inverno no banco gelado, sentindo-se mais abandonado do que nunca. De repente, foi invadido por uma nova sensação. Alívio. Pelo menos agora sabia em que pé estavam as coisas.

Uma lancha partiu do cais a toda velocidade. Wallander se levantou. Precisava ir ao banheiro de novo.

Eles se telefonavam de tempos em tempos, mas aos poucos isso também acabou. Fazia seis meses que não se comunicavam. Um dia, quando ele e Linda passeavam por Visby, ela lhe perguntou se a relação com Baiba tinha realmente terminado.

"Sim", ele respondeu. "Acabou."

Ela esperou que ele continuasse.

"Acho que nenhum dos dois queria realmente terminar", ele disse. "Mas era inevitável."

Quando chegou em casa, deitou-se no sofá para ler o jornal e adormeceu quase de imediato. Uma hora depois acordou sobressaltado, no meio de um sonho. Estava em Roma na companhia do pai e de Rydberg, mas havia também umas criaturas pequenas, parecidas com anões, que insistiam em beliscar suas pernas.

Estou sonhando com os mortos, pensou. O que será que significa isso? Sonho quase todas as noites com meu pai, e ele morreu. Quanto a Rydberg, meu velho colega de trabalho e amigo, que me ensinou tudo o que sei, também já se foi. Morreu faz quase cinco anos.

Levantou-se e foi até a varanda. A noite estava quente e calma. As nuvens começavam a se aglomerar no horizonte. Então, percebeu o quanto estava só. Com exceção de Linda, que vivia em Estocolmo e só o via de vez em quando, praticamente não tinha amigos. As pessoas com quem passava a maior parte do tempo eram seus colegas, mas nunca os via fora do trabalho.

Foi até o banheiro e lavou o rosto. Olhou-se no espelho e notou que estava bronzeado, mas com a aparência cansada. O seu olho esquerdo estava vermelho. Estava mais calvo. Subiu na balança e percebeu que pesava dois quilos a menos do que no início do verão, porém ainda estava muito acima do peso.

O telefone tocou. Era Gertrud.

"Eu só queria avisar que cheguei em Rynge. Correu tudo bem."

"Estava pensando em você", disse Wallander. "Eu devia ter ficado com você."

"Acho que eu precisava ficar sozinha com minhas recordações. Mas tudo vai correr bem aqui. Minha irmã e eu nos damos bem. Aliás, sempre foi assim."

"Vou te visitar daqui a uma ou duas semanas."

Assim que ele desligou, o telefone voltou a tocar. Dessa vez era sua colega Ann-Britt Höglund.

"Só queria saber como foi", ela disse.

"Como foi o quê?"

"Você não ia encontrar o corretor e conversar sobre a venda da casa do seu pai?"

Wallander lembrou-se de que havia lhe contado sobre a venda no dia anterior.

"Foi tudo bem", ele disse. "Se quiser, pode comprar a casa por trezentas mil coroas."

"Eu nem sequer conheço o imóvel", ela respondeu.

"É uma sensação estranha", ele disse. "A casa está tão vazia agora. Gertrud se mudou e alguém vai comprá-la. Provavelmente será usada como casa de verão. Outras pessoas viverão lá e nunca saberão nada sobre meu pai."

"Todas as casas têm fantasmas", ela disse. "Exceto as mais novas."

"O cheiro de aguarrás vai levar algum tempo pra desaparecer", disse Wallander. "Mas quando evaporar, não haverá nenhum vestígio das pessoas que viveram lá."

"É muito triste."

"É a vida. Até amanhã. Obrigado por ter ligado."

Wallander foi à cozinha para beber água. Höglund era uma pessoa atenciosa, recordava-se das coisas. Se estivesse no seu lugar, ele jamais teria pensado em ligar para um colega.

Já eram sete da noite. Fritou umas salsichas e batatas, depois comeu em frente à TV. Ficou zapeando, mas não achou nenhum programa interessante. Em seguida, tomou uma xícara de café e foi para a varanda. Assim que o sol se pôs, começou a esfriar, e ele voltou para dentro de casa.

Passou o resto da noite examinado as coisas que trouxera da casa do pai. No fundo de uma das caixas havia um envelope pardo. Abriu-o e encontrou umas fotografias antigas e desbotadas. Não se recordava de já tê-las visto. Ele aparecia em uma das fotos, devia ter um uns quatro ou cinco anos e estava agachado no capô de um carro americano grande. O pai estava em pé, ao seu lado, para evitar que ele caísse.

Levou a foto até a cozinha e tirou uma lupa da gaveta.

Nós sorríamos, pensou. Estou olhando direto para a lente e radiante de orgulho. Pude sentar no carro de um dos marchands, um dos homens que compravam os quadros de meu pai por um preço exorbitante. Meu pai também está sorrindo, mas olhando pra mim.

Wallander ficou sentado por um bom tempo, contemplando a foto, que trazia à tona um passado distante e intangível. Houve um tempo em que existia cumplicidade entre eles, mas tudo mudou quando decidiu se tornar policial. Durante os últimos anos de vida do pai, eles foram gradualmente refazendo a proximidade que tinham perdido.

Mas nunca voltou a ser como antes, pensou Wallander. Nada se comparava à época em que eu estava sentado, sorrindo no capô brilhante do Buick. Em Roma, estivemos mais próximos, porém nada que se assemelhasse a isso.

Wallander prendeu a foto na porta da cozinha. Voltou para a varanda. As nuvens estavam mais perto agora. Sentou-se na frente da TV e assistiu ao final de um filme antigo.

À meia-noite, foi para a cama. Tinha uma reunião com Svedberg e Martinsson no dia seguinte, e também iria ao médico. Ficou acordado no escuro por um bom tempo. Dois anos antes, pensara em se mudar do apartamento da Mariagatan. Sonhara em ter um cachorro e viver com Baiba, mas não deu em nada. Nem Baiba, nem a casa, nem o cachorro. Ficou tudo na mesma.

Alguma coisa tem que acontecer, pensou. Algo que me faça voltar a sonhar com o futuro.

Eram quase três da manhã quando ele finalmente adormeceu.

2.

No início da manhã, as nuvens começavam a se dispersar. Às seis horas, Wallander já estava acordado. Tinha voltado a sonhar com o pai — imagens desconectadas e fragmentadas projetadas pelo seu subconsciente, em que ora aparecia criança, ora adulto. Uma história sem coerência. Recordar dos sonhos era como tentar seguir um navio no meio do nevoeiro.

Levantou-se, tomou uma ducha e bebeu um café. Quando saiu do prédio, percebeu que o calor do verão continuava e tudo estava mais calmo do que o habitual. Pegou o carro e foi até a delegacia. Ainda não eram sete horas, e os corredores estavam vazios. Tomou mais um café e foi até sua sala. Pela primeira vez, a mesa dele estava sem nenhuma pasta, e tentou se lembrar de quando tivera tão pouco a fazer. Nos últimos anos, sua carga de trabalho parecia aumentar na mesma proporção em que diminuíam os recursos da força policial. As investigações eram feitas às pressas, quando não eram simplesmente ignoradas. Um inquérito preliminar na maior parte das vezes significava que uma suspeita de crime ficaria arquivada. Wallander tinha certeza de que isso não aconteceria se eles tivessem mais tempo e uma equipe maior.

O crime compensa? A velha questão continuava sendo debatida. Mesmo os que achavam que sim tinham dificuldade para identificar o momento exato em que o jogo virara. Wallander estava convencido de que o problema aumentava mais do que nunca na Suécia. Os criminosos envolvidos em tramoias financeiras pareciam viver num paraíso fiscal, enquanto o sistema judicial dava a impressão de ter se rendido completamente.

Wallander discutia com frequência esses problemas com os colegas. Sabia que a população estava com medo do que se passava na Suécia. Gertrud sempre comentava. Os vizinhos, que ele encontrava na lavanderia do prédio, também falavam sobre isso. Ele sabia que o medo que sentiam era justificado. Mas nada indicava que medidas preventivas estavam sendo tomadas. Pelo contrário, os cortes de pessoal na força policial e no judiciário continuavam. O inspetor tirou o casaco, abriu a janela e ficou olhando para a velha torre de abastecimento de água.

Nos últimos anos, a Suécia assistia ao aparecimento de novos grupos de vigilantes, como a Guarda Civil. Wallander temia essa tendência. Quando o sistema judicial para de funcionar, a mentalidade de linchamento das massas toma conta. Fazer justiça com as próprias mãos acaba virando um ato normal.

Ele ficou em pé, parado na janela imaginando quantas armas ilegais estariam circulando pela Suécia. E se perguntou quantas haveria em mais um ano ou dois.

Sentou-se à escrivaninha. A porta estava entreaberta, ele ouvia vozes e uma mulher rindo no corredor. Wallander sorriu. Era a chefe de polícia, Lisa Holgersson, que substituíra Björk alguns anos antes. Muitos colegas resistiram à ideia de uma mulher ocupar um cargo tão alto, mas Wallander logo aprendeu a respeitá-la.

O telefone tocou. Era Ebba, a recepcionista.

"Correu tudo bem?", ela perguntou.

Wallander percebeu que ela se referia ao dia anterior. "A casa ainda não foi vendida, é claro, mas tenho certeza de que vai dar certo."

"Liguei para saber se você teria tempo de receber um grupo de visitantes hoje, às dez e meia da manhã."

“Visitantes nesta época do ano?”

“É um grupo de oficiais da Marinha aposentados que se reúne todos os anos aqui na Escânia no mês de agosto. Eles fundaram uma associação chamada Ursos do Mar.”

Wallander se lembrou da consulta médica. “Infelizmente, você vai ter que achar outra pessoa”, ele respondeu. “Estarei ausente das dez e meia ao meio-dia.”

“Então vou pedir à Ann-Britt. Acho que os velhos capitães vão gostar de falar com uma mulher.”

“Ou talvez não gostem nem um pouco.”

Já eram oito horas. Até então só tinha conseguido balançar a cadeira e olhar pela janela. O cansaço havia debilitado seu corpo, e ele estava preocupado com o que o médico iria dizer. Será que o cansaço e as cãibras eram sintomas de uma doença grave?

Levantou-se da cadeira e foi até uma das salas de reunião. Martinsson já estava lá, todo barbeado, penteado e bronzeado. Wallander recordou-se da época, há dois anos, em que Martinsson quase abandonou a carreira. Sua filha fora agredida no pátio do colégio porque o pai era policial. Mas ele resolveu segurar as pontas e continuar. Para Wallander, ele seria sempre o jovem que acabara de se juntar à força, apesar de já estar trabalhando em Ystad há mais tempo do que a maioria dos colegas.

Sentaram-se e falaram do clima. Depois de cinco minutos, Martinsson perguntou: “Que diabo aconteceu com o Svedberg?”.

A pergunta tinha razão de ser, pois Svedberg era conhecido por sua pontualidade.

“Você falou com ele?”

“Ele já tinha saído quando liguei. Mas deixei uma mensagem na secretária eletrônica.”

Wallander apontou para o telefone que estava em cima da mesa.

“Talvez fosse bom você ligar pra ele de novo.”

Martinsson discou o número.

“Onde você está?”, perguntou. “Estamos te esperando.”

Pôs o fone no gancho. “Só cai na secretária eletrônica.”

"Deve estar a caminho", disse Wallander. "Vamos começar sem ele."

Martinsson folheou uma pilha de documentos. Retirou um cartão-postal e o entregou a Wallander. Era uma vista aérea de Viena.

"Foi este o postal que a família Hillström encontrou na caixa do correio na terça-feira, 6 de agosto. Como você pode ver, Astrid Hillström escreveu que eles estão pensando em ficar um pouco mais do que haviam previsto. Mas que está tudo bem e todos mandam lembranças. Ela pede à mãe que telefone para as outras famílias e diga que está tudo bem."

Wallander leu o postal. A caligrafia parecia com a de Linda, as mesmas letras redondas. Devolveu-o.

"Você disse que a Eva Hillström veio aqui."

"Ela apareceu de repente no meu escritório, sem avisar. Que essa senhora é nervosa, nós já sabíamos. Mas dessa vez foi muito pior: ela está obviamente apavorada e convencida de que tem razão."

"Do que ela tem tanta certeza?"

"De que aconteceu alguma coisa com eles. De que não foi a filha dela que escreveu este postal."

Wallander refletiu por um instante. "Por que ela acha isso? Por causa da letra? Da assinatura?"

"Ela diz que parece com a letra da Astrid, mas que a caligrafia da filha é fácil de imitar, e a assinatura também. Quanto a isso, ela tem razão."

Wallander pegou um caderno de anotações e uma caneta. Em menos de um minuto, havia conseguido copiar a letra e a assinatura da jovem.

"Eva Hillström está preocupada com o bem-estar da filha e resolveu procurar a polícia. É compreensível. Mas se não é a letra ou a assinatura que a preocupa, então o que é?"

"Ela não soube dizer."

"Mas você perguntou?"

"Perguntei tudo. Tinha a ver com a escolha das palavras? Ou

foi a maneira como ela se expressou? A mãe não sabia dizer. Mas tinha certeza de que Astrid não havia escrito o postal."

Wallander fez uma careta e balançou a cabeça. "Deve ter sido alguma coisa."

Eles se entreolharam.

"Você se lembra do que me disse ontem?", perguntou Wallander. "Que você também estava começando a se preocupar?"

Martinsson assentiu. "Tem alguma coisa errada", ele disse. "Mas eu não sei dizer exatamente o quê."

"Vamos reformular a pergunta", disse Wallander. "Vamos supor que os jovens não partiram de férias; então o que aconteceu? Quem escreveu os postais? Sabemos que os carros e os passaportes desapareceram."

"Eu me enganei, está claro", respondeu Martinsson. "Provavelmente fui influenciado pela ansiedade da mãe."

"Os pais sempre se preocupam com os filhos", Wallander disse. "Se você soubesse quantas vezes me perguntei onde Linda andava... Principalmente quando você recebe postais de lugares inusitados."

"Então o que vamos fazer?", perguntou Martinsson.

"Vamos continuar atentos", disse Wallander. "Mas vamos reexaminar os fatos desde o início, só para ter certeza de que não deixamos passar nada."

Martinsson fez um resumo, com a clareza e a precisão de sempre. Certo dia, Ann-Britt Höglund perguntou a Wallander se já tinha percebido que Martinsson aprendera com ele a fazer essas apresentações. O inspetor achou a ideia absurda, mas ela insistiu. Wallander ainda não sabia se era verdade.

A sequência de fatos era clara. Três jovens — entre vinte e vinte e três anos — decidiram comemorar o solstício de verão juntos. Um deles, Martin Boge, vivia em Simrishamn, enquanto as outras duas, Lena Norman e Astrid Hillström, moravam na zona oeste de Ystad. Eles eram amigos havia muitos anos e passavam muito tempo juntos. Todos tinham pais ricos. Lena Norman estudava na Universidade de Lund, e os outros dois tinham trabalhos temporários. Nenhum deles jamais tivera problemas com drogas ou com as autoridades. Astrid Hillström e Martin Boge ainda moravam com os pais; Lena Norman morava no alojamento da universidade. Eles não disseram a ninguém onde planejavam realizar a festa do solstício. Os pais conversaram entre si e com os amigos, mas ninguém sabia de nada. O que não era estranho, já que os três amigos eram normalmente reservados e nunca divulgavam nada para ninguém. No dia em que desapareceram, eles usaram dois carros: um Volvo e um Toyota. Os carros desapareceram com os jovens no dia 21 de junho. Depois disso, não voltaram a ser vistos. O primeiro postal foi enviado de Hamburgo, no dia 26 de junho, comunicando aos pais que haviam decidido viajar pela Europa. Duas semanas depois, Astrid Hillström enviou o segundo postal de Paris, dizendo que estavam indo para o sul. E agora, aparentemente, ela tinha enviado um terceiro postal.

Martinsson se calou.

Wallander refletiu sobre o que acabara de ouvir. "O que poderia ter acontecido?"

"Não tenho a menor ideia."

"Há alguma indicação de qualquer fato anormal relacionado ao desaparecimento?"

"Na verdade, não."

Wallander recostou-se na cadeira. "Só temos a ansiedade de Eva Hillström", disse. "Uma mãe preocupada."

"Ela garante que a filha não escreveu os postais."

Wallander assentiu. "E quer que a gente registre o boletim de ocorrência de pessoas desaparecidas?"

"Não. Quer que a gente faça alguma coisa. Foi isso que ela disse: 'Vocês têm que fazer alguma coisa'."

"O que podemos fazer além de registrar o boletim de ocorrência? Já alertamos a polícia alfandegária."

Calaram-se. Já eram quinze para as nove. Wallander lançou um olhar inquisidor a Martinsson.

"E o Svedberg?"

Martinsson pegou o fone, discou o número de Svedberg e desligou.

"De novo a secretária eletrônica."

Wallander devolveu o postal para o colega. "Acho que não vai dar em nada", comentou. "Mas vou falar com Eva Hillström. Depois a gente decide o que fazer a partir daí. Afinal, não podemos sequer declarar que se trata de um caso de pessoas desaparecidas."

Martinsson anotou o número num pedaço de papel. "Ela é contadora."

"E o pai?"

"São divorciados. Acho que ele nos telefonou uma vez, logo depois do solstício de verão."

Wallander se levantou enquanto Martinsson recolhia os documentos. Saíram juntos da sala de reuniões.

"Talvez Svedberg também tenha tirado um dia de folga, como eu fiz, e não nos avisaram."

"Ele acabou de voltar de férias", disse Martinsson com firmeza. "Não tem mais nenhum dia de folga para usar."

Wallander lançou um olhar de surpresa. "Como é que você sabe?"

"Pedi pra ele trocar uma de suas semanas comigo. Mas ele não pôde, porque queria tirar todos os dias de uma vez só."

"É mesmo? Acho que é a primeira vez que ele faz isso."

Separaram-se na porta da sala de Martinsson, e Wallander foi para a dele. Sentou-se e discou o primeiro número que o colega lhe dera. Eva Hillström atendeu. Combinaram que ela iria vê-lo na delegacia no final da tarde.

"Aconteceu alguma coisa?", ela perguntou.

"Não", respondeu Wallander. "Apenas achei que eu também deveria conversar com a senhora."

Desligou e estava quase saindo para buscar um café quando Höglund apareceu na porta. Pálida como sempre, embora tivesse acabado de voltar de férias. Wallander achava que sua palidez era inerente à sua constituição. Ela ainda não tinha se recuperado por completo de um ferimento de bala sofrido dois anos antes. Tinha melhorado fisicamente, mas Wallander duvidava que Höglund estivesse bem emocionalmente. Às vezes, sentia que ela ainda estava com medo, o que não era de surpreender. Quase todos os dias ele se lembrava de quando fora esfaqueado. E isso tinha acontecido havia mais de vinte anos.

"Você está ocupado?"

Wallander apontou para a cadeira em frente à sua escrivaninha, e ela se sentou.

"Você viu o Svedberg?", ele perguntou.

Ela fez que não com a cabeça.

"Ele deveria ter participado de uma reunião comigo e com o Martinsson, mas não apareceu."

"Não é do feitio dele faltar a uma reunião."

"Tem razão, mas hoje ele faltou."

"Você telefonou para a casa dele? Será que ele está doente?"

"Martinsson deixou várias mensagens na secretária eletrônica. E tem mais: Svedberg nunca fica doente."

Por instantes, refletiram sobre a ausência de Svedberg.

"O que queria falar comigo?", Wallander finalmente perguntou.

"Você se lembra dos contrabandistas de carro do Báltico?"

"Como eu poderia esquecer? Trabalhei nesse caso desgraçado por dois anos até conseguir apanhá-los. Pelo menos os que estavam na Suécia."

"Bem, parece que os contrabandos de carro recomeçaram."

"Mesmo com os líderes na prisão?"

"Parece que outros contrabandistas resolveram preencher essas vagas. Só que dessa vez eles não estão trabalhando de Gothenburg. As pistas, por incrível que pareça, apontam para Lycksele."

Wallander se surpreendeu. "Na Lapônia?"

"Com a tecnologia dos dias de hoje, eles podem atuar virtualmente de qualquer lugar."

Wallander meneou a cabeça, mas sabia que Höglund estava certa. O crime organizado sempre utilizava a tecnologia de ponta.

"Já não tenho energia para recomeçar tudo", disse ele. "Pra mim, chega de contrabando de carros."

"Eu me encarrego disso. A Lisa me pediu. Acho que ela percebeu que você está cansado de lidar com carros roubados. Mas gostaria de te pedir que fizesse um esboço da situação e me desse algumas orientações."

Wallander assentiu. Marcaram uma reunião para o dia seguinte, depois foram buscar café e se sentaram perto da janela da cantina.

"Como foram suas férias?", ele perguntou.

Os olhos dela se encheram de lágrimas. Wallander ia fazer um comentário, mas Höglund o deteve com um gesto.

"Não foram muito boas", respondeu logo que conseguiu se recompor. "Mas não quero falar disso."

Ela pegou sua xícara de café e se levantou rapidamente. Wallander ficou observando a colega partir. Permaneceu sentado, pensando na reação dela.

Não nos conhecemos muito bem, pensou. Eles não sabem muita coisa sobre mim, nem eu sobre eles. Trabalhamos juntos, às vezes a vida toda, e o que sabemos uns dos outros? Nada.

Olhou para o relógio. Ainda tinha bastante tempo, mas decidiu sair logo e ir a pé até o consultório médico na Kapellgatan. Estava morrendo de medo.

O médico era jovem. Chamava-se Göransson e era do norte do país. Wallander descreveu os sintomas: cansaço, sede, vontade de urinar. Mencionou também as cãibras nas pernas.

O diagnóstico do médico foi rápido e o surpreendeu.

"Tudo indica que é um problema de hiperglicemia."

"O quê?"

"Diabetes."

Por uma fração de segundo, Wallander ficou paralisado. Nunca imaginara que isso poderia acontecer com ele.

"E me parece que o senhor está um pouco acima do peso", disse o médico. "Vamos investigar, mas em primeiro lugar quero auscultar seu coração. Sabe se tem pressão alta?"

Wallander balançou a cabeça. Então tirou a camisa e se deitou na cama.

O pulso estava normal, mas a pressão estava alta: 17 por 10. Subiu na balança: 92 quilos. O médico o encaminhou para os exames de urina e sangue. A enfermeira sorriu para ele. Achou-a parecida com sua irmã, Kristina. Quando terminou os exames, voltou ao consultório.

"Os níveis normais de glicose no sangue são de 45 a 115,2", disse Göransson. "O senhor está com 275,4. É muito alto."

Wallander sentiu um mal-estar.

"Isso explica o seu cansaço", continuou Göransson. "Explica a sede e as cãibras na perna. E também a necessidade de urinar com tanta frequência."

"Tem remédio?"

"Primeiro, vamos começar controlando sua dieta", respondeu o médico. "Também teremos que baixar a pressão. O senhor faz exercícios com frequência?"

"Não."

"Então tem que começar imediatamente. Dieta e exercício. Se não funcionar, teremos que tomar outras medidas. Com esse nível de glicose no sangue, você está debilitando seu organismo."

Sou diabético, pensou Wallander. Naquele momento, foi tomado por um sentimento de vergonha.

Göransson percebeu o seu constrangimento. "Podemos controlar os sintomas", disse. "Não vai morrer de hiperglicemia. Pelo menos, não ainda."

Fizeram mais uns exames de sangue, Wallander recebeu um plano alimentar e marcou uma nova consulta para segunda pela manhã.

Saiu do consultório às onze e meia. Foi a pé até o cemitério e sentou-se num banco. Ainda não conseguia acreditar no diagnóstico do médico. Colocou os óculos e começou a ler as sugestões de dieta.

Voltou à delegacia ao meio-dia e meia. Havia alguns recados para ele, mas nada que não pudesse esperar. Esbarrou com Hansson no corredor.

"O Svedberg apareceu?", perguntou Wallander.

"Por quê? Ele não veio hoje?"

Wallander não quis entrar em detalhes. Eva Hillström deveria chegar por volta da uma. Ele bateu na porta entreaberta de Martinsson, mas a sala estava vazia. A pasta fina com os documentos que tinham examinado naquela manhã ficou em cima da mesa. Wallander pegou a pasta e foi para a sala dele. Rapidamente folheou alguns documentos que estavam na pasta e olhou os três postais, mas estava com dificuldade de se concentrar. Continuava pensando no que o médico havia lhe dito.

Finalmente, Ebba ligou da recepção para dizer que Eva Hillström havia chegado. Wallander foi ao seu encontro. No caminho, passou por um grupo de idosos que estava de saída. Wallander imaginou que fossem os oficiais da Marinha aposentados que tinham ido fazer um tour.

Eva Hillström era alta e magra. Parecia cautelosa. Desde o primeiro encontro, Wallander achou que ela era do tipo de pessoa que sempre espera pelo pior. Ele apertou a mão dela e pediu que o acompanhasse até sua sala. No caminho, perguntou se queria um café.

"Não tomo café", ela respondeu. "Meu estômago não tolera."

Sentou-se na cadeira das visitas sem descolar os olhos dele.

Ela acha que tenho novidades, Wallander pensou. E espera que sejam notícias ruins.

Ele se sentou diante da escrivaninha. "A senhora falou com o meu colega ontem", ele disse. "Trouxe um postal que recebeu há dois dias, assinado pela sua filha e enviado de Viena. Mas a senhora alega que não foi escrito por ela. Correto?"

"Sim." Ela respondeu sem hesitar.

"Martinsson disse que a senhora não consegue explicar por que acha isso."

"É verdade. Não sei explicar."

Wallander pegou os postais e colocou-os na mesa.

"A senhora disse que a letra e a assinatura de sua filha são fáceis de falsificar, não é?"

"Por que o senhor não tenta?"

"Já tentei. E concordo com a senhora: a letra dela não é difícil de imitar."

"Então por que o senhor me perguntou?"

Wallander a observou por um instante. Ela estava tão tensa quanto Martinsson descrevera.

"Estou fazendo essas perguntas para confirmar alguns depoimentos", ele disse. "Às vezes, é necessário."

Ela assentiu impacientemente.

"Não temos razão para acreditar que a Astrid não tinha escrito esses postais", disse Wallander. "A senhora teria algum motivo para duvidar da autenticidade deles?"

"Não, mas sei que tenho razão."

"Razão sobre o quê?"

"Sobre ela não ter escrito este postal nem os outros."

De repente, ela se levantou e começou a gritar. A reação violenta da mulher pegou Wallander completamente de surpresa. Ela se inclinou para a frente, agarrou os braços dele e, aos berros, começou a sacudi-lo.

"Por que a polícia não faz nada? Alguma coisa aconteceu!"

Wallander libertou-se dela com certa dificuldade e se levantou.

"Por favor, acalme-se", disse ele.

Mas Eva Hillström continuava gritando. Wallander se perguntou o que pensariam as pessoas que passassem pela sua porta. Contornou a escrivaninha, agarrou a mulher com firmeza pelos ombros, empurrou-a para a cadeira e exigiu que ela ficasse sentada. A explosão parou tão abruptamente como havia começado. Pouco a pouco, Wallander soltou os ombros dela e voltou para sua cadeira. Eva fixou os olhos no chão; e ele, muito abalado, esperou. Havia alguma coisa na reação daquela mulher, na convicção dela, que era contagiosa.

"O que acha que aconteceu?", perguntou Wallander, após um curto intervalo.

Ela meneou a cabeça. "Não sei."

"Não há nenhuma indicação de que houvesse um acidente ou coisa do gênero."

Eva olhou para Wallander.

"Astrid e os amigos já tinham feito outras viagens juntos", ele comentou. "Talvez não tão longas como essa. Tinham carros, dinheiro e passaportes. Meus colegas já examinaram isso. Além do mais, nessa idade eles estão propensos a agir por impulso, sem planejamento. Também tenho uma filha que é uns dois anos mais velha que Astrid. Sei como é."

"Eu sinto", exclamou Eva. "Sei que tenho tendência a me preocupar. Mas desta vez sinto que tem alguma coisa errada."

"Os outros pais não parecem assim tão preocupados. O que é que pensam os pais de Martin Boge e Lena Norman?"

"Não entendo a reação deles."

"Levamos sua preocupação muito a sério", ele disse. "É nossa obrigação. Prometo que reexaminarei o caso."

As palavras dele pareceram tranquilizá-la por algum tempo, mas a ansiedade voltou. A mulher tinha uma expressão franca e vulnerável. Wallander sentiu pena dela.

A conversa terminou. Eva se levantou, e ele a acompanhou até a recepção.

"Desculpe, perdi o controle", ela disse.

"É natural que esteja preocupada", respondeu Wallander.

Despediram-se com um breve aperto de mão, e ela desapareceu pelas portas de vidro.

Wallander voltou para sua sala. Martinsson pôs a cabeça pela porta entreaberta e olhou para o colega com curiosidade.

"O que você estava fazendo aí dentro?"

"Ela está genuinamente aterrorizada", disse Wallander. "Temos que levar isso em consideração, mas não sei o que fazer", acrescentou, pensativo, sem tirar os olhos de Martinsson. "Gostaria que amanhã fizéssemos uma análise minuciosa do caso, com todas as pessoas disponíveis. Temos que decidir se consideramos esses jovens desaparecidos ou não. Há alguma coisa nessa história que me preocupa."

Martinsson assentiu. "Você viu o Svedberg?", perguntou.

"Ainda não nos contatou?"

"Não. Só cai na secretária eletrônica."

Wallander fez uma careta. "Isso não é do feitio dele."

"Vou tentar de novo."

O inspetor continuou em sua sala. Fechou a porta e ligou para Ebba. "Não me passe nenhuma ligação nos próximos trinta minutos", disse. "A propósito, alguma notícia do Svedberg?"

"Deveria ter?"

"Perguntei por perguntar."

Wallander colocou os pés na escrivaninha. Estava cansado e com a boca seca. De repente, pegou o casaco e saiu da sala.

"Vou sair", disse a Ebba. "Estou de volta dentro de uma ou duas horas."

O ar estava quente e calmo. Wallander foi até a biblioteca, em Surbrunnsvägen. Com algum esforço, encontrou a seção médica. Não tardou a achar o que procurava: um livro sobre diabetes. Sentou-se a uma mesa, pôs os óculos e começou a ler. Depois de uma hora e meia, ele tinha uma ideia mais clara do que provocava diabetes. Compreendeu que ele era o próprio culpado. Sua alimentação, a falta de exercícios e as dietas que começava e interrompia, tudo tinha contribuído para o aparecimento da doença. Recolocou o livro na prateleira. Sentiu um mal-estar e foi tomado por uma sensação de fracasso. Ele sabia que não tinha saída: precisava mudar seu estilo de vida.

Já eram quatro e vinte da tarde quando regressou à delegacia. Encontrou um bilhete do Martinsson em cima da escrivaninha, avisando que ainda não tinha conseguido contatar Svedberg.

Mais uma vez, Wallander leu suas anotações sobre o desaparecimento dos três jovens. Analisou os três cartões-postais. Sentiu novamente a sensação de que estava deixando escapar alguma coisa. Não conseguia adivinhar o que era. O que ele não estava conseguindo ver?

Sentiu a ansiedade aumentar e quase conseguia ver Eva Hillström à sua frente. De súbito, percebeu a gravidade da situação. Era muito simples. Ela sabia que a filha não havia escrito o postal. Como ela sabia era irrelevante. Ela tinha certeza e isso era suficiente. Wallander levantou-se e parou em frente à janela. Alguma coisa tinha acontecido com os jovens. Restava saber o quê.

3.

Naquela noite, Wallander tentou começar seu novo regime. Jantou uma sopa de legumes e uma salada. Concentrou-se de tal forma na tarefa de só colocar os alimentos certos no prato que acabou esquecendo que havia reservado um horário na lavanderia; quando se lembrou, já era tarde.

Tentou se convencer de que o que tinha acontecido poderia se tornar positivo. Um nível elevado de glicose no sangue não era uma sentença de morte; era só um aviso. Se quisesse se manter saudável, teria que tomar algumas precauções simples. Nada de drástico, mas teria que fazer mudanças significativas.

Como continuava com fome depois do jantar, comeu mais um tomate. Então, ainda sentado à mesa da cozinha, tentou elaborar um plano de refeições para os próximos dias de acordo com as orientações do médico. Decidiu também que, dali para a frente, iria a pé para o trabalho. Nos fins de semana, dirigiria até a praia e faria longas caminhadas. Lembrou-se que Hansson uma vez o convidara para jogar badminton. Talvez fosse uma boa ideia.

Às nove da noite, levantou-se da mesa da cozinha e foi até a varanda. O vento do sul soprava suavemente, mas continuava quente. Os dias de cão* pairavam por aqui.

* O período mais quente do verão europeu, entre 24 de julho e 23 de agosto. (N. T.)

Wallander observava uns adolescentes que passavam pela rua. Achava difícil se concentrar em seu plano alimentar e na tabela de peso. Não conseguia deixar de pensar em Eva Hillström e em sua ansiedade. A explosão nervosa abalou o policial. O medo de que a filha tivesse desaparecido era evidente e genuíno.

Muitos pais não conhecem seus filhos, pensou. Mas às vezes eles os conhecem melhor do que qualquer outra pessoa, e algo me diz que esse é o caso de Eva e sua filha.

Voltou para casa e deixou a janela da varanda aberta. Tinha a sensação de que estava negligenciando um detalhe que indicaria como proceder; algo que os conduziria a uma hipótese sólida de investigação, que lhe permitiria verificar se a preocupação de Eva Hillström tinha fundamento.

Foi à cozinha fazer um café e limpou a mesa enquanto esperava a água ferver. O telefone tocou: era Linda. Estava ligando do restaurante onde trabalhava — o que o surpreendeu, pois achava que ele só abria durante o dia.

"O dono mudou os horários", disse ao pai, "e recebo mais trabalhando à noite. Tenho que ganhar a vida."

Ouvia as vozes e o barulho das panelas ao fundo. Não fazia ideia dos planos de Linda para o futuro. Durante um tempo quis ser estofadora de móveis, depois mudou de ideia e começou a explorar o mundo do teatro. Esse plano também não deu certo.

A filha parecia ler seus pensamentos. "Não vou ser garçonete o resto da vida", disse. "Mas estou juntando dinheiro pra viajar no próximo inverno."

"Pra onde?"

"Ainda não sei."

Não era a melhor hora para entrar em detalhes sobre isso, então mencionou que Gertrud havia se mudado e que a casa do avô estava à venda.

"Gostaria que a gente ficasse com a casa", ela disse. "Queria ter dinheiro pra comprá-la."

Wallander compreendeu. Linda era muito apegada ao avô. Em certos momentos ele sentira ciúmes ao vê-los juntos.

"Preciso desligar", ela disse. "Só queria saber como você estava."

"Está tudo bem", respondeu Wallander. "Fui ao médico hoje. Ele não achou nada de errado comigo."

"Nem te disse pra perder peso?"

"Fora isso, disse que estava tudo bem."

"Esse médico é bonzinho demais. Você continua tão cansado quanto estava nas férias?"

Ela lê meus pensamentos, Wallander pensou desarmadamente. Nem sei por que não lhe conto a verdade, que estou quase diabético — ou já sou? Por que estou me comportando como se a doença fosse algo vergonhoso?

"Não me sinto cansado. A semana em Gotland foi uma exceção."

"Se você diz que não... Bom, tenho que desligar. Se quiser falar comigo aqui, durante a noite, tem que ligar pra outro número."

Memorizou o número rapidamente. A conversa ficou por isso mesmo.

Wallander levou o café para a sala e ligou a TV. Baixou o som e escreveu o número que a filha acabara de lhe dar num canto do jornal. Era mais um rabisco. Ninguém conseguiria ler aquilo. Foi nesse momento que percebeu o que o atormentava. Afastou a xícara de café e olhou para o relógio. Eram nove e quinze. Ponderou por um instante se deveria telefonar de imediato para Martinsson ou esperar até o dia seguinte. Decidiu-se, voltou à cozinha, pegou a lista telefônica e se sentou à mesa.

Em Ystad, havia quatro famílias com o sobrenome Norman, mas Wallander recordava-se de ter visto o endereço entre os papéis de Martinsson. Lena Norman e a mãe moravam na Käringgatan, ao norte do hospital. O pai se chamava Bertil Norman e acrescentava "CEO" ao lado do nome. Wallander sabia que ele era dono de uma empresa fornecedora de sistemas de aquecimento para casas pré-fabricadas.

Discou o número e uma voz de mulher atendeu. Wallander

se apresentou, tentando soar o mais simpático possível. Não queria assustá-la. Sabia como era preocupante receber uma ligação da polícia, especialmente àquela hora.

"A senhora é a mãe de Lena Norman?"

"Sou Lillemor Norman."

Wallander reconheceu o nome.

"Na verdade, esta conversa poderia ter esperado até amanhã", ele disse. "Mas preciso te fazer uma pergunta e, infelizmente, a polícia trabalha a qualquer hora do dia e da noite."

A mulher não parecia particularmente preocupada. "Em que posso ajudar? Não prefere falar com o meu marido? Posso chamá-lo. Ele só está ajudando o irmão da Lena a fazer o dever de casa."

"Não é necessário", respondeu. "O que preciso é só de uma amostra da letra da Lena. A senhora tem alguma carta dela?"

"Bom, além dos postais, não recebemos mais nada. Pensei que a polícia soubesse."

"Estava me referindo a uma carta antiga."

"Por que o senhor precisa de uma carta antiga?"

"Trata-se de um procedimento de rotina. Precisamos comparar umas amostras de caligrafia, só isso. Não é nada realmente importante."

"E a polícia se dá ao trabalho de telefonar para as pessoas durante a noite pra tratar de assuntos que não importam?"

Eva Hillström estava com medo, Wallander pensou. Lillemor Norman, por outro lado, estava desconfiada.

"A senhora poderia me ajudar?"

"Tenho algumas cartas da Lena."

"Uma é o suficiente. Cerca de meia página."

"Vou procurar. O senhor vai mandar alguém buscar?"

"Eu mesmo irei buscar a carta. Estarei aí em vinte minutos."

Wallander voltou à lista telefônica. Em Simrishamn havia apenas uma pessoa com o sobrenome Boge, um contador. Discou o número e esperou com impaciência. Já ia desligar quando alguém atendeu.

“Klas Boge.”

A voz lhe pareceu jovem. Wallander imaginou que estivesse falando com o irmão de Martin Boge. Disse-lhe quem era.

“Seus pais estão em casa?”

“Não, estou sozinho. Eles foram a um jantar no clube de golfe.”

Wallander não sabia se deveria continuar. Mas o rapaz parecia razoavelmente responsável.

“Gostaria de saber se seu irmão Martin alguma vez te escreveu uma carta.”

“Não neste verão.”

“E antes?”

O rapaz pensou por um momento. “Tenho uma carta que ele me mandou dos Estados Unidos, no ano passado.”

“Escrita à mão?”

“Sim.”

Wallander calculou o tempo que levaria para chegar a Simrishamn. Talvez fosse melhor esperar até o dia seguinte.

“Por que o senhor quer a carta?”

“Preciso de uma amostra da letra do seu irmão.”

“Bem, se estiver com pressa, posso te enviar por fax.”

O rapaz era esperto. Wallander lhe deu o número do fax da delegacia.

“Por favor, diga a seus pais que liguei e que conversamos.”

“Estarei dormindo quando eles chegarem.”

“Você pode contar pra eles amanhã, não é?”

“A carta do Martin foi endereçada a mim.”

“De qualquer maneira, seria melhor que mencionasse a nossa conversa”, repetiu Wallander pacientemente.

“Martin e os outros logo estarão de volta”, disse o rapaz. “Não sei por que a sra. Hillström está tão preocupada. Ela telefona todos os dias.”

“Mas seus pais também estão preocupados, não é?”

“Acho que eles estão aliviados com a ausência do Martin... Pelo menos o meu pai.”

Um pouco surpreso, Wallander esperou que o rapaz continuasse, mas ele se calou.

"Obrigado pela ajuda", disse por fim.

"É uma espécie de jogo", disse o rapaz.

"Um jogo?"

"Eles fingem que estão vivendo numa época diferente. Apesar de já serem adultos, gostam de se fantasiar, como se fossem crianças."

"Não sei se entendi", disse Wallander.

"Eles representam papéis, como no teatro. Mas a sério. Podem ter ido pra Europa à procura de alguma coisa que na realidade não existe."

"Então é isso que eles fazem normalmente? Representar? Não sei se eu chamaria a celebração do solstício de verão de 'jogo'. As pessoas costumam comer e dançar como em qualquer outra festa."

"E beber", disse o rapaz. "Mas quando a gente se fantasia, tudo fica diferente, não é?"

"É isso que eles fazem?"

"Pois é, mas não sei mais nada. Era um segredo. Martin nunca falou muito sobre esse assunto."

Wallander não entendia direito o que o rapaz queria dizer. Olhou para o relógio. Daqui a pouco Lillemor Norman estaria à sua espera.

"Obrigado pela ajuda", disse para terminar a conversa. "E não se esqueça de avisar seus pais que telefonei e o que te pedi."

"Pode ser", respondeu o rapaz.

Três reações diferentes, pensou Wallander. Eva Hillström está com medo. Lillemor Norman está desconfiada. Os pais de Martin Boge estão aliviados com a ausência do filho; e o irmão, por sua vez, prefere estar longe dos pais. Pegou o casaco e saiu. No caminho, parou na lavanderia e reservou um horário para sexta-feira.

Embora não estivesse longe da Käringgatan, resolveu ir de carro. O novo plano de fazer mais exercícios teria que esperar.

Saiu da Bellevuevägen, entrou na Käringgatan e parou em frente a uma casa branca de dois andares. A porta se abriu no momento em que o inspetor abria o portão, e ele reconheceu Lillemor Norman. Ao contrário de Eva Hillström, parecia uma mulher robusta. Pensou nas fotografias da pasta de Martinsson e percebeu que Lena Norman se parecia com a mãe.

A mulher tinha um envelope branco na mão.

"Desculpe pelo incômodo", disse Wallander.

"Meu marido vai ter uma conversa séria com a Lena assim que ela voltar. Partir assim, sem dizer uma palavra, é uma irresponsabilidade completa."

"Eles são adultos e podem fazer o que lhes der na telha", disse Wallander. "Mas, concordo, é uma atitude irritante e preocupante."

Pegou a carta e prometeu devolvê-la. Seguiu para a delegacia e foi até a sala onde o policial de plantão se encarregava dos telefonemas. Ele estava atendendo uma ligação quando Wallander entrou, mas apontou para um dos aparelhos de fax. Klas Boge cumprira a promessa de enviar a carta do irmão. Wallander foi até sua sala e acendeu a luminária de mesa. Pôs as duas cartas e os postais na escrivaninha, ajustou o ângulo do feixe de luz e colocou os óculos.

Recostou-se na cadeira. Seu palpite estava certo. Tanto Martin Boge como Lena Norman tinham caligrafias irregulares e angulosas. Se alguém quisesse falsificar uma das três caligrafias, a escolha era óbvia: a de Astrid Hillström. Wallander ficou muito perturbado com essa constatação, mas sua mente metódica continuava a trabalhar. O que aquilo queria dizer? Nada, de fato. Não fornecia nenhuma pista sobre o motivo que levaria alguém a escrever os postais em nome dos três jovens, e quem teria acesso às caligrafias deles. No entanto, não conseguia parar de se preocupar.

Precisamos examinar os dados a fundo, pensou. Se tiver acontecido alguma coisa, esses jovens já estão desaparecidos há quase dois meses.

Foi buscar um café. Eram quase dez e quinze da noite. Voltou a ler a descrição dos acontecimentos, mas não descobriu nada de novo. Três amigos se reuniram para celebrar o solstício de verão e depois viajaram. Enviaram uns cartões-postais. E era só.

Juntou as cartas e colocou-as na pasta, onde já estavam os postais. Naquela noite, não poderia fazer mais nada. No dia seguinte falaria com Martinsson e com os outros colegas, analisariam mais uma vez o caso do solstício de verão; em seguida, decidiriam se avançariam ou não com um inquérito de pessoas desaparecidas.

Wallander apagou a luz e saiu do escritório. No corredor, notou uma luz na sala de Ann-Britt Höglund. A porta estava entreaberta, e ele empurrou-a com cuidado. A colega estava olhando para a escrivaninha, mas não havia nenhum papel sobre a mesa. Wallander hesitou. Ela quase nunca ficava até tão tarde na delegacia. Tinha filhos para cuidar, e o marido dela sempre viajava a negócios, raramente estava em casa. Lembrou-se de seu comportamento emotivo na cantina. E agora ela olhava fixamente para uma escrivaninha vazia. O mais provável era que Höglund quisesse ficar só. Mas também podia querer se abrir com alguém.

Ela pode me mandar embora, pensou.

Bateu na porta, esperou a resposta e entrou.

"Vi sua luz", disse. "Você não costuma ficar até tão tarde, a menos que tenha acontecido alguma coisa."

Ann-Britt ergueu os olhos na direção dele, mas não respondeu.

"Se preferir ficar sozinha, é só me dizer."

"Não", respondeu. "Na verdade, não quero ficar sozinha. E você, por que ainda está aqui? Algum problema?"

Wallander sentou-se na cadeira de visita. Sentia-se como um bicho gordo e desengonçado.

"Por causa dos jovens que desapareceram no solstício."

"Alguma pista?"

"Nada, na verdade. Eu queria só confirmar um detalhe. Mas

acho que teremos que reexaminar minuciosamente o caso. Eva Hillström está preocupada demais."

"Mas o que poderia ter acontecido com eles?"

"Essa é a questão."

"Devemos declará-los desaparecidos?"

Wallander abriu os braços. "Não sei. Teremos que decidir amanhã."

A sala estava escura, exceto por um círculo de luz projetado no chão pela luminária de mesa.

"Há quanto tempo você trabalha para a polícia?"

"Há muito tempo. Talvez tempo demais. Mas sou policial dos pés à cabeça. E não vou mudar, pelo menos até eu me aposentar."

Ela o fitou por um bom tempo e então perguntou: "De onde você tira forças pra continuar?".

"Não faço ideia."

"A sua energia não se esgota nunca?"

"Às vezes. Por que você quer saber?"

"Estava pensando no que você disse na cantina. Eu contei que tive um verão ruim, e é verdade. Meu marido e eu estamos passando por uma fase difícil. Ele nunca está em casa. Quando volta de viagem, às vezes precisamos de uma semana para nos adaptar novamente a nossa rotina, mas aí, logo em seguida, ele tem que viajar de novo. Neste verão, começamos a falar sobre separação. Nunca é fácil, sobretudo quando se tem filhos."

"Eu sei", disse Wallander.

"Ao mesmo tempo, comecei a ter dúvidas quanto ao meu trabalho. Li num jornal que uns colegas de Malmö foram presos por extorsão. Ligo a TV e fico sabendo de figurões da polícia que estão envolvidos com o crime organizado. Vejo essas notícias e penso que a situação vai de mal a pior. No fim, tudo isso me faz questionar o que estou fazendo aqui. Ou, em outras palavras, me pergunto como vou durar mais trinta anos."

"Está tudo desmoronando", Wallander concordou. "Já acontece há muito tempo. A corrupção no sistema judicial não tem nada de novo e sempre houve policiais dispostos a infringir as normas. A situação piorou, sem dúvida, o que torna ainda mais necessário ter pessoas como você aqui."

"E você?"

"Também se aplica a mim."

"Mas como é que você consegue?"

Suas perguntas estavam cheias de ódio. Viu um pouco de si mesmo nela. Quantas vezes ele ficou sentado olhando para a escrivaninha, sem conseguir achar uma razão para continuar?

"Tento me convencer de que tudo estaria pior sem mim", disse ele. "Serve de consolo às vezes. Não é muito, mas, como não consigo pensar em outro, é o que tenho."

Ela assentiu. "O que está acontecendo com o nosso país?"

Wallander esperou que Höglund continuasse, mas ela ficou calada. Lá fora, um caminhão passou chacoalhando pela rua.

"Você se lembra daquela agressão violenta que aconteceu na primavera passada?"

"A de Svarte?"

"Dois rapazes de catorze anos atacaram um menino de doze. Não houve provocação, nenhum motivo. Quando o mais novo estava caído no chão, inconsciente, eles começaram a chutá-lo no peito. Finalmente, o menino não estava apenas inconsciente, e sim morto. Acho que uma agressão nunca me afetou tanto. As pessoas brigam, mas param quando o oponente é derrubado. Você pode chamar do que quiser. 'Jogo limpo.' É o que se espera. Mas as coisas não são mais assim, porque esses garotos nunca aprenderam que deve ser assim. É como se toda uma geração tivesse sido abandonada pelos pais. Ou eles não estão mais nem aí para os filhos. Temos que repensar o que significa ser policial, porque os parâmetros mudaram. A experiência que acumulamos durante anos de trabalho duro já não tem nenhuma utilidade."

Wallander se calou. Ouviram vozes no corredor. Uns policiais de plantão estavam conversando sobre um motorista bêbado. Depois, só silêncio.

“Como você tem passado nesses últimos anos?”, perguntou Wallander.

“Você quer dizer desde que fui baleada?”

Ele assentiu.

“Sonho sempre com isso”, ela respondeu. “Sonho que estou morrendo ou que a bala me atingiu na cabeça. As duas opções são terríveis.”

“É fácil perder a coragem”, disse Wallander.

Ela se levantou. “No dia em que eu estiver realmente com medo, me demito. Mas ainda não cheguei lá. Obrigada pela visita. Estou acostumada a lidar com meus problemas sozinha, mas esta noite precisava de alguém pra desabafar.”

“Não é fácil admitir isso.”

Ela vestiu o casaco e esboçou um sorriso tímido. Wallander gostaria de saber se ela estava dormindo bem, mas não ousou perguntar.

“Podemos falar sobre os contrabandos de carro amanhã?”, ela perguntou.

“Pode ser à tarde? Não se esqueça que temos uma reunião pela manhã para falar sobre o desaparecimento dos jovens.”

Ela lançou um olhar sério para Wallander. “Você está mesmo preocupado?”

“Eva Hillström está, e não posso ignorar esse fato.”

Saíram juntos. Höglund não aceitou a oferta de carona.

“Preciso andar”, ela disse. “E está calor. A temperatura deste mês está ótima!”

“Estamos nos dias de cão”, ele disse. “Seja lá o que isso signifique.”

Despediram-se, e Wallander seguiu para casa. Bebeu uma xícara de chá e deu uma olhada no jornal de Ystad, depois foi para a cama. Como a noite estava quente, deixou a janela ligeiramente aberta e adormeceu logo em seguida.

Acordou, num sobressalto, com uma dor violenta. O músculo de sua batata da perna esquerda estava paralisado com um espasmo. Apoiou a perna no chão e a flexionou. A dor desapareceu. Voltou a deitar-se cautelosamente, com medo que a cãibra voltasse. O despertador na mesa de cabeceira marcava uma e meia da manhã. Sonhara com o pai de novo, um sonho desconjuntado. Eles andavam pelas ruas de uma cidade que Wallander desconhecia e procuravam alguém. Quem, ele não chegou a descobrir.

A brisa soprava leve, movendo a cortina. Pensou na mãe de Linda, Mona. Foram casados por tantos anos. Agora ela tinha uma vida nova, vivia com outro homem que jogava golfe e provavelmente não tinha níveis elevados de glicose no sangue.

Continuou divagando. De repente, se viu caminhando pelas infindáveis praias de Skagen, em companhia de Baiba. Então, ela sumiu.

Acordou subitamente. Sentou-se na cama. Não sabia como é que a ideia havia surgido; ela apareceu no meio de outros pensamentos e abriu caminho: Svedberg.

Não fazia sentido que ele não tivesse avisado que estava doente. Para começar, nunca ficava doente e, se tivesse tido um percalço qualquer, teria avisado. Devia ter pensado nisso antes. Se Svedberg não entrara em contato, só havia uma explicação: alguma coisa o impedia de se comunicar com eles.

Wallander começou a ficar preocupado. Tudo aquilo não passava, é claro, de sua imaginação. Afinal, o que poderia ter acontecido com Svedberg? Mas a sensação de mal-estar persistia. Ele olhou para o relógio de novo, foi até a cozinha, procurou o número de Svedberg e discou. Depois de chamar algumas vezes, a ligação caiu na secretária eletrônica. Wallander desligou. Agora tinha certeza de que alguma coisa estava errada. Vestiu-se e foi para o carro. O vento soprava com mais força, mas continuava quente. Levou apenas alguns minutos para chegar à praça principal. Estacionou e caminhou em direção à Lilla Norregatan, onde Svedberg morava. As luzes do apartamento estavam acesas. Sentiu um alívio, mas apenas por alguns segundos. A preocupação voltou ainda mais forte. Se estava em casa, por que não atendia o telefone? Wallander tentou entrar no prédio, mas a porta estava trancada. Não sabia qual era o código de segurança, porém a fenda entre as duas meias-portas tinha largura suficiente. Tirou o canivete do bolso e olhou ao redor. Depois, enfiou a lâmina espessa entre as folhas da porta e deu um empurrão. Ela se abriu.

Svedberg morava no quarto andar. Quando chegou lá em cima, Wallander estava sem fôlego. Encostou a orelha na porta, mas não ouviu nada. Abriu a tampa da caixa do correio. Nada. Tocou a campainha e ouviu o som ecoar no interior do apartamento. Tocou três vezes e, em seguida, bateu na porta. Nada.

Wallander tentou pôr os pensamentos em ordem. Sentiu uma necessidade enorme de não estar só. Procurou o celular e percebeu que o deixara em cima da mesa da cozinha. Desceu a escada e colocou uma pedra entre as duas meias-portas. Correu para uma das cabines telefônicas na praça e discou o número de Martinsson.

"Desculpa te acordar", disse quando Martinsson atendeu, "mas preciso da sua ajuda."

"O que aconteceu?"

"Você chegou a entrar em contato com o Svedberg?"

"Não."

"Então, aconteceu alguma coisa."

Martinsson não respondeu, mas Wallander percebeu que agora ele estava bem acordado.

"Estou te esperando em frente ao prédio dele na Lilla Norregatan", disse Wallander.

"Dez minutos", respondeu Martinsson. "No máximo."

Wallander foi até o carro e abriu o porta-malas. Ele tinha algumas ferramentas enroladas num saco de plástico sujo. Escolheu um pé de cabra e voltou para a frente do prédio.

Martinsson apareceu em menos de dez minutos. Wallander reparou que ele estava vestindo a parte de cima do pijama por baixo do casaco.

"O que você acha que aconteceu?"

"Não sei."

Subiram a escada juntos. Wallander acenou para que Martinsson tocasse a campainha. Ninguém atendeu. Olharam um para o outro.

"Talvez ele guarde uma cópia das chaves na sala dele."

Wallander fez que não com a cabeça.

"Perderíamos muito tempo."

Martinsson deu um passo para trás. Sabia o que vinha a seguir. Wallander enfiou o pé de cabra na fresta e arrombou a porta.

4.

A noite de 8 de agosto de 1996 foi uma das mais longas da vida de Kurt Wallander. Quando cambaleou para fora do prédio na Lilla Norregatan, ainda não conseguia se livrar da sensação de estar preso num pesadelo sem sentido.

Porém, tudo o que viu durante aquela longa noite foi real, uma realidade horripilante. Várias vezes, durante sua carreira, tinha visto escombros de um drama sangrento e brutal, mas nunca se sentira tão tocado quanto agora.

Quando arrombou a porta do apartamento de Svedberg, ainda não tinha ideia do que o esperava. Contudo, no momento em que enfiava o pé de cabra na porta, temia pelo pior, e seus receios se confirmaram.

Caminharam silenciosamente pelo hall como se estivessem entrando em território inimigo. Martinsson vinha logo atrás. As luzes estavam acesas. Por um breve momento, ficaram parados sem emitir nenhum som. Wallander sentia a respiração ofegante do parceiro. Na porta da sala, deu um salto para trás tão violento que se chocou contra Martinsson, o qual, por sua vez, se inclinou para a frente para ver o que se passava.

Wallander jamais se esqueceria do som que Martinsson emitiu, da maneira como ele soluçou; parecia uma criança olhando para o inexplicável que jazia no chão.

Era Svedberg. Uma de suas pernas estava dependurada sobre o braço quebrado de uma cadeira caída. O torso estava torcido de uma forma estranha, como se ele não tivesse coluna vertebral.

Wallander ficou parado na porta da sala, congelado de pavor. Não tinha dúvida do que estava presenciando. O homem com quem trabalhara durante todos esses anos estava morto. Deixara de existir. Nunca mais o veria sentado em seu lugar cativo, na sala de reuniões, coçando a careca com um lápis.

Svedberg não tinha mais careca. Metade de sua cabeça havia sido arrancada.

Perto do cadáver havia uma espingarda de cano duplo. O sangue havia espirrado por vários metros e manchado a parede branca atrás da cadeira caída. Um pensamento estranho passou pela cabeça de Wallander: Svedberg nunca mais teria que encarar sua fobia de abelhas.

"O que aconteceu?", indagou Martinsson com a voz trêmula. Wallander percebeu que o colega estava quase chorando. Ele, por outro lado, estava longe disso. Não conseguia chorar por algo que realmente não compreendia. Não entendia a cena que via. Svedberg não podia ter morrido. Era um policial de quarenta anos de idade, que no dia seguinte estaria mais uma vez sentado na sua cadeira habitual, nas reuniões de equipe. Ele, com sua careca e seu medo de abelhas, era o único que usava a sauna da delegacia nas noites de sexta-feira. Não podia ser o mesmo Svedberg que jazia no chão. Era alguém parecido com ele.

Wallander instintivamente olhou para o relógio. Eram duas e nove da manhã. Ficaram à porta da sala por alguns segundos, depois recuaram em direção à entrada do apartamento. Wallander acendeu a luz e percebeu que Martinsson tremia. Imaginou como estaria sua própria aparência.

"Ponha todas as unidades em alerta vermelho."

Havia um telefone na mesa do hall, mas não se via a secretária eletrônica. Martinsson assentiu e estava prestes a pegar o aparelho, quando Wallander o mandou parar.

“Espera. Precisamos de tempo pra pensar.”

Mas o que havia para pensar? Só se acontecesse um milagre, Svedberg aparecesse do nada por trás deles e nada do que acabaram de presenciar fosse real.

“Você sabe o número da Holgersson?”, perguntou. Wallander sabia, por experiência, que o colega tinha uma boa memória para endereços e números. Eram dois os policiais com esse dom: Martinsson e Svedberg. Agora só restava um deles.

Martinsson disse, gaguejando, o número. Wallander discou e Lisa Holgersson atendeu no segundo toque. O telefone dela deve ficar bem do lado da cama, pensou.

“É o Wallander. Desculpa te acordar.”

Ela parecia de repente desperta.

“Você precisa vir para cá imediatamente. Estou no apartamento do Svedberg, na Lilla Norregatan. Martinsson também está aqui. Svedberg está morto.”

Ele a ouviu gemer. “O que aconteceu?”

“Não sei. Ele levou um tiro.”

“Que horror! Foi assassinato?”

Wallander olhou para a arma no chão.

“Não sei”, respondeu. “Assassinato ou suicídio. Não sei qual dos dois.”

“Você já avisou o Nyberg?”

“Quis ligar pra você primeiro.”

“Vou me vestir e já vou.”

“Enquanto isso, ligaremos para o Nyberg.”

Wallander entregou o telefone para Martinsson. “Comece pelo Nyberg.”

A sala tinha duas portas de acesso. Enquanto Martinsson estava no telefone, Wallander foi até a cozinha. Uma das gavetas fora jogada no chão. A porta de um dos armários estava entreaberta. Papéis e recibos tinham sido espalhados pela cozinha.

Wallander memorizou tudo o que viu. Dava para ouvir Martinsson explicando a Nyberg, o chefe da polícia forense de Ystad, o que tinha acontecido. Wallander continuava andando e observando onde pisava. Chegou ao quarto de Svedberg. Todas as gavetas da cômoda estavam abertas; sua cama, desfeita; e o cobertor, caído no chão. Foi tomado por uma enorme sensação de tristeza quando percebeu que Svedberg dormia em lençóis floridos. Sua cama era um campo de flores silvestres. Continuou andando e entrou num pequeno escritório que ficava entre o quarto e a sala. Havia uma estante e uma escrivaninha. Svedberg era uma pessoa organizada, sua escrivaninha na delegacia estava sempre meticulosamente arrumada. Mas, ali, os livros tinham sido retirados das prateleiras, e o conteúdo de sua escrivaninha estava espalhado pelo chão. Havia papéis por todos os cantos.

Wallander voltou para a sala, dessa vez pela outra porta. Agora estava mais perto da espingarda, com o corpo torcido de Svedberg um pouco mais longe. Manteve-se completamente imóvel, registrando a cena, cada detalhe, tudo que ficara congelado e que fora deixado para trás, todos os sinais do drama que tinha se desenrolado. As perguntas fervilham em sua cabeça. Alguém teria ouvido o tiro (ou os tiros)? A cena sugeria um assalto. Mas quando aconteceu? E o que mais teria acontecido ali?

Martinsson apareceu à porta, do outro lado da sala.

"Eles já estão a caminho", informou.

Wallander refez cautelosamente seus passos. Quando estava de volta à cozinha, ouviu o latido de um pastor-alemão e, em seguida, a voz agitada de Martinsson. Correu para o hall e deu de cara com um policial e seu cachorro. Algumas pessoas, de roupão, se acotovelavam na porta. O policial que segurava o cachorro se chamava Edmundsson e fora recentemente transferido para Ystad.

"Recebemos um chamado referente a um possível assalto", disse, inseguro, quando viu Wallander. "No apartamento de alguém chamado Svedberg."

Wallander percebeu que Edmundsson não fazia ideia de quem era Svedberg.

"Certo, houve um incidente aqui. A propósito, este apartamento é do inspetor Svedberg."

Edmundsson empalideceu. “Não sabia.”

“Como poderia saber? Mas pode voltar à delegacia. Os reforços já estão a caminho.”

Edmundsson olhou com ar inquisidor. “O que aconteceu?”

“O Svedberg morreu”, respondeu Wallander. “É tudo o que sabemos.”

Arrependeu-se imediatamente de ter contado. Os vizinhos estavam escutando. Alguém poderia avisar a imprensa. O que Wallander menos queria era ter que lidar com jornalistas agora. Um policial morto em circunstâncias misteriosas era sempre notícia.

Enquanto Edmundsson desaparecia escada abaixo, Wallander se deu conta, confuso, de que não sabia o nome do cachorro.

“Você pode se encarregar dos vizinhos?”, perguntou a Martinsson. “Eles devem, pelo menos, ter ouvido os tiros. Talvez dê pra estabelecer a hora da morte.”

“Foi mais de um tiro?”

“Não sei, mas alguém deve ter escutado alguma coisa.”

Ouviram a porta do prédio se fechar e passos se aproximarem. Martinsson começou a reunir as pessoas sonolentas e inquietas, e arrebanhá-las para o apartamento ao lado. Lisa Holgersson apareceu, correndo degraus acima.

“Você está preparada?”, perguntou Wallander.

“É tão ruim assim?”

“Svedberg foi atingido na cabeça por um tiro de espingarda à queima-roupa.”

Holgersson contorceu o rosto, mas se enrijeceu. Wallander seguiu-a até o hall e apontou para a sala. Ela foi até a porta e logo voltou, bambeando como se fosse desmaiar. Wallander pegou-a pelo braço e levou-a para a cozinha. Ela se sentou numa cadeira azul e ficou fitando Wallander com os olhos arregalados.

“Quem fez isso?”

“Não sei.”

Wallander lhe deu um copo d'água.

"Ontem, Svedberg não apareceu. E não avisou ninguém."

"Não é normal", disse Holgersson.

"Não é nada normal. Acordei no meio da noite com a sensação de que tinha alguma coisa errada e vim pra cá."

"Então você não sabe se foi ontem?"

"Não. Martinsson está falando com os vizinhos pra saber se alguém ouviu alguma coisa estranha. Um tiro de uma espingarda faz barulho. Mas temos que aguardar o laudo da autópsia."

Wallander ouviu a descrição dos fatos ressoar em sua cabeça. Sentiu um mal-estar.

"Sei que não era casado", disse Holgersson. "Ele tinha família?"

Wallander refletiu. Sabia que a mãe de Svedberg morrera uns dois anos antes. Não sabia nada sobre o pai. O único parente que ele tinha certeza de que existia era uma prima, que conhecera uns anos antes, durante uma investigação.

"Ele tem uma prima chamada Ylva Brink. É enfermeira obstetra. Não me lembro de mais ninguém."

Ouviram a voz de Nyberg no hall.

"Vou ficar aqui por uns minutos", disse Holgersson.

Wallander foi falar com Nyberg, que estava tirando os sapatos.

"Que diabos aconteceu por aqui?"

Nyberg era um especialista forense brilhante, mas temperamental; às vezes era difícil trabalhar com ele. Parecia não ter compreendido que a emergência tinha a ver com um colega. Um colega morto. Talvez Martinsson tivesse se esquecido de informá-lo.

"Você sabe onde estamos?", Wallander perguntou, cuidadoso.

Nyberg lançou um olhar enraivecido.

"Num apartamento qualquer na Lilla Norregatan", respondeu. "Mas Martinsson pareceu estranho e estava confuso quando me telefonou. O que está acontecendo?"

Wallander encarou-o com firmeza. Nyberg se deu conta de sua postura e calou-se.

"É o Svedberg", Wallander disse. "Está morto. Ao que tudo indica, foi assassinado."

"Você está falando do Kalle?", Nyberg perguntou, incrédulo.

Wallander confirmou e sentiu um nó na garganta. Nyberg era um dos poucos que chamavam Svedberg pelo nome. Na verdade, o nome dele era Karl Evert. Nyberg o chamava pelo apelido: Kalle.

"Ele está ali", informou. "Levou um tiro de espingarda no rosto."

Nyberg contraiu o semblante.

"Não preciso descrever a aparência dele, certo?", Wallander disse.

"Não. Não é necessário."

Nyberg entrou na sala. Assim como os outros, virou o rosto quando chegou à porta. Wallander esperou um pouco para que o colega tivesse tempo de compreender o que acabara de ver. Depois, se aproximou.

"Já tenho uma pergunta para você", começou. "Uma das mais importantes. Como você pode ver, a arma está a uma distância de pelo menos dois metros do corpo. A minha dúvida é a seguinte: ela poderia ter parado ali se Svedberg tivesse se suicidado?"

Nyberg pensou um pouco e balançou a cabeça. "Não", garantiu. "Impossível. Uma espingarda apontada por ele mesmo nunca pararia tão longe."

Por um momento, o inspetor sentiu um alívio estranho. Svedberg não havia se suicidado, pensou.

As pessoas começaram a se reunir no hall. O médico chegou, assim como Hansson. Um dos técnicos forenses abriu a mala.

"Por favor, ouçam todos", disse Wallander. "A pessoa morta lá na sala é nosso colega, o inspetor Svedberg. Provavelmente foi assassinado. Quero avisá-los que a cena é horrível. Nós o conhecíamos e lamentamos sua perda. Era nosso amigo, além de colega, o que torna nosso trabalho bem mais difícil."

Wallander se calou. Achava que devia prosseguir, mas não conseguia pensar em mais nada. As palavras lhe faltavam. Voltou para a cozinha e deixou que Nyberg e seu assistente trabalhassem em paz. Holgersson continuava sentada à mesa.

"Tenho que telefonar para a prima dele", ela disse. "É o parente mais próximo..."

"Posso me encarregar disso", disse Wallander. "Afinal, eu já a conheço."

"Faça-me um resumo dos fatos. O que aconteceu aqui?"

"Para isso, preciso do Martinsson. Vou chamá-lo."

Wallander foi até a escada. A porta do apartamento ao lado estava entreaberta. Bateu e entrou. Martinsson estava na sala com mais quatro pessoas. Uma delas vestia uma roupa normal, as outras ainda estavam de roupão — duas mulheres e dois homens. Fez sinal para que Martinsson o seguisse.

"Por favor, fiquem aqui por enquanto", pediu aos outros.

Foram para a cozinha. Martinsson estava muito pálido.

"Vamos começar do princípio", sugeriu Wallander. "Quando Svedberg foi visto pela última vez?"

"Não sei se fui a última pessoa a vê-lo", disse Martinsson. "Mas o vi de relance na cantina, na quarta-feira de manhã, por volta das onze horas."

"E como ele lhe pareceu?"

"Não prestei muita atenção, mas acho que estava com o mesmo aspecto de sempre."

"Você me telefonou naquela tarde. Decidimos fazer uma reunião na manhã de quinta-feira."

"Depois da nossa conversa, fui direto para a sala do Svedberg, mas ele não estava lá. Na recepção, me disseram que ele já tinha ido para casa."

"A que horas ele saiu?"

"Não perguntei."

"O que você fez então?"

"Liguei pra casa dele e deixei um recado sobre a reunião. Depois tentei mais duas vezes, mas ninguém atendeu."

Wallander pensou alto. "Em algum momento, na quarta-feira, Svedberg saiu da delegacia. Tudo parecia normal. Na quinta-feira ele não apareceu, o que é estranho, independentemente de ter ouvido a mensagem ou não. Svedberg nunca se ausentou sem avisar."

"O que significa que o assassinato pode ter ocorrido ainda na quarta-feira", disse Lisa Holgersson.

Wallander assentiu. Em que momento o normal se torna anormal?, pensou. Esse é o momento-chave.

Outro pensamento lhe veio à cabeça: o fato de que a secretária eletrônica não estava funcionando, conforme a observação do Martinsson.

"Espere um minuto", ele disse, e saiu da cozinha.

Foi até o escritório de Svedberg. O aparelho estava em cima da escrivaninha. Wallander voltou à sala, onde encontrou Nyberg ajoelhado perto da espingarda; então o levou ao escritório.

"Gostaria de ouvir a secretária eletrônica, mas não quero destruir nenhuma pista."

"Podemos rebobinar a fita para o ponto inicial", disse Nyberg, que usava luvas de plástico. Wallander concordou, e Nyberg apertou o botão. Escutaram três mensagens de Martinsson. Em cada uma delas, ele dizia a hora do dia. Não havia outras mensagens.

"Quero ouvir também a gravação do Svedberg", disse Wallander.

Nyberg apertou outro botão.

Wallander vacilou quando ouviu a voz de Svedberg. Nyberg também pareceu emocionado.

Não estou em casa. Por favor, deixe sua mensagem. Era tudo.

Wallander voltou à cozinha. "As suas mensagens ainda estão na secretária eletrônica. Mas não sabemos se alguém as ouviu ou não."

Todos ficaram em silêncio, pensando no que Wallander havia dito.

"O que os vizinhos disseram?"

"Ninguém ouviu nada", respondeu Martinsson. "É muito estranho. Ninguém ouviu nenhum tiro, mas quase todos os vizinhos estavam em casa."

Wallander franziu a testa. "Não é possível que ninguém tenha ouvido nada."

"Vou continuar interrogando os vizinhos."

Martinsson saiu.

Um policial entrou na cozinha. "Tem um repórter lá fora."

Que droga, pensou Wallander. Alguém deve ter contatado a imprensa. Olhou para Holgersson.

"Temos que informar primeiro a família", ela disse.

"Não podemos adiar para depois do meio-dia", Wallander disse. Virou-se para o policial. "Não há comentários, por enquanto. Faremos uma coletiva de imprensa mais para o final da manhã."

"Às onze", disse Holgersson.

O policial desapareceu. Na sala, Nyberg gritava com alguém. Então todos ficaram em silêncio. Ele tinha um temperamento péssimo, mas suas explosões eram breves. Wallander entrou no escritório e apanhou uma lista telefônica do chão. Sentou-se à mesa da cozinha, procurou o número de Ylva Brink e lançou um olhar indagador para Holgersson.

"Você liga", ela disse.

Notificar um parente da morte súbita de um dos seus era uma das tarefas mais difíceis. Sempre que possível, Wallander tentava estar acompanhado do capelão da polícia. Embora tivesse desempenhado aquela tarefa várias vezes, nunca se acostumaria. E mesmo que Ylva Brink fosse apenas uma prima de Svedberg, seria difícil. Ouviu o primeiro toque do telefone e sentiu a tensão crescer.

A mensagem da secretária eletrônica dizia que ela estava fazendo plantão no hospital. Wallander pôs o fone no gancho. De repente, lembrou-se de ter acompanhado Svedberg numa visita ao hospital havia dois anos. E agora o colega estava morto. Ele ainda não conseguia acreditar.

"Ela está no hospital. Vou até lá para dar a notícia pessoalmente."

"Isso de fato não pode esperar", disse Lisa Holgersson. "Talvez Svedberg tenha outros parentes de que nunca ouvimos falar."

Wallander assentiu. Ela tinha razão.

"Quer que eu vá com você?"

"Não há necessidade."

O inspetor sentiu falta de Ann-Britt, mas então se deu conta de que ninguém havia lhe avisado.

Ela deveria estar aqui, trabalhando com os outros, pensou.

Holgersson se levantou e saiu da cozinha. Wallander se sentou e discou o número de Höglund. Uma voz sonolenta de homem atendeu.

"Preciso falar com Ann-Britt. Aqui é o Wallander."

"Quem?"

"Kurt. Da polícia."

O homem ainda estava sonolento, mas agora parecia também zangado.

"Esse não é o número da Ann-Britt Höglund?"

"Não tem nenhuma puta com esse nome", grunhiu o homem, depois bateu o telefone no gancho. Wallander quase sentiu o impacto. Tinha discado o número errado. Tentou outra vez, mais devagar, e Höglund atendeu no segundo toque, com a mesma rapidez de Holgersson.

"Sou eu, Kurt."

Ela não parecia sonolenta. Talvez estivesse acordada... Talvez estivesse com problemas. Agora teria mais um para acrescentar à lista.

"O que aconteceu?"

"Svedberg está morto, provavelmente assassinado."

"Não acredito."

"Infelizmente é verdade. Aconteceu no apartamento dele, na Lilla Norregatan."

"Eu sei onde é."

"Você pode vir pra cá?"

"Estou a caminho."

Wallander desligou e se manteve sentado à mesa da cozinha. Um dos técnicos forenses estava à espreita, mas o inspetor o mandou embora com um aceno. Precisava pensar. Começava a perceber que havia alguma coisa estranha naquilo tudo. Um detalhe que não se encaixava. O técnico voltou à cozinha.

"Nyberg quer falar com você."

Wallander se levantou e foi até a sala, onde o desconforto e o desgosto das pessoas trabalhando eram patentes. Svedberg nunca teve uma personalidade extrovertida, mas era querido por todos. E agora estava morto.

O médico estava de joelhos ao lado do cadáver. De vez em quando, a sala era iluminada por um flash. Nyberg fazia anotações. Ele se aproximou de Wallander, que estava parado à porta.

"Svedberg tinha armas?"

"Você está falando da espingarda?"

"É."

"Não sei, mas não consigo imaginar que fosse dele."

"É estranho que o assassino tenha deixado a arma."

Wallander concordou. Foi uma das primeiras coisas que lhe passou pela cabeça.

"Você notou qualquer coisa estranha aqui?"

Nyberg semicerrou os olhos. "Não é tudo estranho quando os miolos de um colega foram estourados?"

"Você entendeu o que eu quis dizer."

Mas Wallander não esperou pela resposta. Virou-se e saiu dali, esbarrando com Martinsson no hall.

"Como foi? Você conseguiu estabelecer um horário?"

"Ninguém ouviu nada e, se meus cálculos estiverem certos, tinha sempre alguém no prédio, desde segunda-feira. Neste andar e no apartamento de baixo."

"E ninguém ouviu nada? Não é possível."

"Só um professor aposentado me pareceu meio surdo, mas os outros não têm problemas de audição."

Wallander não entendia. Alguém tinha que ter ouvido o tiro — ou os tiros.

"Continue trabalhando nisso. Tenho que dar uma passada no hospital. Você se lembra da prima do Svedberg, a Ylva Brink? A parteira?"

Martinsson assentiu.

"Ela é, provavelmente, o parente mais próximo dele."

"Ele não tinha também uma tia em Västergötland?"

"Vou perguntar à Ylva."

Wallander desceu a escada. Precisava tomar um ar. Um repórter estava sentado em frente ao prédio. Wallander o reconheceu: era Wickberg, que trabalhava no jornal diário de Ystad.

"O que está acontecendo? Todas as unidades foram chamadas no meio da noite para a casa de um policial chamado Karl Evert Svedberg."

"Não posso te dar nenhuma informação", disse Wallander. "Faremos uma coletiva de imprensa às onze da manhã."

"Não pode ou não quer me dar nenhuma informação?"

"Na verdade, não posso."

O repórter assentiu.

"Isso significa que alguém morreu e que você não pode dar nenhuma informação até que o parente mais próximo saiba do ocorrido. Certo?"

"Se fosse esse o caso, era só eu pegar o telefone."

Wickberg sorriu com firmeza, mas sem hostilidade.

"Não é assim que acontece. Primeiro vocês procuram um capelão da polícia, se houver um disponível. Quer dizer que Svedberg morreu?"

Wallander estava cansado demais para se zangar.

"Pense ou adivinhe o que quiser, o problema é seu. Faremos uma coletiva de imprensa às onze. Antes disso, nem mais uma palavra."

"Para onde você vai?"

"Preciso tomar um pouco de ar."

Caminhou pela Lilla Norregatan, percorreu alguns quarteirões e só então olhou para trás. Wickberg não o seguia. Virou à direita na Sladdergatan, depois à esquerda na Stora Norregatan. Tinha sede e precisava urinar. Nenhum carro passava por ali. Caminhou até um prédio e se aliviou. Depois prosseguiu.

Alguma coisa estava errada, pensou. Havia um detalhe estranho naquela história toda. Não conseguia entender o que era, mas a sensação estava cada vez mais forte. Sentiu uma pontada no estômago. Por que Svedberg levou um tiro? Tinha alguma coisa que não se encaixava naquela imagem terrível do homem com a cabeça esfacelada. O que era?

Wallander chegou ao hospital, dirigiu-se à entrada de emergência e chamou o elevador. Subiu até a enfermaria da maternidade, e uma série de imagens lhe veio à cabeça do dia em que foi até lá com seu parceiro para encontrar Ylva Brink. Mas desta vez o Svedberg não estava. Era como se ele nunca tivesse existido.

De repente, através das portas duplas de vidro, viu Ylva Brink de relance. Eles trocaram olhares, e ela precisou de alguns segundos para se lembrar de quem ele era. Ylva se aproximou das portas e deixou o inspetor entrar. Naquele momento, Wallander notou que ela acabava de se dar conta de que alguma coisa estava errada.

5.

Sentaram-se numa sala. Eram três horas da manhã. Wallander contou-lhe os fatos. Svedberg estava morto, tinha sido assassinado com um tiro de espingarda. A identidade do assassino, o motivo e a data da morte ainda eram questões sem resposta. Evitou entrar em detalhes sobre a cena do crime.

Quando terminou, uma das enfermeiras de plantão veio fazer uma pergunta à Ylva Brink.

"Não pode esperar?", perguntou Wallander. "Acabo de dar a notícia sobre a morte de um parente."

Quando a enfermeira ia se retirar, Wallander lhe pediu um copo d'água. Estava com a boca tão seca que a língua parecia grudada ao céu da boca.

"Estamos todos em estado de choque", disse Wallander depois que a enfermeira saiu. "Não dá pra entender."

Ylva não disse nada. Estava muito pálida, mas manteve a compostura. A enfermeira voltou com o copo d'água.

"Se precisar de mais alguma coisa, é só chamar."

"Tudo bem", respondeu Wallander.

Esvaziou o copo, mas não foi o suficiente para matar a sede.

"Não entra na minha cabeça", disse Ylva. "Não consigo entender."

"Nem eu. E vai levar um tempo, se é que algum dia vamos entender."

Achou um lápis num dos bolsos, mas — como de costume — não tinha papel à mão. Havia um cesto de lixo perto da cadeira. Tirou de lá uma folha na qual alguém tinha rabiscado uns bonecos de palito, alisou-a e pegou uma revista que estava em cima da mesa para servir de apoio.

"Tenho que te fazer umas perguntas", ele disse. "Quem era o parente mais próximo? Eu só sei de você."

"Os pais dele morreram e não tinha irmãos. Além de mim, que sou prima do lado paterno, há apenas um primo do lado materno. Ele se chama Sture Björklund."

Wallander anotou o nome.

"Ele mora em Ystad?"

"Mora numa chácara nos arredores de Hedeskoga."

"Então ele é agricultor?"

"É professor na Universidade de Copenhague."

Wallander se surpreendeu. "Não me recordo de Svedberg ter mencionado esse primo."

"Eles raramente se viam. Se você quer saber com qual dos parentes Svedberg matinha contato, então era só comigo."

"Mesmo assim, terá de ser notificado. Como você pode imaginar, o caso vai aparecer em várias manchetes de jornal. Um policial morto violentamente é uma notícia importante."

Ylva observou-o com cuidado. "Morto violentamente? O que quer dizer com isso?"

"Que ele foi assassinado."

"Bom, o que mais poderia ser?"

"Essa era a minha próxima pergunta pra você", disse Wallander. "Poderia ter sido suicídio?"

"Não é sempre uma possibilidade? Se as circunstâncias forem plausíveis..."

"Pois é."

"Não dá pra saber se foi assassinato ou suicídio?"

"É provável que sim, mas precisamos fazer umas perguntas de praxe."

Ela pensou um pouco antes de responder. "Eu mesma cogitei essa hipótese durante uma época difícil. Só Deus sabe o que passei. Mas nunca me ocorreu que o Karl pudesse tomar uma decisão dessas."

"Porque ele não tinha motivos pra se suicidar?"

"Ele não era o que eu chamaria de uma pessoa infeliz."

"Quando foi a última vez que você falou com ele?"

"Ele me ligou no domingo passado."

"Como ele estava?"

"Parecia normal."

"Por que ele te ligou?"

"Nós nos falávamos uma vez por semana. Se ele não me ligasse, eu ligava pra ele. E vice-versa. Às vezes ele aparecia pra jantar, em outras ocasiões eu ia na casa dele. Como você deve se lembrar, o meu marido não passa muito tempo em casa. Ele trabalha num navio petroleiro. Nossos filhos já são grandes."

"O Svedberg sabia cozinhar?"

"Por que não saberia?"

"É que nunca o imaginei numa cozinha."

"Ele cozinhava muito bem, especialmente peixe."

Wallander recuou um pouco. "Então ele te telefonou no domingo. No dia 4 de agosto. E tudo parecia bem?"

"Sim."

"Sobre o que vocês conversaram?"

"Nada de mais. Lembro de ele ter dito que estava bastante cansado. Que estava trabalhando muito."

Wallander olhou para ela fixamente. "Ele disse que estava trabalhando muito?"

"Disse, sim."

"Mas ele tinha acabado de voltar de férias."

"Lembro como se fosse hoje."

Wallander pensou um bom tempo antes de fazer a próxima pergunta. "Sabe o que ele fez durante as férias?"

"Não sei se você sabe, mas ele não gostava de sair de Ystad. Normalmente, ficava em casa. Talvez tenha feito uma viagem curta para a Polônia."

"Mas o que ele fazia em casa? Ficava no apartamento?"

"Ele tinha muitos interesses."

"Por exemplo?"

Ela balançou a cabeça. "Você deve saber tanto quanto eu. Ele tinha duas grandes paixões: astronomia e a história dos índios americanos."

"Eu sabia dos índios e também que, às vezes, Svedberg ia a Falsterbo para observar as aves. Mas a astronomia é uma novidade pra mim."

"Ele tinha um telescópio muito caro."

Wallander não se recordava de ter visto um telescópio no apartamento.

"Onde ficava?"

"No escritório."

"O que ele fez nas férias? Observou as estrelas e leu sobre os índios?"

"Acho que sim. Mas este verão foi um pouco diferente."

"Diferente como?"

"Normalmente a gente se via muitas vezes durante as férias, mais do que no resto do ano. Mas neste verão ele não teve tempo: recusou vários convites meus pra jantar."

"Ele explicou por quê?"

Ela hesitou antes de responder. "Ele deu a entender que não tinha tempo."

Wallander sentiu que estava se aproximando de um ponto crucial. "E ele não disse por quê?"

"Não."

"Você deve ter ficado intrigada."

"Não muito."

"Você notou alguma mudança no comportamento dele? Tinha alguma coisa que o chateava?"

"O mesmo de sempre. A única diferença é que ele parecia estar sem tempo."

"Quando foi que você notou isso pela primeira vez?"

Ela pensou por um instante. "Logo depois do solstício, na época em que ele estava de férias."

A enfermeira reapareceu à porta. Ylva se levantou.

"Já volto", ela disse.

Wallander procurou um banheiro. Bebeu mais dois copos d'água e se aliviou. Voltou para a sala, e Ylva estava à sua espera.

"Eu preciso ir", ele disse. "As outras perguntas podem esperar."

"Se quiser, posso ligar para o Sture. Temos que organizar o funeral."

"Tente ligar para ele nas próximas duas horas", respondeu o inspetor. "Faremos uma coletiva de imprensa às onze da manhã."

"Ainda não consigo acreditar."

Ela estava com os olhos cheios de lágrimas. Wallander teve dificuldade de manter os olhos secos. Continuaram sentados em silêncio, ambos lutando para conter o choro. O inspetor tentou se concentrar no relógio da parede, contando os segundos à medida que o ponteiro avançava.

"Tenho uma última pergunta", ele disse, depois de alguns instantes. "Svedberg era solteiro. Eu nunca o ouvi mencionar que tinha uma mulher."

"Acho que ele nunca teve um relacionamento."

"Será que aconteceu alguma coisa neste verão?"

"Você está sugerindo que ele tenha conhecido uma mulher?"

"Sim."

"E talvez por isso estivesse com 'excesso de trabalho'?"

Wallander percebeu que essa hipótese parecia absurda. "Preciso fazer esse tipo de pergunta", repetiu. "Do contrário, não chegamos a lugar nenhum."

Ylva o acompanhou até as portas de vidro.

"Precisamos pegar quem fez isso", ela disse, agarrando o braço de Wallander com força.

"Dou minha palavra. Svedberg era um dos nossos. Não desistiremos até encontrar o assassino."

Apertaram as mãos.

"Você sabe se ele costumava guardar uma quantia grande de dinheiro no apartamento?"

Ela olhou espantada para o policial. "Onde ele iria arranjar uma quantia grande de dinheiro? Estava sempre se queixando de ganhar pouco..."

"Quanto a isso, Svedberg tinha razão."

"Você sabe quanto ganha uma parteira?"

"Não."

"É melhor eu não te dizer. Digamos que não dá para discutir sobre quem ganha o maior salário, mas sim sobre quem ganha o menor."

Wallander respirou fundo assim que saiu do hospital. Os pássaros gorjeavam. Ainda não eram quatro da manhã. Sentia apenas uma brisa suave, mas o ar continuava quente. Começou a andar lentamente de volta à Lilla Norregatan. Uma questão parecia mais importante do que as outras: por que Svedberg se sentia cansado de tanto trabalhar se acabara de voltar de férias? Será que isso tinha alguma relação com o assassinato dele?

Deteve-se no atalho estreito. Voltou mentalmente ao momento em que parou na porta da sala e viu pela primeira vez o estrago. Martinsson estava logo atrás dele. Wallander encontrou um homem morto e uma espingarda. Porém, quase de imediato foi tomado por uma sensação de que alguma coisa estava errada. O que seria? Refletiu mais uma vez, sem êxito.

Paciência, pensou. Estou cansado. A noite foi longa e ainda não acabou.

Continuou andando, imaginando quando teria tempo para dormir e pensar em sua dieta. Então, parou novamente. Nesse momento lhe ocorreu uma pergunta.

E se eu morresse de repente como Svedberg? Quem sentiria a minha falta? O que diriam as pessoas? Que eu tinha sido um bom policial? Mas quem sentiria minha falta como pessoa? A Ann-Britt? Talvez até o Martinsson?

Um pombo sobrevoou sua cabeça. Não sabemos nada uns dos outros, pensou. Na verdade, o que eu pensava a respeito do Svedberg? Sinto realmente a falta dele? Podemos ter saudade de alguém que não conhecemos?

Recomeçou a andar, mas sabia que essas perguntas o perseguiriam.

Voltar ao apartamento de Svedberg era como regressar a um pesadelo. Depois de passar pela porta, não se pensava mais em verão, sol ou no canto das aves. Ali dentro, sob a luz forte dos refletores, havia apenas a morte.

Lisa Holgersson tinha voltado para a delegacia. Wallander fez sinal para que Höglund e Martinsson o acompanhassem até a cozinha. Por pouco não perguntou onde estava Svedberg. Sentaram-se em volta da mesa, com um ar sombrio.

"Como estão indo?"

"Pode ter sido outra coisa além de um assalto?", Ann-Britt perguntou.

"Pode ter sido muita coisa", respondeu Wallander. "Vingança, um lunático, dois lunáticos, três lunáticos. Não sabemos. E, enquanto não soubermos, temos de trabalhar com o que está diante dos nossos olhos."

"E tem mais uma coisa...", Martinsson disse devagar.

Wallander assentiu, prevendo o que o colega ia dizer.

"O fato de Svedberg ser um policial", disse Martinsson.

"Você encontrou alguma pista?", perguntou Wallander. "Como está indo o trabalho do Nyberg? E o laudo médico?"

Os dois policiais folhearam suas anotações. Höglund falou primeiro:

"Os dois canos da espingarda foram disparados", ela leu. "O patologista e Nyberg têm certeza de que os tiros foram disparados um atrás do outro, dirigidos diretamente à cabeça de Svedberg, à queima-roupa." A voz dela tremia. Respirou fundo e prosseguiu. "Não foi possível determinar se Svedberg estava sentado na cadeira quando a arma foi disparada, nem a distância exata. De acordo com a disposição da mobília e a dimensão da sala, a distância não teria sido maior que quatro metros, mas pode ter sido bem menor."

Martinsson se levantou, murmurou qualquer coisa e correu para o banheiro. Os outros esperaram. Depois de uns minutos, ele voltou.

"Eu devia ter me demitido há dois anos", disse.

"Precisamos de você mais do que nunca", disse Wallander com rispidez, embora entendesse bem o que Martinsson estava sentindo.

"Svedberg estava vestido", continuou Höglund. "Isso significa que ele não foi forçado a sair da cama, mas ainda não sabemos a hora exata da morte."

Wallander olhou para Martinsson.

"Recapitulei esse ponto várias vezes. Mas nenhum vizinho ouviu nada."

"E o barulho da rua?", perguntou Wallander.

"Não acho que abafaria o som de um disparo de espingarda. Os dois tiros."

"Então não temos como precisar a hora do crime. Sabemos que Svedberg estava vestido, o que nos permite eliminar as últimas horas da noite. Sempre tive a impressão de que ele se deitava cedo."

Martinsson concordou.

"Como é que o assassino entrou no apartamento? Nós sabemos?"

"A porta não mostra sinais de ter sido arrombada."

"Mas veja só como foi fácil entramos", disse Wallander.

"Por que será que o assassino deixou a arma? Teria entrado em pânico?"

Não havia respostas para as perguntas de Martinsson. Wallander observou os colegas e percebeu o quanto estavam cansados e deprimidos.

"Vou dizer o que penso. Talvez não seja importante, mas assim que entrei no apartamento, tive uma sensação estranha. Não faço ideia do que seja. Houve um assassinato que sugere um assalto. Mas se não foi um assalto, foi o quê? Vingança? Ou será possível que alguém tenha entrado aqui não para roubar, mas sim para procurar alguma coisa?"

Ele se levantou, pegou um copo que estava na bancada da cozinha e se serviu de água.

"Falei com Ylva Brink no hospital", continuou. "Svedberg quase não tinha família. Apenas dois primos, sendo que um deles é a própria Ylva. Parece que eles se falavam com frequência. Ela me disse uma coisa que achei esquisita: quando falou com Svedberg no domingo passado, ele se queixou de estar cansado de tanto trabalho. No entanto, tinha acabado de voltar de férias... Não faz nenhum sentido."

Höglund e Martinsson esperaram que ele continuasse.

"Não sei se isso é relevante", disse Wallander. "Mas temos que averiguar o motivo."

"Você acha que tem a ver com uma das investigações do Svedberg?", perguntou Höglund.

"Ou com o caso dos jovens desaparecidos?", sugeriu Martinsson.

"Deve ter alguma coisa a mais", disse Wallander. "Afinal, não era uma investigação formal. De qualquer forma, ele saiu de férias poucos dias depois de os pais dos jovens terem nos notificado."

Ninguém conseguiu chegar a uma conclusão.

"Um de vocês tem que descobrir o que ele estava investigando", disse Wallander.

"Você acha que ele tinha um segredo ou alguma coisa do gênero?", Martinsson perguntou com cautela.

"Todos nós temos segredos, não é?"

"Então é isso que estamos procurando? O segredo de Svedberg?"

"Estamos procurando a pessoa que o matou, nada mais."

Resolveram se reunir novamente às oito horas, na delegacia. Martinsson voltou imediatamente para o apartamento ao lado para continuar interrogando os vizinhos. Höglund permaneceu no mesmo lugar. Wallander notou que ela parecia cansada e devastada.

"Você estava acordada quando eu te liguei?"

Arrependeu-se logo em seguida de ter feito a pergunta. Não era da conta dele se Höglund estava ou não acordada. Mas ela não parecia se importar.

"Sim, eu estava bem acordada."

"Você chegou tão depressa que imaginei que seu marido tenha ficado com as crianças."

"Quando você me ligou, estávamos no meio de uma discussão. Uma discussão boba e sem importância, daquelas que alimentamos quando já não temos energia para as grandes brigas."

Continuaram sentados em silêncio. De vez em quando, ouviam a voz de Nyberg.

"Não consigo entender o que aconteceu", ela disse. "Quem poderia querer mal ao Svedberg?"

"Quem era a pessoa mais próxima dele?", Wallander perguntou.

Ela parecia surpresa com a pergunta. "Pensei que fosse você."

"Não, eu não o conhecia muito bem."

"Mas ele te admirava."

"Acho difícil imaginar isso."

"Você não reparou, mas eu sim. Talvez os outros também tenham notado. Ele sempre defendia o seu ponto de vista, mesmo quando você estava errado."

"Mas isso não responde à nossa questão", disse Wallander, voltando à pergunta. "Quem era a pessoa mais próxima dele?"

"Ninguém."

"Bem, agora temos que nos aproximar dele. Agora que Svedberg está morto."

Com uma caneca de café na mão, Nyberg entrou na cozinha.

Wallander sabia que ele sempre tinha uma garrafa térmica pronta, caso fosse chamado no meio da noite.

"Como é que estão as coisas?", Wallander perguntou.

"Parece um assalto", respondeu Nyberg. "Só que não sabemos por que o assassino deixou a arma."

"Ainda não temos a hora da morte", disse Wallander.

"Isso é com o patologista."

"Mas ainda assim gostaria de ouvir sua opinião."

"Não gosto de fazer suposições."

"Eu sei, mas você tem certa experiência em casos como este. Juro que não vou jogar na sua cara depois se estiver enganado."

Nyberg esfregou o queixo com barba malfeita. Estava com os olhos vermelhos.

"Talvez há vinte e quatro horas", ele disse. "Duvido que seja menos do que isso."

Deixaram as palavras se assentarem. Então foi na quarta à noite ou na quinta de manhã, pensou Wallander. Nyberg bocejou e saiu da cozinha.

"Você devia ir pra casa agora", o inspetor disse para Höglund. "Temos que estar prontos para organizar a investigação às oito."

O relógio de parede marcava cinco e quinze da manhã. Ela vestiu o casaco e saiu. Wallander ficou na cozinha. No parapeito da janela, havia uma pilha de contas. Deu uma folheada nelas. Temos que começar de algum ponto, pensou. Em seguida, foi falar com Nyberg e pediu-lhe um par de luvas. Voltou à cozinha e olhou devagar ao redor. Vasculhou os armários e gavetas metodicamente, notando que Svedberg mantinha aquele cômodo tão limpo e arrumado quanto sua sala na delegacia.

Deixou a cozinha e dirigiu-se ao escritório. Onde estava o telescópio? Sentou-se na cadeira da escrivaninha e olhou em volta. Nyberg apareceu para dizer que estavam prontos para levar o cadáver. Queria vê-lo mais uma vez? Wallander fez que não. A imagem de Svedberg com a cabeça esfacelada estava fixada em sua mente para sempre. Era uma imagem que não poupava nenhum detalhe macabro.

Deixou o olhar vagar pelo ambiente. A secretária eletrônica estava em cima da escrivaninha, bem como um porta-lápis, uns soldadinhos de chumbo antigos e um calendário de bolso. Wallander folheou o calendário mês a mês. No dia 11 de janeiro, às nove e meia da manhã, Svedberg teve uma consulta no dentista. No dia 7 de março Ylva Brink fazia aniversário. No dia 18 de abril, escreveu o nome "Adamsson". Esse nome também estava marcado nos dias 5 e 12 de maio. Não havia nenhuma anotação nos meses de junho e julho.

Svedberg tinha tirado suas férias. Depois reclamou que estava cansado e com excesso de trabalho. Wallander continuou virando as páginas, agora mais devagar, mas não havia mais nenhuma anotação. Os últimos dias de vida de Svedberg eram uma verdadeira folha em branco. No dia 18 de outubro Sture Björklund fazia aniversário, e o nome Adamsson voltava a aparecer no dia 14 de dezembro. Era tudo. Pôs o calendário no lugar e recostou-se na cadeira, que, aliás, era muito confortável. Estava cansado e com sede. Fechou os olhos e se perguntou quem seria Adamsson.

Então se inclinou para a frente e pegou os cartões de visita enfiados num dos cantos do *desk pad*. Havia um cartão de um sebo chamado Boman, em Gotemburgo, e outro do representante da Audi, em Malmö. Svedberg fora um cliente leal e sempre tivera um Audi, da mesma maneira que Wallander só trocava seu Peugeot por outro Peugeot. Pôs os cartões de volta onde estavam e deu uma olhada numa pilha de cartas e postais. A maioria das cartas tinha mais de dez anos e quase todas eram da mãe de Svedberg.

O inspetor pôs a pilha no lugar e observou dois postais. Para sua surpresa, um deles tinha sido enviado por ele próprio, Wallander, de Skagen. *As praias aqui são fantásticas*, dizia. Ficou sentando, olhando para o cartão-postal por uns instantes.

Estivera lá havia três anos. Tinha prolongado sua licença médica e não sabia se voltaria à ativa algum dia. Passou parte do tempo, no inverno, vagando pelas praias frias e abandonadas de Skagen. Não se lembrava de ter escrito o postal. Guardava poucas lembranças desse período de sua vida.

Por fim, retornou a Ystad e recomeçou a trabalhar. Recordava que tinha estado com Svedberg no primeiro dia de volta ao emprego. Björk acabara de lhe dar as boas-vindas, e todos os presentes na sala de reunião permaneceram calados. Nenhum dos colegas esperava que ele voltasse. A pessoa que finalmente quebrou o silêncio foi Svedberg. Ainda se lembrava do que ele disse: *Graças a Deus, finalmente você voltou. Não sei como conseguiríamos passar mais um dia sem você.*

Wallander agarrou-se a essa lembrança e tentou se lembrar de Svedberg com clareza. Era um sujeito tranquilo, mas também uma daquelas pessoas capazes de resolver uma situação desconfortável. Era um bom policial, de maneira nenhuma excepcional, mas bom. Persistente e consciencioso. Não tinha muita imaginação, nem era particularmente dotado para escrever. Seus relatórios eram muitas vezes mal redigidos, o que irritava os promotores. Mas era uma peça-chave na equipe.

Wallander levantou-se e foi para o quarto de Svedberg. Não havia sinais do telescópio. Sentou-se na cama e pegou um livro que encontrou na mesa de cabeceira. O título era *A história dos índios sioux* e estava escrito em inglês. Svedberg não falava inglês muito bem, mas talvez fosse melhor na leitura.

Folheou o livro distraidamente e se viu contemplando uma fotografia impressionante do Touro Sentado. Em seguida, levantou-se e foi ao banheiro. Abriu o armário espelhado em cima da pia e não encontrou nada de surpreendente. Seu próprio armário do banheiro era idêntico ao de Svedberg.

Agora, só faltava a sala. Teria preferido evitá-la, mas não podia. Foi à cozinha e bebeu um copo d'água. Eram quase seis horas e estava muito cansado.

Finalmente, entrou na sala. Nyberg tinha posto protetores de joelhos e estava engatinhando atrás do sofá de couro preto, encostado na parede. A cadeira continuava tombada e ninguém mexera na espingarda. A única coisa removida era o corpo de Svedberg.

Wallander olhou à sua volta e tentou imaginar o que havia se passado ali. O que teria acontecido antes do momento fatal, antes de a arma ter sido disparada? Não conseguia ver nada. Sentiu de novo aquela sensação de estar deixando escapar algo importante. Permaneceu absolutamente imóvel e tentou trazer o pensamento à tona, mas não teve êxito.

Nyberg se aproximou, e eles se entreolharam.

"Você consegue entender isso?", perguntou Wallander.

"Não", respondeu Nyberg. "É tão estranho como uma pintura."

Wallander o olhou fixamente. "O que você quer dizer com 'uma pintura'?"

Nyberg assoou o nariz e redobrou o lenço com cuidado.

"É uma bagunça só", ele disse. "Cadeiras viradas, gavetas abertas, papéis e porcelanas espalhados por todos os lados. A impressão que eu tenho é que está bagunçado demais."

Wallander sabia o que ele estava tentando dizer, embora Nyberg ainda não tivesse concluído seu pensamento.

"Você quer dizer que parece encenação."

"É claro que se trata apenas de uma conjectura neste momento. Não tenho nenhuma evidência para apoiar essa ideia."

"O que o levou a supor isso?"

Nyberg apontou para um pequeno galo de porcelana que estava caído no chão.

"Parece plausível imaginar que o galo estava naquela prateleira ali", ele disse, apontando para cima. "De que outro lugar poderia ter vindo? Mas, se caiu porque alguém estava abrindo e vasculhando as gavetas, como veio parar aqui?"

Wallander assentiu.

"É provável que haja uma explicação perfeitamente racional", disse Nyberg. "Mas alguém precisa me dizer qual é."

Wallander não disse nada. Ficou na sala mais alguns minutos e depois saiu do apartamento. Quando deixou o prédio, percebeu que o dia já estava claro. Um carro de polícia estava estacionado em frente ao prédio, mas não havia ninguém na rua. Wallander presumiu que os policiais tivessem sido instruídos a não dar nenhuma informação.

Ficou parado e respirou fundo algumas vezes. Ia ser um belo dia de final de verão. Só agora começava a tomar consciência da profunda tristeza que o consumia, que se originava tanto de sua genuína afeição quanto da lembrança de sua própria mortalidade. A morte passou perto dessa vez. Era diferente do que sentira quando seu pai morrera. Agora tinha medo.

Eram seis e vinte e cinco da manhã de sexta-feira, 9 de agosto. Wallander caminhou lentamente em direção ao seu carro. Lá longe, alguém havia ligado o motor de uma betoneira.

Dez minutos depois, ele chegava à delegacia de polícia.

6.

Juntaram-se na sala de reunião logo depois das oito e improvisaram uma cerimônia em memória de Svedberg. Lisa Holgersson acendeu uma vela no lugar em que ele costumava sentar. Todos que estavam na delegacia naquela manhã se juntaram na sala, preenchendo o espaço com um sentimento palpável de comoção e tristeza. Holgersson disse algumas palavras, esforçando-se para manter a compostura. Todos os presentes rezaram para que ela não desatasse a chorar, pois isso tornaria a situação insuportável. Depois que ela terminou de falar, fez um minuto de silêncio. Imagens inquietantes poluíam a mente de Wallander. Já não conseguia ver o rosto de Svedberg com clareza. Tivera a mesma sensação quando o pai morreu e, antes disso, com a morte de Rydberg.

Embora seja possível recordar os mortos, é como se eles nunca tivessem existido, pensou.

A cerimônia improvisada chegou ao fim, e as pessoas começaram a sair da sala. Além dos membros da equipe de investigação, só Lisa Holgersson permaneceu ali. Sentaram-se em volta da mesa. A chama da vela tremeu quando Martinsson fechou uma das janelas. Wallander olhou com um ar interrogador para Holgersson, mas ela meneou a cabeça. Era a vez dele de falar.

"Estamos todos cansados", começou. "Transtornados, tristes e confusos. O que mais temíamos aconteceu. Em geral, tentamos resolver crimes, às vezes bastante violentos, que não nos afetam diretamente. Dessa vez aconteceu entre nós; mas, apesar de tudo, temos que tentar agir como se fosse mais um caso corriqueiro."

Fez uma pausa e olhou à sua volta. Ninguém se manifestou.

"Vamos recapitular os fatos", disse Wallander. "Assim, podemos começar a esboçar uma estratégia. Sabemos muito pouco. Svedberg foi morto a tiros em algum momento entre a tarde de quarta-feira e a manhã de quinta. Aconteceu no apartamento onde morava, e a porta não apresentava sinais de que foi arrombada. Podemos supor que a espingarda deixada no chão foi a arma do crime. O apartamento parece ter sido assaltado, o que talvez indique que Svedberg teve que enfrentar o assaltante armado. Não sabemos se foi esse o caso; trata-se apenas de uma possibilidade. Não podemos descartar outros cenários, temos que manter a investigação o mais abrangente possível. Também precisamos levar em conta o fato de que Svedberg era policial; isso pode ou não ser relevante. Ainda não sabemos a hora exata da morte, e o estranho é que nenhum dos vizinhos tenha ouvido os tiros. Teremos, portanto, que aguardar o resultado da autópsia." Serviu-se de um copo d'água e o esvaziou antes de continuar. "É isso o que sabemos. Só falta acrescentar que Svedberg não apareceu para trabalhar na quinta-feira, o que não é do feitio dele. Ele não justificou essa ausência, e a única explicação racional é que alguma coisa o tenha impedido de ir trabalhar. Sabemos o que isso quer dizer."

Nyberg o interrompeu com um aceno.

"Não sou patologista, mas duvido que Svedberg tenha morrido ainda na quarta-feira."

"Então temos que descobrir o que teria impedido Svedberg de vir trabalhar ontem", disse Wallander. "Por que ele não telefonou? A que horas foi morto?"

Wallander descreveu a conversa com Ylva Brink. "Além de contar que ela era a única pessoa da família com quem Svedberg mantinha contato, disse outra coisa que não me sai da cabeça: nas últimas semanas, o primo se queixava de estar trabalhando demais. Mas ele tinha acabado de voltar de férias. Não faz nenhum sentido, principalmente porque Svedberg não costumava fazer viagens longas durante as férias."

"Alguma vez ele saiu de Ystad?", perguntou Martinsson.

"Não com muita frequência. Ele ia passar o dia em Bornholm ou, às vezes, pegava o ferry e ia pra Polônia. A prima confirmou isso. Parece que tinha dois passatempos: a história dos nativos americanos e astronomia para amadores. Ylva me contou que ele tinha um telescópio caro, mas ainda não conseguimos encontrá-lo."

"Pensei que ele gostava de observar aves", disse Hansson, que até então se mantivera em silêncio.

"Às vezes, mas parece que não com muita assiduidade", disse Wallander. "Acho que devemos partir do princípio de que ela o conhecia muito bem e, segundo ela, o que realmente lhe interessava eram as estrelas e os índios." Olhou à sua volta. "Por que ele se sentia cansado do trabalho? O que isso queria dizer? Pode não ter nenhuma importância, mas tenho a impressão de que tem."

"Antes desta nossa reunião, fui verificar em qual caso ele estava trabalhando", Höglund disse. "Pouco antes de sair de férias, ele falou com os pais de todos os jovens que desapareceram."

"Quais jovens?", indagou Lisa Holgersson, surpresa. Wallander explicou e Höglund prosseguiu.

"Nos dois últimos dias antes das férias, visitou as famílias Norman, Boge e Hillström, uma depois da outra. Mas não consigo achar nenhuma anotação sobre essas visitas. Procurei por todos os cantos."

Wallander e Martinsson se entreolharam.

"Tem alguma coisa errada", Wallander disse. "Nós três tivemos uma longa reunião com essas famílias. Nunca falamos sobre a ideia de investigar o caso, já que não havia indicação de crime."

"Bom, parece que Svedberg foi vê-los mesmo assim", disse Höglund. "Ele anotou as horas exatas de suas visitas no calendário."

Wallander refletiu por alguns instantes. "Isso quer dizer que Svedberg estava agindo por contra própria, sem nos contar."

"Não era do seu feitio", disse Martinsson.

"Não", concordou Wallander. "Isso é tão estranho quanto ele não aparecer para trabalhar e não avisar ninguém."

"Podemos facilmente verificar essa informação", disse Höglund.

"Por favor, veja isso", disse Wallander. "E descubra que tipo de pergunta ele andava fazendo."

"Toda essa situação é absurda", Martinsson interrompeu. "Desde quarta-feira estávamos tentando encontrar Svedberg para falar sobre esses jovens; agora ele se foi, e estamos aqui falando deles."

"Alguma novidade nesse caso?", perguntou Holgersson.

"Nenhuma, exceto que uma das mães está extremamente aflita. A filha mandou outro postal pra ela."

"E essa não é uma boa notícia?"

"Ela acha que a letra não é da filha."

"Quem é que faria isso?", perguntou Hansson. "Quem se daria ao trabalho de falsificar postais? Se fossem cheques, eu entenderia. Mas postais?"

"Acho que, por enquanto, devemos manter os dois casos separados", disse Wallander. "Vamos ver de que maneira conduziremos a investigação para descobrir o assassino ou os assassinos do Svedberg."

"Nada indica que seja mais de um", interrompeu Nyberg.

"Você tem certeza de que não havia mais de um?"

"Não."

Wallander apoiou a palma das mãos no tampo da mesa. "Neste momento, não temos certeza de nada", ele disse. "Temos que lançar uma rede grande. Daqui a algumas horas, vamos divulgar a notícia da morte do Svedberg; a partir daí é que vamos ter que agir de fato."

"Obviamente, daremos prioridade máxima a essa investigação", disse Holgersson. "O resto pode esperar."

"A coletiva de imprensa", lembrou Wallander. "Vamos cuidar disso agora mesmo."

"Um policial foi assassinado. Vamos contar exatamente o que aconteceu. Temos alguma pista?", perguntou Holgersson.

"Não", respondeu Wallander com voz firme.

"Então é isso que vamos dizer."

"Quanto devemos detalhar o caso?"

"Diremos que ele foi morto à queima-roupa e que temos a arma do crime. Há alguma razão para omitirmos essas informações?"

"Na realidade, não", disse Wallander, olhando ao redor da mesa. Ninguém se opôs.

Holgersson se levantou. "Gostaria que você estivesse lá", disse para Wallander. "Talvez todos vocês devam ir. Afinal, um colega e amigo de vocês foi morto."

Resolveram se encontrar quinze minutos antes da coletiva de imprensa.

Lisa Holgersson saiu. A vela se apagou quando ela fechou a porta. Ann-Britt Höglund voltou a acendê-la. Recapitularam tudo o que sabiam e dividiram as tarefas. Eles estavam retomando o ritmo de trabalho. Quando estavam quase encerrando, Martinsson levantou mais uma questão:

"Seria melhor decidirmos agora se deixamos o caso dos jovens de lado ou continuamos a trabalhar nele."

Wallander não tinha certeza. Mas sabia que a decisão era sua. "Vamos deixá-lo de lado, por enquanto. Pelo menos durante os próximos dias. Depois recomeçamos, a menos, é claro, que Svedberg tenha andado fazendo perguntas inusitadas."

Eram nove e quinze. Wallander foi buscar um café e voltou para a sua sala. Pegou um bloco e escreveu uma só palavra na primeira página: *Svedberg*. Embaixo, desenhou uma cruz, mas imediatamente a riscou. Não prosseguiu. Tinha decidido anotar todos os pensamentos que lhe ocorreram durante a noite. Mas, em vez disso, pôs a caneta de lado e foi até a janela. Fazia sol e estava quente naquela manhã de agosto. Sentiu de novo a sensação de que alguma coisa nesse caso não estava batendo. Nyberg tinha a impressão de que a cena do crime fora "arranjada". Se estivesse certo, então por quê? E por quem?

Procurou o nome de Sture Björklund na lista telefônica e discou o número. O telefone tocou várias vezes.

"Meus pêsames pelo falecimento do seu primo", Wallander disse quando o homem atendeu.

A voz de Björklund pareceu-lhe tensa e distante.

"Meus pêsames pra você também. É provável que conhecesse meu primo melhor do que eu. A Ylva me ligou às seis da manhã pra me contar o que aconteceu."

"Infelizmente, a notícia será manchete em vários jornais", disse Wallander.

"Eu sei. Esse é o segundo assassinato na nossa família."

"É mesmo?"

"Em 1847, mais precisamente no dia 12 de abril de 1847, um tio de quarto grau do Karl Evert foi morto à machadada, nos arredores de Eslöv. O assassino era um soldado chamado Brun, que tinha sido expulso do Exército. Um crime por dinheiro. Nosso parente era criador de gado, um homem rico."

"E o que aconteceu?", perguntou Wallander, tentando esconder a impaciência.

"A polícia, que imagino consistir na época apenas de um delegado e seu assistente, fez um esforço heroico e prendeu Brun, dias mais tarde, quando ele estava a caminho da Dinamarca. Foi condenado à morte e executado. Quando Oscar I subiu ao trono, ele se incumbiu de executar as sentenças de morte que haviam sido bloqueadas pelo seu antecessor, Carlos XV. Pelo menos catorze detidos foram executados logo que ele se tornou rei. Brun foi decapitado num lugar perto de Malmö."

"Que história mais estranha."

“Pesquisei sobre nossos antepassados há alguns anos. É claro que o caso de Brun e do crime de Eslöv já eram conhecidos.”

“Se não se importa, gostaria de te fazer uma visita assim que possível.”

Sture Björklund se colocou na defensiva: “Para quê?”.

“Estamos tentando clarear a imagem que temos de Karl Evert.” Era estranho chamar o colega pelo primeiro nome.

“Eu não o conhecia muito bem e, além disso, tenho que ir a Copenhague esta tarde.”

“É urgente, não vou tomar muito do seu tempo.”

O homem do outro lado da linha ficou calado. Wallander esperou.

“A que horas?”

“Por volta das duas da tarde?”

“Vou ligar para Copenhague e avisar que não posso ir hoje.”

Sture Björklund explicou o caminho para a sua casa. Não parecia difícil de encontrar.

Acabada a conversa, Wallander passou meia hora redigindo um resumo do caso. Continuava à procura da sensação que lhe ocorrera — quando viu Svedberg no chão da sala — de que algo não estava batendo, a mesma coisa que Nyberg sentiu. Ele sabia que podia ser uma mera reação diante da visão insuportável e incompreensível de um colega morto. Mas continuava tentando entender o que provocara aquela sensação.

Pouco depois das dez, foi buscar outro café. Havia várias pessoas na cantina. A atmosfera geral era de choque e consternação. Wallander permaneceu ali um pouco, conversando com alguns guardas de trânsito. Em seguida, foi para a sua sala e ligou para o celular de Nyberg.

“Onde é que você está?”, perguntou Wallander.

“Onde é que eu poderia estar?”, o especialista forense respondeu irritado. “Ainda estou no apartamento do Svedberg.”

“Por acaso, você não teria visto um telescópio?”

“Não.”

“Mais alguma coisa?”

"Há várias impressões digitais na espingarda. Acho que vamos conseguir obter duas ou três amostragens boas, pelo menos."

"Depois é torcer pra que ele conste no nosso banco de dados, não é?"

"Pois é."

"Estou indo até a casa do outro primo de Svedberg, que vive nos arredores de Hedeskoga, para interrogá-lo. Depois disso, volto pra fazer uma inspeção geral no apartamento."

"Já vou ter acabado quando você chegar. Também pretendo ir à coletiva de imprensa."

Wallander não se recordava de Nyberg ter estado presente em qualquer reunião que envolvesse a imprensa. Talvez fosse sua maneira de expressar o quanto estava transtornado. O inspetor, de repente, ficou comovido.

"Você encontrou alguma chave?", ele perguntou depois de alguns instantes.

"Só as chaves do carro e as do porão."

"Não tem nada no sótão?"

"Não parece ter espaço no sótão, só no porão. Posso te dar as chaves na coletiva de imprensa."

Wallander desligou e se dirigiu à sala de Martinsson.

"Onde está o carro do Svedberg?", perguntou. "O Audi."

Martinsson não sabia. Perguntaram ao Hansson, que também não soube dizer. Höglund não estava na sala dela.

Martinsson olhou para o relógio. "Deve estar estacionado perto do apartamento. Acho que tenho tempo pra verificar isso antes das onze horas."

Wallander voltou para a sua sala. Notou que as pessoas começavam a enviar flores. Ebba parecia ter chorado, mas o inspetor não lhe dirigiu a palavra. Passou por ela o mais depressa que pôde.

A coletiva de imprensa começou pontualmente às onze. Mais tarde, Wallander observou que Lisa Holgersson havia conduzido o evento com dignidade. Disse-lhe que ninguém poderia ter feito melhor. Ela estava de uniforme e permaneceu em pé, diante de uma mesa com dois buquês de rosas. Seu discurso foi claro e direto. Delineou os fatos aos jornalistas, e sua voz não falhou. Um colega respeitado, Karl Evert Svedberg, foi encontrado morto em seu apartamento. A hora exata da morte e os motivos ainda não eram conhecidos, mas havia indicações de que o policial fora agredido por um ladrão armado. A polícia ainda não tinha nenhuma pista. Ela concluiu exaltando a carreira e o caráter de Svedberg; Wallander achou o discurso muito bom, sem nenhuma ponta de exagero. Depois, ele respondeu a algumas perguntas. Nyberg descreveu a arma do crime: uma espingarda Lambert Baron.

A coletiva durou meia hora. Em seguida, Lisa Holgersson foi entrevistada pelo jornal *Sydnytt*, enquanto Wallander falava com alguns repórteres dos jornais da tarde. Só demonstrou impaciência quando pediram para tirar uma foto sua em frente ao prédio na Lilla Norregatan.

Ao meio-dia, Holgersson convidou os membros da equipe de investigação para almoçar em sua casa. Wallander e a chefe de polícia evocaram algumas lembranças do colega morto. O inspetor era o único que tinha ouvido Svedberg contar por que resolvera se tornar um policial.

"Ele tinha medo do escuro", disse Wallander. "Foi o que me disse. Esse temor o acompanhou desde a infância. Nunca soube o porquê, nem como superar esse problema. Então se tornou policial, achando que seria uma forma de lutar contra esse medo, mas nunca se livrou dele."

Um pouco depois da uma e meia da tarde, eles voltaram para a delegacia. Wallander deu carona para Martinsson.

"Ela se saiu muito bem."

"Lisa é uma boa profissional", respondeu Wallander. "Mas você já sabia disso, não?"

Martinsson não respondeu.

Wallander, de repente, se lembrou de uma coisa: "Você achou o Audi?".

“Tem um estacionamento particular nos fundos do prédio. Estava lá. Dei uma olhada rápida.”

“Viu se tinha um telescópio no porta-malas?”

“Só tinha um pneu sobressalente e um par de botas. Fora uma lata de inseticida no porta-luvas.”

“Agosto é o mês das abelhas”, disse Wallander com tristeza.

Quando chegaram à delegacia, cada um seguiu seu caminho. No almoço, Wallander tinha pegado um molho de chaves com Nyberg; mas, antes de voltar ao apartamento de Svedberg, dirigiu até Hedeskoga. As instruções de Sture Björklund foram bastante claras, pensou Wallander assim que entrou na chácara que ficava nos arredores da cidade. Havia um chafariz na frente da casa e várias estátuas de gesso espalhadas pelo enorme gramado. Para a surpresa de Wallander, todas pareciam representar demônios, e as mandíbulas estavam escancaradas. Imaginou por alguns instantes se era isso que esperava que um professor de sociologia tivesse em seu jardim, mas seus pensamentos foram interrompidos por um homem de botas, que vestia um casaco de couro gasto e um chapéu de palha rasgado. Ele era bem alto e magro. Através de um furo no chapéu, Wallander notou uma semelhança entre Svedberg e seu primo: ambos eram calvos.

Por um instante, Wallander parou impressionado. Não esperava que o professor Björklund tivesse aquele aspecto — um rosto queimado de sol e a barba por fazer. O inspetor se perguntou se os professores de Copenhague de fato apareciam nas aulas sem se barbear. Mas então se lembrou de que o semestre ainda não havia começado e que Björklund provavelmente teria outras ocupações do outro lado do estreito.

“Espero não estar lhe causando um grande incômodo”, disse Wallander.

Sture Björklund jogou a cabeça para trás e soltou uma gargalhada. Wallander percebeu certa zombaria naquele riso.

“Toda sexta-feira me encontro com uma mulher em Copenhague”, disse o professor. “Suponho que você a chamaria de minha amante. Os policiais das cidades do interior da Suécia têm amantes?"

"Dificilmente."

"É uma solução engenhosa para o problema da coexistência", continuou Björklund. "Cada vez pode ser a última. Não existe dependência mútua, nem discussões a altas horas da noite que possam sair de controle, resultando na compra de móveis ou fingimento sobre levar a ideia de casamento a sério."

O homem de chapéu de palha e riso estridente começava a irritar Wallander.

"Bom, assassinato é uma coisa que temos de levar a sério", ele disse.

Sture Björklund assentiu e tirou o chapéu, como se sentisse a obrigação de externar uma expressão de luto.

"Vamos entrar", ele disse.

A casa não parecia com nada que Wallander já tivesse visto. Do lado de fora, era uma típica chácara da Escânia. Mas o mundo em que acabara de entrar era surpreendente em tudo: dentro não havia paredes, apenas uma grande sala que se estendia abaixo das vigas. Aqui e ali se viam pequenas estruturas semelhantes a torres, com escadas em espiral, de ferro fundido e madeira. Quase não havia mobília, e as paredes estavam nuas. Uma das paredes no fundo da casa estava praticamente tomada por um enorme aquário. Sture Björklund conduziu-o a uma grande mesa de madeira flanqueada por bancos de igreja.

"Sempre fui da opinião de que os assentos devem ser duros", disse Björklund. "Cadeiras desconfortáveis nos forçam a acabar logo com o que temos de fazer, seja comer, pensar ou falar com a polícia."

Wallander se sentou no banco de madeira. Era realmente desconfortável.

"Se as minhas anotações estiverem certas, o senhor é professor da Universidade de Copenhague."

"Ensino sociologia, mas tento manter a menor carga horária

possível. O que me interessa é o meu trabalho de pesquisa, que posso fazer aqui em casa."

"Talvez não seja relevante, mas que tipo de pesquisa o senhor faz?"

"Pesquiso a relação entre o homem e os monstros."

Wallander se perguntou se Sture Björklund estava brincando. Esperou que ele continuasse.

"Os monstros da Idade Média não são os mesmos do século XVIII. As minhas ideias não são as mesmas das futuras gerações. É um mundo complexo e fascinante: o inferno, a origem do terror, está constantemente mudando. Acima de tudo, esse tipo de trabalho me proporciona uma renda extra, que não é nada insignificante."

"De que maneira?"

"Trabalho como consultor para empresas cinematográficas americanas que fazem filmes de terror. Sem querer me gabar, acho que sou um dos consultores mais procurados do mundo quando se trata de terror comercial. Tem também um cara japonês no Havaí, mas fora ele, só eu."

Quando Wallander começava a se perguntar se o homem sentado à sua frente era louco, Björklund entregou para ele um desenho que estava em cima da mesa.

"Fiz entrevistas sobre monstros com crianças de sete anos em Ystad. Tentei incorporar suas ideias e cheguei a esta figura. Os americanos adoraram. Ele vai ser a estrela de uma série de desenhos animados para crianças de sete e oito anos."

Wallander olhou para o desenho. Era extremamente desagradável. Largou-o na mesa.

"O que o senhor acha, inspetor?"

"Pode me chamar de Kurt."

"O que acha?"

"É desagradável."

"Vivemos num mundo desagradável."

Pousou o chapéu sobre a mesa, e Wallander sentiu um cheiro forte de suor.

"Decidi cancelar minha linha telefônica. Há cinco anos me livrei da TV. Agora estou me livrando do telefone."

"Isso não é pouco prático?"

Björklund olhou-o com ar sério. "Estou exercendo meu direito de decidir quando quero estabelecer contato com o mundo exterior. Continuarei com o computador, é claro. Mas o telefone se vai."

Wallander assentiu e aproveitou a oportunidade para mudar de assunto.

"Seu primo, Karl Evert Svedberg, foi morto. Além de Ylva Brink, o senhor é o único parente que resta. Quando foi que o viu pela última vez?"

"Há cerca de três semanas."

"O senhor poderia ser mais exato?"

"Sexta-feira, 19 de julho, às quatro e meia da tarde."

A resposta veio tão pronta que surpreendeu Wallander. "Como pode se lembrar tão bem da hora e do dia?"

"Tínhamos marcado de nos encontrar nesse horário. Eu estava de partida pra visitar uns amigos na Escócia, e o Kalle ia tomar conta da casa pra mim, como ele sempre fazia. Essas eram realmente as únicas vezes que nos víamos: quando eu viajava e, depois, quando eu voltava."

"O que significava tomar conta da casa?"

"Ele ficava morando aqui."

A resposta foi uma surpresa para Wallander, mas ele não tinha razão para duvidar de Björklund.

"E isso acontecia com regularidade?"

"Nos últimos dez anos, pelo menos, sim. Era um acordo maravilhoso."

Wallander refletiu por um momento. "Quando foi que o senhor voltou?"

"No dia 27 de julho. Kalle foi me buscar no aeroporto e me trouxe pra casa. Conversamos um pouco, e depois ele voltou pra Ystad."

"O senhor teve a impressão de que ele estava muito cansado?"

Björklund jogou a cabeça para trás e soltou de novo uma gargalhada estridente.

“Isso é uma piada? Não é falta de respeito rir dos mortos?”

“Estou falando sério.”

O professor sorriu. “Acho que todos podemos parecer um pouco cansados quando entramos em relacionamentos apaixonados com mulheres, não é verdade?”

Wallander encarou Björklund.

“O que está querendo dizer?”

“Durante a minha ausência, o Kalle se encontrava com uma mulher aqui em casa. Fazia parte do nosso acordo. Eles ficavam juntos aqui, enquanto eu estava na Escócia ou em qualquer outro lugar.”

Wallander engasgou.

“O senhor parece surpreso”, disse Björklund.

“Era sempre a mesma mulher? Como se chamava?”

“Louise.”

“Qual era o sobrenome dela?”

“Não sei. Eu nunca a vi. O Kalle era muito reservado em relação a ela, ou talvez fosse ‘discreto’.”

Wallander foi pego de surpresa. Nunca tinha ouvido falar de um relacionamento de Svedberg com uma mulher; muito menos de longa data.

“O que mais o senhor sabe sobre ela?”

“Nada.”

“Mas seu primo não te disse alguma coisa sobre a tal Louise?”

“Nunca. E eu também não perguntei. A nossa família não é dada a curiosidade sem propósito.”

Wallander não tinha mais questões. Precisava de tempo para digerir essa última informação. Levantou-se, e Björklund ergueu as sobrancelhas.

“Era só isso?”

“Por ora. Mas em algum momento vou entrar em contato de novo.”

Björklund o levou até a porta. Estava quente e quase não havia brisa.

"O senhor faz ideia de quem poderia ter assassinado Kalle?", Wallander perguntou quando se aproximaram de seu carro.

"Não houve um assalto? Como podemos saber que tipo de criminoso está à espreita na próxima esquina?"

Apertaram as mãos, e Wallander entrou no carro. Assim que o inspetor ligou o motor, Björklund se debruçou na janela.

"Só mais um detalhe", ele disse. "Essa Louise mudava a cor do cabelo com frequência."

"Como é que o senhor sabe?"

"Por causa dos fios de cabelo no banheiro: num ano eram ruivos, depois pretos, e por fim loiros. A cor era sempre diferente."

"Mas o senhor acha que era sempre a mesma mulher?"

"Eu acho que, de fato, o Kalle estava muito apaixonado por ela."

Wallander assentiu e arrancou. Eram três horas da tarde. De uma coisa dá pra ter certeza, Wallander pensou. Svedberg, nosso amigo e colega, pode ter morrido há poucos dias, mas já sabemos mais sobre ele agora do que quando estava vivo.

Às três e dez, Wallander estacionou o carro na praça principal e caminhou até a Lilla Norregatan. Sem saber por quê, começou a andar mais depressa. Havia alguma coisa em relação a esse caso que exigia ação urgente.

7.

Wallander desceu ao porão. Os degraus íngremes lhe davam a sensação de que estava indo para algum lugar mais profundo do que um mero porão: como uma jornada para o mundo subterrâneo. Aproximou-se de uma porta de aço azul, encontrou a chave certa do molho que Nyberg havia lhe dado, e a abriu. Lá dentro estava escuro e cheirava a umidade e bolor. Ele empunhou a lanterna que tinha trazido do carro e deixou o foco de luz percorrer a parede até achar o interruptor, que fora instalado demasiado baixo, como se fosse para pessoas muito pequenas. Caminhou por um corredor estreito com áreas para armazenamento atrás das grades, de ambos os lados. Ocorreu-lhe que os típicos depósitos dos porões suecos pareciam celas de prisão; a única diferença era que não havia presos, e sim sofás velhos, esquis e pilhas de malas. O espaço de Svedberg ficava no fundo do corredor. A tela de arame fora reforçada com barras de ferro. Um cadeado estava pendurado entre as duas barras. O próprio Svedberg deve ter reforçado a fechadura, Wallander pensou. Será que ele guardava alguma coisa importante ali?

Wallander vestiu as luvas de borracha, abriu o cadeado com todo o cuidado, acendeu a luz e olhou em volta. O lugar estava entulhado com todo tipo de coisa que se espera encontrar num depósito, e ele gastou cerca de meia hora para vasculhar tudo.

Não encontrou nada de estranho. Por fim, endireitou-se e olhou novamente ao redor, à procura de algo que deveria estar lá, mas não estava — um telescópio caro, por exemplo. Saiu do porão e fechou a porta.

Voltou à luz do dia. Como estava com sede, foi até uma cafeteria no canto sul da praça principal e bebeu uma garrafa de água mineral e uma xícara de café. Travou uma batalha interior para não comprar um folhado dinamarquês. Sabia que não deveria, mas não resistiu.

Menos de meia hora depois, estava de novo à porta do apartamento de Svedberg. Lá dentro, um silêncio mortal. Wallander respirou fundo antes de entrar. A fita de isolamento da polícia tinha sido colada de um lado ao outro da porta. Descolou a fita de cima da fechadura, destrancou a porta e entrou. Logo em seguida, ouviu o som de uma betoneira vindo da rua. Entrou na sala, deu uma olhadela involuntária para o local onde tinha estado o corpo de Svedberg e foi até a janela. O barulho da betoneira parecia ressoar mais forte entre os prédios. Estavam descarregando materiais de construção de um caminhão grande. O inspetor teve uma ideia repentina. Saiu do apartamento e foi até a rua. Um homem mais velho, sem camisa, esguichava água dentro da betoneira. Ele cumprimentou Wallander com um aceno e pareceu saber de imediato que se tratava de um policial.

"Foi terrível o que aconteceu", gritou, com a voz sobrepondo-se ao barulho da máquina.

"Preciso falar com o senhor", gritou Wallander em resposta.

O homem chamou um operário mais jovem que estava fumando na sombra; ele se aproximou e pegou a mangueira. Os dois foram até a esquina, onde era menos barulhento.

"Você sabe o que aconteceu?", perguntou Wallander.

"Um policial chamado Svedberg foi morto."

"Certo. Há quanto tempo vocês estão trabalhando aqui? Parece que a obra está no início."

"Começamos na segunda-feira. Estamos reformando a entrada do prédio."

“Quando é que começaram a usar a betoneira?”

O homem pensou uns instantes. “Deve ter sido na terça-feira”, ele disse. “Por volta das onze da manhã.”

“Ela está ligada desde então?”

“Praticamente sem parar, das sete da manhã às cinco da tarde. Às vezes, até um pouco mais tarde.”

“E a betoneira esteve sempre neste mesmo lugar?”

“Sim.”

“Então, vocês conseguem ver nitidamente quem entra e sai do prédio.”

O homem, de repente, percebeu a importância da pergunta de Wallander e ficou sério.

“É claro que vocês não conhecem as pessoas que moram aqui”, disse Wallander. “Mas é provável que tenham visto algumas pessoas mais de uma vez.”

“Não sei qual era a aparência do policial, se é isso que está me perguntando.”

Wallander não tinha pensado nisso.

“Vou mandar alguém pra te mostrar uma fotografia. Qual é o seu nome?”

“Nils Linnman, como o homem que faz os programas sobre a natureza.”

Wallander, é claro, conhecia o nome: Nils Linnman era uma celebridade da televisão sueca.

“Você notou alguma coisa estranha desde que começou a trabalhar aqui?”, perguntou Wallander, enquanto procurava desesperadamente um pedaço de papel onde pudesse escrever.

“Como assim?”

“Alguém que te pareceu nervoso, ou como se estivesse com pressa. Às vezes, vemos coisas que não parecem normais.”

Linnman pensou por um instante, Wallander esperou. Precisava urinar de novo.

“Não”, Linnman acabou respondendo. “Não me recordo de nada. Mas o Robban pode ter visto alguma coisa estranha.”

“Robban?”

"O rapaz que me substituiu. Mas duvido... Ele só pensa numa coisa: motos."

"Melhor perguntarmos a ele", disse Wallander. "E se você se lembrar de alguma coisa, por favor, me ligue."

Pelo menos dessa vez Wallander levou consigo um cartão, e Linnman o guardou no bolso da frente do macacão.

"Vou chamar o Robban."

A conversa com Robban foi breve. Seu nome completo era Robert Tärnberg, e ele tinha apenas uma noção vaga de que alguém tinha sido assassinado no prédio. Não percebera nada fora do normal. Wallander teve a impressão de que ele era do tipo que nem notaria se um elefante atravessasse a rua. Então não se deu ao trabalho de lhe dar seu cartão. Voltou para o apartamento. Agora, pelo menos, já tinha uma resposta satisfatória para o fato de ninguém ter ouvido os disparos.

Foi até a cozinha e ligou para a delegacia. Höglund era a única pessoa disponível. Wallander pediu que ela levasse uma foto do Svedberg e mostrasse aos operários da construção.

"Já temos outros policiais aí, indo de porta em porta", ela disse.

"Mas parece que eles se esqueceram dos pedreiros."

Ele foi até o hall, depois parou e tentou se livrar dos pensamentos sem importância. Muitos anos antes, quando acabara de se mudar para Ystad vindo de Malmö, Rydberg lhe dera o seguinte conselho: lentamente, descasque todas as camadas superficiais. Em qualquer cena de crime há sempre pistas e sinais, como se fossem sombras do próprio acontecimento. É isso que você precisa encontrar.

Wallander abriu a porta da frente e logo notou uma coisa estranha: no cesto embaixo do espelho havia uma pilha de jornais, todos os exemplares do *Ystad Allehanda*, que Svedberg assinava. Mas não havia nenhum jornal no chão, nem na abertura do correio na porta, embora devesse haver um, pelo menos um.

Talvez até dois ou três. Alguém os tirara dali. Foi até a cozinha e viu que os exemplares de quarta e quinta-feira estavam em cima da bancada; o de sexta-feira, na mesa.

Wallander ligou para o celular de Nyberg. Ele atendeu de imediato. O inspetor começou a conversa falando da betoneira, mas o perito não se convenceu.

"O som se propaga de fora para dentro", Nyberg disse. "Quem passasse na rua não ouviria os disparos por causa do barulho da betoneira, mas dentro do prédio seria outra história. A propagação do som é diferente no interior dos edifícios. Li sobre isso em algum lugar."

"Talvez devêssemos fazer uns testes com disparos", sugeriu Wallander. "Com a betoneira ligada e desligada, sem avisar os vizinhos."

Nyberg concordou.

"No entanto, a razão do meu telefonema é o jornal. O *Ystad Allehanda*."

"Deixei um na mesa da cozinha", disse Nyberg. "Mas não tenho nada a ver com os que estão na bancada."

"Devíamos verificar se há impressões digitais neles", disse Wallander. "Não sabemos quem colocou os jornais lá."

Nyberg ficou em silêncio por um momento. "Tem razão", ele disse. "Droga, como não me lembrei disso?!"

"Não vou tocá-los", disse Wallander.

"Quanto tempo você vai ficar aí?"

"Duas ou três horas, pelo menos."

"Estou indo já."

Wallander abriu uma das gavetas da cozinha e encontrou algumas canetas e um bloco, que se lembrava de ter visto antes. Escreveu os nomes de Nils Linnman e Robert Tärnberg, depois anotou que alguém deveria falar com a pessoa que entregava o jornal. Então voltou para o hall. Sinais e sombras, ensinara-lhe Rydberg. Segurou a respiração enquanto observava tudo em volta. O casaco de couro que Svedberg usava tanto no inverno quanto no verão estava pendurado na porta. Wallander revistou os bolsos e encontrou a carteira do colega.

Nyberg foi desleixado, pensou.

Voltou à cozinha e esvaziou a carteira em cima da mesa.

Havia 847 coroas, um cartão de débito, um cartão para gasolina e alguns documentos com foto. *Detetive Inspetor Svedberg*, ele leu. Comparou o crachá da polícia com a carteira de motorista. A fotografia da carteira era mais antiga. Svedberg olhava para a lente da máquina com um olhar melancólico. A foto parecia ter sido tirada no verão: a parte de cima de sua cabeça estava queimada de sol.

Louise deveria ter dito a ele para usar um chapéu, pensou. Louise. Só duas pessoas alegaram que ela existia. Svedberg e seu primo, o criador de monstros. Mas ele nunca a tinha visto, só os fios de seu cabelo. Wallander contorceu o rosto. Não fazia sentido.

Pegou o telefone, ligou para o hospital e pediu para falar com Ylva Brink. Disseram-lhe que ela só estaria lá à noite. Wallander ligou para a casa dela, mas caiu na secretária eletrônica.

Voltou a analisar o conteúdo da carteira. A fotografia no crachá de identificação da polícia era recente. O rosto de Svedberg estava um pouco mais cheio, mas igualmente melancólico. Wallander examinou o resto do conteúdo e achou alguns selos. Era só isso. Pegou um saco plástico e jogo tudo lá dentro. Pela terceira vez, foi até o hall. Descasque as camadas e encontre sinais, Rydberg havia dito.

Wallander foi até o banheiro e se aliviou. Pensou no que Sture Björklund lhe dissera acerca dos cabelos de cores diferentes. A única coisa que Wallander sabia sobre a mulher na vida de Svedberg era que ela pintava o cabelo. Caminhou para a sala e parou ao lado da cadeira tombada. Então, mudou de ideia. Você está indo muito rápido, Rydberg teria dito. Os sinais de um crime requerem paciência, não são encontrados às pressas.

Voltou à cozinha e ligou novamente para Ylva Brink. Dessa vez, ela atendeu.

"Desculpe te incomodar", ele disse. "Sei que vai trabalhar a noite toda."

"O fato é que não consigo dormir."

“Surgiu uma série de questões e preciso te fazer umas perguntas agora mesmo.”

Wallander contou que conversara com Sture Björklund e que ele havia dito que Svedberg tinha uma mulher chamada Louise.

“Ele nunca me falou nada disso”, disse Ylva quando Wallander concluiu sua fala.

O inspetor teve a sensação de que essa informação a perturbava.

“Quem nunca lhe falou nada? Kalle ou Sture?”

“Nenhum dos dois.”

“Vamos começar pelo Sture. Que tipo de relação vocês dois têm? Está surpresa por ele nunca ter te contado isso?”

“Simplesmente não consigo acreditar.”

“Mas por que ele mentiria?”

“Não sei.”

Wallander percebeu que era melhor continuar a conversa ao vivo. Olhou para o relógio. Faltavam vinte para as seis. Precisava ficar mais uma hora no apartamento.

“Acho melhor nos encontrarmos”, ele sugeriu. “Fico livre à noite, depois das sete.”

“Que tal na delegacia? É perto do hospital, posso passar lá antes de ir para o trabalho.”

Wallander desligou e voltou para a sala. Aproximou-se da cadeira tombada e quebrada, olhou ao redor, tentando imaginar o que havia acontecido ali. Svedberg fora atingido de frente. Nyberg mencionara que o cartucho talvez viera ligeiramente de baixo, sugerindo que o assassino devia estar segurando a arma na altura do quadril ou do peito. É provável que o policial tenha caído para a esquerda, carregando a cadeira com ele e quebrando um dos braços dela. Mas estaria a vítima se sentando ou levantando?

Wallander logo percebeu a importância desse fato: se Svedberg estivesse sentado na cadeira, é provável que ele conhecesse o assassino. Se fosse surpreendido por um assaltante, dificilmente permaneceria sentado.

Caminhou até o local onde a espingarda fora encontrada. Virou-se e olhou para a sala a partir de outro ponto de vista. Talvez aquele não fosse o lugar exato de onde os tiros foram disparados, mas ele estava próximo. Ficou parado, em silêncio, tentando persuadir as sombras a sair do esconderijo. A sensação de que algo estava errado tornou-se ainda mais forte. Será que Svedberg viera do hall e surpreendera o assaltante? Se tivesse sido assim, ele estaria na mira do assassino. O que também seria possível se Svedberg tivesse vindo do quarto. É razoável pensar que o assaltante não estaria com a espingarda pronta para disparar. Sem dúvida, Svedberg teria tentado atacá-lo. Ele podia ter medo do escuro, mas não tinha medo de entrar em ação sempre que necessário.

A betoneira foi subitamente desligada. Wallander ficou à escuta. O barulho do trânsito não era muito alto.

Existe uma alternativa, pensou. Svedberg conhecia a pessoa que entrou no apartamento. E ele conhecia essa pessoa tão bem que não teria se preocupado ao vê-la com uma espingarda. Então aconteceu o inesperado: Svedberg foi morto; e o assaltante misterioso virou o apartamento do avesso, à procura de alguma coisa.

Talvez ele simplesmente quisesse dar a impressão de que foi um assalto. Wallander lembrou-se de novo do telescópio desaparecido. Mas quem garantia que não faltava mais nada? Talvez Ylva Brink soubesse a resposta.

Wallander foi até a janela e olhou para a rua. Nils Linnman estava trancando o galpão de ferramentas. Robert Tärnberg já devia ter ido embora. Alguns minutos antes, ouvira o barulho do motor de uma moto.

A campainha tocou. Wallander deu um salto. Ele abriu a porta e Höglund entrou.

"Os pedreiros da construção já foram para casa", disse Wallander. "Você está atrasada."

“Mostrei pra eles a fotografia do Svedberg. Ninguém o viu ou, pelo menos, não se lembram dele.”

Sentaram-se na cozinha e Wallander lhe contou sobre o encontro com Sture Björklund. Ela escutou com atenção.

“Se ele tiver razão, então a imagem que temos do Svedberg muda radicalmente”, ela disse quando o inspetor concluiu.

“Por que ele manteria essa mulher em segredo por tanto tempo?”, perguntou Wallander.

“Talvez ela fosse casada.”

“Um caso? Você acha que eles só se encontravam na casa do Björklund? Acho improvável. Eles só tinham acesso à casa duas vezes por ano. Ela não poderia ter vindo a este apartamento sem que ninguém reparasse.”

“Seja como for, temos que encontrá-la”, respondeu Höglund.

“Estive pensando em outra coisa”, disse Wallander lentamente. “Se ele manteve a mulher em segredo, o que mais teria escondido de nós?”

Ele percebeu que Höglund seguia sua linha de pensamento.

“Você não acha que foi um assalto?”

“Duvido. Um telescópio sumiu, e Ylva Brink talvez possa nos dizer se falta mais alguma coisa, mas não faz sentindo. Falta coerência na cena do crime.”

“Examinamos as contas bancárias”, disse Höglund. “Pelo menos as que conseguimos descobrir. Elas não têm nada de excepcional, nenhum depósito ou débito estranho. Ele pediu um empréstimo de vinte e cinco mil coroas para comprar o carro. O banco disse que Svedberg sempre cuidou de suas finanças de forma responsável.”

“Não devemos falar mal dos mortos”, disse Wallander, “mas, pra dizer a verdade, sempre o achei muito pão-duro.”

“Como assim?”

“Quando a gente saía, dividia as despesas, mas era eu quem sempre dava a gorjeta.”

Höglund meneou a cabeça lentamente. “É engraçado como

percebemos as pessoas de formas diferentes. Nunca achei que ele fosse assim."

Wallander contou-lhe sobre a betoneira. Mal acabou de falar, e ouviram a chave girar na fechadura. Foram assaltados pelo mesmo sentimento de temor, até ouvirem Nyberg pigarrear.

"Malditos jornais", ele disse. "Não sei como pude ignorá-los."

Enfiou-os num saco plástico, que então lacrou.

"Quando saberemos alguma coisa sobre as impressões digitais?", perguntou Wallander.

"Não antes de segunda."

"E quanto ao relatório da autópsia?"

"Hansson está encarregado disso", disse Höglund. "Mas ficará pronto logo."

Wallander pediu a Nyberg que se sentasse, então lhe falou mais uma vez sobre a história da tal Louise.

"Soa completamente implausível", comentou Nyberg. "Havia um solteirão mais convicto do que Svedberg? E as saunas que frequentava sozinho nas sextas à noite?"

"Me parece ainda mais implausível que um professor da Universidade de Copenhague esteja mentindo", respondeu Wallander. "Temos que assumir que ele está dizendo a verdade."

"E se o Svedberg simplesmente tiver inventado essa mulher? Se entendi bem, ninguém nunca a viu."

Wallander refletiu sobre o que acabara de ouvir. Seria Louise pura invenção de Svedberg?

"Então como se explicam os fios de cabelo na banheira de Björklund? É evidente que não se trata de uma invenção."

"Por que motivo alguém se daria ao trabalho de inventar uma história dessas a seu próprio respeito?", perguntou Nyberg.

"Porque se sentia só", respondeu Höglund. "As pessoas não poupam esforços para inventar relacionamentos."

"Você encontrou algum fio de cabelo na banheira?", perguntou Wallander.

"Não", respondeu Nyberg. "Mas vou dar mais uma olhada."

Wallander se levantou. "Venham comigo um instante."

Levou-os para a sala e contou todas as ideias que lhe haviam passado pela cabeça.

"Estou tentando encontrar um ponto de partida para esse caso, mesmo que seja provisório. Se houve um assalto aqui, há muitas questões que precisam ser esclarecidas. Como é que o assassino entrou? Por que trazia uma espingarda? Em que momento Svedberg apareceu? O que foi roubado além do telescópio? E por que Svedberg foi atingido? Não há sinal de luta. Todos os cômodos estão bagunçados, mas duvido que tenham corrido um atrás do outro pelo apartamento. Não consigo juntar as peças, então me pergunto: o que aconteceria se deixássemos de lado, por enquanto, a hipótese de assalto? O que nos resta? Um caso de vingança? De insanidade? Se existe uma mulher no caso, podemos especular a hipótese de ciúme. Mas será que uma mulher daria um tiro no rosto de Svedberg? Duvido. Quais outras possibilidades ainda temos?"

Ninguém disse nada. O silêncio confirmou a impressão de Wallander: não havia nenhuma lógica evidente naquele caso, nem uma forma simples de classificá-lo como um assalto, crime passional ou qualquer outra coisa. Não existia razão para Svedberg ter sido assassinado.

"Podemos ir embora agora?", disse Nyberg, enfim. "Ainda tenho alguns relatórios pra terminar hoje à noite."

"Vamos fazer outra reunião amanhã cedo."

"A que horas?"

"Vamos tentar às nove."

Nyberg saiu, deixando os outros dois na sala.

"Tentei visualizar o desenrolar de um drama", disse Wallander. "O que você vê?"

Ele sabia que Höglund tinha uma visão aguçada, não duvidava de suas habilidades analíticas.

"E se começássemos pelo estado do apartamento?"

"Sim, e depois?"

“Existem três explicações possíveis para a bagunça: um assaltante nervoso ou apressado; uma pessoa à procura de alguma coisa, que também se aplica ao ladrão, embora ele não soubesse o que estava procurando; e a destruição pela destruição. Puro vandalismo.”

Wallander acompanhava atentamente a linha de pensamento.

“Há uma quarta possibilidade”, ele disse. “Uma pessoa que age sob o efeito de uma raiva incontrolável.”

Olharam um para o outro, e os dois sabiam no que o outro estava pensando. Eventualmente, Svedberg ficava tão enfurecido que se descontrolava. Sua raiva parecia surgir do nada. Uma vez, ele quase destruiu seu escritório.

“Svedberg poderia ter feito toda essa bagunça”, comentou Wallander. “Não é totalmente impossível. Sabemos que já aconteceu antes. O que nos conduz a uma questão muito importante.”

“Por quê?”

“Exato. Por quê?”

“Eu estava presente quando Svedberg destruiu o escritório dele, mas nunca soube o motivo”, disse Höglund.

“Foi no tempo em que o Björk era o comandante. Ele acusou Svedberg de ter roubado um material confiscado.”

“Que tipo de material?”

“Uns ícones lituanos valiosos, entre outras coisas”, respondeu Wallander. “Foi o saque de um grande caso de chantagem.”

“Então Svedberg foi acusado de roubo?”

“Não, foi acusado de incompetência e negligência no trabalho de policial. Contudo, a suspeita estava implícita.”

“E resultou em quê?”

“Svedberg se sentiu humilhado e quebrou tudo o que tinha em seu escritório.”

“E os ícones chegaram a aparecer?”, perguntou ela.

“Não, mas nunca se conseguiu provar nada. Os chantagistas foram condenados de qualquer forma.”

“Mas Svedberg se sentiu humilhado?”

“Sim.”

"Infelizmente isso não nos ajuda. Svedberg destrói o próprio apartamento... E daí?"

"Não sabemos", disse Wallander.

Eles saíram da sala.

"Você lembra se alguma vez Svedberg recebeu alguma ameaça?", Wallander perguntou quando chegaram ao hall.

"Não."

"Alguém recebeu alguma ameaça?"

"Sabe como é, cartas e telefonemas estranhos. Mas com certeza haveria um registro disso."

"Por que você não verifica tudo o que recebemos ultimamente?", disse Wallander. "Também gostaria que interrogasse a pessoa que entrega os jornais."

Höglund anotou os pedidos dele em seu bloco. Wallander abriu a porta da frente.

"Pelo menos, descobrimos que a arma não era do Svedberg", ela disse. "Não há armas registradas no nome dele."

"Ainda bem."

Ela começou a descer as escadas, e Wallander voltou para a cozinha. Bebeu um copo d'água e pensou que deveria comer alguma coisa logo. Estava cansado. Sentou-se com a cabeça encostada na parede e adormeceu.

Ele estava rodeado de montanhas cobertas de neve que brilhavam ao sol. Seus esquis pareciam com os que Svedberg guardava no porão. Descia, cada vez mais depressa, em direção a uma camada de neblina densa. Subitamente, abriu-se um penhasco à sua frente.

Wallander acordou em sobressalto. Olhou para o relógio da cozinha e viu que tinha dormido onze minutos.

Ficou sentado, ouvindo o silêncio. O telefone tocou. Era Martinsson.

"Imaginei que estivesse aí."

"Aconteceu alguma coisa?"

"Eva Hillström veio me ver novamente."

"O que ela queria?"

“Ameaçou falar com os jornais se nós não fizermos alguma coisa.”

Wallander pensou por alguns instantes antes de responder. “Acho que talvez eu tenha me confundido hoje cedo. De qualquer forma, estava pensando em falar sobre isso na reunião de amanhã.”

“Sobre o quê?”

“Obviamente a nossa prioridade é Svedberg. Mas não podemos engavetar o caso dos jovens desaparecidos. Seja como for, temos que arranjar tempo para investigar os dois casos.”

“Como é que vamos fazer isso?”

“Não sei. Mas não é a primeira vez que ficamos cheios de trabalho.”

“Prometi à sra. Hillström que telefonaria pra ela depois de falar com você.”

“Bom. Tente acalmá-la. Vamos em frente com a investigação.”

“Você vem pra cá?”

“Estou a caminho. Vou me encontrar com Ylva Brink na delegacia.”

“Você acha que vamos conseguir solucionar o assassinato do Svedberg?”

Wallander pressentiu a preocupação de Martinsson.

“Vamos”, respondeu. “É claro que sim. Mas tenho a sensação de que vai ser complicado.”

Desligou. Alguns pombos passaram voando perto da janela e, de repente, o inspetor teve uma ideia.

Höglund dissera que a arma do crime não estava registrada no nome de Svedberg. A conclusão razoável é que ele não possuía armas. Mas a realidade raramente é razoável. Não havia inúmeras armas sem registro espalhadas pela população sueca? Essa era uma fonte constante de preocupação para a polícia. Será que um policial não poderia ter uma arma sem registro? O que isso significaria? E se a arma do crime pertencesse à Svedberg? Wallander estava ansioso. Levantou-se rapidamente e saiu do apartamento.

8.

István Kecskeméti tinha vindo para a Suécia havia exatamente quarenta anos, como parte de uma onda de imigrantes húngaros que foram forçados a deixar o país depois do fracasso da revolução. Tinha catorze anos quando chegou com seus pais e três irmãos mais novos. O pai era um engenheiro que, no final da década de 1920, tinha visitado as fábricas Separator nos arredores de Estocolmo e esperava encontrar um emprego lá. Mas a família nunca saiu de Trelleborg: enquanto descia as escadas do terminal do ferry, o homem teve um derrame. Seu segundo encontro com o solo sueco se deu quando o corpo caiu no asfalto molhado. O pai foi enterrado em Trelleborg, a família permaneceu na Escânia, e agora István tinha cinquenta e quatro anos. Era, havia muito tempo, dono e gerente de uma das muitas pizzarias espalhadas por Hamngatan, em Ystad.

Wallander tinha ouvido a história de István havia muitos anos. De tempos em tempos, comia no restaurante dele e, se o restaurante não estivesse muito cheio, István gostava de se sentar e conversar. Eram seis e meia quando Wallander entrou, dispondo de meia hora antes do encontro com Ylva Brink. Não havia outros clientes, como esperava o inspetor. Da cozinha, ouvia-se o som de um rádio e de alguém afiando a faca. István estava no balcão, terminando uma ligação, e acenou para

Wallander se sentar à mesa do canto. Aproximou-se com uma expressão séria.

"É verdade o que ouvi? Que um policial foi morto?"

"Infelizmente, é verdade", respondeu Wallander. "Karl Evert Svedberg. Você o conhecia?"

"Acho que nunca veio aqui", disse István. "Quer uma cerveja? É por conta da casa."

Wallander fez que não com a cabeça. "Quero comer qualquer coisa rápida e adequada a alguém que está com excesso de açúcar no sangue."

István olhou para ele preocupado. "Você está com diabetes?"

"Não, mas o meu nível de açúcar no sangue está muito alto."

"Então você é diabético."

"Talvez temporariamente. Estou com pressa."

"Que tal um bife pequeno, ligeiramente frito com um pouco de óleo, e uma salada verde?"

"Boa ideia."

István saiu, e Wallander se perguntou por que reagira como se diabetes fosse algo vergonhoso. Talvez não fosse tão estranho assim. Odiava o fato de estar gordo. Queria fingir que o problema não existia.

Para variar, comeu muito rápido. Bebeu um café enquanto István atendia um grupo de turistas poloneses. Wallander estava contente de não ter que responder perguntas sobre o assassinato de Svedberg. Pagou a conta e saiu.

Chegou à delegacia logo após as sete da noite. Ylva Brink ainda não tinha chegado. Foi direto para a sala de Martinsson, e Hansson também estava lá.

"Como estão as coisas?", Wallander perguntou.

"Não conseguimos quase nenhuma pista do público, o que é de estranhar."

"Alguma notícia de Lund?"

"Ainda não", disse Hansson. "Temos que esperar até segunda-feira."

"Precisamos estabelecer a hora da morte", disse Wallander. "Assim que soubermos essa informação, teremos um ponto de partida."

"Examinei os arquivos de assassinatos e assaltos", disse Martinsson, "e não achei nenhum caso anterior parecido com esse."

"Não sabemos se foi um assalto", disse Wallander.

"Que mais poderia ter sido?"

"Não sei. Agora eu tenho que falar com Ylva Brink. Te vejo amanhã, às nove."

Foi para a sua sala e, na mesa, encontrou um bilhete de Lisa Holgersson, que queria falar com ele assim que possível. Wallander ligou para ela, mas a chefe já tinha saído. Tentaria mais tarde, quando ela estivesse em casa.

Ylva Brink chegou uns minutos depois. Wallander lhe perguntou se queria um café, mas ela disse que não. Ele decidiu gravar a entrevista. Normalmente, achava que o gravador quebrava sua concentração, era como se outras pessoas estivessem bisbilhotando o que o entrevistado dizia. Mas ele queria ter acesso à conversa, palavra por palavra, mais tarde. Perguntou a Ylva Brink se tinha alguma objeção, e ela respondeu que não.

"Não é que se trate de um interrogatório", disse Wallander. "Mas quero me lembrar de tudo o que vamos conversar. E este aparelho é melhor do que eu."

Apertou o botão e a fita começou a rodar. Eram 19h19.

"Sexta-feira, 9 de agosto de 1996", começou Wallander. "Entrevista com Ylva Brink, relacionada à morte do inspetor Karl Evert Svedberg, por homicídio involuntário ou premeditado."

"Bem, quais são as outras possibilidades?", ela perguntou.

"O jargão da polícia é cheio dessas expressões redundantes", disse Wallander. Ele também achava que soava pomposo.

"Já se passaram algumas horas", ele começou. "Você teve tempo pra pensar. Talvez esteja se perguntando por que isso aconteceu. Um crime frequentemente parece sem sentido para todos, menos para o criminoso."

"Eu ainda não consigo acreditar que seja verdade. Falei com meu marido há algumas horas — dá pra fazer ligações telefônicas para o barco, via satélite. Ele achou que eu estava louca. Mas quando ouvi as palavras ditas pela minha própria boca, a realidade me atingiu em cheio."

"Bem que eu gostaria de poder esperar algum tempo antes de obrigá-la a falar sobre esse assunto. Mas não podemos esperar. Temos que pegar o assassino o mais rápido possível. Ele tem uma vantagem inicial sobre nós que se torna maior a cada dia que passa."

Ela parecia estar reunindo forças para responder à primeira pergunta.

"Essa mulher, Louise", disse Wallander. "Aparentemente, Karl Evert estava se encontrando com ela havia anos. Você a viu alguma vez?"

"Não."

"Qual foi sua primeira reação quando te falei dela?"

"Não achei que fosse verdade."

"E agora, o que acha?"

"Que é verdade, mas ainda me parece totalmente incompreensível."

"Algum dia você e Karl Evert devem ter conversado sobre a razão de ele nunca ter se casado. O que seu primo dizia?"

"Que era um solteirão inveterado e que era feliz assim."

"Tinha alguma coisa diferente no jeito de ele dizer isso?"

"Como assim?"

"Ele parecia nervoso? Será que estava mentindo?"

"Falava com convicção absoluta."

Wallander detectou uma ligeira hesitação na voz dela.

"Tenho a impressão de que você deve ter notado alguma coisa."

Ela não respondeu imediatamente. Ouvia-se a fita do gravador rodando ao fundo.

"Às vezes, eu me perguntava se ele não era diferente..."

"Quer dizer, se ele era gay?"

"É."
"Por que pensou nisso?"
"É uma reação natural."
Wallander recordou-se de que, algumas vezes, ele próprio pensou nessa possibilidade.
"Sim, claro."
"Falamos sobre isso uma vez. Convidamos meu primo para a ceia de Natal, há alguns anos. Estávamos debatendo se uma pessoa que conhecíamos era homossexual. Lembro com clareza como ele ficou repugnado."
"Em relação à suposta homossexualidade do tal amigo?"
"Em relação à homossexualidade em geral. Foi muito desagradável. Sempre o considerei uma pessoa tolerante."
"O que aconteceu depois disso?"
"Nada. Nunca mais tocamos no assunto."
Wallander pensou por um instante. "Como você acha que poderíamos encontrar essa tal de Louise?"
"Não faço ideia."
"Como ele nunca saía de Ystad, provavelmente ela vive aqui ou nas imediações."
"Suponho que sim."
Ylva olhou para o relógio.
"A que horas você tem que estar no hospital?", Wallander perguntou.
"Em meia hora. Não gosto de chegar atrasada."
"Que nem o Karl Evert. Ele era sempre muito pontual."
"É verdade. Como é mesmo aquele ditado? Era tão pontual que podíamos acertar o relógio por ele."
"Que tipo de pessoa ele era?"
"Você já me perguntou isso."
"Bem, estou te perguntando de novo."
"Ele era bom."
"O que quer dizer?"
"Bom. Uma pessoa boa. Não sei como dizer isso de outra forma. Era uma boa pessoa que às vezes tinha ataques de raiva,

mas não com muita frequência. Ele era um pouco tímido. Responsável. Algumas pessoas talvez o achassem chato. Podia parecer um tanto distante e lento, mas era inteligente."

Wallander achou que era uma descrição precisa de Svedberg, semelhante à que ele próprio faria se os papéis fossem invertidos.

"Quem era o melhor amigo dele?"

A resposta dela pareceu chocá-lo: "Pensei que fosse você".

"Eu?"

"Ele sempre dizia: 'Kurt Wallander é o meu melhor amigo'."

Wallander ficou estupefato. Para o inspetor, Svedberg sempre foi um colega. Nunca se encontraram fora do trabalho. Ele não tinha se tornado um amigo da mesma maneira que Rydberg, nem como Ann-Britt Höglund estava se tornando aos poucos.

"É uma grande surpresa pra mim", disse ele finalmente. "Nunca pensei nele dessa forma."

"Mas ele poderia ver você como o melhor amigo, independentemente da sua opinião."

"É claro."

De repente, Wallander percebeu como Svedberg devia ser só. A definição dele de amizade era baseada no mais baixo denominador comum, a simples ausência de animosidade. O inspetor ficou olhando fixamente para o gravador, mas fez um esforço para continuar.

"Havia outros amigos ou pessoas com quem ele costumasse passar o tempo?"

"Tinha contato com os membros de uma sociedade dedicada ao estudo da cultura dos nativos americanos. Acho que se chamava Indian Science. Mas as atividades eram conduzidas principalmente por correspondência."

"Mais alguém?"

"Às vezes ele falava de um diretor de banco aposentado, que vive no centro da cidade. Os dois gostavam de astronomia."

"Como ele se chama?"

Ela teve que pensar um pouco. “Sundelius. Bror Sundelius. Nunca o conheci pessoalmente.”

Wallander anotou o nome.

“Você se lembra de mais alguém?”

“Só de mim e do meu marido.”

Wallander mudou de assunto.

“Você notou alguma coisa estranha nas últimas semanas? Ele andava inquieto ou parecia distraído?”

“Nunca falou nada, só disse que andava sobrecarregado.”

“Não explicou por quê?”

“Não.”

Wallander percebeu que tinha se esquecido de perguntar uma coisa: “Você não ficou surpresa quando ele disse que estava com trabalho demais?”.

“Não, de jeito nenhum.”

“Então normalmente ele mencionava como estava se sentindo?”

“Ah, eu devia ter me lembrado disso antes”, disse Ylva. “Tem mais um detalhe que eu acrescentaria à descrição dele: Kalle era hipocondríaco. Qualquer dorzinha já o deixava bastante preocupado. Tinha pavor de germes.”

Wallander parecia estar vendo Svedberg: a maneira como ele sempre corria para o banheiro para lavar as mãos ou como evitava as pessoas resfriadas. Ela voltou a olhar para o relógio. O tempo se esgotava.

“Ele tinha armas?”

“Não que eu soubesse.”

“Tem mais alguma coisa que você gostaria de me dizer, algo que te pareça importante?”

“Vou sentir falta dele. Talvez não fosse um homem extraordinário, mas era a pessoa que eu mais respeitava. Vou sentir saudades.”

Wallander desligou o gravador e a acompanhou até a porta. Por um instante, Ylva pareceu desamparada.

“O que devo fazer quanto ao enterro?”, ela perguntou.

"Sture acha que os mortos devem ser espalhados ao vento, sem padres ou rituais. Mas não sei o que Kalle pensava disso."

"Ele não deixou testamento?"

"Que eu saiba, não. Tenho certeza de que teria me informado."

"Ele tinha algum cofre de segurança num banco?"

"Não."

"Se ele tivesse um, você saberia?"

"Sim."

"A polícia vai tomar conta do enterro", disse Wallander. "Vou pedir à Lisa Holgersson que entre em contato com você."

Ylva Brink saiu pela porta de vidro principal. Wallander voltou ao seu escritório. Mais um nome tinha aparecido: Bror Sundelius. Enquanto ele procurava o nome na lista telefônica, pensava na conversa com a prima de Svedberg. O que ela disse que Wallander realmente já não soubesse? Que Louise era um segredo bem guardado? Um segredo bem guardado, pensou o inspetor.

Anotou suas impressões. Por que ele manteria uma mulher em segredo por tanto tempo? Ylva Brink havia lhe falado sobre a aversão forte que Svedberg tinha à homossexualidade e sobre sua hipocondria. Ela também disse que o primo se encontrava, de vez em quando, com um diretor de banco aposentado para observar as estrelas. Wallander pousou a caneta e recostou-se na cadeira. De uma forma geral, a imagem de Svedberg permanecia a mesma. O único elemento novo era a mulher: Louise. E nada parecia apontar para uma explicação sobre sua morte. De repente, viu todo o drama se desenrolar à sua frente. Svedberg não apareceu para trabalhar porque estava morto. Tinha surpreendido um assaltante que então atirou nele e fugiu com o telescópio. Um crime não premeditado, banal e horrendo. Não havia outra explicação.

Às oito e dez da noite, Wallander ligou para a casa de Lisa Holgersson. Ela queria falar sobre o enterro, e ele pediu que a chefe entrasse em contato com Ylva Brink. Em seguida, o inspetor contou o que descobriu durante a tarde. Também disse a ela que estava tendendo a aceitar a teoria do assalto de um ladrão drogado.

"O comandante-geral da polícia me telefonou para expressar seus pêsames e sua preocupação."

"Nessa ordem?"

"Sim, graças a Deus."

Wallander avisou a ela da reunião na manhã seguinte, às nove, e prometeu mantê-la a par de qualquer novidade sobre o caso. Depois de desligar, discou o número de Sundelius, mas ninguém respondeu, nem a secretária eletrônica.

Assim que pôs o fone no gancho, sentiu-se um pouco confuso. O que deveria fazer em seguida? Via sua impaciência crescer, sabia que tinha que esperar os resultados do relatório e das provas forenses.

Começou a ouvir a gravação da entrevista com Ylva Brink e ficou pensando na última observação que ela fizera, sobre Svedberg ser a pessoa que ela mais respeitava. Bateram à porta, e Martinsson entrou.

"Tem um grupo de jornalistas impacientes na entrada", ele disse. Wallander fechou a cara.

"Não temos nenhuma novidade pra eles."

"Acho que se contentarão com uma informação antiga, desde que tenham alguma coisa."

"Não dá pra você mandá-los embora por enquanto? Prometa a eles que faremos uma coletiva de imprensa assim que tivermos alguma novidade."

"Você já se esqueceu da ordem que veio de cima, de que fôssemos simpáticos com a imprensa?", disse Martinsson num tom de deboche.

Ele não havia esquecido. Recentemente, o comandante-geral da polícia enviara diretivas para melhorar as relações entre os vários distritos policiais e a mídia local. A partir daquele momento, os jornalistas deviam ser bem recebidos e tratados com luva de pelica.

Wallander se levantou com esforço. “Vou falar com eles.”

Levou vinte minutos para convencer os repórteres de que não tinha nenhuma informação nova para lhes dar. Quase perdeu a paciência, mas conseguiu se controlar e eles finalmente foram embora. Foi buscar um café na cantina e voltou para o escritório. Ligou para Sundelius novamente, sem êxito.

O telefone tocou. Mais jornalistas, o inspetor pensou desanimado. Mas era Sten Widén.

“Cadê você?”, perguntou Widén. “Sei que está muito ocupado e quero te dar meus pêsames, mas já estou te esperando faz bastante tempo.”

Wallander praguejou consigo mesmo. Tinha esquecido completamente que havia prometido visitar Sten Widén no rancho dele, perto das ruínas do castelo em Stjärnsund. Eram amigos de infância e compartilhavam uma paixão por ópera. Quando se tornaram adultos, começaram a se afastar. Wallander entrou para a polícia, e Sten Widén herdou o rancho do pai, onde criava cavalos de corrida. Havia uns dois anos, começaram a se ver de novo e tinham combinado de se encontrar naquela noite. Mas ele apagara isso da cabeça.

“Eu deveria ter telefonado pra você”, disse Wallander. “Esqueci completamente.”

“Eles anunciaram sobre seu colega no rádio. Foi um crime premeditado ou homicídio involuntário?”

“Não sabemos, ainda é cedo para ter certeza. Mas as últimas vinte e quatro horas foram um horror.”

“Podemos nos encontrar outro dia.”

Wallander se decidiu. “Me dê meia hora.”

“Não quero que você se sinta pressionado.”

“Não me sinto. Preciso me afastar daqui por um tempo.”

Ele saiu da delegacia, foi até seu apartamento buscar o celular, depois pegou a estrada E65 e deixou a cidade. Viu as ruínas do castelo e desacelerou para entrar no rancho. Fora o relinchar de um cavalo, estava tudo em silêncio.

Widén saiu para cumprimentá-lo. Wallander se habituara a vê-lo com roupas sujas de trabalho, mas dessa vez estava com uma camisa branca e o cabelo penteado para trás. O inspetor sentiu o cheiro de álcool quando apertaram as mãos. Sabia que o amigo bebia demais, mas não dizia nada a ele. De certa forma, nunca havia surgido uma oportunidade.

"Que bela noite", disse Widén. "O verão finalmente chegou com o mês de agosto. Ou será que é o contrário? Agosto finalmente chegou com o verão? Quem é que chega com quem?"

Wallander sentiu uma ponta de ciúme. Aquilo era tudo o que ele havia sonhado: viver no campo com um cachorro e, talvez, até mesmo com Baiba. Mas nada disso aconteceu.

"Como vão os negócios, Sten?"

"Não vão lá muito bem. Os anos 1980 foram a década de ouro. Todo mundo parecia estar cheio de dinheiro. Agora, não tem mais nada disso. As pessoas passam a maior parte do tempo rezando pra não perder o emprego."

"Mas não são só os ricos que compram cavalos de corrida? Não pensei que eles se preocupassem com o desemprego."

"Os ricos ainda estão por aí", Widén concordou. "Mas não parece haver tantos deles como antes."

Caminharam em direção aos estábulos. Uma moça com roupa de montaria apareceu na esquina, puxando um cavalo.

"Esta é a Sofia. A única funcionária que me resta. Tive que dispensar todos os outros", disse Widén.

Wallander se recordava de ter ouvido, anos antes, que Widén estava dormindo com uma das jovens que trabalhavam no rancho. Qual era no nome dela? Jenny?

Widén trocou umas palavras com a moça, e Wallander ficou sabendo que o cavalo se chamava Black Triangle. Esses nomes estranhos continuavam a surpreendê-lo.

Entraram nos estábulos.

"Esta aqui é a Dreamgirl Express", disse Widén, apontando

para uma égua. "No momento, ela praticamente me sustenta sozinha. Os donos reclamam que a manutenção dos cavalos é cara demais, e os meus contadores continuam me ligando todas as manhãs, cada vez mais cedo. Na verdade, não sei mais quanto tempo vou aguentar."

Wallander fez festa no focinho da égua.

"Você sempre dá um jeito."

Widén meneou a cabeça.

"As coisas não estão nada bem", ele disse. "Talvez eu consiga um bom preço pelo rancho e aí caio fora."

"Para onde você iria?"

"Simples: vou fazer minhas malas, dormir bem e decidir pela manhã."

Saíram dos estábulos e foram até a casa principal. Wallander lembrava-se que a casa era sempre muito bagunçada; mas, desta vez, tudo estava surpreendentemente arrumado.

"Há uns meses percebi que a limpeza tinha um efeito terapêutico", disse Widén, em resposta à expressão óbvia de espanto do amigo.

"Comigo não funciona. Deus sabe o quanto eu tento."

Widén acenou para que Wallander se sentasse à mesa, onde havia colocado copos e duas garrafas. O inspetor hesitou, depois acabou concordando e se sentou. Seu médico não aprovaria, mas naquele momento ele não tinha energia para se abster.

"Você lembra daquela vez que fomos até a Alemanha pra ouvir Wagner?", Widén perguntou mais tarde. "Foi há vinte e cinco anos. Outro dia achei umas fotos. Você quer dar uma olhada?"

"Claro."

"São meus bens preciosos", disse Widén. "Elas ficam guardadas no meu esconderijo."

Wallander ficou observando o amigo remover uns painéis de madeira de perto da janela e pegar uma caixa de metal que estava guardada no espaço atrás dos painéis. Widén pegou as fotos e entregou-as para Wallander, que ficou maravilhado de vê-las.

Uma delas foi tirada numa área de descanso da estrada, perto de Lübeck. Wallander estava segurando uma garrafa de cerveja e gritando com o fotógrafo.

"Nós nos divertimos", disse Widén. "Acho que nunca mais nos divertimos tanto quanto daquela vez."

Wallander se serviu de um pouco mais de uísque. O amigo tinha razão. Nunca mais se divertiram tanto desde aquela viagem.

Por volta da uma da manhã, eles ligaram para uma empresa em Skurup e pediram um táxi. Widén aceitou levar, no dia seguinte, o carro de Wallander, que sentia dor de cabeça e enjoo. Ele estava muito, muito cansado.

"Deveríamos voltar à Alemanha mais uma vez", disse Widén enquanto esperavam o táxi.

"Não, não acho que deveríamos voltar", disse Wallander. "A gente precisa fazer uma nova viagem. Embora eu não tenha nenhuma propriedade pra vender."

O táxi chegou; Wallander se sentou no banco de trás, recostou-se e adormeceu imediatamente.

Só quando passavam pela entrada de Rydsgård é que alguma coisa fez com que ele se erguesse novamente. A princípio, não sabia o quê. Teve um lampejo enquanto sonhava. Então, lembrou-se do que era: Sten removendo os painéis de madeira.

De repente, sua mente estava tão clara quanto um cristal: Svedberg guardara o segredo da mulher durante anos. Porém, quando o inspetor revistou o apartamento, só encontrou algumas cartas antigas dos pais dele. Svedberg deve ter um esconderijo, Wallander pensou. Assim como Sten Widén.

Inclinou-se para a frente e pediu que o motorista mudasse o destino: em vez da Mariagatan, iriam para a praça principal. Um pouco depois da uma e meia da manhã, saiu do táxi. Ainda tinha as chaves de Svedberg no seu bolso. Lembrava-se de ter visto um vidro de aspirinas no armário do banheiro. Abriu a porta da frente do apartamento, segurou a respiração e ficou à escuta. Então encheu um copo d'água e tomou a aspirina.

Lá embaixo, um grupo de adolescentes bêbados passava pela rua, e depois o silêncio voltou. Colocou o copo na mesa e começou a procurar o compartimento secreto de Svedberg. Às quinze para as três da manhã, ele encontrou: embaixo da cômoda do quarto, um canto do assoalho com revestimento de plástico podia ser descolado da base de concreto. Wallander reposicionou o abajur no criado-mudo, de modo que a luz iluminasse a área exposta. Havia um envelope pardo embaixo do tapete. Estava fechado. Levou o envelope até a cozinha e o abriu.

Tal qual Widén, Svedberg tratava suas fotografias como bens valiosos. Havia duas delas dentro do envelope. A primeira era uma foto de estúdio do rosto de uma mulher. A segunda era uma foto instantânea de um grupo de jovens, sentados à sombra de uma árvore e erguendo as taças de vinho em direção a um fotógrafo desconhecido.

Uma cena idílica. Mas tinha uma coisa que Wallander achou esquisito: os jovens estavam vestidos com trajes antigos, como se a festa tivesse acontecido em outra época.

Wallander colocou os óculos. Sentiu uma pontada no estômago. Recordou-se de ter visto uma lupa em uma das gavetas de Svedberg. Pegou a lupa e examinou a fotografia mais de perto. Os jovens tinham alguma coisa de familiar, especialmente a moça que estava sentada na ponta da direita. Então, de repente, descobriu quem era: ele tinha visto outra fotografia dela havia pouco tempo, em que não estava fantasiada. A moça no canto direito da foto era Astrid Hillström.

Lentamente, Wallander baixou a foto. Em algum lugar, um relógio bateu três horas.

9.

Às seis horas da manhã de sábado, 10 de agosto, Wallander não conseguia mais aguentar, tinha passado a maior parte da noite andando de um canto para o outro de sua casa. Estava ansioso demais para dormir. Sobre a mesa da cozinha, as duas fotografias que encontrara no apartamento de Svedberg. Enquanto voltava para casa pelas ruas desertas, teve a sensação de que elas estavam queimando no seu bolso. Só quando tirou o casaco é que percebeu que devia ter chovido um pouco.

As fotografias que Svedberg havia escondido eram uma descoberta crucial. Não sabia por que estava convencido disso, mas a ansiedade intermitente que sentira desde o início do caso havia se transformado em completo terror. Um caso que não chegara a ser um caso, três jovens que estavam viajando por algum lugar da Europa, e de repente eles pareciam estar envolvidos na investigação de um dos crimes mais sérios já enfrentados pela polícia de Ystad — o assassinato de um dos seus. Nas horas que se seguiram à descoberta de Wallander, ele ficou com pensamentos confusos e contraditórios. Sabia, no entanto, que encontrara uma pista fundamental.

O que as fotografias lhe diziam? A foto de Louise era em preto e branco; a instantânea, em cores. Não havia data impressa no verso de nenhuma das duas. Isso queria dizer que não tinham sido reveladas num laboratório comercial? Ou havia estabelecimentos locais que não dispunham de um sistema de datação automático? O tamanho das fotos era padrão. Tentou saber se haviam sido tiradas ou não por um profissional, pois sabia que as fotos reveladas em câmaras escuras de fotógrafos amadores nem sempre secavam de forma uniforme. Mas ele não tinha conhecimento necessário para responder a essas questões.

Em seguida, perguntou-se que sentimentos as duas fotos evocavam. O que é que diziam acerca do fotógrafo? Ainda não estava pronto para concluir que tinham sido tiradas pela mesma pessoa. Será que Svedberg havia fotografado Louise? O olhar dela era impenetrável. A foto dos jovens também não ajudava a chegar a uma conclusão. Não se notava nenhuma noção consciente de composição. A preocupação maior parecia ser a inclusão de todos na imagem. Alguém segurou a máquina fotográfica, pediu que os outros olhassem e apertou o botão. Talvez houvesse toda uma série de fotos daquela ocasião festiva. Mas onde estariam?

A mera possibilidade de conexão o preocupava. Já sabiam que Svedberg havia começado a investigar o desaparecimento dos jovens poucos dias antes de suas férias.

Por que ele teria feito isso? E por que agiu em segredo? De onde veio a fotografia dos jovens foliões? Quem a tirou? E a fotografia da mulher? Só poderia ser Louise. Sentado à mesa da cozinha, Wallander examinou a foto por um bom tempo. A mulher estava na faixa dos quarenta, talvez alguns anos mais nova que Svedberg. Se eles haviam se conhecido havia dez anos, ela deveria ter trinta e ele, trinta e cinco. Parecia perfeitamente razoável. A mulher da fotografia tinha cabelo escuro e liso, cortado em estilo pajem. Como a foto era em preto e branco, não dava para ver a cor de seus olhos. Ela tinha um nariz e rosto finos, e lábios cerrados insinuando um sorriso. Era um sorriso de Mona Lisa, mas sem nenhum vestígio de sorriso em seus olhos. Wallander achava que a foto tinha sido retocada ou que a mulher estava com uma maquiagem pesada. Havia alguma coisa velada naquela foto, que não dava para entender. O rosto da mulher era evasivo: tinha sido capturado pela máquina fotográfica, mas, de certo modo, parecia não estar lá.

Essas fotos foram mantidas num vácuo, pensou Wallander. Sem impressões digitais, pareciam dois livros que ainda não tinham sido lidos.

Esperou até as seis da manhã e então ligou para Martinsson, que sempre acordava cedo. Ele atendeu quase que de imediato.

"Espero não ter te acordado."

"Se você tivesse me ligado às dez da noite, talvez tivesse me acordado; mas não às seis da manhã. Eu estava saindo para trabalhar no jardim."

Wallander foi direto ao assunto e contou sobre as fotos. Martinsson ouviu sem fazer comentários.

"Quero me reunir como todo mundo o mais rápido possível", disse Wallander no final. "Não às nove, mas às sete."

"Você já falou com mais alguém?"

"Não, você é o primeiro."

"Quem é que você quer que esteja?"

"Todo mundo, incluindo o Nyberg."

"Esse eu deixo pra você ligar: ele está sempre mal-humorado pela manhã. Não consigo lidar com pessoas raivosas antes de tomar meu café."

Martinsson disse que telefonaria para Hansson e Höglund, deixando os outros para Wallander. Ele começou por Nyberg, que estava tão ensonado e maldisposto quanto o esperado.

"A nossa reunião é às sete horas, não às nove", disse Wallander.

"Aconteceu alguma coisa ou você está fazendo isso só por fazer?"

"Se alguma vez achar que foi chamado pra uma reunião de investigação só de praxe, você deve contatar seu sindicato."

Wallander se arrependeu desse último comentário. Foi até a cozinha e preparou um café. Depois telefonou para Lisa Holgersson, que prometeu estar lá. Levou o café para a varanda, onde o termômetro indicava que seria outro dia quente. De repente, ouviu o barulho de alguma coisa sendo enfiada pela abertura de correio na porta.

Eram as chaves do seu carro. E depois de uma noite como aquela, pensou, o Sten é incrível! Wallander estava exausto. Com nojo de si próprio, subitamente imaginou pequenos icebergs de açúcar flutuando em suas veias.

Saiu do apartamento às seis e meia e deu de cara com a pessoa que entregava os jornais: um homem mais velho chamado Stefansson, que fazia a entrega de bicicleta e tinha clipes presos às bainhas da calça.

"Desculpe o atraso. Tivemos um problema com a máquina de impressão hoje de manhã."

"Você também entrega os jornais na Lilla Norregatan?", perguntou Wallander.

Stefansson entendeu de imediato. "Quer saber se entrego o jornal ao policial que morreu?"

"Sim."

"Quem trabalha lá é a Selma. É a mais antiga entregadora. Acho que ela começou em 1947. Quase cinquenta anos, né?"

"Qual é o sobrenome dela?"

"Nylander."

Stefansson estendeu o jornal ao inspetor.

"Estão falando sobre você aqui."

"Ponha na minha caixa de correio", disse Wallander. "Não vou ter tempo de ler agora."

Wallander sabia que chegaria na hora se fosse a pé, mas resolveu ir de carro. O começo de sua nova fase de vida teria que esperar mais um dia.

Encontrou Ann-Britt Höglund no estacionamento. "A pessoa que entrega o jornal no prédio do Svedberg se chama Selma Nylander", ele disse. "Você falou com ela?"

"Não, porque ela não tem telefone."

Wallander se lembrou da decisão de Sture Björklund de se livrar do telefone. Será que essa história está virando moda? Eles foram para a sala de reuniões. O inspetor buscou um café e ficou parado no corredor por algum tempo, pensando na melhor maneira de conduzir a reunião. Normalmente estava bem preparado, mas dessa vez não pudera pensar em nada, a não ser espalhar as fotos pelas mesa e ouvir o que os colegas teriam para dizer.

Entrou na sala, fechou a porta e sentou-se no lugar de sempre. A cadeira de Svedberg continuava desocupada. Wallander tirou as fotos do bolso do casaco e contou brevemente como as havia encontrado. Omitiu o fato de ter tido a ideia enquanto dormia, bêbado, no banco traseiro de um táxi. Depois que os colegas o pararam por estar dirigindo alcoolizado, há seis anos, nunca mais falou em bebidas.

As fotos estavam à sua frente. Hansson preparou o projetor.

"Gostaria de assinalar que a moça no canto direito da foto é Astrid Hillström, uma das três pessoas desaparecidas desde o solstício."

Colocou as duas fotos no projetor e todos ficaram em silêncio em volta da mesa. Wallander aproveitou a oportunidade para examinar as imagens mais de perto enquanto esperava os comentários dos colegas, mas não conseguiu descobrir nenhum novo detalhe. Ele havia examinado cuidadosamente a foto com uma lupa durante a madrugada.

Martinsson por fim quebrou o silêncio. "Devemos dar crédito ao Svedberg. Ela é muito bonita. Alguém a reconhece? Ystad não é uma cidade grande."

Ninguém a conhecia, muito menos os jovens. Contudo, todos que estavam presentes na sala tinham certeza de que a moça da direita era Astrid Hillström. A fotografia dos arquivos era praticamente igual, exceto pelas roupas.

"É uma mascarada?", perguntou a comandante Holgersson. "Que período seria?"

"Século XVII", disse Hansson, com firmeza.

Wallander olhou-o, surpreendido. "Como você sabe?"

"Talvez seja mais do século XVIII", ele disse, mudando de ideia.

"Acho que se trata do século XVI", disse Höglund. "Do reinado do Gustavo I Vasa. Usavam essas mesmas mangas e leggings."

"Tem certeza?", perguntou Wallander.

"Claro que não. Só estou dizendo o que eu acho."

"Por enquanto, vamos deixar de lado as especulações eruditas. O mais importante não é a maneira como estão vestidos. Talvez futuramente seja relevante saber por que eles se fantasiaram, mas isso pode esperar." Olhou para as pessoas à sua volta antes de continuar. "Temos uma foto de uma mulher na faixa dos quarenta e outra de um grupo de jovens fantasiados, entre os quais está Astrid Hillström, que está desaparecida desde o solstício, embora seja mais provável que ela esteja viajando pela Europa, em companhia dos dois amigos. É isso o que sabemos. Encontrei essas fotos escondidas no apartamento do nosso colega Svedberg, que foi assassinado. Daremos início à investigação determinando o que aconteceu na noite do solstício. Esse é o nosso ponto de partida."

Levaram três horas para analisar o material disponível. Passaram a maior parte do tempo formulando novas perguntas e decidindo quem faria o quê. Depois de duas horas, fizeram um intervalo curto: todos, exceto Holgersson, tomaram um café. E continuaram. A equipe começava a se mostrar coesa. Às dez e quinze, Wallander achou que não dava mais para prosseguir.

Lisa Holgersson se mantivera calada por muito tempo, como ficava na maioria das vezes durante as investigações. Wallander sabia que a chefe tinha um grande respeito pela capacidade deles, mas dessa vez ela logo levantou a mão.

"O que vocês acham que aconteceu com esses jovens de fato?", ela perguntou. "Se tivesse ocorrido um acidente, imagino que já teríamos sabido."

"Não sei", respondeu Wallander. "A mera suposição de que aconteceu alguma coisa com eles nos leva a concluir que as assinaturas nos cartões-postais foram falsificadas. Por quê?"

"Para encobrir um crime", sugeriu Nyberg.

A sala ficou silenciosa. Wallander olhou para ele e assentiu vagarosamente.

"E não se trata de um crime qualquer", continuou. "As pessoas dadas como desaparecidas ou morrem ou aparecem. Existe apenas uma explicação plausível para a necessidade de falsificar os postais: alguém está tentando encobrir o fato de que essas três pessoas — Boge, Norman e Hillström — estão mortas."

"Isso sugere mais uma coisa", Höglund disse. "A pessoa que enviou os postais sabe o que aconteceu com eles."

"E não é só isso", acrescentou Wallander. "A pessoa que os matou é a mesma que falsificou suas assinaturas, e ela sabe onde eles moram."

Parecia que o inspetor precisava ganhar tempo para chegar a uma conclusão. "Se essas suposições estiverem corretas, temos que partir do princípio que os três jovens foram vítimas de um assassino calculista e metódico."

Houve um longo silêncio. Wallander já sabia o que queria dizer em seguida, mas acalentava a esperança de alguém tomar a iniciativa. Lá fora, no hall, alguém riu alto. Nyberg assoou o nariz. Hansson fitava o espaço, e Martinsson tamborilava com os dedos no tampo da mesa. Höglund e Holgersson olhavam fixamente para Wallander.

Minhas duas aliadas, ele pensou.

"No momento, somos forçados a especular. Uma das linhas de raciocínio será especialmente desagradável e inimaginável, mas não podemos esquecer o papel que Svedberg pode ter desempenhado nesses acontecimentos. Sabemos que tinha em seu poder, num esconderijo do seu apartamento, uma fotografia de Astrid Hillström e de seus amigos. Sabemos que ele conduziu investigações sobre o desaparecimento desse grupo em segredo. Não sabemos o que o levou a agir dessa maneira, mas os três jovens continuam desaparecidos e nosso colega foi assassinado. Talvez tenha sido uma espécie de assalto, em que alguém procurava alguma coisa, talvez essa foto. Mas definitivamente não podemos descartar a possibilidade de que o próprio Svedberg estava, de certa forma, envolvido."

Hansson deixou sua caneta cair da mesa. "Você não pode estar falando sério", disse, visivelmente alterado. "Um de nós é brutalmente assassinado, estamos tentando descobrir quem o matou e você está sugerindo que ele estivesse envolvido num crime ainda mais grave?"

"Temos que considerar que é uma possibilidade", disse Wallander.

"Tem razão", interrompeu Nyberg. "Por mais desagradável que pareça. Depois daquele caso na Bélgica, acho que qualquer coisa é possível."

Nyberg estava certo. A série macabra de assassinatos de crianças na Bélgica estava vinculada tanto à polícia quanto aos políticos. As ligações ainda eram pouco evidentes, mas ninguém duvidava que muitas revelações dramáticas estavam por vir.

Wallander acenou para que Nyberg continuasse.

"O que eu gostaria de saber é como essa Louise se enquadra no conjunto."

"Não sabemos", disse Wallander. "Temos que tentar prosseguir com a mente mais aberta possível e tentar responder a todas as perguntas, inclusive sobre a identidade dessa mulher."

Um ar de melancolia se apoderou da equipe enquanto as tarefas eram distribuídas e eles aceitavam que trabalhariam sem descanso. Holgersson avaliaria a possibilidade de conseguir mais policiais. Terminaram um pouco depois das dez e meia. Wallander pediu que Höglund esperasse um pouco mais. Fechou a porta logo que ficaram a sós.

"Me diga o que você acha que aconteceu", o inspetor disse quando ela se sentou.

"Como é natural, alguns pensamentos são tão repulsivos que temos que bloqueá-los."

"É claro. Svedberg era nosso amigo. Mas agora temos motivos para especular que ele poderia ser um criminoso."

“Você realmente acha isso?”

“Não, mas temos que levar em conta até o que pode parecer impossível.”

“Então, o que você acha que aconteceu?”

“É isso o que eu quero que você me diga.”

“Bem, estabelecemos uma ligação entre Svedberg e os três jovens.”

“Não, não é verdade. Estabelecemos uma ligação entre Svedberg e Astrid Hillström.”

Ela concordou.

“O que mais você concluiu?”, ele perguntou.

“Que Svedberg não era a pessoa que a gente pensava.”

Wallander aproveitou a deixa. “E como a gente achava que ele era?”

Antes de responder, ela pensou por um momento. “Que era transparente, digno de confiança.”

“Na realidade, ele se revelou misterioso e não confiável, é isso que você quer dizer?”

“Não exatamente, mas alguma coisa parecida.”

“Um dos segredos dele envolvia uma mulher, que talvez se chame Louise. Sabemos como ela é.”

Wallander se levantou, ligou o projetor e colocou a foto de volta nele.

“Sinto que tem alguma coisa errada com o rosto dela. Mas não sei o que é.”

Höglund hesitou, mas Wallander sentiu que sua afirmação não a surpreendeu.

“Tem alguma coisa estranha com o cabelo dessa mulher”, ela disse por fim. “Embora eu não saiba dizer o quê.”

“Temos que encontrá-la”, disse Wallander. “E vamos conseguir.”

Colocou a segunda foto no projetor e olhou para Höglund, que hesitou mais uma vez antes de responder.

“Estou quase convencida de que eles estão vestindo trajes

do século XVI. Tenho em casa um livro sobre a moda através dos tempos. Mas posso estar enganada."

"E o que mais você vê?"

"Os jovens parecem felizes, animados e bêbados."

De repente, Wallander se lembrou das fotos que Sten Wadén havia lhe mostrado da viagem que fizeram para a Alemanha. Especialmente daquela em que ele próprio estava bêbado, com uma garrafa de cerveja na mão. Os jovens tinham uma expressão semelhante.

"Mais alguma coisa?"

"O rapaz, o segundo da esquerda, está gritando alguma coisa para o fotógrafo."

"Eles estão sentados num cobertor com comida espalhada e estão fantasiados. O que significa isso?"

"Uma espécie de mascarada. Uma festa."

"Vamos partir do princípio de que se trata de um evento de verão qualquer", disse Wallander. "A foto sugere que o tempo estava quente. Poderia muito bem ser a festa da noite de solstício, mas não pode ter sido tirada neste verão, porque a Lena Norman não está na foto."

"E a Astrid Hillström parece um pouco mais nova."

Wallander concordou. "Pensei a mesma coisa. A fotografia pode ter uns dois anos."

"Não há nada de ameaçador nessa foto", ela disse. "Eles estão felizes, como é de esperar nessa idade. A vida parece eterna, as tristezas são poucas."

"Tudo isso me provoca uma sensação esquisita", disse Wallander. "Nunca senti algo assim no início de uma investigação. Svedberg é o centro, claro, mas a agulha da bússola não para quieta. Não consigo traçar um rumo."

Saíram da sala. Höglund recolheu o envelope com as duas fotos para entregar a Nyberg, para que ele pudesse procurar impressões digitais. Antes, faria cópias de ambas. Wallander foi ao banheiro e, depois, bebeu quase um litro de água na cantina.

Os policiais começaram a trabalhar nas tarefas que lhes foram atribuídas. Wallander ficou com a incumbência de falar novamente com Eva Hillström e Sture Björklund. Sentou-se à escrivaninha e pegou o telefone. Pensara em começar pela mulher, mas decidiu não lhe telefonar. Höglund bateu na porta e lhe entregou as cópias das fotos. A imagem dos jovens havia sido ampliada, de forma que pudessem ver os rostos com a maior clareza possível.

Wallander saiu da delegacia por volta do meio-dia. Ouviu alguém dizer que a temperatura lá fora era de vinte e três graus Celsius. Tirou o casaco antes de entrar no carro.

Eva Hillström morava em Körlingsväg, logo à saída de Ystad, na parte leste. Estacionou o carro em frente ao portão e observou a casa. Era uma mansão do final do século XIX e início do XX, com um jardim bem cuidado. Foi até a porta principal e tocou a campainha. Eva Hillström abriu a porta e levou um susto quando viu quem era.

"Não aconteceu nada de novo", disse Wallander rapidamente, ansioso para evitar que ela imaginasse o pior. "Só tenho mais umas perguntas pra te fazer."

Ela o convidou para entrar no hall que tinha um cheiro forte de desinfetante. Estava descalça e vestia uma roupa de ginástica. Os olhos dela percorreram ansiosamente a sala.

"Espero que eu não esteja incomodando", disse Wallander.

Ela murmurou algo ininteligível, e seguiram até uma sala de estar espaçosa. As obras de arte e a mobília pareciam caras. Era evidente que a família Hillström não tinha problemas financeiros. Wallander se sentou, obedientemente, no sofá que lhe foi indicado.

"Posso te oferecer alguma coisa?", perguntou Eva.

Wallander fez que não, balançando a cabeça. Estava com sede, mas não queria pedir um copo d'água. Ela estava sentada na ponta do assento, e Wallander tinha a estranha sensação de estar diante de uma atleta pronta para começar a corrida, à espera do tiro de partida. Ele pegou as cópias das fotos e entregou a de Louise para a mulher. Ela olhou rapidamente para a imagem e depois para ele.

"Quem é?"

"A senhora não a reconhece?"

"Ela tem alguma coisa a ver com a Astrid?"

A atitude dela era hostil, e Wallander resolveu ser firme.

"Às vezes, precisamos fazer perguntas rotineiras", esclareceu. "Eu apenas te mostrei uma foto e fiz uma pergunta simples: a senhora conhece essa pessoa?"

"Quem é ela?"

"Por favor, responda à pergunta."

"Eu nunca a vi."

"Nesse caso, não temos mais nada para dizer sobre isso."

Ela estava prestes a perguntar alguma coisa, quando Wallander lhe mostrou outra foto. Olhou-a rapidamente e saiu correndo da sala, como se o tiro de partida tivesse disparado. Voltou um minuto depois e entregou uma foto a Wallander.

"Uma cópia nunca é tão boa quanto a original", ela afirmou em resposta à expressão confusa do inspetor.

Wallander olhou a fotografia. Era a mesma da cópia, a mesma foto encontrada no apartamento de Svedberg. Ele sentiu que estava mais próximo de uma descoberta importante.

"Me fale sobre esta fotografia", pediu. "Quando foi tirada? Quem são essas pessoas?"

"Não sei onde foi tirada", ela disse. "Talvez nas imediações de Österlen, acho. Talvez no monte Brösarp. Foi a Astrid que me deu essa foto."

"Quando foi tirada?"

"No verão passado, em julho. No aniversário do Magnus."

"Magnus?"

Ela apontou o jovem que estava gritando para o fotógrafo desconhecido. Wallander pegou um bloco de anotações que, dessa vez, não se esqueceu de levar.

"Qual é o nome completo dele?"

"Magnus Holmgren. Ele mora em Trelleborg."

"Quem são os outros?"

Wallander anotou os nomes e os endereços.

De repente, se lembrou de um detalhe: "Quem tirou a foto?".

"A câmera da Astrid tem um mecanismo de timer."

"Então a foto foi tirada por ela?"

"Acabei de dizer que a máquina tem um timer."

Wallander passou adiante.

"Era a festa de aniversário do Magnus, mas por que estavam fantasiados?"

"Eles têm esse hábito. Não vejo nada de estranho."

"Nem eu. Apenas tenho que fazer essas perguntas."

Ela acendeu um cigarro. Wallander sentiu que a mulher estava a ponto de ter outra crise de nervos.

"Então a Astrid tem muitos amigos", ele disse.

"Não muitos, mas tem bons amigos."

Ela pegou a foto de novo e apontou para a outra moça.

"Isa não foi com eles à festa de solstício deste ano", disse a mulher. "Infelizmente ela ficou doente."

Wallander demorou alguns segundos para assimilar a informação.

"Quer dizer que esta outra moça deveria ter ido com eles?"

"Ela adoeceu."

"E então só ficaram os três? E resolveram prosseguir com a festa e, em seguida, embarcaram para uma viagem pela Europa?"

"É isso mesmo."

Wallander consultou suas anotações.

"Qual é o nome completo dela?"

"Isa Edengren. O pai é um homem de negócios. Eles vivem em Skårby."

"E o que essa moça disse sobre a viagem?"

"Que nada fora decidido de antemão. Mas que ela tem certeza de que foram viajar. Nessas ocasiões, eles sempre levam os passaportes."

"Ela recebeu algum cartão-postal?"

"Não."

"Ela não acha isso estranho?"

"Acha."

Eva Hillström apagou o cigarro.

"Aconteceu alguma coisa", ela disse. "Não sei o quê, mas Isa está enganada. Eles nunca partiram. Ainda estão aqui."

Wallander percebeu que a mulher tinha lágrimas nos olhos.

"Por que ninguém me ouve?", ela perguntou. "Só uma pessoa me ouviu, e agora ele se foi."

Wallander segurou a respiração.

"Só uma pessoa ouviu a senhora? É isso?"

"É."

"Está falando do policial que a visitou no final de junho?"

Hillström o encarou, surpresa. "Ele veio aqui várias vezes", respondeu. "Não só no início. Durante o mês de julho, ele veio toda semana, mas também umas duas vezes neste mês."

"A senhora está se referindo ao inspetor Svedberg?"

"Por que ele tinha que morrer? Era o único que me ouvia, o único que estava tão preocupado quanto eu."

Wallander permaneceu em silêncio. De repente, não tinha mais nada a dizer.

10.

A brisa era tão suave que quase não a sentia. Ele contou o número de vezes em que realmente sentira o vento no rosto, só para fazer o tempo passar mais rápido. Ia acrescentar isso à lista dele de prazeres da vida, a alegria de ser uma pessoa feliz. Permanecera escondido atrás de uma árvore frondosa por várias horas. O fato de ter chegado bem cedo era um motivo de satisfação.

A noite ainda estava quente. Naquela manhã, ao acordar, teve certeza de que tinha chegado a hora de tornar o fato público. Não podia mais esperar. Tinha dormido exatamente oito horas, como em geral fazia. Ia recriar os eventos ocorridos há cinquenta dias.

Levantou-se por volta das cinco da manhã, como sempre fazia, pois não queria sair da rotina, embora fosse seu dia de folga. Depois de beber uma xícara de chá, vindo diretamente de Shangai, enrolou o tapete vermelho do chão da sala e fez os exercícios de ginástica matinal. Após vinte minutos, mediu a pulsação, anotou-a num caderno e tomou uma ducha. Às seis e quinze, se sentou para trabalhar. Naquela manhã ia se dedicar a estudar um extenso relatório do Ministério do Trabalho, que examinava as possíveis soluções para o problema do desemprego. Assinalou algumas passagens com uma caneta e fez alguns comentários, mas nada lhe pareceu realmente novo no relatório.

Pousou a caneta e pensou nos anônimos que tinham compilado esse relatório sem sentido. Eles não correm o risco de ficar desempregados, pensou. Nunca teriam o prazer de enxergar na rotina do dia a dia o que realmente tinha importância, as coisas que davam sentido à vida.

Ele leu até as dez horas, vestiu-se e foi fazer compras. Preparou o almoço e descansou um pouco, até as duas da tarde. O quarto tinha isolamento acústico. Tinha custado caro, mas valia cada centavo. Não dava para ouvir nenhum som da rua. Não tinha janelas, mas um silencioso ar-condicionado. Numa das paredes do quarto, ele pendurara um grande mapa do mundo, em que podia seguir a progressão da luz solar em volta do globo. Esse cômodo era o centro do mundo. Ali podia pensar com clareza sobre o que aconteceu e o que iria acontecer. Nunca precisava pensar sobre quem ele era ou se tinha razão. Razão acerca da falta de justiça no mundo.

Foi assistir a uma conferência nas montanhas de Jämtland. O diretor da empresa de engenharia onde trabalhava apareceu, de repente, à porta e disse para ele ir. Alguém tinha ficado doente. Concordou, naturalmente, embora já tivesse feito planos para o fim de semana. Obedecera porque queria agradar o chefe. A conferência tinha a ver com a nova tecnologia digital. Foi presidida por um senhor mais velho, o inventor das máquinas registradoras que eram manufaturadas em Åtvidaberg. Ele falou da nova era, e todos olhavam fixo para seus blocos. Numa das últimas noites, eles decidiram ir à sauna. Na realidade, não gostava de ficar nu na frente de outros homens, então esperou por eles no bar. Não sabia como agir. Depois, todos se juntaram a ele e ficaram bebendo por um bom tempo. Alguém começou a contar uma história sobre as maneiras eficientes de despedir empregados. Todos os presentes, exceto ele, tinham ocupado cargos importantes nas respectivas empresas. Contaram histórias, uma após a outra, e finalmente olharam para ele.

Mas ele nunca despedira ninguém. Nunca lhe ocorrera a possibilidade de um dia vir a ser despedido. Estudara muito, sabia fazer seu trabalho, tinha pagado os empréstimos para os estudos e aprendeu a concordar com as pessoas. Mais tarde, quando a catástrofe se tornou um fato, ele se lembrou de uma das histórias. Um homem pequeno, gorducho, que trabalhava em uma fábrica em Torshälla, contou como tinha mandando chamar um trabalhador idoso para lhe dizer: "Não sei como teríamos nos virado sem você todos esses anos". "Foi ótimo", contou o gordo, rindo. "O velho ficou tão orgulhoso e feliz que baixou a guarda. Depois foi fácil. Eu só lhe disse: 'Mas temos que tentar, a partir de amanhã'." Então o velhote foi despedido. Pensara muitas vezes naquela história. Se tivesse sido possível, ele teria ido a Torshälla e matado a pessoa que demitiu o velho e teve o atrevimento de se gabar disso depois.

Saiu do apartamento por volta das três da tarde. Pegou o carro e seguiu na direção leste até chegar ao estacionamento de Nybrostrand, onde esperou até que não tivesse ninguém por perto. Então, trocou rapidamente de carro e se afastou dali.

Quando chegou à reserva natural, viu que estava com sorte. Não havia nenhum carro por ali, o que significava que ele não precisava se preocupar com os números de placa falsos. Já eram quatro horas da tarde de sábado, e ele duvidava que mais alguém aparecesse naquela noite. Tinha passado três sábados observando a entrada da reserva natural e havia estabelecido um padrão de visitantes. Quase ninguém aparecia no fim do dia. Os poucos que se aventuravam a visitar a reserva iam embora antes das oito da noite. Tirou as ferramentas da mala do carro. Ele também tinha embalado alguns sanduíches e separado uma garrafa térmica de chá. Olhou em volta, escutou e depois desapareceu por uma das trilhas.

Quando deu a hora certa, dirigiu-se para o local. Logo viu que não tinha ninguém lá. Num espaço entre as duas árvores, a única abertura natural para a clareira, ele havia pendurado um fio fino. Ajoelhou-se para examinar e viu que o fio estava intacto. Pegou uma pá dobrável e começou a cavar. Realizava a tarefa calma e metodicamente. A última coisa que ele queria era desatar em suor, o que aumentaria o risco de pegar uma gripe. Descansava a cada oito pazadas e ficava atento a qualquer ruído. Levou vinte minutos para remover a camada de torrão e chegar até a lona. Antes de levantá-la, passou um pouco de mentol sob as narinas e colocou a máscara. Os três sacos de plástico estavam no chão, tal como ele deixara. Não sentiu nenhum cheiro desagradável, o que significava que não houvera nenhum vazamento. Pegou um dos sacos e jogou por cima do ombro. Fortaleceu-se com os exercícios de ginástica. Levou apenas dez minutos para levar os três sacos para o local de origem. Em seguida encheu o buraco, refazendo a camada de torrão, e bateu o chão com os pés até ficar plano, mas parando de vez em quando para escutar se havia algum som.

Depois foi até a árvore onde havia deixado os três sacos. Desembrulhou a toalha, os copos e os restos da comida que estava em decomposição e que tinha guardado na geladeira. Então tirou os corpos dos sacos. As perucas estavam um pouco amareladas e as manchas de sangue estavam com um tom acinzentado. Pôs os corpos em seus lugares, quebrando e rachando o que fosse necessário para que tudo estivesse exatamente como a cena da foto na noite do solstício. O último toque foi despejar um pouco de vinho em uma das taças. Escutou. Silêncio absoluto.

Dobrou os sacos plásticos, embalou-os e partiu. Já tinha tirado sua máscara e removido o resto do mentol. No caminho para o carro, não encontrou vivalma. Foi até Nybrostrand, trocou novamente de carro e chegou em Ystad antes das dez da noite. Não foi direto para casa, mas continuou na direção de Trelleborg. Parou o carro num local onde podia dirigir até a água sem ser visto. Pôs dois dos sacos dentro do terceiro, amarrou-os num cano de aço que havia comprado para essa finalidade e atirou-os na água. Afundaram imediatamente.

Voltou para casa, queimou a máscara, jogou os sapatos no lixo e guardou a pomada de mentol no armário do banheiro. Em seguida, tomou uma ducha e esfregou o corpo com um desinfetante.

Mais tarde, bebeu chá. Quando olhou para a lata de chá, percebeu que logo teria que encomendar mais. Tomou nota no quadro de aviso que tinha na cozinha. Assistiu a um programa na TV sobre os sem-teto. Ninguém disse nada que ele já não soubesse.

Por volta da meia-noite, sentou-se à mesa da cozinha em frente a uma pilha de cartas. Era hora de começar a pensar no futuro. Abriu a primeira carta com cuidado e começou a ler.

Pouco antes da uma e meia da tarde do sábado, 10 de agosto, Wallander saiu da casa dos Hillström, em Körlingsväg. Decidiu seguir direto para Skårby, onde morava Isa Edengren — a moça que, segundo Eva Hillström, deveria ter acompanhado os amigos na noite do solstício. Wallander perguntou à mulher por que ela não lhe falou sobre isso antes, mas ele se sentia cada vez mais culpado por ter levado tanto tempo para perceber que alguma coisa muito grave acontecera.

Parou num café perto da rodoviária e pediu um sanduíche e uma xícara de café. Percebeu tarde demais que deveria ter pedido sem manteiga. Agora, se via forçado a limpar o pão com a faca. O homem sentado a uma mesa ao lado o observava, e Wallander notou que ele o reconhecera dos jornais. Isso provavelmente alimentaria o boato de que a polícia desperdiçava seu tempo limpando a manteiga dos sanduíches, em vez de procurar o assassino do colega. Suspirou. Ele nunca conseguira se habituar a esse tipo de balela.

Terminou seu café, foi ao banheiro e saiu. Escolheu o trajeto mais curto que atravessava Bjäresjö. Logo que saiu da estrada principal, o telefone tocou. Era Ann-Britt Höglund.

"Acabo de falar com os pais de Lena Norman", ela disse. "Acho que descobri uma coisa importante."

Wallander aproximou mais ainda o celular do ouvido.

"Deveria ter uma quarta pessoa na festa do solstício", ela disse.

"Eu sei. Estou a caminho da casa dela agora."

"Isa Edengren?"

"Sim. A Eva Hillström a identificou na foto do Svedberg. Acontece que ela tinha a foto original. A filha tirou a foto no verão passado com o timer de sua máquina."

"Parece que Svedberg está sempre um passo à frente de nós", ela disse.

"Nós o alcançaremos em breve", disse Wallander. "Mais alguma coisa?"

"Algumas pessoas estão ligando para oferecer pistas, mas nenhuma parece promissora."

"Por favor, ligue para Ylva Brink e pergunte a ela qual era o tamanho do telescópio e se era pesado. Não consegui entender como pode ter desaparecido."

"Nós já eliminamos a hipótese de assalto?"

"Ainda não eliminamos nenhuma hipótese, mas se fugiram com um telescópio, imagino que alguém deva ter visto."

"Quer que eu faça isso já ou pode esperar? Estou a caminho de Trelleborg para me encontrar com um dos rapazes da fotografia."

"Pode esperar. Quem é que vai falar com o outro?"

"Martinsson e Hansson vão juntos. Dei a eles o nome do rapaz. Neste momento estão em Simrishamn com a família Boge."

Wallander assentiu, satisfeito. "Estou contente por estarmos todos em contato hoje. Imagino que saberemos muito mais sobre o caso à noite."

Eles desligaram, e Wallander continuou o caminho para Skårby. Seguiu as indicações dadas por Eva Hillström. Ela contou que o pai de Isa possuía uma grande propriedade, onde vários jardineiros trabalhavam em tempo integral. Uma estrada particular, ladeada por árvores frondosas, conduzia a uma casa de dois andares. Havia uma BMW estacionada em frente à casa. Wallander saiu do carro e tocou a campainha. Não obteve resposta. Bateu na porta e tocou de novo a campainha. Eram duas da tarde, e ele suava. Tocou mais uma vez, então decidiu ir até os fundos da casa. O jardim era grande e antiquado, com diversas árvores frutíferas bem podadas. Havia uma piscina com um conjunto de espreguiçadeiras que pareciam caras. No fundo do jardim viu um gazebo com janelas de vidro, rodeado e quase completamente escondido por arbustos e galhos de árvores pendentes. Wallander caminhou nessa direção. A porta verde estava entreaberta. Ele bateu, mas não houve resposta. Abriu a porta. As cortinas da janela estavam fechadas, e precisou de uns instantes para que seus olhos se adaptassem à luz escassa.

Percebeu que havia uma pessoa lá dentro. Tinha alguém dormindo no divã. Dava para ver os cabelos pretos saindo do cobertor, mas a pessoa estava de costas para ele. Wallander fechou a porta e voltou a bater. Sem resposta. Entrou e ligou o interruptor. A sala foi inundada de luz. Ele agarrou pelos ombros a pessoa que dormia e a sacudiu algumas vezes. Como não houve reação, o inspetor percebeu que tinha algo errado. Virou-a de frente e viu que era Isa Edengren. Falou com ela e voltou a sacudi-la. A respiração da jovem era lenta e difícil. Sacudiu Isa com força e fez com que ficasse sentada, mas não conseguiu acordá-la. Após vasculhar o bolso à procura do celular, lembrou-se que o deixara no assento do carro, depois de falar com Höglund. Correu para o carro e, no caminho de volta para o gazebo, ligou para o serviço de emergência do hospital e deu informações precisas sobre a localização da casa.

"Acho que é uma tentativa de suicídio ou uma doença grave", informou. "O que devo fazer?"

"Não a deixe parar de respirar. O senhor é da polícia, então deveria conhecer o procedimento."

A ambulância chegou quinze minutos depois. Wallander conseguiu contatar Höglund a tempo. Como ainda não tinha saído para Trelleborg, o inspetor pediu que ela fosse direto para o hospital esperar a ambulância. Ele ia ficar em Skårby um pouco mais. Depois da partida da ambulância, tentou abrir as portas da casa principal, mas estavam trancadas. Em seguida, ouviu um carro se aproximar. Um homem com botas de borracha e macacão saiu de um pequeno Fiat.

"Vi a ambulância", ele disse.

Wallander percebeu a expressão preocupada do homem. Depois de se identificar, Wallander disse que Isa Edengren estava doente e que era tudo o que podia dizer no momento.

"Onde estão os pais dela?", perguntou.

"Estão fora."

A resposta parecia propositadamente vaga.

"O senhor poderia ser mais específico? Teremos que avisá-los."

"Devem estar na Espanha, mas também podem estar na França. Eles têm casas nos dois países."

Wallander pensou nas portas trancadas.

"Lisa vive aqui mesmo quando os pais estão fora?"

O homem fez que não com a cabeça.

"O que quer dizer?"

"Eu não tenho nada a ver com essa história", disse o homem e começou a andar de volta para o carro dele.

"Agora o senhor tem a ver com essa história", disse Wallander com firmeza. "Qual é o seu nome?"

"Erik Lundberg."

"O senhor mora aqui perto?"

Lundberg apontou para uma fazenda ao sul.

"Bom, agora gostaria que o senhor respondesse minha pergunta: a Isa mora aqui quando os pais estão fora?"

"Não, ela não está autorizada."

"O que quer dizer com isso?"

"Ela tem que dormir no gazebo."

"Por que não está autorizada a entrar na casa principal?"

"Tiveram problemas no passado. Algumas festas em que objetos foram quebrados ou roubados."

"Como é que você sabe disso?"

A resposta foi surpreendente.

"Eles não a tratam muito bem", disse Lundberg. "No inverno passado, quando a temperatura estava dez graus negativos, eles foram embora e trancaram a porta da casa. Mas o gazebo não tem aquecimento. Ela foi até nossa casa completamente congelada e nos contou isso. Não pra mim diretamente, mas pra minha mulher."

"Então vamos à sua casa", disse Wallander. "Quero saber o que ela disse à sua esposa."

Pediu a Lundberg que fosse na frente. Antes de ir embora, queria inspecionar o gazebo. Ele não encontrou vestígios de comprimidos para dormir nem nenhuma carta, nada de importante. Deu uma última olhada e foi para o carro. Seu celular tocou.

"Ela acaba de ser internada", disse Höglund.

"O que os médicos disseram?"

"Não muito até agora."

Ela prometeu ligar logo que tivesse mais informações. Wallander se aliviou perto do carro antes de partir para a fazenda de Lundberg. Foi recebido no alpendre por um cachorro desconfiado. Lundberg apareceu, enxotou o cachorro e convidou Wallander para entrar numa cozinha aconchegante. A esposa estava fazendo café. Chamava-se Barbro e falava um dialeto de Gothenburg.

"Como é que ela está?"

"Minha colega me avisará assim que souber."

"Ela tentou se suicidar?"

"É cedo para sabermos", respondeu Wallander. "Mas não consegui acordá-la."

Sentou-se à mesa e pôs o telefone ao seu lado.

"Imagino, pela reação de vocês, que ela já tentou se suicidar."

"É uma família de suicidas", disse Lundberg com desgosto.

Em seguida o homem se calou, como se lamentasse o comentário.

Barbro pôs o bule de café na mesa. "O irmão da Isa morreu

há dois anos", ela disse. "Ele tinha apenas dezenove anos. Isa e Jörgen só tinham um ano de diferença."

"Como ele se matou?"

"Na banheira", disse Lundberg. "Escreveu um bilhete para os pais, mandando-os para o inferno. Em seguida, ligou uma torradeira na tomada e a jogou na água."

Wallander sentiu uma pontada no estômago. Tinha uma vaga lembrança do incidente. Lembrou-se que fora Svedberg quem conduzira a investigação. Havia um jornal sobre um sofá velho, perto da janela. Wallander viu uma foto de Svedberg na primeira página. Pegou o jornal e mostrou a imagem ao casal.

"Devem ter ouvido falar do policial que foi morto", disse. Obteve sua resposta antes mesmo de fazer a pergunta.

"Ele esteve aqui, há cerca de um mês."

"Veio falar com vocês ou com os Edengren?"

"Primeiro com eles. Depois veio aqui, como o senhor fez."

"Os pais estavam fora quando ele apareceu?"

"Não."

"Então ele falou com os pais da Isa?"

"Não sabemos exatamente com quem ele falou", disse Lundberg. "Mas os pais dela não estavam fora."

"Por que ele veio aqui? O que ele queria saber de vocês?"

Barbro Lundberg sentou-se à mesa.

"Perguntou sobre as festas que eles faziam quando os pais da Isa estavam viajando, antes de eles começarem a trancar a filha do lado de fora da casa", ela disse.

"Era só isso que ele queria saber", disse Erik.

Wallander redobrou a atenção. Percebeu que essas informações poderiam lhe dar um insight sobre como Svedberg passara o verão.

"Gostaria que vocês dois tentassem se lembrar exatamente o que ele disse."

"Um mês é muito tempo", ela respondeu.

"Mas vocês se sentaram à mesa da cozinha?"

"Sim."

"E beberam café?"

Barbro Lundberg sorriu. "Ele gostou do meu bolo *bundt*."

Wallander avançou com cuidado. "Deve ter sido logo após o solstício."

O casal trocou olhares. Wallander notou que um tentava ajudar o outro a se lembrar.

"Deve ter sido logo no início de julho. Tenho certeza", disse Barbro.

"Então ele veio aqui no final de junho. Primeiro para falar com os Edengren e depois pra ver vocês."

"Isa veio com ele. Mas estava enjoada, uma virose qualquer no estômago."

"Ela veio e ficou aqui o tempo todo?"

"Não, só veio com ele pra lhe mostrar o caminho. Depois ela foi embora."

"E ele fez perguntas sobre as festas?"

"Sim."

"E o que foi que ele perguntou exatamente?"

"Se a gente conhecia as pessoas que vinham para as festas. Mas é claro que não."

"Por que você diz 'é claro'?"

"Eram apenas jovens que chegavam de carro e depois partiam da mesma forma."

"O que mais ele perguntou?"

"Se algumas das festas eram mascaradas", disse Lundberg.

"Ele usou essa palavra?"

"Sim."

A mulher fez que não com a cabeça. "Não, não usou. Ele só perguntou se os convidados vinham fantasiados."

"E vinham?"

Ambos encararam Wallander com ar de espanto.

"Como poderíamos saber?", Erik perguntou. "Não estávamos lá e não temos o costume de espreitar pelas cortinas."

"Mas vocês não viram alguma coisa?"

"Às vezes, as festas eram no outono, e normalmente está escuro. Não dava pra ver como as pessoas estavam vestidas."

Wallander ficou em silêncio, pensando por um momento. "Ele perguntou mais alguma coisa?"

"Não. Continuou sentado por um tempo, coçando a testa com a caneta. Ficou aqui apenas meia hora. Depois partiu."

O celular do Wallander tocou. Era Höglund.

"Estão fazendo uma lavagem no estômago da Isa."

"Então foi uma tentativa de suicídio?"

"Acho que ninguém toma tantos calmantes por acidente."

"Os médicos já disseram alguma coisa?"

"O fato da Isa continuar inconsciente pode indicar que ela já está envenenada."

"Ela vai sair dessa?"

"Não ouvi nada em contrário."

"Então por que não vai pra Trelleborg?"

"Era isso que eu estava pensando em fazer. Te vejo mais tarde na delegacia."

Desligaram, e o casal olhou para Wallander com ansiedade.

"Ela vai sobreviver", ele disse. "Mas vou precisar contatar os pais dela."

"Temos alguns números de telefone", o homem respondeu e se levantou.

"Eles nos pediram pra ligar se acontecesse alguma coisa com a casa", explicou a esposa. "Não disseram nada sobre esse tipo de situação."

"Quer dizer que nunca disseram nada sobre o caso de acontecer alguma coisa com a filha?"

A mulher assentiu. O marido entregou uma folha de papel com os números de telefone para Wallander.

"Podemos visitá-la no hospital?", Barbro perguntou.

"Tenho certeza de que podem, mas acho melhor esperarem até amanhã."

Erik Lundberg o acompanhou até a porta.

"O senhor tem as chaves da casa?", o inspetor perguntou.

"Eles nunca a deixaram conosco."

Wallander se despediu, voltou à casa dos Edengren e foi até o gazebo. Fez uma nova busca meticulosa por cerca de meia hora, sem saber exatamente o que procurava. Acabou se sentando na cama da Isa.

A situação se repete, pensou. Svedberg veio falar com a moça que não pôde ir aos festejos do solstício e, por isso, não desapareceu. Ele fez perguntas sobre as festas e as fantasias que os jovens vestiam. Então Isa Edengren tentou se suicidar e Svedberg foi assassinado.

Wallander se levantou e saiu do gazebo. Estava preocupado. Não conseguia encontrar um fio condutor que lhe apontasse o caminho certo. Parecia haver apenas pistas soltas que indicavam várias direções, mas nenhuma delas levava a nenhum lugar. Ele entrou no carro e partiu de volta para Ystad.

O próximo objetivo era conversar novamente com Sture Björklund. Eram quase quatro da tarde quando parou na frente da casa dele. Bateu à porta, esperou, mas não obteve resposta. Era provável que Björklund tivesse ido a Copenhague ou talvez estivesse em Hollywood discutindo suas ideias mais recentes sobre monstros. Wallander bateu com força na porta, mas não esperou que a abrissem. Decidiu ir até os fundos. O jardim estava abandonado. Alguns móveis apodreciam no mato. Espreitou através de uma das janelas da casa e então continuou até um pequeno galpão. Wallander girou a maçaneta da porta, que não estava trancada. Abriu e enfiou um pedaço de madeira para manter o galpão aberto. Era uma bagunça só. Já estava para sair quando reparou numa lona dobrada sobre alguma coisa num canto. Parecia haver uma espécie de equipamento embaixo. Com cuidado, levantou parte da lona. Era realmente um aparelho; ou, mais precisamente, um instrumento. Wallander nunca tinha visto um daqueles de perto, mas ele soube imediatamente o que era. Um telescópio.

11.

Quando saiu do galpão, Wallander notou que o vento estava mais forte. Deu-lhe as costas e tentou organizar as ideias. Quantas pessoas possuíam telescópios? Não muitas. Aquele telescópio tinha que ser o do Svedberg. Não conseguia imaginar nenhuma outra explicação. O que resultava em novas perguntas: por que Sture Björklund não havia dito nada?

Teria alguma coisa para esconder, ou não sabia que o telescópio estava dentro de sua propriedade? Será que Sture Björklund teria matado o primo? O inspetor duvidava disso.

Voltou para o carro e fez algumas ligações, mas nem Martinsson nem Hansson estavam em suas salas. Pediu ao policial de plantão que mandasse um carro para Hedeskoga.

"O que aconteceu?"

"Preciso de policiais para vigiar este lugar", disse Wallander. "Por enquanto, diga apenas que tem a ver com o caso do Svedberg."

"Já sabemos quem o matou?"

"Não. Trata-se apenas de uma operação de rotina."

Wallander solicitou um carro sem identificação e descreveu o cruzamento onde ficaria aguardando os policiais. Quando o inspetor chegou ao ponto combinado, os colegas já esperavam por ele. Explicou aos policiais sobre o local onde o carro-patrulha deveria esperar e pediu que lhe telefonassem assim que Sture Björklund aparecesse. Só então voltou para Ystad. Ele estava com muita fome e com a boca seca. Parou num restaurante em Malmövägen e pediu um hambúrguer. Enquanto esperava, bebeu uma garrafa de água com gás. Depois de ter comido demasiadamente depressa, comprou um litro de água mineral. O inspetor precisava de tempo para pensar, mas sabia que seria inevitavelmente perturbado se voltasse à delegacia; portanto, decidiu dirigir para fora da cidade e estacionou o carro em frente ao hotel Saltsjöbaden. O vento estava muito forte agora, mas ele caminhou até encontrar um local com uma cobertura. Por alguma razão, havia um velho tobogã ali; sentou-se nele e fechou os olhos.

Tem que haver um fio condutor nessa confusão toda, pensou. Um fio cuja ponta deixamos passar despercebido. Recapitulou, cuidadosamente, tudo que havia se passado, mas apesar dos seus esforços, os fatos continuavam tão confusos e obscuros como antes.

O que o Rydberg faria? Quando era vivo, Wallander podia sempre recorrer a ele e pedir seu conselho. Eles caminhavam na praia ou se sentavam, até tarde da noite na delegacia, discutindo os fatos de um caso até que chegassem a algo importante. Mas Rydberg se foi. Wallander se esforçou para ouvir a voz do amigo, porém sua mente estava vazia.

Às vezes, ele achava que Höglund tinha potencial para se tornar sua nova parceira. Sabia ouvir tão bem quanto Rydberg e não hesitava em mudar de caminho se achasse que poderia ajudá-los a derrubar um obstáculo.

Poderá funcionar com o tempo, pensou. Ann-Britt é uma boa policial. Mas isso demanda tempo.

Levantou-se com dificuldade e voltou para o carro. Só tem uma coisa que torna essa investigação diferente das outras, ele pensou. As pessoas fantasiadas. Svedberg queria saber mais sobre as festas com essas fantasias. Temos uma foto onde as pessoas estão fantasiadas numa festa. Há pessoas fantasiadas por toda parte.

Wallander sabia que seria uma noite longa. Assim que todos tivessem voltado de suas tarefas, eles se enfurnariam na sala de reuniões. Foi até sua sala, tirou o casaco e ligou para o hospital. Depois de transferirem a chamada algumas vezes, conseguiu falar com um médico sobre o estado de Isa Edengren. Era estável e achavam que a recuperação seria total. Wallander conhecia esse médico, já tinha falado com ele anteriormente.

"Diga-me uma coisa que eu sei que não está autorizado a dizer", pediu Wallander. "Era um pedido de ajuda ou ela estava realmente tentando se matar?"

"Ouvi dizer que foi o senhor quem a encontrou, é verdade?", indagou o médico.

"Sim."

"Então, deixe-me pôr desta forma: foi uma sorte tê-la encontrado naquela hora."

Wallander entendeu. Ia desligar quando lhe ocorreu outra pergunta. "Ela recebeu alguma visita?"

"Ela ainda não pode receber visitas."

"Entendo. Mas alguém pediu para vê-la?"

"Vou tentar saber."

Enquanto esperava, Wallander procurou o papel com os números de telefone dos pais de Isa que Lundberg havia lhe dado. O médico voltou.

"Ninguém esteve aqui ou ligou procurando por ela", ele disse. "Quem entrará em contato com os pais dela?"

"Nós nos encarregaremos disso."

Wallander desligou e tentou discar o primeiro número sem saber se estava ligando para França ou Espanha. Contou quinze toques, depois desligou e tentou o outro número. Dessa vez, uma mulher atendeu quase que de imediato. Wallander se apresentou e ela disse que era Berit Edengren. O inspetor contou-lhe o que havia acontecido. Ela ouviu sem interrompê-lo. Wallander pensou no outro filho dela, Jörgen, irmão da Isa. Tentou não entrar em detalhes, mas era uma tentativa de suicídio e não podia encobri-la.

A mulher parecia tranquila quando respondeu. “Vou falar com meu marido”, ela disse. “Temos que decidir se devemos voltar para casa imediatamente.”

Ela ama a filha, Wallander tentou se conscientizar desse fato, mas não conseguiu deixar de sentir raiva ao ouvir a resposta dela. “Espero que a senhora compreenda a gravidade da situação e o que poderia ter acontecido com sua filha.”

“Felizmente não aconteceu.”

Wallander lhe deu o número do telefone do hospital e o nome do médico. Ele resolveu, por enquanto, não perguntar nada sobre Svedberg. Fez perguntas sobre os festejos da noite do solstício, de que Isa deveria ter participado.

“Isa não nos conta quase nada”, ela disse. “Não sei nada sobre essa festa da noite do solstício.”

“Ela teria contado para o pai?”

“Duvido.”

“Martin Boge, Lena Norman e Astrid Hillström”, recitou Wallander. “A senhora reconhece esses nomes?”

“São amigos dela.”

“Mas Isa não te falou nada sobre algum plano especial para a noite do solstício?”

“Não.”

“Vou te fazer uma pergunta muito importante e preciso que pense com muito cuidado. Ela teria, por acaso, mencionado o lugar em que eles iriam se encontrar?”

“Não tenho problemas de memória. Ela não nos disse absolutamente nada.”

“A senhora sabe se ela tem alguma fantasia em casa?”

“Isso é realmente importante?”

“É. Por favor, responda à pergunta.”

“Não costumo mexer nas coisas dela.”

“Existe uma cópia da chave da casa?”

“Deixamos uma chave extra escondida na calha, na ala direita da casa. Isa não sabe disso.”

“E não descobrirá nos próximos dias.”

Wallander só tinha mais uma pergunta. "Sua filha mencionou qualquer coisa sobre viajar depois do solstício?"

"Não."

"Ela teria te contado se estivesse pensando em viajar?"

"Só se ela estivesse precisando de dinheiro, o que acontece sempre."

Wallander estava com dificuldade de controlar sua raiva.

"Entraremos em contato com a senhora em breve."

Ele bateu o fone no gancho, sem saber se eles estavam na França ou na Espanha.

Foi à cantina pegar um café. Quando estava voltando para a sua sala, lembrou-se que ainda tinha mais um telefonema para fazer. Achou o número e discou. Uma voz respondeu.

"Bror Sundelius?"

"Sim, sou eu."

Wallander se apresentou e ia explicar por que estava telefonando, mas Sundelius o interrompeu.

"Estava esperando que a polícia me ligasse. Parece que vocês demoraram muito tempo."

Ele era um senhor de idade e falava o que pensava.

"Já havia ligado para o senhor algumas vezes, mas ninguém atendeu. Por que achou que entraríamos em contato?"

Sundelius respondeu sem hesitar. "Karl Evert não tinha muitos amigos íntimos. Eu era um dos poucos. Por isso achei que seria contatado."

"O que o senhor achou que iríamos te perguntar?"

"Você deve saber isso melhor do que eu."

Certo, pensou Wallander. Pelo menos ele não está senil.

"Gostaria de me encontrar com o senhor", disse Wallander. "Aqui ou na sua casa, de preferência amanhã cedo."

"Eu trabalhava todos os dias. Agora fico olhando para o teto", disse Sundelius. "Disponho de uma quantidade infinita de tempo que é simplesmente desperdiçada. Pode vir amanhã a qualquer hora, a partir das quatro e meia da manhã. Moro em Vädergränd. Minhas pernas não estão lá muito boas. Que idade tem, inspetor?"

"Estou com quase cinquenta anos."

"Então suas pernas estão melhores do que as minhas. Na sua idade, é importante se manter ativo. Senão pode vir a ter problemas de coração ou diabetes."

Wallander o ouviu com surpresa.

"Inspetor, ainda está aí?"

"Sim, estou. Posso ir às nove horas?"

Às sete e meia da noite todos se juntaram na sala de reuniões. Lisa Holgersson chegara cedo, junto com o procurador-geral que substituía Per Åkeson, o qual estava em Uganda. Åkeson tirou uma licença e foi trabalhar para a Comissão Internacional de Refugiados. Estava ausente havia quase oito meses e, de vez em quando, enviava cartas para Wallander, descrevendo seu dia a dia, além da forma dramática como seu novo ambiente e trabalho o modificaram. Wallander sentia falta dele, apesar de nunca terem sido próximos. Às vezes, também sentia uma ponta de inveja da decisão que Åkeson havia tomado. Será que algum dia seria outra coisa além de policial? Logo estaria com cinquenta anos. As chances de começar algo novo eram cada vez mais remotas.

O procurador-geral, Thurnberg, havia sido transferido de Örebro. Wallander não tivera muito contato com ele até então, já que Thurnberg só começara a trabalhar em Ystad no meio de maio. Ele era uns anos mais novo que Wallander, estava em boa forma e tinha o raciocínio rápido. O inspetor ainda não tinha opinião formada sobre ele. Nos encontros anteriores, ele se revelara bastante arrogante.

Wallander bateu com o lápis no tampo da mesa e olhou em volta. A cadeira de Svedberg continuava vazia. Ele se perguntava quando alguém iria começar a ocupá-la. Começou contando sobre sua descoberta na casa do Björklund, já que esperava que ele regressasse de Copenhague naquela noite.

"Antes desta reunião, estávamos falando de outra coisa que achamos estranha", disse Martinsson. "Não existem agendas. Perguntei aos outros, mas nenhum dos três parecia usar agendas ou calendários de bolso."

"Também não há cartas", disse Hansson.

"Parecem ter apagado quaisquer traços deles mesmos", disse Höglund.

"Isso também acontece com os outros? Com os jovens que estão na foto do Svedberg?"

"Sim", disse Martinsson. "Mas talvez devêssemos investigar isso melhor."

Martinsson folheou suas anotações e estava prestes a prosseguir quando alguém bateu à porta da sala. Um policial entrou e acenou na direção de Wallander.

"Björklund acaba de chegar em casa."

Wallander se levantou. "Vou até lá sozinho. Afinal, não vamos prendê-lo. Continuaremos a reunião quando eu voltar."

Nyberg também se levantou. "Talvez eu devesse dar uma olhada agora mesmo no telescópio", sugeriu.

Seguiram para Hedeskoga no carro de Nyberg. No cruzamento, avistaram um carro de polícia à paisana. Wallander desceu e foi falar com o policial sentado ao volante.

"Ele chegou há uns vinte minutos, num Mazda."

"Agora vocês podem ir embora", disse Wallander.

"Não quer que a gente fique?"

"Não é preciso."

Wallander voltou para o carro, e eles pararam em frente à casa.

"Ele está em casa", disse Nyberg. "Sem dúvida alguma."

Ouvia-se música através de uma janela aberta. Um ritmo latino. Wallander tocou a campainha e o som da música diminuiu. Björklund abriu a porta, vestindo apenas um short.

"Tenho umas perguntas que não podem esperar", disse Wallander.

Björkund pareceu refletir por um momento, então sorriu. "Agora entendi."

"Entendeu o quê?"

"Por que tinha um carro estacionado no cruzamento."

Wallander assentiu. "Estive aqui mais cedo te procurando. As minhas perguntas não podem esperar."

Björklund convidou-os para entrar, e Wallander apresentou Nyberg a ele.

"Uma vez, cheguei a pensar em me tornar um técnico forense", disse Björklund. "A ideia de passar a vida interpretando provas de crimes me agrada."

"Não é tão emocionante quanto pensa", argumentou Nyberg.

Björklund pareceu ficar um pouco chocado.

"Não estava me referindo a aventuras", ele disse. "Estava falando de ser uma pessoa que segue pistas."

Pararam à entrada da sala grande. Wallander notou que Nyberg parecia surpreso com o interior da casa.

"Vou direto à questão", ele disse. "O senhor tem um pequeno galpão na ala leste da sua propriedade. Tem um instrumento lá, escondido debaixo de uma lona. Eu acho que é um telescópio e quero saber se veio ou não do apartamento de Svedberg."

Björklund replicou: "Um telescópio? No meu galpão?".

"Sim."

Björklund, instintivamente, deu um passo atrás. "Quem é que andou bisbilhotando a minha propriedade?"

"Eu te disse que havia estado aqui hoje, mais cedo. A porta do galpão estava aberta e entrei. Encontrei o telescópio."

"E isso é legal? Os policiais podem entrar na casa dos outros quando bem entendem?"

"Se o senhor discorda da minha conduta, é livre para dar queixa."

Björklund encarou o inspetor com um ar hostil. "Acho que vou dar queixa, sim", ele disse.

"Pelo amor de Deus", interrompeu Nyberg, zangado. "Vamos esclarecer isso agora mesmo."

"Então o senhor afirma não ter conhecimento da existência de um telescópio na sua propriedade."

"Isso mesmo."

"Você percebe que isso não parece muito provável?"

"Não me interessa o que te parece. Até onde sei, não existe nenhum telescópio na minha propriedade."

"Já vamos esclarecer se é esse o caso", disse Wallander. "Se o senhor se recusar a cooperar, deixarei Nyberg aqui e vou pedir um mandado de busca ao procurador-geral. Pode ter certeza."

Björklund continuava hostil. "Estou sendo acusado de um crime?"

"Por ora, só peço que responda à minha pergunta."

"Já te dei a resposta."

"Então o senhor nega que sabia da existência do telescópio? Acha possível que o Svedberg tenha trazido o instrumento pra cá sem o seu consentimento?"

"Por que ele faria uma coisa dessas?"

"Estou perguntando se acha possível, nada mais."

"É claro que ele poderia ter trazido enquanto eu estava fora, durante o verão. Nunca entro no galpão."

Wallander achou que Björklund estava dizendo a verdade e sentiu um alívio.

"Podemos ir lá dar uma olhada?"

Björklund assentiu e calçou seus tamancos. Continuava com o torso nu.

Quando chegaram ao galpão e acenderam a luz, Wallander puxou os outros para trás e voltou-se para Björklund.

"Tem alguma coisa diferente?"

"Como o quê?"

"É o seu galpão. Deveria saber."

Björklund olhou em volta e deu de ombros. "Tem o mesmo aspecto de sempre."

Wallander os conduziu para um canto e levantou a lona. A surpresa de Björklund lhe pareceu genuína.

“Não faço ideia de como isso veio parar aqui.”

Nyberg agachou para olhar de perto, iluminando o instrumento com a luz da lanterna.

“Acho que não é necessário especular mais sobre quem é o dono disso”, ele disse, apontando para alguma coisa.

Wallander olhou mais de perto e viu uma pequena chapa de metal com o nome de Svedberg. Björklund já não parecia mais zangado.

“Não entendo. Por que Karl Evert esconderia o telescópio dele aqui?”

“Vamos voltar pra sua casa e deixar o Nyberg trabalhar”, disse Wallander.

Quando estavam entrando na casa, Björklund perguntou se o inspetor queria um café. Wallander disse que não. Pela segunda vez, sentou-se no desconfortável banco de igreja.

“Você teria alguma ideia de quanto tempo o instrumento está lá?”

Björklund agora parecia preocupado em dar uma resposta completa.

“Não tenho uma boa memória espacial”, explicou. “Minha memória para objetos é ainda pior. Não acho que eu possa especificar nenhum período de tempo.”

Alguma coisa parecia estar acontecendo com ele. Wallander esperou.

“Seria possível que outra pessoa o tivesse deixado ali?”, perguntou Björklund.

“Se fosse o caso, teria que ser alguém que soubesse que vocês eram primos.”

Wallander percebeu que algo estava preocupando Björklund.

“Em que está pensando?”

“Não sei se isso quer dizer alguma coisa”, ele disse, duvidoso. “Mas tenho a sensação de que alguém esteve aqui.”

“Por que você sente isso?”

“Não sei. É só uma sensação.”

"Alguma coisa deve ter desencadeado isso."

"É o que estou tentando me lembrar."

Wallander ficou esperando. Björklund parecia perdido em seus pensamentos.

"Foi há duas semanas", ele disse. "Eu estava em Copenhague e voltei à tarde. Estava chovendo. Quando atravessei o jardim, alguma coisa me fez parar. Inicialmente, não sabia o que era, mas depois vi que alguém havia deslocado uma das minhas esculturas."

"Um dos monstros?"

"São cópias de gárgulas medievais da catedral de Rouen."

"Pensei que o senhor não tivesse uma memória boa para objetos."

"Isso não se aplica às minhas esculturas. Não quando alguém muda a posição delas. Tenho certeza de que alguém esteve no jardim enquanto eu estive fora."

"E não foi o Svedberg."

"Não. Ele nunca vinha aqui se não tivéssemos combinado."

"Mas o senhor não pode ter certeza disso."

"Não, mas sinto que estou certo. Eu o conhecia e ele me conhecia."

Wallander assentiu, incentivando-o a continuar.

"Um estranho esteve aqui."

"E ninguém toma conta da casa quando o senhor se ausenta?"

"Ninguém vem aqui, a não ser o carteiro."

Björklund parecia estar falando a verdade, e Wallander não tinha razão para duvidar dele.

"Um estranho, então", ele repetiu. "E você acha que foi essa pessoa quem pôs o telescópio no galpão?"

"Sei que parece absurdo."

"O senhor sabe exatamente quando isso aconteceu?"

Björklund se afastou e voltou com um calendário de bolso, folheando até chegar numa determinada data.

"Eu estava fora nos dias 14 e 15 de julho."

Wallander anotou a informação. Nyberg entrou com seu celular na mão.

"Liguei e pedi meu equipamento", ele disse. "Gostaria de examinar o telescópio hoje à noite. Por que você não leva meu carro de volta e peço um carro-patrulha para me buscar quando eu tiver terminado?"

Nyberg desapareceu novamente. Wallander se levantou, e Björklund o seguiu até a porta.

"O senhor deve ter tido tempo para pensar no que aconteceu", disse Wallander.

"Não entendo por que alguém ia querer matar meu primo. Não consigo imaginar um ato mais absurdo."

"De fato", Wallander concordou. "Mas essas são as questões que precisamos responder: quem queria matá-lo e por quê?"

Despediram-se no jardim. As gárgulas tinham uma aparência melancólica pela luz fraca que vinha da casa. Wallander voltou a Ystad no carro de Nyberg. Nada tinha sido resolvido.

Na delegacia, a reunião se prolongou até quase meia-noite. Todos estavam cansados, mas Wallander não queria dispensá-los.

"Na realidade, há apenas uma coisa a fazer", ele disse. "Temos que declarar Boge, Norman e Hillström oficialmente desaparecidos. Precisamos trazê-los para casa o mais depressa possível."

Todos os presentes concordaram com ele. Holgersson e Martinsson tomariam as providências logo pela manhã.

"Parece que todos os jovens estavam aprontando alguma coisa. Mas não conseguimos saber de nada. Vocês todos disseram sentir algo que eles não querem dizer, sobre guardarem um segredo, certo?"

"Certo", respondeu Höglund. "Há alguma coisa que não querem que a gente descubra."

"Mas também não parecem especialmente preocupados",

disse Martinsson. "Eles estão convencidos de que Boge, Norman e Hillström estejam viajando."

"Espero que tenham razão", disse Hansson. "Estou começando a ficar preocupado."

"Eu também", disse Wallander. Jogou a caneta na mesa. "Que diabo Svedberg estava fazendo? É isso que precisamos descobrir. E quem, pelo amor de Deus, é essa Louise?"

"Já verificamos todas as fotos nos nossos arquivos", disse Martinsson.

"Não é o suficiente", disse Wallander. "Devemos publicar a foto nos jornais. Temos um crime para resolver. Não que ela seja suspeita. Pelo menos, não ainda."

"As mulheres normalmente não atiram no rosto de suas vítimas com uma espingarda", disse Höglund.

Ninguém tinha mais nada a dizer. Concordaram que a reunião continuaria no dia seguinte. Wallander começaria o dia visitando Sundelius. Saiu da delegacia na companhia de Martinsson.

"Temos que trazê-los para casa", ele disse. "Vamos falar com Isa Edengren e buscar quem vocês já visitaram. Vamos ver se eles nos contam o que sabem."

Caminharam até seus carros. Wallander estava exausto. A última coisa que se lembrou antes de adormecer foi que Nyberg continuava no galpão de Björklund.

Durante a madrugada, uma chuva contínua caiu sobre Ystad. Depois as nuvens se dispersaram. Seria um domingo quente e ensolarado.

12.

Rosmarie Leman e seu marido, Mats, normalmente iam de carro até os parques e reservas naturais para fazer suas caminhadas de domingo. Naquela manhã, domingo, 11 de agosto, eles pensaram em ir até Fyledalen, mas acabaram preferindo a reserva natural de Hagestad. O fator decisivo foi que fazia muito tempo que não iam lá, desde meados de junho.

Como estavam acostumados a acordar cedo, saíram de Ystad logo depois das sete da manhã e, como era de costume, haviam planejado passar o dia todo fora. Colocaram duas mochilas no porta-malas do carro, onde carregavam tudo que pudessem precisar, inclusive capas de chuva. Apesar do dia bonito, nunca se sabia. Tinham uma vida bem organizada. Ela era professora; ele, engenheiro. Eles nunca deixavam nada ao acaso.

Estacionaram na reserva pouco antes das oito da manhã, tomaram um copo de café, então puseram as mochilas nas costas e começaram a caminhar. Às oito e quinze, procuraram um lugar agradável para fazer um piquenique de café da manhã. Ouviram cachorros latindo à distância, mas ainda não haviam encontrado ninguém. Estava quente e não tinha brisa. Quando acharam um bom local, estenderam uma manta e se sentaram para comer. Aos domingos, eles normalmente falavam sobre assuntos que não tinham tido tempo de compartilhar durante a semana. Hoje, era sobre a troca do carro. O deles estava ficando velho, mas será que tinham dinheiro para comprar um carro novo? Depois de conversarem por um tempo, decidiram que iriam esperar talvez mais um mês. Quando terminaram de comer, Rosmarie se deitou na manta e adormeceu. Mats Leman pensou em fazer o mesmo, mas antes precisava se aliviar. Pegou um pouco de papel higiênico e andou até o outro lado da trilha, descendo a colina em direção à área cercada por grossos arbustos. Antes de se agachar, olhou ao redor com cuidado, mas não viu ninguém.

Essa era a melhor parte do domingo, ele pensou assim que acabou. Deitar-se ao lado de Rosmarie e cochilar por meia hora. Enquanto pensava nisso, notou algo estranho nos arbustos. Não sabia o que era, mas havia uma cor que contrastava com o verde da folhagem. Normalmente não era muito curioso, porém não pôde evitar de se aproximar dos arbustos para ver melhor. Nunca mais se esqueceria da cena que viu.

Rosmarie acordou com os gritos do marido. De início, não sabia do que se tratava; então ela percebeu horrorizada que era a voz de Mats gritando por socorro. Ela tinha acabado de se levantar quando ele apareceu correndo na sua direção. A mulher não sabia o que acontecera ou o que o marido vira, mas o rosto dele estava completamente pálido. Mats se aproximou da esposa e tentou lhe dizer alguma coisa.

Em seguida, desmaiou.

A delegacia de Ystad recebeu uma ligação às nove e cinco da manhã. A pessoa que telefonara estava histérica e era difícil de entender o que ela dizia. Finalmente, o policial que atendera a ligação conseguiu decifrar que estava falando com um homem chamado Mats Leman e que afirmava ter encontrado três cadáveres na reserva natural de Hagestad. Embora o seu relato fosse desarticulado, o policial de plantão percebeu que se tratava de algo sério. Anotou o número do celular do homem e pediu a ele que permanecesse onde estava. A seguir, foi até a sala de Martinsson, pois o vira entrar uns minutos antes. O policial ficou parado à porta e contou o que havia se passado. Um detalhe em particular fez o estômago de Martinsson se embrulhar.

"Ele disse três?", ele perguntou. "Três cadáveres?"

"Foi o que ele disse."

Martinsson se levantou. "Vou verificar agora mesmo. Você viu o Wallander?"

"Não."

Martinsson lembrou-se que Wallander ia visitar uma pessoa essa manhã, alguém chamado Sundberg — ou era Sundström? Ligou para o celular dele.

Wallander saiu do seu apartamento na Mariagatan e resolveu ir a pé até Vädergränd. Parou em frente a uma bela casa que admirara várias vezes e tocou a campainha. Sundelius, que vestia um terno bem passado, abriu a porta. Eles tinham acabado de se sentar na sala quando o celular tocou. Wallander percebeu o olhar de desaprovação de Sundelius quando tirou o aparelho do bolso e se desculpou.

Ouviu o que Martinsson tinha a dizer. Fez a mesma pergunta do colega.

"Ele disse três? Três pessoas?"

"Ainda não está confirmado, mas é o que ele acha que viu."

Wallander sentiu como se um peso começasse a pressionar sua cabeça.

"Você percebe o que isso significa, não é?"

"Sim", respondeu Martinsson. "Tomara que esteja delirando."

"Ele deu essa impressão?"

"De acordo com o policial que atendeu o telefonema, não."

"Wallander olhou para o relógio pendurado na parede de Sundelius. Eram nove horas e nove minutos."

"Venha me buscar. Estou no número 7 da Vädergränd", ele disse.

"Vamos precisar de reforços?"

"Não, primeiro vamos verificar só nós dois."

Martinsson partiu. Wallander se levantou.

"Infelizmente, teremos que adiar nossa conversa."

Sundelius disse que compreendia. "Imagino que deva ter acontecido um acidente."

"Sim", disse Wallander. "Um acidente de trânsito. Infelizmente, não temos como prever esse tipo de coisa. Entrarei em contato para agendar uma nova visita."

Sundelius o acompanhou até a porta. Martinsson parou o carro, e Wallander entrou. Estendeu o braço e fixou a sirene da polícia no teto do carro. Quando chegaram à reserva natural, uma mulher correu em direção a eles. Wallander viu um homem sentado numa pedra, com as mãos no rosto. Saltou do carro. A mulher estava atordoada e ficava apontando e gritando algo incompreensível. Wallander agarrou-a pelos ombros e pediu a ela para se acalmar. O homem permaneceu onde estava. Quando os policiais se aproximaram, ele ergueu os olhos. Wallander se sentou ao lado dele.

"O que aconteceu?", perguntou.

O homem apontou para a reserva natural. "Eles estão lá", murmurou. "Estão mortos. Devem ter morrido há muito tempo."

Wallander olhou para Martinsson, depois se voltou para o homem.

"O senhor disse que eram três?"

"Acho que sim."

Restava uma pergunta, talvez a pior de todas. "O senhor saberia dizer a idade deles?"

O homem balançou a cabeça para os lados. "Não sei."

"Entendo que deve ter visto uma cena horrível", disse Wallander. "Mas o senhor precisa nos conduzir ao local."

"Eu nunca mais volto lá", ele disse. "Nunca."

"Eu sei onde é", disse a mulher, que apareceu atrás do marido e o abraçou.

"Mas você chegou a ver onde estavam?"

"Nossas mochilas e a manta ainda estão lá. Eu sei onde é."

Wallander se levantou. "Vamos", ele disse.

Ela conduziu os dois para a reserva. O ar estava calmo, e Wallander julgou ouvir o som distante do mar. Imaginou se o som não era simplesmente uma mistura desordenada de pensamentos dentro de sua cabeça. Caminhavam depressa, e Wallander teve dificuldade de acompanhar os outros dois. Sentia o suor escorrer pelo peito. Precisava urinar. Um coelho atravessou a trilha correndo. Wallander não imaginava o que iriam encontrar, mas sabia que não seria nada parecido com o que havia visto antes. Os mortos não são mais parecidos do que os vivos, pensou. Nada se repete ou é igual, assim como essa ansiedade. Sentiu seu estômago embrulhar. Era como se ele estivesse tendo essa experiência pela primeira vez.

A mulher desacelerou o passo. Estavam se aproximando do local. Quando chegaram perto da manta, ela se virou e apontou para o vale abaixo, do outro lado da trilha. Sua mão tremia. Até então Martinsson vinha à frente, mas agora Wallander tomou a dianteira. Rosmarie Leman esperou perto de onde estavam as mochilas.

Wallander olhou para baixo e viu apenas arbustos à sua frente. Começou a descer a colina, e Martinsson vinha logo atrás. Chegaram perto dos arbustos e olharam em volta.

"Você acha que ela pode ter se enganado sobre o local?", perguntou Martinsson em voz baixa, como se tivesse medo que alguém ouvisse.

Wallander não respondeu. Outra coisa chamou a sua atenção. Inicialmente não sabia o que era, mas depois percebeu. O mau cheiro. Olhou para Martinsson, que ainda não havia percebido. Wallander começou a abrir caminho por entre os arbustos. Ele não viu nada, só algumas árvores mais adiante. O cheiro desapareceu e, em seguida, voltou com mais força.

"O que é isso?", perguntou Martinsson.

Logo depois, ele percebeu o que era. Seguiu atrás de Wallander, que avançava com cuidado. Então o inspetor parou de repente e viu Martinsson hesitar. Havia algo atrás dos arbustos, do lado esquerdo. O cheiro ficou mais forte.

Os dois se entreolharam, depois tamparam o nariz e a boca com a mão. A sensação de náusea tomou conta de Wallander. Ele tentou respirar profundamente pela boca, enquanto mantinha o nariz tampado.

"Espere aqui", disse a Martinsson. Sua voz vacilou.

Apesar de relutar, seguiu em frente, apartando os arbustos. Três jovens estavam deitados sobre uma toalha azul. Tinham levado tiros na cabeça. E estavam em estado avançado de decomposição. Wallander fechou os olhos e se sentou.

Depois de uns momentos, levantou-se, voltou para o local onde havia deixado Martinsson e o empurrou à frente como se alguém os seguisse. Só parou quando estavam novamente na trilha.

"Que merda! Nunca vi nada tão horrível assim", gaguejou Wallander.

"São..."

"Só podem ser."

Ficaram parados, em silêncio. Mais tarde, Wallander se recordaria de um pássaro que cantava numa árvore ali perto. Tudo parecia um estranho pesadelo e, ao mesmo tempo, uma realidade horripilante. O inspetor reuniu as forças que tinha para pensar novamente como um policial, praticando sua profissão. Pegou o celular e ligou para a delegacia. Depois de um minuto, Höglund atendeu.

"Sou eu, Kurt."

"Não era esta manhã que você ia entrevistar o diretor de banco aposentado?"

"Nós os encontramos. Os três. Estão mortos."

Ele a ouviu segurar a respiração. "Quer dizer, Boge e os outros?"

"Isso mesmo."

"Estão mortos?"
"A tiros."
"Ah, meu Deus!"
"Escuta. Vamos fazer o seguinte. Isto é um alerta geral. Quero todos aqui. Estamos na reserva natural de Hagestad. Vou mandar o Martinsson para o cruzamento, para guiar as pessoas até aqui. Precisamos de Lisa imediatamente. E vamos precisar de um reforço para isolar a área do público."
"Quem vai avisar os pais?"
Wallander foi tomado por uma sensação de angústia e pânico, como nunca tinha sentido. É claro que os pais deviam ser avisados; precisavam identificar os corpos dos jovens. Mas ele não estava pronto para isso.
"Eles estão mortos há muito tempo", ele disse. "Você está entendendo? Talvez já estejam mortos há um mês."
Ela entendeu.
"Vou falar com a Lisa sobre isso", ele disse. "Mas não podemos deixar que os pais vejam os filhos nesse estado."
Não havia mais nada a dizer. Depois que desligaram, Wallander ficou olhando para o celular.
"É melhor você ir até o cruzamento", ele disse a Martinsson.
Martinsson acenou com a cabeça na direção de Rosmarie Leman. "O que vamos fazer com ela?"
"Anote os fatos importantes. Horário, endereço etc. Depois, mande-os pra casa. Diga ao casal para não falar com ninguém sobre isso até segunda ordem."
"Será que estamos autorizados a fazer isso?"
Wallander encarou Martinsson. "Neste momento, temos autorização pra fazer a merda que a gente quiser."
Martinsson e Rosmarie Leman partiram, e Wallander ficou sozinho. O pássaro continuava cantando. Uns metros mais adiante, escondidos atrás de arbustos espessos, três jovens jaziam mortos. Quão só uma pessoa pode se sentir, refletiu. Sentou-se numa pedra, perto da trilha. O pássaro levantou voo e sumiu.

Não conseguimos trazê-los para casa, pensou. Eles nunca foram viajar pela Europa. Ficaram aqui o tempo todo e estavam mortos. Talvez desde a festa do solstício. Eva Hillström teve razão desde o início. Outra pessoa escreveu os cartões-postais. Eles estavam ali o tempo todo, no mesmo local onde celebraram a festa do solstício.

Pensou em Isa Edengren. Será que ela percebeu o que havia acontecido? Foi por isso que tentou se matar? Será que ela sabia que os outros estavam mortos e que ela também estaria se tivesse acompanhado os amigos naquela noite?

Muitas coisas já não faziam sentido. Por que ninguém descobrira os cadáveres durante um mês inteiro? Mesmo que o local fosse afastado da trilha, alguém teria que passar por ali ou sentiria o cheiro deles. Wallander não conseguia entender, mas também não podia suportar a ideia de continuar pensando nisso. Quem poderia querer assassinar três jovens com trajes de época e festejando a noite do solstício? Era um ato de insanidade. E em algum lugar, na rede de conexões desse ato, havia outro cadáver. Svedberg. Como ele teria se envolvido nessa história toda?

Wallander se sentia cada vez mais impotente. Embora só tivesse observado a cena por alguns segundos, estava certo de ter visto os buracos de bala na testa das vítimas. O assassino sabia qual era sua mira. E Svedberg fora o melhor atirador da polícia.

De vez em quando, uma brisa balançava as árvores. Entre as pequenas lufadas, tudo estava calmo. Svedberg era o melhor atirador. Wallander se forçou a pensar nesse fato. Poderia ter sido Svedberg? Quais seriam os argumentos contra essa hipótese? Afinal, havia alguma alternativa clara?

Levantou-se e começou a andar de um lado para o outro ao longo da trilha. Ele queria poder telefonar para Rydberg. Infelizmente, Rydberg estava morto, tão morto quanto os três jovens. Caminhando ao longo da trilha, teve um impulso repentino de fugir dali. Não sabia se tinha condições de aguentar a pressão. Alguém teria que assumir o caso: Martinsson ou Hansson. Ele estava esgotado. Tinha diabetes. Sua vida estava indo ladeira abaixo.

Finalmente, ouviu umas pessoas se aproximarem à distância. Era o som de carros e galhos quebrando em algum lugar da trilha. Então, eles chegaram e se juntaram em volta do inspetor, que precisava tomar o comando e lhes dizer o que fazer. Conhecia alguns havia mais de quinze anos. Holgersson estava pálida. Wallander se perguntou qual seria sua própria aparência.

"Eles estão ali", ele disse e apontou para os arbustos. "Foram mortos a tiros. Apesar de ainda não terem sido identificados, tenho certeza de que são os três jovens desaparecidos, aqueles que achávamos (ou tínhamos esperança) que estivessem viajando pela Europa. Agora sabemos que isso não aconteceu."

Fez uma pausa antes de continuar. "Quero prepará-los para o fato de que os cadáveres podem ter jazido aqui desde o solstício. Todos sabem o que isso significa. Devemos todos usar máscaras."

Olhou para Holgersson. Será que ela queria vê-los? Ela assentiu. Wallander foi à frente. Os únicos sons vinham das folhas e dos pequenos galhos quebrando sob os pés. Alguém gemeu quando o cheiro dos cadáveres chegou até eles. Holgersson segurou o braço de Wallander. O inspetor sabia que era mais fácil encarar um cenário macabro como aquele acompanhado, em vez de sozinho. Só um dos policiais mais jovens precisou se virar e vomitar.

"Não podemos permitir que os pais vejam isso", disse Holgersson com a voz trêmula. "É horrível."

Wallander voltou-se para o médico que os acompanhava. Ele também estava muito pálido.

"A investigação deve ser feita o mais rápido possível", disse Wallander. "Temos que levar os corpos e ajeitá-los antes que os pais possam identificá-los."

O médico meneou a cabeça. "Não vou tocar nisso", limitou-se a dizer. "Vou chamar o pessoal de Lund."

Afastou-se e fez a chamada do celular de Martinsson.

"Precisamos esclarecer uma coisa", Wallander disse a Holgersson. "Já tínhamos nas mãos um policial morto, agora temos mais três vítimas assassinadas. Isso significa que são quatro assassinatos para solucionar, e a exposição na mídia será enorme. Vai haver uma grande pressão para apanharmos o criminoso. Também devemos estar preparados para os boatos sobre uma ligação entre os dois casos. Você percebe no que isso pode resultar?"

"Na suspeita de que Svedberg foi o assassino?"

"Exatamente."

"Você acha que foi ele?"

A pergunta fora tão rápida que o apanhou desprevenido. "Não sei", Wallander respondeu lentamente. "Não temos nenhuma indicação de que Svedberg tenha tido um motivo. É claro que existe uma ligação, mas não sabemos qual é."

"Quanto podemos divulgar até agora?"

"Acho que realmente não importa. Não vamos conseguir nos proteger da especulação."

Höglund estava ouvindo a conversa. O inspetor percebeu que ela estava tremendo.

"Tem mais um detalhe que devemos nos lembrar", ela disse. "Eva Hillström vai nos acusar de não termos agido imediatamente."

"Talvez ela esteja certa", disse Wallander. "Talvez teremos que admitir. Eu me responsabilizo por isso."

"Por que você?", perguntou Holgersson.

"Alguém precisa se responsabilizar", disse Wallander abertamente. "Não interessa quem."

Nyberg distribuiu luvas de borracha para todos e começaram a trabalhar. Havia rotinas específicas a seguir, tarefas que deviam ser executadas de acordo com uma ordem. Wallander se aproximou de Nyberg, que estava dando instruções para um técnico que segurava a câmera.

"Quero tudo gravado em vídeo", Wallander disse. "Faça uns closes e umas tomadas abertas."

"Pode deixar."

"Tente encontrar alguém que tenha a mão firme."

"É sempre mais fácil observar a morte através da lente", disse Nyberg. "Mas, só para prevenir, vamos usar o tripé."

Wallander reuniu sua equipe: Martinsson, Hansson e Höglund. Começou a procurar pelo Svedberg, mas parou a tempo.

"Eles estão fantasiados", disse Hansson. "E têm perucas."

"São trajes do século XVIII", observou Höglund. "Desta vez tenho certeza."

"Então, aconteceu na noite do solstício", disse Martinsson. "Há dois meses."

"Não sabemos", interrompeu Wallander. "Não sabemos nem se foi neste local que o crime aconteceu."

Ele sabia que soava ridículo, mas era estranho que ninguém tivesse descoberto os corpos durante tanto tempo. Wallander começou a andar em volta da toalha de linho azul, tentando visualizar o que havia acontecido. Lentamente, deixou que a mente se libertasse de todo o resto.

Os jovens tinham ido ali para uma festa. Deveriam ser quatro pessoas, mas uma ficou doente. Em duas cestas grandes levavam comidas, bebidas e um gravador.

Wallander interrompeu sua linha de pensamento e se dirigiu a Hansson, que estava falando no celular. Esperou ele terminar.

"Os carros", ele disse. "Onde estão os carros que eles teriam levado para algum lugar da Europa? Devem estar perto daqui."

Hansson prometeu procurá-los. Wallander recomeçou a andar em volta da toalha onde os jovens jaziam mortos. Eles haviam tirado as comidas e bebidas das cestas. Wallander se agachou. Numa das cestas tinha uma garrafa de vinho vazia; mais duas outras na grama. Um total de três garrafas vazias.

Quando a morte chegou, eles já haviam tomado três garrafas, o que significa que estavam bêbados. Wallander se ergueu pensativo. Nyberg apareceu por trás dele.

"Gostaria de saber se algum vinho foi despejado na grama ou se podemos afirmar que eles beberam tudo."

Nyberg apontou para uma mancha na toalha azul.

"Um pouco de vinho foi entornado ali. Aquela mancha não é sangue, se é isso que está pensando."

Wallander continuou. Comeram e beberam até ficarem bêbados. Tinham um gravador e ouviam música. Alguém entrou em cena e os matou enquanto estavam deitados na toalha azul, abraçados uns aos outros. Uma pessoa, quem sabe Astrid Hillström, poderia de fato estar dormindo. Provavelmente era de madrugada, talvez o dia já tivesse nascido.

Wallander parou.

Seus olhos fixaram-se numa taça de vinho perto de uma das cestas. Ajoelhou-se para examiná-la e fez sinal para que um fotógrafo fizesse um close. A taça estava encostada à cesta, mas estava apoiada numa pequena pedra. Wallander olhou em volta. Levantou cuidadosamente a ponta da toalha, mas não viu mais pedras ou seixos por ali. Tentou entender o que isso poderia significar. Quando Nyberg passou, ele o parou.

"Tem uma pedra sustentando uma taça de vinho. Se encontrar mais alguma, por favor, me avise."

Nyberg tomou nota. Wallander continuou sua ronda. Então, afastou-se e analisou a cena de longe.

Os jovens estenderam a toalha com o banquete ao pé da árvore. Escolheram um local onde ninguém os veria. Wallander abriu caminho por entre os arbustos e parou do outro lado da árvore.

O assassino deve ter vindo de algum lugar. Não havia sinais de pânico. Estavam descansando em cima da toalha, e um deles já estava dormindo. Mas os outros dois provavelmente estavam acordados.

Wallander regressou e examinou os corpos por um bom tempo. Alguma coisa estava errada. Então percebeu o que era: o cenário à sua frente não era real. O que ele via era uma montagem.

13.

Naquele domingo, dia 11 de agosto, enquanto a noite se aproximava e os refletores da polícia davam um brilho fantasmagórico à cena, Wallander teve uma atitude inesperada. Ele foi embora. Só avisou à Höglund. Precisava do carro dela emprestado, já que o dele continuava estacionado na rua Mariagatan. Pediu a ela que, se fosse necessário, mantivesse contato pelo celular. Não disse para onde ia. Ela retornou à cena do crime, e os corpos já não estavam lá. Tinham sido levados por volta das quatro da tarde. Uma vez removidos, Wallander sentiu-se consumido pelo cansaço e mal-estar. Obrigou-se a ficar mais umas horas; depois sentiu necessidade de ir embora dali. Quando pediu as chaves do carro à Höglund, ele já sabia para onde ia. Não estava apenas se afastando. Por mais cansado e deprimido que estivesse, raramente agia sem um plano. Dirigiu depressa. Havia uma coisa que desejava ver, queria pôr um espelho diante de si mesmo.

Parou o carro em frente ao prédio de Svedberg, na Lilla Norregatan. A betoneira continuava no mesmo local, e as chaves do apartamento de Svedberg estavam no seu bolso. Lá dentro, o ar estava viciado. Foi até a cozinha e abriu a janela. Em seguida, bebeu um copo d'água e se lembrou que tinha uma consulta marcada com o dr. Göransson na manhã seguinte. Ele sabia que ia faltar. Não tinha conseguido melhorar seus hábitos desde o diagnóstico, continuava a comer mal e não fazia exercícios. Nessa altura, até sua saúde precisava esperar.

Os postes de luz da rua iluminavam ligeiramente a sala. Wallander permaneceu imóvel naquele crepúsculo. Ele abandonara a cena do crime porque precisava de uma perspectiva sobre o que tinha acontecido. Contudo, havia também uma ideia que lhe ocorrera mais cedo e precisava de tempo para refletir. Todos falavam sobre a ligação entre os crimes e a horrorosa possibilidade de que Svedberg estivesse envolvido. Mas, de repente, lhe ocorreu que eles ignoravam o cenário mais provável: Svedberg estaria realizando sua própria investigação sem avisar ninguém. Segundo parecia, ele passara a maior parte de suas férias investigando o desaparecimento dos três jovens. O que podia, é claro, significar que ele escondia alguma coisa. Mas Svedberg também poderia, por acaso, ter descoberto a verdade. Quem sabe teve razões para duvidar que Boge, Norman e Hillström estivessem viajando pela Europa. Pode ter desconfiado de alguma coisa errada e, assim, cruzado o caminho de alguém — apenas para ele próprio acabar assassinado. Wallander sabia que isso não explicava por que Svedberg não contou aos colegas o que estava fazendo, mas talvez tivesse uma boa razão.

Recapitulou com calma os acontecimentos do dia em sua mente. Cerca de uma hora depois de os corpos terem sido descobertos, Wallander concluiu que havia algo de errado naquela cena. Descobriu isso quando o patologista afirmou que estava convencido de que os jovens morreram havia menos de cinquenta dias. O que sugeria duas possibilidades: os tiros foram disparados depois do solstício ou os corpos foram guardados em outro local, onde se manteriam mais preservados. Não podiam concluir se o lugar onde encontraram os cadáveres era necessariamente o mesmo onde o crime fora cometido.

Para Wallander e sua equipe, não parecia possível que alguém tivesse matado os três jovens no local onde foram encontrados, tivesse levado os corpos para armazenar num lugar desconhecido e depois tivesse trazido de volta ao local original. Hansson sugeriu que talvez eles tenham partido de férias para Europa, mas regressaram antes da data prevista. Wallander reconheceu essa possibilidade, apesar de remota. Mas ele não queria descartar nada ainda. Fizera suas observações e ouvira quem tinha alguma coisa a dizer. Sentia que estava cada vez mais envolto num nevoeiro sem fim.

Aquele dia quente de agosto parecia interminável. Encontraram refúgio nas normas rotineiras da polícia e entregaram-se ao exame minucioso da cena do crime. Wallander observava os colegas, abatidos e horrorizados, fazendo o de praxe. Ele os observava e se perguntava se cada um deles não estaria pensando que deveria ter escolhido outra profissão. As pessoas partiam sempre que surgia uma oportunidade. Cadeiras e mesas de acampamento foram dispostas à beira do caminho, onde podiam tomar um café que esfriava cada vez que a garrafa térmica fosse aberta. Wallander não notou ninguém comer nada o dia todo.

A tenacidade de Nyberg era o fator mais impressionante. Vasculhava os restos de comida apodrecida e malcheirosa com determinação. Dirigia o fotógrafo e o policial que filmavam, lacrava inúmeros objetos em sacos plásticos e desenhava mapas detalhados da cena do crime. Wallander percebia a raiva que Nyberg sentia pela pessoa que havia causado toda aquela confusão com a qual ele era agora forçado a lidar. O inspetor sabia que ninguém seria capaz de realizar um trabalho tão minucioso quanto o de Nyberg. A certa altura, Wallander viu que Martinsson estava exausto. Chamou-o num canto e o mandou para casa, ou que pelo menos fosse dormir um pouco na van dos técnicos forenses. Mas Martinsson simplesmente negou e continuou trabalhando na área perto da toalha. Chegaram os cães policiais de Ystad. Edmundsson estava lá com seu cachorro, Kall. Os cães captaram vários cheiros diferentes. Um deles encontrou excrementos humanos por detrás de um dos arbustos.

Em outros locais, havia latas de cerveja e pedaços de papel. Tudo devidamente anotado nos mapas de Nyberg. Num determinado ponto, debaixo de uma árvore um pouco afastada, Kall indicou uma descoberta, mas depois de uma busca cuidadosa, eles não conseguiram localizar nenhum objeto humano. Wallander foi até ali, atrás dessa árvore, diversas vezes durante o dia. Descobriu que era um dos pontos mais abrigados para observar o local onde os jovens haviam realizado as comemorações do solstício. Sentiu um frio na barriga. Será que o assassino esteve exatamente naquele lugar? O que é que ele tinha visto?

Um pouco depois do meio-dia, Nyberg sugeriu que Wallander desse uma olhada no gravador que estava em cima da toalha. Encontraram várias fitas cassete sem etiqueta numa das cestas. Todo mundo se calou quando ele ligou o gravador. Ouviu-se uma voz masculina, sombria, que todos reconheceram: o cantor Fred Åkerström interpretando uma balada da coleção *Epístolas de Fredman*. Wallander olhou para Höglund. Ela tinha razão. Era uma celebração num cenário do século XVIII, a época de Bellman, um poeta eternamente popular.

Wallander se levantou e foi para o escritório de Svedberg. Começou a olhar em volta por um minuto, então se sentou à escrivaninha. Deixou que as imagens da investigação viessem à mente. Havia os três cartões-postais dos quais Eva Hillström duvidara desde o início. Ele não acreditara na mulher; ninguém acreditara. Parecia inconcebível que alguém enviasse postais falsos. Agora, porém, tinham encontrado a filha dela morta e sabiam que os postais foram enviados por outra pessoa. Alguém viajara pela Europa, para Hamburgo, Paris e Viena para isso. Por quê? Mesmo que os jovens não tivessem sido mortos na noite do solstício, não havia dúvidas de que eles foram assassinados antes do último cartão-postal, que chegou de Viena. Mas qual seria a razão dessa pista falsa?

Wallander olhava fixamente para o vazio, na sala pouco iluminada.

Estou com receio, pensou. Nunca acreditei na maldade pura. Não há pessoas más, ninguém carrega brutalidade em seus genes. Existem circunstâncias perversas e ambientes onde impera a maldade, não o mal em si. Mas pressinto que esses atos tenham sido produto de uma mente verdadeiramente maléfica.

Wallander pegou o calendário de bolso de Svedberg e o folheou de novo. Um nome aparecia várias vezes: "Adamsson". Poderia ser o sobrenome da mulher da fotografia que Sture Björklund disse que se chamava Louise? Louise Adamsson. Voltou à cozinha e consultou a lista telefônica. Não havia o nome Louise Adamsson. Ela poderia ser casada, é claro, e ter um sobrenome diferente. Mentalmente tomou nota para não se esquecer de pedir a Martinsson que verificasse o que Svedberg tinha feito nos dias assinalados no calendário com "Adamsson".

Apagou a luz e entrou na sala. Alguém caminhara por aquele assoalho, carregando uma espingarda. A espingarda fora apontada e disparada na cabeça de Svedberg, depois jogada no chão e deixada lá. Wallander gostaria de saber se isso marcava o princípio ou o fim de uma série de acontecimentos. Ou era parte de algo maior? Quase não tinha energia para seguir essa última linha de pensamento até sua conclusão. Haveria alguém à solta que continuaria realizando esses crimes sem sentido? Ele não sabia. Nada lhe dava a posição de vantagem mental que ele procurava. Aproximou-se do local onde a espingarda fora encontrada e tentou calcular onde Svedberg poderia estar sentado. A betoneira estaria funcionando lá embaixo, na rua. Dois tiros, Svedberg fora jogado contra o chão — provavelmente morto antes de tocar o solo. Wallander não ouviu nenhuma discussão ou vozes alteradas, apenas os disparos secos da espingarda. Mudou de posição e passou por cima da cadeira, que continuava derrubada no chão.

Você deixa uma pessoa entrar, alguém de quem você não sente medo. Ou a pessoa entra porque tem uma chave. Talvez tenha arrombado. A porta não mostra sinais de arrombamento;

ele não usou um pé de cabra. Partimos do princípio que foi um homem. Ele tem uma espingarda, ou então você guarda uma espingarda sem registro no apartamento. A espingarda está carregada, e essa pessoa que você deixa entrar sabe disso. Há muitas questões, mas no final das contas todas se resumem a duas: quem e por quê. Apenas um "quem". E se quer saber o porquê.

Voltou à cozinha e ligou para o hospital. Por sorte, o médico com quem tinha falado estava lá.

"Isa Edengren está passando bem. Ela terá alta amanhã ou depois de amanhã."

"Ela disse alguma coisa?"

"Na verdade, não. Mas acho que ficou contente de o senhor tê-la encontrado."

"Ela sabe que fui eu?"

"Nós não deveríamos ter dito isso pra ela?"

"Qual foi a reação dela?"

"Não sei se entendi a sua pergunta..."

"Como é que ela reagiu quando lhe disseram que um policial foi procurá-la?"

"Não faço ideia."

"Preciso falar com ela o mais rápido possível."

"Pode ser amanhã."

"Preferia que fosse hoje à noite. Também preciso falar com o senhor."

"Parece algo urgente."

"E é."

"Na verdade, eu estava de saída. Pra mim, seria mais conveniente conversarmos amanhã."

"Quem dera não fosse importante", disse Wallander. "Mas preciso te pedir para ficar. Estarei aí em dez minutos."

"Aconteceu alguma coisa?"

"Sim. Uma coisa que o senhor não poderia imaginar."

Wallander bebeu um copo d'água e saiu do apartamento. Lá fora ainda estava quente, notava-se apenas uma brisa suave.

Quando chegou à ala do hospital onde Isa Edengren estava

internada, o médico esperava por ele. Foram para uma sala vazia, e Wallander fechou a porta. No caminho para o hospital, decidira que seria franco com o médico. Contou-lhe o que haviam encontrado na reserva natural, que os três jovens foram assassinados e que Isa Edengren deveria ter ido com eles. Só não mencionou o fato de estarem fantasiados. O médico escutou incrédulo.

"Cheguei a pensar em me especializar em patologia", disse em seguida. "Mas depois de ouvir uma história dessas, fico contente de ter mudado de ideia."

"Tem razão. Foi uma cena horrível."

O médico se levantou. "Imagino que queira vê-la agora."

"Só mais uma coisa. Naturalmente, eu agradeceria se não mencionasse nada disso para ninguém."

"Nós, médicos, temos a obrigação do sigilo profissional."

"Os policiais também. Mas as informações acabam escapando."

Pararam em frente à porta do quarto de Isa.

"Vou só verificar se ela está acordada."

Wallander esperou. Não gostava de hospitais. Queria sair dali logo que pudesse. Lembrou-se da recomendação do dr. Göransson: devia verificar o nível de glicose no sangue. Aparentemente, era um teste muito simples. O médico voltou.

"Ela está acordada."

"Só mais uma coisa", disse Wallander. "Pode parecer estranho, mas o senhor poderia checar o meu nível de glicose?"

O médico olhou para ele com ar de surpresa.

"Por quê?"

"Tenho uma consulta com um de seus colegas amanhã cedo, porém acho que não poderei ir. Mas eu tinha que checar isso."

"O senhor tem diabetes?"

"Não. O nível de glicose no sangue está muito alto."

"Então o senhor é diabético."

"Só gostaria de saber se o senhor poderia verificar isso ou

não. Não trouxe meu cartão do seguro-saúde, mas talvez possa abrir uma exceção."

O médico parou a enfermeira que estava passando.

"Você poderia verificar o nível de glicose desse senhor? Em seguida, ele vai falar com a Isa Edengren."

"Claro."

O nome no crachá dela era "Brundin". Wallander agradeceu o médico pela ajuda e seguiu a enfermeira, que espetou o seu dedo e pingou uma gota de sangue numa fita adesiva e inseriu-a numa máquina que parecia um walkman.

"Está muito alto: 279", informou.

"Está muito alto mesmo", disse Wallander. "Era isso o que eu queria saber."

Ela o olhou de perto, mas de uma maneira simpática.

"O senhor também está um pouco pesado", ela disse.

Wallander concordou. Sentiu-se envergonhado, como uma criança levada.

Entrou no quarto de Isa Edengren. Esperava encontrá-la deitada na cama, mas estava encolhida numa poltrona, enrolada numa manta. A única luz do quarto provinha de um abajur de cabeceira. Ao se aproximar, percebeu algo que parecia medo nos olhos da jovem. Ele estendeu a mão e se apresentou, então sentou-se num banco ao seu lado.

Ela não sabe o que aconteceu, pensou. Que três dos seus melhores amigos estão mortos. Ou será que já suspeita? Será que estava esperando que fossem descobertos? Era por isso que não aguentava mais?

Virou o banco para ficar de frente para a moça. Seus olhos seguiam todos os movimentos de Wallander. Quando ele entrou no quarto, ela lembrou Linda. Linda também havia tentado se suicidar aos quinze anos. Mais tarde, Wallander compreendeu que isso foi parte de uma série de acontecimentos que levaram Mona a deixá-lo. O inspetor nunca havia realmente entendido, apesar de Linda e ele terem conversado sobre isso anos depois. Havia algo ali que ele nunca entenderia. Agora se perguntava se conseguiria entender por que essa moça havia tentado se matar.

"Fui eu que encontrei você. Sei que já sabe disso, mas não supõe o motivo da minha ida a Skårby. Você não sabe por que dei uma volta na casa trancada à sua procura até encontrá-la no gazebo, onde estava dormindo."

Wallander fez uma pausa, à espera de que Isa falasse, mas ela permaneceu em silêncio, olhando para ele.

"Você havia combinado de comemorar o solstício com seus amigos Martin, Lena e Astrid, mas adoeceu. Você teve um problema no estômago e ficou em casa. Não foi isso?"

Nenhuma reação. De repente, Wallander ficou sem saber muito bem como continuar. Como poderia lhe contar o que havia acontecido? Por outro lado, a notícia ia aparecer em todos os jornais no dia seguinte. De qualquer maneira, seria um grande choque.

Queria que Ann-Britt estivesse aqui, pensou. Ela saberia lidar melhor com isso.

"A mãe da Astrid recebeu uns postais", ele disse. "Assinados pelos três, ou só pela Astrid, e foram enviados de Hamburgo, Paris e Viena. Os quatro tinham falado em viajar depois da festa do solstício?"

Finalmente, Isa começou a responder às perguntas, mas numa voz tão baixa que Wallander tinha dificuldade de ouvir.

"Não, não estava nada decidido", ela sussurrou.

Wallander sentiu um nó na garganta. Parecia que a voz de Isa quebraria a qualquer momento. Pensou no que ia dizer para ela, que um simples vírus havia lhe salvado a vida. O inspetor gostaria de chamar o médico com quem falara antes para perguntar o que ele deveria fazer. Como poderia contar-lhe o que acontecera? Resolveu adiar por ora.

"Me fale sobre a festa do solstício", ele disse.

"Por que eu deveria te falar sobre isso?"

Ele se perguntou como uma voz tão frágil podia soar tão determinada. Mas ela não era hostil. Suas respostas dependeriam das perguntas dele.

"Porque eu gostaria de saber. Porque a mãe da Astrid está preocupada."

"Era apenas uma festa."

"Mas vocês iriam vestidos como cortesãos do século XVIII."

Ela não entendia como ele sabia. O inspetor estava correndo um risco ao fazer a pergunta, mas talvez fosse impossível continuar a conversa logo que ela descobrisse o que acontecera aos amigos.

"Fazíamos isso, às vezes."

"Por quê?"

"Para quebrar a rotina."

"Para saírem da sua própria época e viverem em outra?"

"Isso mesmo."

"Escolhiam sempre o século XVIII?"

Havia um tom de desdém na resposta. "Nunca nos repetíamos."

"Por que não?"

Ela não respondeu, e Wallander soube de imediato que tinha tocado num ponto importante. Tentou abordar a questão por outro ângulo.

"É possível saber como as pessoas se vestiam no século XII?"

"Sim, mas nós nunca escolhemos esse período."

"Como é que vocês escolhiam a época?"

Também não respondeu a essa pergunta, e Wallander começava a discernir um padrão nas perguntas as quais ela não respondia.

"Me conte o que aconteceu na noite do solstício."

"Fiquei doente."

"Deve ter sido uma doença repentina."

"Como costuma ser a diarreia."

"O que aconteceu?"

"O Martin veio me buscar, e eu disse a ele que não podia ir."

"Como ele reagiu?"

"Como era de esperar."
"Como?"
"Ele me perguntou se era verdade. Como ele já supunha."
Wallander não compreendeu a resposta. "O que você quer dizer?"
"Esperam que digamos a verdade. Senão, somos expulsos do grupo."
Wallander refletiu por uns instantes. "Você leva a sua amizade a sério, então. Ninguém pode mentir. Uma só mentira significa expulsão?"
Ela pareceu genuinamente perplexa. "Do contrário, como poderíamos ser amigos?"
Ele assentiu. "É claro que a amizade tem sempre por base a confiança mútua."
"O que mais existe?"
"Não sei. Amor, talvez."
Ela puxou a manta para o queixo.
"Como você se sentiu quando percebeu que eles tinham ido viajar pela Europa sem você?"
Ela olhou para ele por um bom tempo antes de responder. "Já respondi a essa pergunta."
Wallander levou uns instantes para estabelecer a ligação. "Você está se referindo ao policial que a visitou no início do verão?"
"A quem mais eu poderia estar me referindo?"
"Recorda-se da data em que ele foi vê-la?"
"No dia 1º ou 2 de julho."
"O que mais ele te perguntou?"
Isa inclinou-se tão rápido na direção de Wallander, que ele recuou involuntariamente.
"Eu sei que ele morreu. Ele se chamava Svedberg. Você veio aqui para me falar dele?"
"Não foi bem por isso, mas eu gostaria de saber mais sobre o que vocês conversaram."
"Não tenho mais nada a dizer."

Wallander franziu o cenho. “O que quer dizer? Ele deve ter perguntado mais alguma coisa pra você.”

“Não perguntou. Eu tenho a conversa gravada.”

“Você gravou sua conversa com o Svedberg?”

“Sim, em segredo. Faço muito isso.”

“E você fez isso quando Svedberg foi vê-la?”

“Fiz.”

“Onde é que está a gravação?”

“No gazebo, onde você me encontrou. Tem um anjo azul na caixa da fita cassete.”

“Um anjo azul?”

“Eu faço caixas para as fitas.”

Wallander assentiu. “Você se importa se eu mandar alguém buscar a fita?”

“Por que me importaria?”

Wallander ligou para a delegacia e pediu ao policial de plantão que enviasse um carro-patrulha para buscar a fita no gazebo. Também disse para ele pegar o walkman que estava na mesa de cabeceira.

“Anjo azul?”, o policial perguntou.

“Sim, um anjo azul na caixa. Diga para eles se apressarem.”

Eles levaram exatamente vinte e nove minutos. Enquanto ele esperava, Isa passou mais de quinze minutos no banheiro. Quando ela voltou, Wallander reparou que ela tinha lavado o cabelo. Ele achou que ela poderia estar tentando se matar de novo.

Um policial entrou no quarto e lhe entregou a fita e o gravador. Isa assentiu em reconhecimento. Ela pegou o walkman e avançou a fita até achar o que procurava.

“É aqui”, ela disse, entregando-lhe os fones de ouvido.

A voz de Svedberg apareceu com toda a força. O inspetor hesitou, como que apanhado de surpresa. Ouviu Svedberg pigarrear e fazer uma pergunta. A resposta dela se perdeu no barulho do ambiente. Rebobinou a fita e ouviu mais uma vez. Ele tinha escutado corretamente.

Svedberg fez uma pergunta semelhante. Mas Isa estava enganada: a pergunta não era a mesma. Wallander tinha perguntado: "Como você se sentiu quando percebeu que eles tinham ido viajar pela Europa sem você?".

A forma como Svedberg fizera a pergunta alterava dramaticamente o sentido: "Você realmente acha que eles foram viajar pela Europa?".

Wallander ouviu uma terceira vez. Não dava para entender a resposta de Isa. Tirou os fones de ouvido.

Svedberg sabia, ele pensou. Sabia que no dia 1º ou 2 de julho os três jovens não estavam viajando pela Europa.

14.

Continuaram a conversa, embora Wallander não conseguisse mais se concentrar. Lá pelas nove da noite, pensou que não poderia mais esconder a verdade dela. Desculpou-se e disse que ia buscar um café. No hall, ligou para Martinsson, que o informou que a maioria dos policiais já estava começando a voltar para Ystad. Em pouco tempo, restariam só os técnicos forenses e os seguranças. Nyberg e sua equipe trabalhariam a noite toda. Wallander disse a ele onde estava e pediu para falar com Höglund. Ela pegou o celular, e ele disse que precisava de sua ajuda.

"Isa Edengren precisa ser informada a respeito das mortes. Não sei como ela vai reagir."

"Bem, pelo menos ela já está no hospital. O que você acha que pode acontecer?"

A resposta de Höglund lhe pareceu mais fria do que o normal, até Wallander perceber que ela estava tentando se distanciar da situação. Nada podia ser pior do que a maneira como ela tinha passado aquele longo dia de agosto.

"Ficaria grato se você pudesse vir aqui", ele disse. "Pelo menos não terei que falar com ela sozinho. Ela acabou de tentar se matar."

Depois de desligar, ele procurou a enfermeira que havia

verificado o nível de glicose no seu sangue e pediu o número de telefone da casa do médico com quem tinha falado. Também lhe perguntou qual era a impressão dela sobre Isa Edengren.

"Muitas pessoas que tentam se suicidar são bem fortes", a enfermeira respondeu. "Há sempre exceções à regra, mas tenho a impressão de que Isa Edengren não é uma delas."

Ele perguntou onde poderia arranjar um café, e a enfermeira lhe mostrou onde estava a máquina na recepção do hospital. Wallander ligou para a casa do médico. Uma criança atendeu o telefone, depois uma mulher e finalmente o médico.

"Não pensei muito bem", disse Wallander. "Temos que contar a ela o que aconteceu, e precisa ser já, antes que ela escute a notícia pela manhã. Porque aí não estaremos aqui para intervir. Não sei como ela poderá reagir."

O médico disse que ia ao hospital. Wallander foi à procura da máquina de café mas, quando a encontrou, percebeu que não tinha moedas. Viu um senhor idoso empurrando um andador. Quando Wallander perguntou delicadamente se ele tinha moedas, o idoso apenas meneou a cabeça.

"Não tardo a morrer", ele disse. "Dentro de umas três semanas. Por que precisaria de dinheiro?"

Continuou andando, aparentemente bem-disposto, deixando Wallander com uma nota estendida na mão. Quando ele conseguiu encontrar algumas moedas, enganou-se de botão e acabou colocando leite no café, o que quase nunca fazia.

Quando voltou para a enfermaria, Höglund havia chegado. Ela estava pálida e tinha olheiras. Não haviam encontrado nenhuma pista importante, e Wallander notou como ela parecia cansada.

Estamos todos cansados, pensou. Exaustos, mesmo antes de começarmos a mergulhar a fundo no pesadelo que nos cerca.

Ele contou sobre a conversa com Isa Edengren, inclusive a surpreendeu ao mencionar a gravação da voz de Svedberg. O inspetor expôs suas conclusões: de que Svedberg sabia — ou pelo menos tinha fortes suspeitas — que os três jovens desaparecidos não tinham ido viajar.

"Como é que ele poderia saber disso?", ela perguntou. "A não ser que ele estivesse realmente perto de descobrir o que aconteceu."

"A situação me parece mais clara agora", disse Wallander. "Ele deveria estar, de certo modo, bem próximo dos acontecimentos, mas não sabia tudo. Se soubesse, não teria motivo para fazer aquelas perguntas."

"Pode ser uma indicação de que Svedberg não os tenha matado", ela disse. "Não que nenhum de nós achasse isso."

"Me passou pela cabeça", confessou Wallander. "Devo admitir. Agora o cenário mudou. Estou preparado para dar um passo à frente e afirmar que Svedberg descobriu, apenas uns dias depois do solstício, que alguma coisa estava errada. Contudo, o que é que ele temia?"

"Que estivessem mortos?"

"Não necessariamente. Ele estava na mesma situação que a nossa antes de encontrarmos os cadáveres. Mas de onde viria o medo ou a suspeita?"

"Ele sabia alguma coisa que desconhecemos?"

"Algo que o fez suspeitar. Talvez fosse apenas uma sensação vaga; porém, não partilhou essas suspeitas. Ele as guardou para si e continuou investigando o caso durante suas férias."

"Então precisamos nos perguntar o que ele sabia."

"É isso que procuramos, nada mais."

"Mas isso não explica por que o mataram."

"Também não explica por que ele não nos informou o que estava fazendo."

Ela franziu o cenho. "Por qual motivo a gente tenta esconder alguma coisa?"

"Por haver uma informação que não queremos divulgar. Ou por não querermos que seja descoberta", ele respondeu. "Precisamos encontrar uma ligação."

"Pensei a mesma coisa. Pode muito bem ter existido uma ligação entre Svedberg e os jovens. E com mais alguém."

"Louise?"

"Talvez."

Eles ouviram uma porta bater no final do corredor e viram o médico caminhar em direção a eles. Chegou a hora. Isa Edengren estava sentada numa cadeira quando Wallander entrou.

"Tem uma última coisa que preciso falar com você", ele disse, sentado perto dela. "Receio que seja difícil para você ouvir o que tenho a dizer. Por isso pedi ao seu médico para estar presente neste momento. E também à minha colega, Ann-Britt Höglund."

Viu que ela estava ficando com medo. Mas agora não tinha mais como recuar. Os outros se juntaram a eles, e Wallander contou para Isa o que acontecera. Os três amigos dela tinham sido encontrados, mas eles estavam mortos. Alguém havia matado os jovens.

"Nós queríamos te contar agora", ele terminou, "para que você não soubesse dessa notícia amanhã pelos jornais."

Isa não reagiu.

"Sei que é difícil para você. Mas preciso te perguntar se você faz alguma ideia de quem poderia ter feito isso."

"Não."

A voz dela era fraca, mas clara.

"Mais alguém sabia dos seus planos para aquela noite?"

"Nunca contávamos nada para ninguém de fora do grupo."

Wallander achou que parecia que ela estava recitando uma norma. Talvez estivesse.

"Ninguém mais sabia além de vocês?"

"Ninguém."

"Você não estava lá porque adoeceu. Mas você sabia onde seria a festa?"

"Na reserva natural."

"E você sabia que eles iriam se fantasiar?"

"Sim."

"Por que tanto segredo?"

Ela não respondeu. Eu invadi o território proibido de novo, pensou Wallander. Ela se recusa a responder sempre que vou longe demais. Mas ele sabia que ela estava certa. Ninguém conhecia os planos deles. O inspetor não tinha mais nada para perguntar.

"Vamos embora", ele disse. "Por favor, entre em contato conosco se souber de mais alguma coisa. O pessoal do hospital sabe como me encontrar. Também quero que saiba que falei com sua mãe."

Isa jogou a cabeça para trás. "Por quê? O que ela tem a ver com isso?"

De repente, a voz da moça se tornou estridente, fazendo Wallander se sentir desconfortável.

"Eu precisava informá-la", ele disse. "Você estava inconsciente quando te encontrei. É meu dever notificar seus parentes mais próximos."

Parecia que ela ia dizer mais alguma coisa, mas hesitou e começou a chorar. O médico indicou que era hora de Wallander e Höglund irem embora. Quando estavam fora do quarto, no corredor, Wallander percebeu que estava encharcado de suor.

"Está cada vez mais difícil", ele disse. "Logo não vou conseguir mais suportar esse tipo de coisa."

Voltaram à delegacia por volta das dez e meia da noite. Wallander ficou surpreso de não encontrar nenhum repórter na frente do prédio. Pensava que a notícia sobre os assassinatos já teria vazado. Wallander pendurou o casaco e foi para a cantina. Policiais cansados estavam sentados, em silêncio, diante de suas canecas de café e restos de pizza. Wallander achou que seria de bom-tom dizer algo para animá-los. Porém, como poderia levantar o astral depois do assassinato de três jovens inocentes que estavam fazendo um piquenique de verão? Em algum lugar também se escondia o assassino de um dos colegas deles.

Wallander não disse nada, mas acenou-lhes e tentou mostrar que estava ali para apoiá-los. Hansson olhou para ele com os olhos cansados.

"Quando é que nos reunimos?", perguntou.

Wallander olhou para o relógio. "Agora. O Martinsson chegou?"

"Ele está a caminho."

"E a Lisa?"

"Na sala dela. Acho que as coisas foram difíceis para ela em Lund. Os pais, casal por casal, foram identificar os filhos. Mas parece que Eva Hillström foi sozinha."

Wallander foi direto para a sala de Lisa Holgersson. A porta estava entreaberta, e dava para vê-la sentada atrás da escrivaninha. Seus olhos pareciam lacrimosos. Ele bateu e deu uma olhada. Ela acenou para ele entrar.

"Você se arrependeu de ter ido a Lund?"

"Não há nada para lamentar. Mas foi horrível, como você disse que seria. Não há palavras que descrevam uma situação dessas: chamar os pais, num dia de verão, para identificar os filhos mortos. As pessoas que prepararam os corpos fizeram um trabalho excelente, mas não conseguiram esconder completamente o fato de estarem mortos há semanas."

"Hansson disse que Eva Hillström apareceu sozinha."

"Ela era a mais contida, talvez por ter sempre temido o pior."

"Ela vai nos acusar de não termos agido na hora certa. Talvez com razão."

"Você acha isso mesmo?"

"Não, mas não sei até que ponto minha opinião interessa. Se nossa equipe fosse maior, se não tivesse acontecido no período de férias de todo mundo... Tudo teria sido diferente. Mas sempre há desculpas. E agora uma mãe se vê forçada a enfrentar seu pior receio."

"Eu gostaria de discutir a possibilidade de obter reforços o mais depressa possível."

Wallander estava cansado demais para argumentar, mas não

concordava com ela. Havia sempre a esperança de que um número maior de policiais resultasse em mais eficiência. Porém, segundo sua experiência, isso quase nunca acontecia. Na maioria das vezes as equipes pequenas e competentes produziam os melhores resultados.

"O que você acha?"

Wallander deu de ombros. "Acho que você sabe qual é a minha opinião sobre o assunto. No entanto, não vou criar nenhuma objeção se quiser pedir reforços."

"Eu gostaria de falar com os outros sobre isso ainda hoje."

"Eles estão exaustos", o inspetor respondeu. "Não conseguiremos nenhuma resposta racional. Por que não esperar até amanhã?"

Eram quinze para as onze da noite. Wallander se levantou e foi para a sala de reuniões. A cadeira de Svedberg continuava vazia. Nyberg entrou, vindo direto da cena do crime, e balançou a cabeça. Nenhuma descoberta nova.

Wallander começou contando sobre sua visita ao hospital. Ele havia trazido o gravador e a fita cassete. Houve um silêncio assustador quando o gravador emitiu a voz de Svedberg. Depois de lhes apresentar suas conclusões, Wallander notou que a exaustão do grupo parecia ter diminuído um pouco. Svedberg havia descoberto alguma coisa. Por isso que ele foi morto?

Examinaram lentamente todos os fatos do caso de novo. A reunião se prolongou noite afora, e a equipe aos poucos superou o cansaço e o desânimo. Fizeram um intervalo logo depois da meia-noite. Quando voltaram, Martinsson se sentou na cadeira de Svedberg por engano. Ele mudou de cadeira assim que percebeu o que tinha feito. Wallander se levantou para ir ao banheiro e beber água. Sua boca estava seca e a cabeça doía, mas ele sabia que tinha que prosseguir. Durante o intervalo, foi à sua sala ligar para o hospital. Depois de uma longa espera, conseguiu falar com a enfermeira que havia medido o nível de glicose no seu sangue.

"Isa está dormindo. Pediu um calmante. É claro que não

podíamos lhe dar o remédio, mas ela acabou dormindo mesmo assim."

"Alguém ligou para ela? A mãe?"

"Só um homem que disse que era vizinho dela."

"Lundberg?"

"É esse o nome."

"É provável que só amanhã ela sinta o impacto do que aconteceu", disse Wallander.

"O que aconteceu?"

Wallander não viu nenhuma razão para não lhe contar. Seguiu-se um silêncio perturbador.

"Não consigo acreditar", ela disse.

"Eu não compreendo", ele disse com franqueza. "Entendo tão pouco quanto você."

Voltou à sala de reuniões. Era o momento de recapitular todos os acontecimentos.

"Não sei por que isso aconteceu", começou. "Não vejo um motivo provável e, portanto, um possível suspeito. Contudo, assim como vocês, estou ciente de que há uma cadeia de acontecimentos, que não é isenta de falhas, mas vou expor a minha visão das coisas. Corrijam-me se eu deixar de fora alguma informação."

Ele alcançou a garrafa de água com gás e encheu o copo.

"Em algum momento, no dia 21 de junho, três jovens foram de carro até a reserva natural de Hagestad. Eles provavelmente chegaram em dois carros, ambos continuam desaparecidos. Segundo Isa Edengren, que deveria ter ido com eles mas adoeceu, os amigos tinham escolhido o local da festa com antecedência. Eles iam fazer uma festa com máscaras, como já haviam feito antes. Precisamos tentar entender de fato esse jogo. Acho que esses jovens tinham uma ligação muito forte, mais do que uma mera amizade.

"O período que escolheram dessa vez foi o século XVIII, a era de Bellman. Eles vestiam trajes e perucas e ouviam canções das *Epístolas de Fredman*. Não sabemos se estavam sendo observados nessa hora. O local que escolheram não era facilmente visível. O assassino surgiu de algum lugar e atirou nos três. Foram alvejados na testa. Não sabemos ainda que tipo de arma ele utilizou. Tudo nos leva a crer que o assassino agiu deliberadamente e sem hesitar. Encontramos os cadáveres cinquenta e um dias depois. Esse é o cenário mais provável, mas, até sabermos com exatidão há quanto tempo estão mortos, não podemos excluir a hipótese de que talvez eles não tenham sido assassinados durante a festa do solstício, pode ter acontecido depois dessa data. Nós simplesmente não sabemos. Mas com certeza o assassino teve acesso a essa informação. Na realidade, não é concebível que esse homicídio triplo tenha ocorrido por acaso. Não podemos descartar a possibilidade de ter sido um maluco, afinal não devemos descartar nada, mas tudo indica que foi um assassinato cuidadosamente planejado e executado. Quanto ao motivo por trás do crime, nem me atrevo a especular. Quem ia querer matar três jovens durante o período mais feliz da vida deles? Acho que nunca estive envolvido num caso como esse."

Wallander olhou em volta. Ainda não acabara de recapitular os acontecimentos, mas queria saber se havia alguma pergunta. Ninguém se manifestou.

"Essa história não está clara", continuou. "Não sabemos se é o começo, o fim ou um acontecimento paralelo, mas Svedberg também foi assassinado e descobrimos uma foto desses jovens em seu apartamento. Sabemos que ele estava investigando o desaparecimento dos jovens e que havia começado a investigação logo depois de falar com Eva Hillström e os outros pais. Há uma ligação. Não sabemos qual, mas precisamos descobrir. É por aí que devemos começar."

Abaixou o lápis e recostou-se na cadeira. Suas costas doíam. Olhou para Nyberg.

"Talvez devesse acrescentar que Nyberg e eu achamos que tem algo de artificial e arrumado na cena do crime."

"Só não consigo entender como eles poderiam estar mortos por cinquenta e um dias sem que ninguém os encontrasse", disse Hansson, desanimado. "A reserva natural é visitada por muitas pessoas durante o verão."

"Nem eu", disse Wallander. "Existem três possibilidades. Podemos estar redondamente enganados acerca da data do assassinato. Talvez não tenha sido na noite do solstício; talvez tenha acontecido depois desse dia. Ou, então, a cena do crime e o lugar onde encontramos os cadáveres não são o mesmo. A terceira possibilidade é que esses dois locais são um só, o único, mas alguém retirou os corpos de lá e os reposicionou numa data posterior."

"Quem faria uma coisa dessas?", perguntou Höglund. "E por quê?"

"É isso o que eu acho que aconteceu", disse Nyberg.

Todos olharam para ele. Era raro ouvir Nyberg falar com tanta convicção nos primeiros estágios de uma investigação.

"A princípio, me limitei a pensar o mesmo que Kurt", ele prosseguiu. "Tinha alguma coisa totalmente falsa em toda a cena, como se tivesse sido preparada por um fotógrafo. Depois encontrei outros dados que me fizeram repensar."

Empolgado, Wallander aguardou ele continuar, mas parece que Nyberg tinha perdido o fio da meada.

"Continue", ele disse.

Nyberg meneou a cabeça. "Não faz nenhum sentido", ele disse. "Por que alguém moveria os corpos para mais tarde, simplesmente, reposicioná-los no mesmo lugar?"

"Pode haver inúmeros motivos", observou Wallander. "Para adiar a descoberta ou dar tempo de fugir."

"Ou enviar uma série de cartões-postais", disse Martinsson.

Wallander assentiu. "Vamos passo a passo. Não sabemos se estamos certos ou errados."

"Bem, foram as taças de vinho que me levaram a repensar a situação", disse Nyberg, lentamente. "Havia restos de vinho em duas das taças. Um pouco menos em uma, um pouco mais na outra. O vinho deveria ter evaporado há muito tempo, mas o que realmente me surpreendeu foi o que não estava lá: não havia insetos nas taças, mas deveriam estar lá. Sabemos o que acontece quando deixamos uma taça suja de vinho, mesmo que vazia, de um dia para o outro. Na manhã seguinte, está cheia de insetos. Mas não encontrei nada nas taças."

"E qual foi a sua conclusão?"

"Que, quando Leman encontrou os cadáveres, as taças só podiam ter ficado lá, ao ar livre, por algumas horas."

"Quantas horas?"

"Não sei exatamente."

"E quanto aos restos de comida?", perguntou Martinsson. "O frango estava podre, a salada estava mofada e o pão, velho. A comida não estraga tão rapidamente."

Nyberg olhou para ele. "Mas não é exatamente isso que estamos discutindo agora? Que a cena descoberta por Mats e Rosmarie Leman foi montada? Alguém dispôs aquelas taças de vinho e espirrou umas gotas no fundo. A comida se decompôs em outro lugar e foi redistribuída nos pratos."

Nyberg parecia confiante como quando tinha começado a falar. "Vamos poder provar isso, se for esse o caso", ele disse. "A gente é capaz de determinar o tempo exato que o vinho encontrado nos copos esteve exposto ao ar. Mas não tenho dúvidas sobre o que penso. Acho que os Leman não teriam encontrado nada se tivessem ido passear na manhã de sábado."

A sala ficou silenciosa. Nyberg havia desenvolvido sua teoria muito mais a fundo do que Wallander poderia imaginar. Não havia lhe ocorrido a hipótese de que os corpos só teriam ficado expostos por um dia. O assassino deveria estar por perto. A declaração de Nyberg também afetava a relação de Svedberg com o crime: ele até poderia ter matado os jovens e escondido os corpos, mas não poderia tê-los trazido de volta.

"Me parece que você tem certeza disso", disse Wallander. "Qual é a chance de você ter se enganado?"

"Nenhuma. Posso estar enganado quanto à hora e ao tempo exatos, mas deve ter acontecido da forma como acabei de descrever."

"O lugar onde os encontramos seria também a cena do crime?"

"Ainda não terminamos", explicou Nyberg. "Mas parece que uma quantidade de sangue penetrou o solo."

"Assim, você acha que eles foram baleados e depois removidos?"

"Isso mesmo."

"Então para onde foram levados?"

Todos perceberam a importância da pergunta. Estavam traçando os movimentos do assassino. Embora não pudessem vê-lo com clareza, estavam concentrados em seus atos. Aquele era um dado crucial.

"Acho que devemos partir do princípio de que se trata de um assassino agindo sozinho", disse Wallander. "Mas pode ter mais de uma pessoa envolvida, o que me parece mais provável, já que os corpos foram removidos e mais tarde postos no mesmo local."

"Talvez estejamos usando as palavras erradas", disse Höglund. "Talvez devêssemos dizer 'escondidos', em vez de 'removidos'."

Wallander estava pensando a mesma coisa. "O local não era muito afastado da entrada da reserva. É possível ir de carro até lá, mas não é permitido e chamaria a atenção. A alternativa é fácil: pode ser que os corpos foram escondidos na mesma área, talvez bem perto da cena do crime."

"Os cães não encontraram nenhuma pista", comentou Hansson. "Não que isso queira dizer alguma coisa."

Wallander já decidira. "Não podemos esperar até todos os resultados saírem. Quero examinar a área novamente ao amanhecer, para ver se descobrimos onde os corpos podem ter sido escondidos. Se estivermos certos, foi nas proximidades."

Era pouco mais de uma da manhã. Wallander sabia que todos precisavam de algumas horas de sono antes do amanhecer.

Ele foi o último a sair da sala. O ar da noite estava quente, sem vestígios de vento. Encheu os pulmões de ar, andou até atrás de uma viatura e se aliviou. Perderia a consulta daquela manhã com o dr. Göransson. O seu nível de glicose no sangue estava bastante alto, 279, mas como poderia se preocupar com a sua saúde num momento como esse?

Começou a percorrer a cidade deserta, a caminho de casa. Alguma coisa incomodava o inspetor, um medo que ele sabia que os colegas também sentiam, embora ninguém admitisse. Estavam quase começando a seguir os movimentos do assassino, mas não faziam ideia do que ele pensava ou quais seriam suas motivações. Eles não sabiam se ele planejava atacar novamente.

15.

Wallander não foi para a cama naquela noite. Assim que parou à porta de seu prédio na Mariagatan e procurou as chaves, a ansiedade se apoderou dele. Guardou o molho de volta no bolso, andou até o carro e entrou nele. Em algum lugar, havia um assassino escondido nas sombras, onde permaneceria até que a polícia conseguisse apanhá-lo. Tinham que encontrá-lo. Ele não podia escapar pura e simplesmente, tornando-se um dos que assombrariam Wallander durante o sono.

Enquanto dirigia pela noite calma, o inspetor recordava-se de um caso do início dos anos 1980, logo depois de ter se mudado para Ystad com Mona e Linda. Rydberg ligou para ele tarde da noite com a notícia que uma jovem havia sido encontrada morta num campo nos arredores de Borrie. Ela fora espancada até morrer. Eles dirigiram até lá juntos naquela noite de novembro, e grandes flocos de neve caíam.

Depois de sair do cinema, a moça pegou o ônibus em Ystad, desceu no ponto de sempre e seguiu pelo atalho que atravessava os campos até a fazenda onde vivia. Como ela não chegou em casa na hora em que havia dito, seu pai foi até a estrada procurar por ela; e encontrou a filha.

A investigação se prolongou por muitos anos e resultou em milhares de páginas de relatórios, mas nunca encontraram o assassino, nem descobriram qualquer motivo plausível. A única pista era o pedaço de um prendedor de roupa de madeira, encontrado perto do cadáver da moça, que estava sujo de sangue. Além disso, nada. Rydberg ia com frequência à sala de Wallander para falar sobre isso. Durante seus últimos dias, quando estava morrendo de câncer, ele voltou a mencionar o caso. Wallander percebeu que Rydberg não queria que ele se esquecesse da moça morta no campo. Como Rydberg já se fora, só sobrou Wallander para resolver o caso. Ele raramente pensava no assunto, mas de vez em quando a moça aparecia em seus sonhos. A imagem era sempre a mesma: Wallander estava inclinado sobre a jovem, e Rydberg em algum lugar no fundo. Ela olhava para ele, mas não podia falar.

Wallander virou na entrada para a reserva natural. Não quero três jovens atormentando meus sonhos, pensou. Nem o Svedberg. Temos que descobrir quem fez isso.

Estacionou o carro e viu, surpreso, que o policial de plantão era Edmundsson.

"Onde está seu cachorro?", perguntou Wallander.

"Em casa", disse Edmundsson. "Não vejo motivo para que ele durma no carro."

Wallander assentiu. "Como estão as coisas por aqui?"

"Só o Nyberg está aqui, além do pessoal de plantão."

"Nyberg?"

"Ele chegou agora há pouco."

Ele também sente a mesma ansiedade, pensou Wallander. Isso não deveria me surpreender.

"Está quente demais para agosto."

"O outono não tarda, é só esperar", disse Wallander. "Virá quando menos se espera."

O inspetor ligou a lanterna e entrou na reserva.

O homem estivera escondido nas sombras por um bom tempo. Para entrar na reserva sem ser visto, aproximara-se pelo lado do mar. Seguiu pela praia, subiu as dunas e desapareceu no bosque. Para evitar encontros com os policiais e seus respectivos cães, tomou um caminho tortuoso para chegar à trilha que dava na área principal usada para caminhadas. A partir dali, se os cães sentissem seu cheiro, ele poderia ir para a estrada. Mas ele não estava preocupado. Nunca suspeitariam que ele andasse por lá.

Abrigado pela escuridão, ele viu os policiais irem e virem pela trilha. Entre eles, duas mulheres. Pouco depois das dez da noite, muitos foram embora da reserva e ele se sentou para beber o chá que tinha trazido numa garrafa térmica. A encomenda que fizera de Shangai já tinha chegado, iria buscá-la no dia seguinte. Quando terminou o chá, guardou a garrafa e se pôs a caminho do local onde havia assassinado os jovens. Não havia mais cães por ali, então se sentia seguro. De longe, notava os refletores dispostos a toda volta, que lançavam um brilho de luz sobrenatural à cena do crime. Parecia um palco de teatro, embora estivesse vetado ao público comum. Sentia-se tentado a esgueirar-se até uma distância que lhe permitisse ouvir o que os policiais diziam e observar seus rostos. Mas conseguiu se controlar, como sempre fazia. Sem autocontrole, não se pode ter a certeza de que é possível escapar e se sentir seguro.

As sombras dançavam nas luzes dos refletores. Os policiais pareciam gigantes, embora ele soubesse que era somente uma ilusão. Apalpavam como animais cegos no mundo que ele havia criado. Por um instante, permitiu-se uma sensação de satisfação. Mas só por um momento. Ele sabia que o orgulho era perigoso e tornava as pessoas vulneráveis.

Regressou ao ponto de observação, perto da trilha principal. Estava pensando em sair dali, quando alguém passou perto. O feixe de luz da lanterna piscou no chão. Um rosto se tornou visível por um instante, e ele reconheceu o homem das fotos dos jornais. Chamava-se Nyberg e era especialista forense. Sorriu para si mesmo. Nyberg talvez fosse capaz de identificar as peças individuais, mas nunca conseguiria descobrir a totalidade do plano.

Acabara de pôr a mochila nas costas e estava prestes a cruzar a trilha quando ouviu outra pessoa se aproximando. Novamente, a luz de uma lanterna piscou entre as árvores, e ele saltou para a escuridão. O policial era grande e pesado. O homem sentiu um impulso súbito de tornar a sua presença conhecida, de correr como um animal notívago, antes de ser engolido mais uma vez pela escuridão.

De repente, o policial parou. Apontou a lanterna para os arbustos de ambos os lados da trilha. Durante instantes de puro terror, o homem pensou que tinha sido descoberto. Ficou congelado, sem conseguir sair do lugar. Finalmente a luz desapareceu quando o policial se afastou. Mas depois ele parou uma segunda vez, apagou a luz e esperou no escuro. Passado algum tempo, voltou a acender a lanterna e seguiu seu caminho.

Com o pulso acelerado, o homem ficou deitado durante um bom tempo. O que teria levado o policial a parar subitamente? Não poderia ter ouvido qualquer som, nem tê-lo visto. Pela primeira vez, seu relógio interno havia falhado. Ele não tinha ideia de quanto tempo estivera ali deitado antes de se erguer, cruzar o caminho e regressar à beira-mar. Poderia ter esperado uma hora, talvez mais. Quando ele alcançou a praia, o dia começava a clarear.

Wallander viu as luzes ao longe. De vez em quando, ouvia a voz cansada e irritada de Nyberg. Havia um policial mais adiante, fumando. Ele parou novamente e pôs-se à escuta. Não sabia a origem daquele pressentimento, a sensação de que o assassino andava por ali, em algum lugar no escuro. Teria ouvido alguma coisa? Parou e sentiu uma onda de medo. Então percebeu que deveria ser só sua imaginação. Parou mais uma vez, desligou a lanterna e escutou. Porém só conseguiu ouvir o barulho do mar.

Ele cumprimentou o policial, que tentou apagar seu cigarro. Wallander o dissuadiu. Era um policial jovem chamado Bernt Svensson.

"Como estão as coisas?", perguntou.

"Acho que vi uma raposa", disse Svensson.

"Uma raposa?"

"Achei que tinha visto uma sombra ali adiante. Era maior do que um gato."

"Não há raposas na Escânia. Todas morreram de peste."

"Continuo achando que era uma raposa."

Wallander assentiu. "Então, digamos que era uma raposa, apenas uma raposa."

Continuou a andar e entrou na área iluminada. Nyberg estava examinando o local junto da árvore, onde os corpos tinham estado. Até a toalha azul tinha sido levada.

"O que você está fazendo aqui?", ele perguntou quando viu Wallander. "Você deveria estar dormindo. Precisa recuperar as energias para continuar."

"Eu sei. Mas, às vezes, não consigo dormir."

"Todo mundo deveria estar dormindo", disse Nyberg. A voz dele tremia de cansaço. Wallander sentiu como ele estava transtornado.

"Todo mundo deveria estar dormindo", ele repetiu. "Esse tipo de coisa não poderia acontecer."

"Trabalho para a polícia há quarenta anos", disse Nyberg. "Vou me aposentar em dois."

"E o que você vai fazer depois?"

"Enlouquecer de tédio, quem sabe", ele disse. "Mas você pode ter certeza de que não andarei pelas florestas procurando cadáveres de jovens em decomposição."

Wallander se lembrou do que Sundelius havia dito: Eu trabalhava todos os dias. Agora fico olhando para o teto.

"Você acabará achando alguma coisa para fazer", ele disse, tentando animar o colega.

Nyberg resmungou algo ininteligível. Wallander tentou sacudir o cansaço de seu corpo.

"Vim aqui pra começar a planejar as atividades da manhã", disse o inspetor.

"Você quer dizer começar as escavações à procura de um possível esconderijo?"

"Se tivermos certos sobre isso, devemos ser capazes de deduzir onde ele escondeu os corpos."

"Ele ou eles. Pode não ter agido sozinho", respondeu Nyberg.

"Acho que foi um só. Não faz sentido duas pessoas organizarem esse tipo de massacre. Estamos partindo do princípio de que o assassino é um homem, mas acho que é uma aposta segura. As mulheres não atiram na cabeça das pessoas. Especialmente em jovens."

"E no ano passado?"

Nyberg estava se referindo ao caso no qual o assassino de diversas pessoas fora uma mulher. Mas esse fato não fez Wallander mudar de ideia.

"Dessa vez não", respondeu. "Então quem é que estamos procurando? Um louco à solta?"

"Talvez. Não tenho certeza."

"Porém nos dá um ponto de partida."

"Exatamente. Se ele está só e tem três cadáveres pra esconder, o que ele faz?"

"Não os leva pra muito longe, por razões práticas. Tem que os carregar, a menos que tivesse trazido um carrinho de mão, o que chamaria a atenção. Acho que é uma pessoa cautelosa."

"Nesse caso, teve que enterrar perto daqui?"

"Se é que os enterrou de fato", observou Wallander. "Você acha que os corpos foram expostos a animais ou aves?"

"Não. Mas eu não sou patologista."

"Mesmo assim, isso confirma nossa ideia de que os corpos estavam no solo. Mas animais podem escavar, o que significa que os corpos estiveram de alguma maneira protegidos, numa caixa ou num embrulho plástico."

"Não sou especialista nessas coisas", disse Nyberg. "Mas sei que cadáveres fechados em contêineres se decompõem numa velocidade diferente de corpos em contato direto com a terra."

Eles estavam se aproximando de um ponto que poderia ser importante.

"Pra onde é que isso nos leva?", perguntou Wallander.

Nyberg gesticulou com a mão.

"Ele não subiria a colina", disse e depois apontou para a trilha. "Também não cruzaria a trilha, a não ser que não tivesse outra opção."

Viraram de costas para a colina e olharam além da luz dos refletores, onde os insetos dançavam em frente às lentes aquecidas.

"À esquerda, o terreno desce abruptamente, para depois subir quase com a mesma inclinação. Não acho que ele tentaria por ali", disse Nyberg.

"Em frente?"

"É plano e rodeado de arbustos espessos."

"E à direita?"

"Também tem arbustos, mas não tão densos. É provável que o solo fique alagado de tempos em tempos."

"Portanto, a direção mais provável é em frente ou para a direita", disse Wallander.

"Para a direita, acho", disse Nyberg. "Esqueci de mencionar uma coisa. Se for em frente, dá em outra trilha."

"Nesse caso, assim que amanhecer, tentaremos a direita", disse Wallander. "Qualquer pedaço de terreno que possa ter sido mexido."

"Espero que a gente tenha razão", disse Nyberg.

Wallander estava tão cansado que não conseguia mais falar. Decidiu voltar para o carro e dormir algumas horas. Nyberg o seguiu até a trilha principal.

"Quando eu estava vindo pra cá, tive a sensação de que havia alguém à espreita", disse Wallander. "E Svensson disse que pensou ter visto uma raposa."

"As pessoas normais têm pesadelos quando estão dormindo", Nyberg disse. "Nós temos pesadelos quando estamos acordados."

"Estou preocupado com a possibilidade de ele atacar novamente", disse Wallander. "O que acha?"

Antes de responder, Nyberg ficou em silêncio. "Estou sempre preocupado. Mas também acho que o que aconteceu aqui não vai se repetir."

"Espero que tenha razão", disse Wallander. "Volto daqui a umas duas horas."

Foi para o estacionamento sem sentir que havia alguém escondido no escuro. Enrolou-se no banco traseiro do carro e adormeceu imediatamente.

Já era dia e tinha alguém batendo na janela. Viu o rosto de Höglund e se arrastou para fora do carro. Seu corpo estava todo dolorido.

"Que horas são?"

"Sete."

"Que droga, perdi a hora. Eles têm que começar a procurar um local pra cavar."

"Eles já começaram", ela disse. "Por isso vim buscá-lo. Hansson está a caminho."

Apressaram-se pela trilha. "Odeio isso", resmungou Wallander. "Dormir no banco de trás do carro, acordar sem poder se lavar e com uma aparência horrível. Estou velho demais para isso. Como posso pensar sem sequer tomar uma xícara de café?"

"Acho que podemos resolver isso", ela disse. "Se a delegacia não tiver nos abastecido, você pode tomar um pouco do meu. Eu te dou até um sanduíche."

Wallander acelerou o passo, mas mesmo assim ela andava mais depressa do que ele. Isso irritou o inspetor. Passaram pelo local onde ele achou que alguém estava escondido nos arbustos. Parou e olhou em volta, percebendo que era um ponto de observação perfeito. Höglund olhou para ele com um ar interrogativo, mas Wallander não estava disposto a dar explicações.

“Me faça um favor”, pediu. “Peça para o Edmundsson dar uma busca neste lugar com o cachorro dele. Que cubram uma área de vinte metros bosque adentro, além dos lados da trilha.”

“Por quê?”

“Porque eu quero. É só o que posso explicar no momento.”

“O que você quer que o cão procure?”

“Não sei. Algo que não deveria estar ali.”

Ela não fez mais nenhuma pergunta, e ele já havia se arrependido de não ter dado mais explicações. Agora era tarde demais. Continuaram andando, e Höglund lhe entregou um exemplar do jornal. Tinha uma foto da “Louise” na primeira página. Ele leu a manchete sem parar.

“Quem está cuidando disso?”

“Martinsson está organizando e verificando todas as pistas à medida que vão aparecendo.”

“É importante que seja bem-feito.”

“Martinsson é muito cuidadoso.”

“Nem sempre.”

Ele percebeu a irritação e a desaprovação no tom de sua voz e sabia que não havia razão para descontar seu cansaço na colega. Mas não tinha mais ninguém por perto.

Quando tudo isso acabar eu vou falar com ela, pensou indefeso.

Naquele momento, um homem passou por eles praticando jogging. Sem hesitar um segundo, Wallander bloqueou o caminho.

“Não viu que a área está interditada? Só a polícia pode passar.”

O corredor devia ter uns trinta anos e estava usando fones de ouvido. Quando ele tentou passar, Wallander estendeu o braço para impedi-lo. O corredor, achando que estava sendo atacado, reagiu. Atingiu Wallander no queixo. Apanhado de surpresa, o inspetor caiu. Quando se recompôs, Höglund tinha imobilizado o homem no chão e torcia-lhe um braço atrás das costas. Os fones tinham caído na trilha, e Wallander se surpreendeu ao perceber que o homem estava ouvindo ópera. Uns policiais vieram correndo para ajudá-los a algemar o homem. Wallander se levantou, com cuidado, e apalpou o queixo. Doía, ele havia mordido a bochecha, mas seus dentes estavam intactos. Olhou para o homem.

"A reserva está interditada", ele disse. "Não reparou?"

"Interditada?"

A surpresa do homem parecia genuína.

"Anotem o nome dele", ordenou Wallander. "Verifiquem se as barreiras estão onde deveriam estar. Em seguida, levem esse homem para fora da reserva e o deixem ir."

"Eu vou dar queixa disso", disse o corredor, com raiva.

Wallander virou de costas e apalpou o interior da boca com o dedo. Depois se virou vagarosamente em direção ao corredor.

"Qual é o seu nome?"

"Hagroth."

"Que mais?"

"Nils."

"E vai dar queixa de quê?"

"Uso excessivo de força. Eu estava correndo tranquilamente e, de repente, fui atacado."

"Engano seu", disse Wallander. "Eu é que fui atacado, não o senhor. Sou um policial e estava tentando fazer o senhor parar de correr, porque está dentro de uma área interditada."

O corredor começou a protestar, mas Wallander levantou a mão. "O senhor pode pegar um ano de cadeia por ter atacado um policial. É uma infração grave. O senhor é obrigado a obedecer as ordens das autoridades e estava invadindo uma área restrita. Pode pegar três anos. Não pense que vai escapar. Tem ficha na polícia?"

"Claro que não."

"Então seriam três anos. Mas se o senhor esquecer o incidente e se afastar daqui, não levaremos isso adiante."

O corredor tentou novamente protestar, mas Wallander ergueu mais uma vez a mão.

"O senhor tem dez segundos para decidir."

O homem assentiu.

"Podem tirar as algemas", ordenou Wallander. "Levem ele pra fora daqui e anotem o seu endereço."

Wallander continuou a subir a trilha. Seu queixo doía, mas ele não estava mais cansado.

"Ele nunca pegaria três anos", disse Höglund.

"Ele não sabe disso", disse Wallander. "E imagino que não vá se dar ao trabalho de verificar se é verdade."

"Achei que era exatamente esse tipo de situação que o comandante-geral da polícia queria evitar", ela disse. "Abala a confiança do público em relação aos policiais."

"Essa confiança será ainda mais abalada se não encontrarmos quem matou Boge, Norman e Hillström. Além de um dos nossos colegas."

Quando finalmente chegaram à cena do crime, Wallander pôs café num copo de isopor e foi à procura de Nyberg, que estava supervisionando os preparativos para as escavações. Nyberg estava com o cabelo em pé, os olhos vermelhos e mal-humorado.

"Não sei por que, de repente, fiquei responsável por isso", ele disse. "Onde está todo mundo? Por que seu rosto está cheio de sangue?"

Wallander apalpou sua bochecha com uma mão, o canto da boca estava sangrando.

"Me meti numa briga com um cara que estava correndo", ele disse. "Hansson está a caminho."

"Uma briga com um cara que estava correndo?"

"É uma longa história."

Wallander pôs Höglund a par da conversa sobre o local onde os cadáveres poderiam ter estado enterrados, depois a encarregou de coordenar a busca. Fez uns cálculos por alto. Com Höglund e Hansson na cena do crime, não havia motivo para ele ficar ali. O fato de Martinsson estar tomando conta das coisas na delegacia significava que Wallander podia se encarregar de outras tarefas.

Ligou para Martinsson. "Estou indo aí", anunciou. "Ter Hansson e Ann-Britt aqui é o suficiente."

"Algum resultado?"

"É muito cedo pra isso. Há alguma notícia de Lund?"

"Vou tentar ligar agora mesmo."

"Ótimo. Diga a eles que é urgente. O que precisamos de fato é estabelecer a hora do crime. Se for possível, também seria bom saber quem foi morto primeiro."

"Por que isso é importante?"

"Não sei se é importante. Mas é possível que o assassino estivesse atrás de apenas um dos três."

Martinsson prometeu telefonar imediatamente para Lund.

Wallander pôs o celular no bolso. "Vou voltar para Ystad", ele disse aos outros. "Se acharem alguma coisa, me avisem."

Pegou o caminho de volta para o carro e encontrou Edmundsson e seu cachorro. Höglund já devia ter ligado para ele. Edmundsson fora igualmente rápido.

"Ele veio voando?", perguntou Wallander, apontando para o cachorro.

"Um colega trouxe o Kall de carro. O que você quer eu faça?"

Wallander mostrou o lugar e explicou o que queria. "Se encontrar alguma coisa, avise o Nyberg. Quando terminar, junte-se aos outros na cena do crime. Eles estão procurando um local para começar a cavar agora mesmo."

Edmundsson ficou pálido. "Há mais cadáveres?", ele perguntou.

Suas palavras abalaram Wallander. Ele não havia sequer levado em conta essa possibilidade, mas então percebeu que era improvável.

"Não", ele disse. "Não esperamos encontrar mais cadáveres, só o local onde eles podem ter sido enterrados por um tempo."

"Por que teriam sido enterrados?"

Wallander não respondeu. Edmundsson tem razão, pensou. Por que o assassino esconderia os corpos? Levantamos a questão e tentamos respondê-la, mas ela pode ser mais importante do que imaginávamos. Ele entrou no carro. Seu queixo continuava doendo. Ia ligar o motor, quando o telefone tocou. Era Martinsson.

Ele recebeu as informações de Lund, pensou Wallander, sentindo sua expectativa aumentar.

"O que eles disseram?"

"Quem?"

"Você não ligou pra Lund?"

"Não tive tempo. Acabo de receber um telefonema."

Wallander percebeu que Martinsson estava preocupado, o que não era característico.

Que não seja mais uma vítima, pensou. Sem mais cadáveres. Agora, não.

"Telefonaram do hospital", disse Martinsson. "Isa Edengren desapareceu."

Eram oito e três da manhã de segunda-feira, 12 de agosto.

16.

Wallander seguiu diretamente para o hospital, dirigindo mais rápido do que devia. Quando chegou lá, Martinsson estava à sua espera. Deixou o carro num local onde era proibido estacionar.

"O que aconteceu?"

Martinsson estava carregando um caderno. "Na verdade, ninguém sabe. Deve ter ido embora de madrugada, mas ninguém a viu sair."

"Ela ligou para alguém? Vieram buscá-la?"

"É difícil obter respostas diretas. Há muitos pacientes nesta ala, e quase não tem funcionário no plantão da noite. Mas ela deve ter fugido antes das seis da manhã. Às quatro da manhã, viram que ela ainda estava dormindo."

"O que ela certamente não estava", comentou Wallander. "Estava à espera do momento certo para escapar."

"Por quê?"

"Não sei."

"Você acha que ela pode tentar se matar novamente?"

"É possível. Mas vamos refletir sobre o assunto. Contamos para ela o que aconteceu com seus amigos e, no dia seguinte, ela foge. O que isso quer dizer?"

"Que ela está com medo."

"Exatamente. Mas tem medo de quê?"

Havia apenas um lugar onde Wallander poderia começar a procurá-la: na casa dos arredores de Skårby. Quis que Martinsson o acompanhasse, apenas para não ir sozinho. Quando chegaram em Skårby, pararam primeiro na casa dos Lundberg. O homem estava no pátio, inspecionando o trator, e ficou surpreso quando os dois carros apareceram na entrada da casa. Wallander o apresentou a Martinsson.

"O senhor ligou para o hospital ontem à noite e foi informado de que Isa estava bem. Esta manhã, entre as quatro e as seis horas, ela desapareceu. Fugiu. A que horas o senhor acorda?"

"Cedo. Minha mulher e eu estamos de pé desde as quatro e meia."

"E Isa não apareceu?"

"Não."

"O senhor ouviu algum carro passar hoje cedo?"

A resposta foi muito firme. "Åke Nilsson, que mora mais adiante, seguindo a estrada, saiu de carro por volta das cinco da manhã. Ele trabalha num matadouro três dias por semana. Mas, fora ele, não vi mais ninguém."

A mulher de Lundberg apareceu à porta. Tinha ouvido a última parte da conversa.

"Isa não esteve aqui", ela disse. "E também não vimos nenhum outro carro."

"Existe algum outro lugar para onde ela possa ter ido?", perguntou Martinsson.

"Não que eu saiba."

"Se ela entrar em contato, por favor, nos informe", disse Wallander. "É muito importante descobrirmos onde ela está. O.k.?"

"Ela nunca telefona", disse a mulher.

Então, foram à casa dos Edengren. Tateou a calha e pegou a chave reserva. Em seguida, foi mostrar a Martinsson o gazebo nos fundos da casa. Tudo parecia exatamente igual à última vez que estivera ali. Voltaram para a casa principal e abriram a porta. A casa parecia maior por dentro. A decoração era cara e luxuosa, mas era um ambiente frio, como um museu. Havia poucos vestígios das pessoas que ali habitavam. Percorreram os cômodos no andar térreo e depois subiram para ver os quartos. Um grande aeromodelo foi suspenso no teto de um dos quartos. Havia um computador numa escrivaninha, e alguém tinha deixado um suéter jogado. Provavelmente era o quarto de Jörgen, o irmão de Isa que tinha se suicidado. Wallander foi até o banheiro e viu uma tomada perto do espelho. Com alguma relutância, apontou-a para Martinsson. Provavelmente foi ali que o irmão de Isa morreu.

"Duvido que isso aconteça todos os dias", disse Martinsson. "Quem se mataria com uma torradeira?"

Wallander já estava saindo do banheiro, quando percebeu que a próxima porta dava para outro quarto. Assim que entrou, sabia que era o quarto de Isa.

"Temos que revistar este quarto", disse.

"O que estamos procurando?"

"Não faço ideia. Mas Isa deveria ter ido à reserva natural com os amigos. Tentou se matar e agora fugiu. Nós dois achamos que ela está com medo."

Wallander se sentou à escrivaninha enquanto Martinsson revistava a cômoda e um armário grande que ocupava uma parede inteira do quarto. As gavetas da escrivaninha não estavam trancadas, o que o surpreendeu. Porém, depois de revistar, percebeu que não havia necessidade de privacidade. As gavetas estavam praticamente vazias. Franziu o cenho. Teriam sido esvaziadas por alguém? Pegou um bloco de anotações verde. Embaixo dele havia uma aquarela mal pintada. Num dos cantos, uma inscrição: "I.E. 1995". A aquarela retratava uma paisagem costeira, o mar e os penhascos. Pôs o bloco de volta.

Na prateleira do lado da cama havia uma fileira de livros. Reconheceu alguns dos que Linda tinha lido. Passou a mão atrás das prateleiras e achou dois livros que caíram para trás dos outros ou foram escondidos. Ambos em inglês. O título de um deles era *Journey to the Unknown*, de um tal de Timothy Neil. O outro se chamava *How to Cast Yourself in the Play of Life*, de Rebecka Stanford. As capas dos livros eram parecidas, com símbolos geométricos, números e letras que pareciam suspensos numa espécie de universo. Wallander levou os livros para a escrivaninha. Tinham sido bastante folheados. Pôs os óculos e leu a sinopse na contracapa do primeiro livro. Timothy Neil abordava a importância de seguir o mapa espiritual, tal como é revelado nos sonhos das pessoas. O inspetor fez uma careta e pôs o livro de lado. Por sua vez, Rebecka Stanford discutia aquilo a que se referia como uma "dissolução cronológica". Algo chamou a atenção de Wallander. Parecia abordar a forma como grupos de pessoas poderiam controlar o tempo, entrando e saindo das diversas épocas. A autora parecia argumentar que a técnica era útil para uma "realização pessoal numa época de crescente falta de valores e cada vez mais confusa".

"Você já ouviu falar de uma escritora chamada Rebecka Stanford?", perguntou a Martinsson, que estava em pé em cima de uma cadeira vasculhando o conteúdo da prateleira mais alta do armário. Ele desceu e foi dar uma olhada no livro, depois fez que não com a cabeça.

"Deve ser um livro para jovens. Melhor perguntar à Linda", ele disse.

Wallander concordou. Martinsson tinha razão: deveria perguntar à filha. Durante as férias que passaram em Gotland, ele ficou surpreso com o número de livros que ela havia comprado. Ele não reconhecera o nome de nenhum autor.

Martinsson terminou de examinar o armário, e Wallander voltou para a prateleira ao lado da cama. Havia uns álbuns de fotografia, que levou para a escrivaninha. Continham fotos de Isa e do irmão. As cores estavam um pouco desbotadas. Em uma, cada um estava de um lado de um boneco de neve. Ambos estavam tensos e pareciam tristes. Depois dessa, seguiam-se várias páginas de fotos só de Isa. Fotos da escola e imagens dela com os amigos em Copenhague. Então mais algumas com o Jörgen, mais velho, talvez com quinze anos, e sombrio. Wallander não sabia dizer se sua postura era afetada ou genuína. O presságio do futuro suicídio era visível nas fotos, Wallander pensou, mas será que ele mesmo sabia? Isa sorria nas fotografias, enquanto Jörgen parecia deprimido. Mais adiante, havia fotos de uma paisagem costeira, que o lembrou da aquarela. Em uma delas, estava escrito "Bärnsö, 1989". Wallander continuou folheando o álbum. Não havia fotos dos pais, só de Jörgen e Isa, dos amigos, da mesma paisagem costeira e de pequenas ilhas.

"Onde fica Bärnsö?", perguntou Wallander.

"Não é uma das ilhas que sempre mencionam nos boletins meteorológicos para a navegação?"

Wallander não tinha certeza. Por um bom tempo, ficou contemplando a foto de Isa em cima de uma rocha, logo abaixo das ondas do mar. Quase parecia que ela estava andando sobre a água. Quem teria tirado a foto? De repente, Martinsson assobiou.

"É melhor você dar uma olhada nisso", ele disse.

Wallander levantou-se rapidamente. Martinsson estava segurando uma peruca parecida com as que Boge, Norman e Hillström tinham usado. Havia uma tira de papel presa numa mecha de cabelo. Wallander retirou-a com cuidado e leu: *Holmsted, aluguel de fantasias, Copenhague.* Havia um endereço e um número de telefone. Virou o pedaço de papel e viu que a peruca tinha sido alugada no dia 19 de junho e deveria ter sido devolvida no dia 28.

"Ligamos para a loja agora mesmo?", perguntou Martinsson.

"Ou talvez devêssemos ir até lá", disse Wallander, pensativo. "Não, primeiro vamos ligar."

"Melhor você ligar", disse Martinsson. "Os dinamarqueses não entendem o meu sotaque."

"Você é que não entende o deles", disse Wallander de maneira simpática. "Pois você nunca escuta realmente."

"Vou procurar descobrir onde fica Bärnsö. Por que você quer saber?"

"Ainda não sei bem por quê", respondeu Wallander e discou o número. Uma mulher atendeu. Ele se apresentou e explicou o que queria saber.

"A peruca foi alugada por Isa Edengren, que mora em Skårby, na Suécia", ele disse.

"Vou verificar. Só um minuto", ela disse.

Wallander esperou. Ouviu Martinsson pedindo para alguém o número de telefone da Guarda Costeira. A mulher voltou ao telefone.

"Não existe nenhum registro de aluguel no nome de Isa Edengren", ela disse. "Nem nessa data, nem dias antes."

"Vou lhe dar outro nome para a senhora procurar", disse Wallander.

"Eu estou sozinha agora e tenho outros clientes para atender. O senhor pode esperar?"

"Não. Se a senhora não puder me ajudar, vou ter que contatar a polícia dinamarquesa."

A mulher não reclamou mais e ele passou para ela os outros nomes — Martin Boge, Lena Norman e Astrid Hillström. Depois, esperou de novo. Martinsson parecia irritado. Aparentemente, não tinha conseguido nenhuma informação. A mulher voltou.

"Olha, encontrei", ela disse. "Lena Norman esteve aqui e alugou quatro perucas e umas fantasias no dia 19 de junho. As peças deveriam ter sido devolvidas até 28 de junho, mas ela não voltou aqui. Estávamos justamente para lhe mandar um aviso."

"Foi a senhora quem a atendeu? Ela estava sozinha?"

"Meu colega estava aqui naquele dia. Ele se chama sr. Sørensen."

"Posso falar com ele?"

"Ele está de férias até o final de agosto."

"Onde ele está?"

"A caminho da Antártica."

"Onde?"

"Ele está a caminho do polo Sul. Vai visitar algumas instalações norueguesas de apoio à pesca de baleia. O pai do sr. Sørensen era pescador de baleias. Acho que era ele quem lançava o arpão."

"Então, não tem ninguém na loja que possa identificar Lena Norman ou me dizer se ela foi sozinha alugar as perucas?"

"Não, eu lamento. É claro que gostaríamos de ter as perucas de volta. Do contrário, teremos que cobrar uma taxa de substituição."

"Isso levará um tempo. Elas estão envolvidas num caso que estamos investigando."

"Aconteceu alguma coisa?"

"Poderíamos dizer que sim, mas lhe explicarei mais tarde. Por favor, peça ao sr. Sørensen para entrar em contato com a polícia de Ystad assim que voltar."

"Darei o recado. Wallander, não é?"

"Kurt Wallander."

Wallander desligou. Então Lena Norman estivera em Copenhague. Mas teria ido sozinha?

Martinsson voltou ao quarto. "A ilha de Bärnsö fica próxima da costa de Östergötland", ele disse. "Ou, mais precisamente, faz parte do arquipélago de Gryt. Há outra Bärnsö mais para o norte, só que parece mais um recife."

Wallander contou-lhe sobre a conversa com a loja de aluguel de fantasias em Copenhague.

"Devíamos falar com os pais de Lena Norman", sugeriu Martinsson.

"Preferia esperar mais uns dias", disse Wallander, "mas não acho que seja possível."

Os dois ficaram sentados em silêncio, pensando no que ainda viria. Num dado momento, ouviram a porta da frente se abrir e pensaram que poderia ser Isa Edengren. Porém, quando chegaram ao topo da escada, deram com Lundberg no hall. Quando os viu, ele tirou as botas e subiu as escadas.

"Isa telefonou?", perguntou Wallander.

"Não, é outra coisa. Não quero atrapalhá-los, mas tem uma

coisa que o senhor disse quando a gente conversava no pátio... Sobre eu ter ligado para o hospital para saber como a Isa estava."

"É perfeitamente normal que o senhor queira saber como ela está."

Lundberg olhou para Wallander com um ar preocupado. "Mas este é o problema: eu não telefonei, nem minha mulher. Nós não telefonamos para saber como ela estava, embora devêssemos ter ligado."

Wallander e Martinsson se entreolharam.

"O senhor não telefonou?"

"Não. Nenhum de nós."

"Há outro Lundberg que pudesse ter feito a chamada?"

"Quem mais poderia ser?"

Wallander olhou, pensativo, para o homem à sua frente. Não havia motivos para duvidar que estivesse falando a verdade. Portanto, outra pessoa tinha ligado para o hospital. Alguém que sabia que Isa conhecia bem os Lundberg. Alguém que sabia que ela estava lá. Mas o que essa pessoa queria saber? Se Isa estava melhor ou se ela tinha morrido?

"Não consigo entender. Quem ia querer se passar por mim?", perguntou Lundberg.

"O senhor é quem mais tem condições de responder à pergunta", disse Wallander. "Quem sabia que ela procurava vocês quando tinha problemas com os pais?"

"Todo mundo na vila sabia", disse Lundberg. "Mas não consigo imaginar quem poderia telefonar e usar o meu nome."

"Alguém pode ter visto a ambulância", sugeriu Martinsson. "Ninguém lhe telefonou para perguntar o que tinha acontecido?"

"Karen Persson telefonou", disse Lundberg. "Ela mora no côncavo, perto da estrada principal. É muito curiosa e fica bisbilhotando a vida de todo mundo. Mas não consigo imaginar ela imitando a voz de um homem no telefone."

"E quem mais?"

"Åke Nilsson deu uma passada lá em casa depois do trabalho. Ele nos trouxe umas costeletas de porco. Contamos a ele o que havia acontecido, mas ele nem conhecia Isa. Por isso, acho que não teria telefonado."

"Mais alguém?"

"O carteiro veio e nos trouxe uma notícia inesperada: ganhamos trezentas coroas na loteria. Ele perguntou se os Edengren estavam em casa. Dissemos a ele que Isa estava no hospital, mas que razão ele teria para telefonar?"

"Não houve mais ninguém?"

"Não."

"O senhor fez bem nos contando sobre o telefonema", disse Wallander com a voz firme, encerrando a conversa.

Lundberg desceu a escada, calçou as botas e foi embora.

"Ontem à noite, quando estava andando pela reserva natural", disse Wallander, "tive a sensação de que alguém estava me observando atrás dos arbustos. Pensei que fosse minha imaginação, mas agora estou começando a duvidar. Hoje de manhã, pedi ao Edmundsson que examinasse o local com seu cachorro. Será que alguém está nos vigiando?"

"Sei o que Svedberg teria dito."

Wallander olhou para Martinsson com um ar de surpresa. "O que ele diria?"

"A mesma coisa que ele me disse na primavera de 1988, quando estávamos investigando aquele caso de contrabando, lembra? Que, de vez em quando, devíamos parar e olhar para trás. Como fazem os índios."

"E o que veríamos?"

"Alguém que não deveria estar ali."

"Para isso, teríamos que deixar uns policiais lá fora, vigiando a casa, para o caso de alguém querer revistar o quarto de Isa. É isso que quer dizer?"

"Mais ou menos."

"Não tem 'mais ou menos' nesse caso. Você acha que devemos fazer isso ou não?"

"Só estou afirmando o que eu acho que Svedberg diria."

Wallander percebeu o quanto estava cansado. Sua irritação

estava mesmo à flor da pele. Sabia que devia pedir desculpas a Martinsson, assim como deveria ter se explicado a Höglund na reserva natural. Mas não fez isso.

Voltaram ao quarto de Isa. A peruca estava em cima da escrivaninha, ao lado do celular de Wallander. Ele se ajoelhou e deu uma olhada embaixo da cama, mas não encontrou nada. Quando se levantou, ficou tonto e apoiou-se no braço de Martinsson para se equilibrar.

"Você está passando mal?"

Wallander meneou a cabeça. "Não consigo mais ficar acordado várias noites seguidas e não sentir nada. Um dia você também vai se sentir assim."

"Devíamos falar com a Lisa para pedir um reforço."

"Ela já conversou comigo a esse respeito", disse Wallander. "Respondi que depois a gente fala sobre isso de novo. Tem mais alguma coisa aqui que precisamos examinar?"

"Acho que não. Não tem nada estranho no armário."

"Você acha que pode estar faltando alguma coisa? Qualquer coisa que deveria estar no armário de uma moça?"

"Acho que não."

"Então, vamos embora."

Por volta das nove e meia da manhã, voltaram para seus carros.

"Vou ligar para os pais de Isa", disse Wallander. "Vocês cuidam dos pais de Boge, Norman e Hillström. Não quero me sentir responsável pelo que possa acontecer a Isa, caso a gente não consiga achá-la. Talvez eles saibam de alguma coisa, ou talvez os outros jovens, que estão na foto que achamos no apartamento de Svedberg, saibam."

"Você acha que aconteceu algo?"

"Não sei."

Partiram de carro. Wallander voltou a pensar na conversa com Lundberg. Quem teria dado o telefonema? Ele tinha a sensação de que Lundberg havia dito algo importante, mas não conseguia se lembrar o que era. Estou cansado, pensou. Não escuto o que me dizem e depois tenho a sensação de que deixei escapar alguma coisa importante.

Quando chegaram à delegacia, cada um seguiu seu caminho. Assim que Wallander passou pela recepção, Ebba o chamou.

"Mona telefonou", ela disse.

O inspetor parou abruptamente. "O que ela queria?"

"Ela não disse."

Ebba entregou para ele o número dela em Malmö. Wallander sabia de cor, mas Ebba era cuidadosa. Ela também passou as outras mensagens que havia anotado.

"A maioria das mensagens é de jornalistas", disse ela, tentando consolá-lo. "Não precisa responder."

Wallander muniu-se de café e foi para sua sala. Acabara de tirar o casaco e se sentar, quando o telefone tocou. Era Hansson.

"Nada de novo para reportar. Só para você saber."

"Quero que você ou Ann-Britt volte para a delegacia", disse Wallander. "Martinsson e eu não vamos conseguir dar conta de tudo o que temos para fazer. Por exemplo, quem está encarregado de procurar os carros?"

"Sou eu. Estou investigando isso. Alguma novidade?"

"Isa Edengren fugiu do hospital esta manhã, e isso me preocupa."

"Qual de nós você prefere que vá aí?"

Wallander teria preferido Höglund. Ela era uma policial melhor do que Hansson, mas não disse nada.

"Não importa. Um de vocês."

Desligou e discou o número de Mona em Malmö. Toda vez que ela ligava, o que não acontecia com frequência, ele receava que algo tivesse acontecido a Linda. Ela atendeu no segundo toque. Wallander sempre sentia uma ponta de tristeza na voz da ex-mulher. Era sua imaginação ou essa tristeza estava diminuindo? Não tinha certeza.

"Espero não estar te atrapalhando", ela disse. "Como você está?"

"Fui eu que te telefonei", ele disse. "Estou bem."

"Você parece cansado."

"Estou cansado. Você deve ter visto nos jornais que um dos meus colegas morreu. O Svedberg. Você se lembra dele?"

"Vagamente."

"O que você queria?"

"Queria te contar que vou me casar de novo."

Wallander ficou calado. Por um momento pensou em desligar, mas continuou na linha, sem conseguir falar.

"Você está aí?"

"Sim, ainda estou aqui."

"Estou dizendo que vou casar de novo."

"Com quem?"

"Clas-Henrik. Com quem mais seria?"

"Você vai realmente se casar com um jogador de golfe?"

"Esse seu comentário não é nada agradável."

"Então, peço desculpas. A Linda sabe?"

"Eu quis que você fosse o primeiro a saber."

"Não sei o que dizer. Talvez eu deva te dar os parabéns."

"Seria simpático da sua parte. Não temos que prolongar essa conversa. Só queria que você soubesse."

"E por que eu ia querer saber isso? E o que eu tenho a ver com você e a porra do seu jogador de golfe?"

Wallander estava furioso. Não sabia de onde vinha essa raiva. Talvez porque estivesse cansado, ou pelo fato de perceber que Mona o estava deixando para sempre. A primeira vez que sentiu uma dor assim foi quando ela disse que estava indo embora. E agora, quando a ex-mulher dava a notícia de que ia se casar novamente, ele percebeu que essa dor persistia.

Ele bateu o telefone no gancho com tanta força que acabou quebrando o aparelho. Martinsson, que por acaso estava entrando na sala nesse momento, deu um pulo quando o telefone se espatifou. Wallander puxou o fio da tomada e jogou o aparelho no lixo. Martinsson assistiu em silêncio, obviamente, com medo da ira do chefe. Ele ergueu as mãos na altura do peito e virou-se para sair.

"O que você quer?"

"Pode esperar."

"Minha raiva é uma questão pessoal", disse Wallander. "Diga logo o que você quer."

"Vou visitar a família de Lena Norman, pensei em começar por eles. Talvez Lillemor Norman saiba para onde a Isa foi."

Wallander assentiu. "Hansson ou Ann-Britt estão pra chegar. Peça a eles que cuidem das outras famílias."

Martinsson fez que sim com a cabeça, mas permaneceu junto da porta. "Você vai precisar de um telefone novo. Vou tratar disso."

Wallander não respondeu. Fez um gesto para que Martinsson fosse embora. Não sabia dizer quanto tempo ficou ali sentado, sem mexer uma palha. Mais uma vez ele tinha sido forçado a reconhecer que Mona ainda era a mulher com quem tivera a relação mais próxima da sua vida. Só quando apareceu uma pessoa à porta com um aparelho novo é que ele se levantou e saiu. Sem saber por quê, acabou andando pelo corredor e parou diante da sala de Svedberg. A porta estava ligeiramente aberta, e ele olhou para dentro. A luz do sol que entrava pela janela exibia uma fina camada de pó na escrivaninha. Wallander fechou a porta e se sentou na cadeira de Svedberg.

Höglund já havia examinado todos os papéis. Ela foi minuciosa, seria uma perda de tempo ver tudo aquilo outra vez. Então ele se lembrou de que, assim como os outros, Svedberg tinha um escaninho no subsolo. Höglund provavelmente já havia examinado lá, mas ela nunca mencionou que tinha feito isso. Wallander foi até a recepção e pediu a chave a Ebba.

"A chave reserva está aqui mesmo", ela disse, com ar de reprovação.

Wallander pegou a chave e estava para sair quando ela o interrompeu.

"Quando é o enterro?"

"Não sei."

"Não vai ser fácil."

"Pelo menos não vamos ter que encarar uma viúva e filhos chorando", disse Wallander. "Mas você tem razão, não vai ser fácil."

Desceu a escada e encontrou o escaninho de Svedberg. Não sabia o que estava procurando, provavelmente não encontraria nada. Havia umas toalhas, sabonete e xampu, que Svedberg usava quando ia à sauna na sexta-feira à noite. Tinha também um par de tênis. Wallander tateou a prateleira mais alta. Sentiu uma pasta de plástico com uns papéis. Pegou a pasta, pôs os óculos e deu uma olhada. Encontrou um aviso do mecânico lembrando que o carro dele precisava de revisão. Viu uns bilhetes escritos à mão que pareciam listas de compras. Mas descobriu também passes de ônibus e trem. Em 19 de julho, Svedberg, ou alguém, havia pegado o trem para Norrköping; depois voltara para Ystad no dia 22 de julho. Notava-se pelo carimbo que a passagem havia sido usada. Os passes de ônibus estavam muito apagados. Segurou-os perto da luz, mas não dava para ler. Com a ajuda de uma lupa, conseguiu decifrar apenas o preço e as palavras "Transporte Público de Östgöta". Ele ligou para Ylva Brink, que naquele dia estava em casa, mas ela não fazia ideia do que Svedberg podia estar fazendo em Östergötland. Até onde sabia, ele não tinha família lá.

"Talvez a tal da Louise seja de lá", ela sugeriu. "Você ainda não descobriu quem ela é?"

"Ainda não, mas é provável que você tenha razão."

Wallander foi buscar um café. Não conseguia parar de pensar na Mona. Ainda não podia entender por que ela queria se casar com um jogador de golfe mirrado, que ganhava a vida importando sardinhas. Voltou para sua sala e continuou olhando para as passagens usadas. De repente, ele congelou como uma estátua, segurando a xícara na direção da boca.

Devia ter pensado nisso antes. Qual era o nome daquela ilha no álbum de fotos da Isa Edengren? Bärnsö? Martinsson não tinha dito que Bärnsö ficava na costa de Östergötland? Ele pôs a xícara na mesa com tanta força que acabou derrubando um pouco do café. Tentou ligar para Martinsson do seu telefone novo.

"Onde você está?"

"Tomando um café com Lillemor Norman. O marido dela chegará em casa logo."

Pelo tom da voz de Martinsson, Wallander percebeu que o encontro estava sendo difícil.

"Quero que você pergunte uma coisa a ela", ele disse. "Agora mesmo, enquanto espero na linha. Quero saber se ela já ouviu falar numa ilha chamada Bärnsö e se sabe de alguma ligação entre a ilha e Isa Edengren."

"Só isso?"

"Só isso. Pergunte agora."

Enquanto Wallander esperava, Höglund apareceu à porta. Talvez Hansson tenha percebido que Wallander preferia a presença dela. Ela apontou para a xícara de café dele e desapareceu. Martinsson voltou à linha.

"Bem, não esperava por essa", ele disse. "Ela disse que além das casas na Espanha e na França, os Edengren têm uma casa na ilha de Bärnsö."

"Ótimo", disse Wallander. "Finalmente, as peças do quebra-cabeça começam a se encaixar."

"Espera, tem mais. Pelo que parece, os outros estiveram lá muitas vezes com a Isa. Lena Norman, Boge e Astrid Hillström."

"Sei de mais alguém que esteve lá", disse Wallander.

"Quem?"

"Svedberg. Entre 19 e 22 de julho."

"Que diabo! Como é que sabe disso?"

"Eu te digo quando você voltar. Por ora, continue o que está fazendo."

Wallander desligou, dessa vez com cuidado. Höglund voltou e imediatamente percebeu que havia novidades.

17.

Wallander tinha razão. Höglund não se lembrou de ir até o subsolo examinar os pertences de Svedberg. O inspetor sentiu uma pontada de satisfação por esse esquecimento. Ele a considerava muito competente no trabalho. Contudo, o fato de ter ignorado o escaninho significava que ela não era infalível.

Rapidamente trocaram informações. Isa Edengren desaparecera. Wallander queria que a busca por seu paradeiro fosse prioridade máxima da polícia. Höglund o incentivou a explicar o que ele achava que poderia ter acontecido com a jovem. Ele não poderia ir além dos fatos. Isa deveria ter ido à festa. Tentara se suicidar. E agora ela fugiu.

"Existe uma possibilidade que ainda não levamos em conta", disse Höglund. "Apesar de desagradável e improvável."

Wallander adivinhou o que ela estava pensando. "Você quer dizer a possibilidade de Isa ter matado os amigos? Também já me ocorreu, mas ela estava mesmo doente na noite do solstício."

"Se é que realmente aconteceu nessa data", Höglund disse. "Ainda não temos certeza."

Wallander sabia que ela tinha razão. "Nesse caso, temos ainda mais um motivo para tentar encontrá-la o mais depressa possível. Também não devemos esquecer que alguém ligou para ela no hospital fingindo ser Lundberg."

Höglund saiu para visitar as famílias de Hillström e Boge, bem como os jovens que estavam na foto encontrada no apartamento de Svedberg. Ela prometeu perguntar sobre a ilha de Bärnsö. Nyberg telefonou assim que a mulher deixou a sala do chefe. Wallander pensou imediatamente que eles haviam encontrado o local onde os corpos foram enterrados.

"Ainda não", disse Nyberg. "Esse processo pode levar muito tempo. Estou ligando porque recebi as informações sobre a arma que foi encontrada no apartamento de Svedberg."

Wallander procurou o bloco de anotações.

"O registro nacional é uma bênção", continuou Nyberg. "A arma usada para matar o Svedberg foi roubada há dois anos, em Ludvika."

"Ludvika?"

"A polícia de lá recebeu a queixa no dia 19 de fevereiro de 1994. Quem cuidou disso foi um policial chamado Wester. O homem que comunicou o roubo da arma foi Hans-Åke Hammarlund, um caçador inveterado que mantinha as armas trancadas como exige a lei. No dia 18 de fevereiro, ele viajou para Falun a negócios. Naquela noite, sua casa foi assaltada. A mulher dele, que estava dormindo num quarto no andar de cima, não ouviu nada. Quando Hammarlund voltou de Falun no dia seguinte, descobriu que algumas de suas armas tinham sumido e deu queixa no mesmo dia. A espingarda era uma Lambert Baron, de fabricação espanhola, e os números de série são os mesmos. Nenhuma das armas roubadas apareceram, e nunca conseguiram identificar nenhum suspeito."

"Então outras armas também foram roubadas?"

"O assaltante não levou a espingarda mais valiosa, própria para caçar alces, mas levou dois revólveres, ou melhor, uma pistola e um revólver. De acordo com o relatório, não está claro como o assaltante entrou na propriedade, mas suponho que você entende o que isso quer dizer..."

"Que uma das outras armas pode ter sido usada na reserva

natural? Sim, é claro que temos que resolver essa questão o mais depressa possível."

"Ludvika fica na região de Dalarna", disse Nyberg. "É bem longe daqui, mas as armas acabam aparecendo onde menos se espera."

"Você não está sugerindo que Svedberg roubou a arma que foi usada para matá-lo?"

"Quando se trata de armas roubadas, as conexões raramente são simples", respondeu Nyberg. "As armas são roubadas, vendidas, utilizadas e revendidas. Acho que pode ter uma longa lista de donos antes de acabar no apartamento de Svedberg."

"É importante, mesmo assim", disse Wallander. "Sinto como se eu estivesse navegando no meio de um denso nevoeiro."

Nyberg prometeu dar prioridade à identificação das armas roubadas. Wallander ficou debruçado sobre o seu bloco de anotações, tentando fazer um esboço dos últimos acontecimentos, mas o telefone tocou de novo. Dessa vez era o dr. Göransson.

"O senhor não veio à consulta marcada para esta manhã", disse o médico, com um tom severo.

"Mil perdões. Não sei bem como me desculpar."

"Sei que está muito ocupado. Os jornais não se cansam de falar desse crime horrível. Trabalhei por dois anos num hospital em Dallas, mas acho que as manchetes dos jornais de Ystad estão mais assustadoras que as do Texas."

"Estamos trabalhando sem parar", disse Wallander. "É só o que tenho a dizer."

"Mesmo assim, acho que o senhor deve dedicar um pouco do seu tempo à saúde. Um caso de diabetes sem tratamento adequado não é brincadeira."

Wallander contou ao médico sobre o resultado do exame de sangue que fez no hospital.

"Isso só corrobora o que acabei de dizer. Precisamos fazer exames mais completos para saber como estão funcionando o fígado, os rins e o pâncreas. Acho que você não pode mais esperar."

Wallander sabia que devia ir ao médico. Combinaram que

ele voltaria no dia seguinte, às oito da manhã. Prometeu ir em jejum e levar uma amostra de urina.

O inspetor desligou e afastou o bloco de anotações. Ele sabia perfeitamente o quanto vinha maltratando o corpo nos últimos anos. Tudo começou quando Mona disse que queria o divórcio, há quase sete anos. Continuava tentado culpá-la pela situação, mas, no fundo, sabia que a culpa era só dele.

Ficou olhando para o bloco por mais alguns instantes e depois começou a procurar pelos Edengren. Verificou os códigos dos países na lista telefônica e viu que a mãe de Isa estava na Espanha quando eles se falaram. Voltou a discar o número e esperou. Já estava para desligar quando um homem atendeu.

Wallander se apresentou.

"Me disseram que o senhor telefonou. Sou o pai da Isa."

Da maneira que o homem falou, parecia lamentar o último fato, o que deixou Wallander furioso.

"Espero que o senhor esteja ocupado organizando sua volta para tomar conta de Isa", ele disse.

"Na realidade, não. Não me parece que exista um perigo imediato."

"Como sabe disso?"

"Liguei para o hospital."

"Quando fez a ligação, o senhor deu o nome de Lundberg?"

"Por que eu faria isso?"

"Estou apenas perguntando."

"O senhor não tem mais nada para fazer além de me perguntar essas idiotices?"

"Ah, tenho com certeza", disse Wallander, já sem tentar dissimular sua raiva. "Por exemplo, posso muito bem contatar a polícia espanhola e pedir para que eles o ponham no próximo voo para casa."

Não era verdade, é claro, mas Wallander já estava farto da indiferença dos Edengren em relação à filha, apesar do suicídio do irmão dela. Não conseguia entender como as pessoas podiam demonstrar tanta falta de afeto por seus filhos.

"Acho seu tom insolente."

"Três amigos da sua filha foram assassinados", disse Wallander. "Isa deveria estar com eles quando o crime aconteceu. Estou falando de assassinatos aqui, e o senhor vai cooperar comigo ou então vou pedir ajuda às autoridades espanholas. Estamos entendidos?"

O homem parecia hesitar. "O que aconteceu?"

"Pelo que sei, os jornais suecos estão à venda na Espanha. O senhor sabe ler?"

"O que quer dizer com isso?"

"Exatamente o que acabei de dizer. Vocês têm uma casa de verão na ilha de Bärnsö. Isa tem as chaves de lá, ou o senhor larga sua filha do lado de fora dessa casa também?"

"Ela tem as chaves."

"Tem telefone na ilha?"

"Usamos os celulares."

"A Isa tem celular?"

"Todo mundo tem, não é?"

"Qual é o número dela?"

"Não sei. Na verdade, nem estou certo de que ela tenha um."

"Afinal, ela tem ou não tem celular?"

"Ela nunca me pediu dinheiro para comprar um, nem tinha condições de comprar. Ela não trabalha, não faz nada para tentar mudar seu modo de vida."

"Acha que é possível que Isa tenha ido pra Bärnsö? Ela vai muitas vezes pra lá?"

"Pensei que ela ainda estivesse no hospital."

"Ela fugiu."

"Por quê?"

"Não sabemos. É possível que tenha ido pra Bärnsö?"

"É possível."

"Como é que se vai para lá?"

"Aluga-se um barco em Fyrudden."

"Ela tem acesso a algum barco?"

"O único barco que temos está em manutenção em Estocolmo."

"Há algum vizinho na ilha que possamos contatar?"

"Não, a nossa é a única casa da ilha."

À medida que o pai de Isa falava, Wallander anotava. Naquele momento, não conseguia pensar em mais nenhuma pergunta para fazer.

"Peço que fique perto do telefone para que eu possa contatá-lo", disse. "Existe mais algum lugar para onde a Isa possa ter ido?"

"Não."

"Se você lembrar de alguma coisa, sabe onde me encontrar."

Wallander passou os números da delegacia e do seu celular. Em seguida, desligou. Suas mãos estavam molhadas de suor. Já passara da hora do almoço, e ele estava com dor de cabeça e morrendo de fome. Pediu uma pizza, que chegou depois de trinta minutos, e comeu sentado à sua escrivaninha. Nyberg não ligou mais, e ele pensou por um instante se deveria voltar à reserva natural, mas então decidiu não ir. Não seria capaz de acelerar a investigação. Nyberg sabia o que estava fazendo. Limpou a boca, jogou fora a caixa da pizza e foi ao banheiro lavar as mãos. Então saiu da delegacia, atravessou a rua e caminhou em direção à torre de abastecimento de água. Ali, sentou-se à sombra e se concentrou numa ideia que não o deixava em paz.

Seu maior medo, de que Svedberg fosse o assassino dos três jovens, começou a desaparecer. Svedberg estava do lado dos perseguidores nesse caso, ainda um pouco à frente de Wallander. Levaria algum tempo para alcançá-lo.

Svedberg não poderia ser o assassino porque ele também foi assassinado. Esse medo desaparecia, mas começava a ser substituído por outro. Alguém estava a par das investigações e se mantinha muito bem informado. Wallander não tinha dúvidas quanto a isso, embora não conseguisse juntar todas as peças do quebra-cabeça.

Quem matou Svedberg e os três jovens dispunha de meios

próprios para acessar as informações que precisava. A festa da noite do solstício fora preparada em segredo absoluto e, mesmo assim, alguém conseguiu obter essa informação, alguém que percebeu que Svedberg estava prestes a apanhá-lo.

Svedberg devia simplesmente estar próximo demais, pensou Wallander, sem perceber que estava entrando em terreno proibido. Por isso foi assassinado. Não havia outra explicação razoável.

Ele conseguia compreender a sequência de eventos até aquele ponto, mas, a partir daí, as dúvidas começavam a se amontoar umas sobre as outras. Por que o telescópio estava na casa de Björklund? Por que alguém enviara os cartões-postais da Europa?

Tenho que encontrar Isa, o inspetor pensou. Quero que ela me fale até sobre o que nem julga saber. E tenho que seguir os passos de Svedberg. O que ele teria descoberto que nós ainda não conseguimos ver? Ou será que ele teve acesso, desde o início de sua investigação, a informações que não temos?

Wallander pensou em Louise, a mulher da vida de Svedberg, que ele mantivera em segredo. Tinha alguma coisa na fotografia dela que o perturbava, mas não sabia o quê. A sensação era tão forte que o fazia ter certeza de que não deveria desistir dela, que era só uma questão de tempo. Veio ao pensamento que havia uma semelhança entre os jovens da reserva natural e Svedberg: todos eles tinham segredos. Será que isso era importante?

Levantou-se e regressou à delegacia. Ainda tinha dor no corpo por causa das horas que tinha passado dormindo no banco traseiro do carro. Sua maior ansiedade continuava presente no fundo de sua mente: o medo de que o assassino voltasse a atacar.

Quando chegou à delegacia, percebeu o que deveria fazer. Tinha que pegar o carro, ir até Bärnsö e verificar se Isa Edengren estava lá. Ele precisava priorizar suas tarefas. Agora, o mais importante era encontrar a moça.

O tempo era curto. Voltou à sua sala e conseguiu entrar em

contato com Martinsson, que tinha finalmente saído da casa da família Norman.

"O que aconteceu?", perguntou Martinsson.

"Quase nada. Por que ainda não recebemos os resultados do patologista? Estamos de mãos atadas até sabermos a hora das mortes. Por que não conseguimos encontrar boas pistas? Onde estão os carros desaparecidos? Precisamos conversar. Venha pra cá o mais rápido que puder."

Enquanto esperavam a chegada de Höglund, Wallander e Martinsson ligaram para os jovens da foto de Svedberg e descobriram que, num momento ou outro, todos tinham visitado Isa em Bärnsö. Martinsson falou com o patologista em Lund e foi informado de que os resultados ainda não estavam disponíveis, tanto para o caso de Svedberg quanto para o dos três jovens. Wallander examinou a lista de pistas fornecidas por meio do público em geral, mas nenhuma delas parecia relevante. O mais estranho é que ninguém havia ligado para falar que reconhecia a tal da Louise. Foi a primeira questão que Wallander levantou para os colegas numa das salas pequenas de reuniões. Ele pôs a foto dela no projetor novamente.

"Alguém deve reconhecer essa mulher", ele disse. "Ou pelo menos achar que conhece. Mas ninguém se manifestou."

"A foto só apareceu no jornal há poucas horas", disse Martinsson.

Wallander não deu importância a essa explicação. "Uma coisa é pedir às pessoas para recordarem um acontecimento, isso pode levar tempo. Mas reconhecer um rosto?"

"E se ela for estrangeira?", Höglund sugeriu. "Mesmo que more perto, na Dinamarca. Quem se dá ao trabalho de ler os jornais da Escânia lá? Só amanhã sairá nos jornais nacionais."

"Talvez você tenha razão", disse Wallander, pensando em Sture Björklund, que frequentemente viajava de Hedeskoga a Copenhague. "Vamos entrar em contato com a polícia dinamarquesa."

Olharam para a foto de Louise por um bom tempo.

"Tenho a sensação de que há alguma coisa estranha nessa foto", disse Wallander. "Mas não sei o quê."

Ninguém conseguia descobrir o que era. Wallander desligou o projetor.

"Amanhã vou a Östergötland", disse. "É possível que Isa esteja lá. Precisamos encontrá-la e falar com ela."

"O que acha que ela pode nos dizer? Ela não estava lá quando tudo aconteceu."

Wallander reconhecia que a objeção de Martinsson tinha fundamento. Não sabia se poderia lhe dar uma resposta adequada. Havia muitas lacunas, várias ideias que mais pareciam palpites vagos do que opiniões formadas.

"De certa forma, ela é testemunha. Estamos convencidos de que não foi um crime ocasional. O assassinato de Svedberg pode ter sido apenas isso, embora eu duvide, mas a morte dos três jovens foi bem planejada. O ponto crucial é que os jovens fizeram todos os preparativos em segredo, mas alguém teve acesso às informações: o que estavam pensando, onde se encontrariam, talvez até a hora exata. Estavam sendo vigiados por alguém, que conseguira descobrir o que eles iam fazer. Se for provado que os corpos foram enterrados numa aérea razoavelmente perto do local onde foram assassinados, então teremos certeza disso. As covas não aparecem magicamente. Isa fazia parte desses preparativos elaborados, mas ficou doente pouco antes de a festa começar. Ela teria participado, se pudesse. A doença salvou sua vida. E ela é a pessoa que pode nos ajudar a descobrir o que aconteceu naquela noite. Em algum momento, sem perceber, ela e os outros cruzaram com a pessoa que decidiu matá-los."

"Você acha que é nisso que Svedberg acreditava?", indagou Martinsson.

"É. Porém ele sabia de mais alguma coisa. Ou, pelo menos, suspeitava. Não sabemos o que desencadeou essa suspeita ou por que ele resolveu manter sua investigação em segredo, mas deve ter sido um fato importante. Ele dedicou suas férias inteiras a isso. E insistiu em tirar as férias de uma vez só, o que nunca havia feito antes."

"Ainda não descobrimos uma coisa", disse Höglund. "O motivo. Vingança, ódio, ciúme. Não faz sentido. Quem poderia querer matar três jovens? Ou quatro, para ser mais preciso. Quem tinha motivos para odiá-los? Quem teria razão para sentir ciúmes deles? Há uma crueldade nesse crime que ultrapassa qualquer coisa que eu já tenha visto. É pior do que aquele caso envolvendo o rapaz que se vestiu de índio."

"É possível que o assassino tenha escolhido aquela festa ao acaso", disse Wallander. "Embora seja horrível demais para se imaginar, ele pode ter escolhido o momento em que eles estavam mais felizes. Imagine quantas pessoas não devem se sentir sozinhas durante os festejos do solstício."

"Se for assim, estamos lidando com um louco", disse Martinsson, visivelmente transtornado.

"Sim, mas um louco metódico e ponderado", disse Wallander. "Contudo, o mais importante é descobrirmos um denominador comum invisível entre esses crimes. O assassino obteve as informações de alguma fonte. Tinha, sem dúvida, acesso à vida dos jovens. Essa é a chave que buscamos. Teremos que examinar minuciosamente a vida deles; assim acabaremos encontrando a interseção. Talvez tenhamos passado por ela sem perceber."

"Então você acha que devíamos nos concentrar na Isa Edengren", disse Höglund. "Acha que de certa forma ela está conduzindo essa investigação, e nós estamos seguindo com cuidado cada passo que ela dá."

"Mais ou menos isso. Não podemos ignorar o fato de que ela tentou se matar. Temos que descobri por quê. Também não sabemos qual foi a reação do assassino ao descobrir que ela havia sobrevivido."

"Você está pensando na pessoa que ligou para o hospital e se fez passar por Lundberg", disse Martinsson.

Wallander assentiu. "Quero que um de vocês vá falar com a

pessoa que atendeu essa ligação. Descubra como era a voz de quem telefonou. Era velho ou jovem? Que sotaque tinha? Esses detalhes poderão se tornar importantes."

Martinsson prometeu se encarregar da tarefa. Durante a hora seguinte, recapitularam todos os pontos que precisavam cobrir. A certa altura, foram interrompidos pela comandante Holgersson, que vinha falar sobre os preparativos para o enterro de Svedberg.

"Alguém sabe de que tipo de música ele gostava?", ela perguntou.

"Por incrível que pareça, Ylva Brink não faz a mínima ideia."

Para sua surpresa, Wallander percebeu que ele também não sabia. Holgersson foi embora, depois que foi atualizada sobre a investigação.

"Bem que eu gostaria de saber exatamente o que aconteceu e o porquê quando estivéssemos no enterro", disse Martinsson.

"Duvido que seja possível", observou Wallander. "Mas é o que todos nós gostaríamos."

Eram cinco horas da tarde. Eles estavam para sair quando o telefone tocou. Era Ebba.

"Por favor, não queremos nenhum repórter", disse Wallander.

"É o Nyberg. Parece importante."

Wallander sentiu uma pontada de excitação. Ouviu uns ruídos de estática no telefone, depois a voz de Nyberg apareceu.

"Acho que tínhamos razão."

"Encontrou o local?"

"Acho que sim. Estamos tirando fotos agora e tentando ver se conseguimos uma pegada."

"Estávamos certos quanto à localização?"

"Fica a uns oitenta metros de onde encontramos os corpos. O local foi muito bem escolhido: é rodeado de arbustos espessos e não passaria pela cabeça de ninguém andar por ali."

"Quando é que vocês vão começar a cavar?"

"Queria saber se antes você gostaria de vir e tirar umas fotos."

"Estou a caminho."

Wallander desligou. “Parece que encontraram o local onde os corpos foram enterrados.”

Decidiram rapidamente que Wallander iria sozinho. Os outros tinham uma série de tarefas para fazer o quanto antes.

Quando chegou à reserva natural, contornou os bloqueios da estrada e foi de carro até o local do crime. Um técnico forense estava à sua espera e o levou até o ponto onde Nyberg mandara isolar uma área de cerca de trinta metros quadrados. Wallander notou imediatamente que o local fora bem escolhido, como Nyberg havia lhe dito. Agachou-se ao lado do colega, que começou a explicar o que se passara.

“O solo ali foi cavado”, ele disse. “Pedaços de grama foram retirados e depois replantados. Se você olhar ali, debaixo das folhas, verá que a terra foi jogada para lá. Se você cava um buraco e o enche com outra coisa, vai sobrar alguma terra.”

Wallander alisou o solo com a mão. “Foi feito com bastante cuidado.”

Nyberg assentiu. “Com muita precisão. Ele não escolheu nenhum atalho. Nunca teríamos notado este lugar se não tivéssemos decidido procurá-lo.”

Wallander se levantou. “Vamos começar a cavar. Não temos tempo a perder.”

O trabalho progrediu lentamente, com Nyberg dirigindo as operações. Quando a primeira camada de terra foi removida, já começava a anoitecer. Holofotes foram dispostos em volta do local. O solo debaixo da grama era poroso e fácil de cavar. Depois de terem removido a terra, descobriram um buraco retangular. Nessa altura, já havia passado das nove da noite. Holgersson e Höglund chegaram juntas e ficaram observando em silêncio. Quando Nyberg se deu por satisfeito, Wallander compreendeu o que tinha diante dos olhos: o buraco retangular que ali estava era uma sepultura.

Eles se reuniram num semicírculo em volta da beirada.

“É suficientemente grande”, disse Nyberg.

“É verdade”, disse Wallander. Grande o bastante. Mesmo para quatro corpos.

Sentiu um arrepio. Pela primeira vez estavam seguindo de perto os rastros do assassino. Tinham acertado. Nyberg se ajoelhou junto da cova.

“Não ficou nada aqui”, ele disse. “É possível que os corpos tenham sido fechados em sacos plásticos herméticos. Se tivesse também uma lona em volta deles e debaixo do solo, duvido que mesmo o cachorro de Edmundsson conseguisse farejar qualquer coisa. Mas é claro que vamos examinar tudo, até o último pedaço de terra.”

Wallander caminhou pela trilha principal com Holgersson e Höglund.

“O que é que o assassino está fazendo?”, Holgersson perguntou, com um tom de desgosto e temor.

“Não sei”, respondeu Wallander. “Mas pelo menos ainda temos uma sobrevivente.”

“Isa Edengren?”

Wallander não disse nada. Não havia necessidade. Todos sabiam o que ele queria dizer. A sepultura tinha sido cavada para ela também.

18.

Às cinco horas de terça-feira, 13 de agosto, Wallander saiu de Ystad e decidiu ir de carro até Kalmar pela estrada ao longo da costa. Já estava em Sölvesborg quando percebeu que tinha se esquecido da promessa de ir à clínica do dr. Göransson naquela manhã. Parou no acostamento e ligou para Martinsson. Eram mais de sete horas. Pediu que ele telefonasse para o médico e cancelasse a consulta, dando uma desculpa qualquer.

"Diga que precisei viajar pra resolver um assunto urgente", pediu Wallander.

"Você está doente?"

"É apenas uma consulta de rotina. Nada de mais."

Dali a pouco, depois de ter voltado para a estrada, imaginou que Martinsson devia ter se perguntado por que ele mesmo não telefonou para desmarcar a consulta. Wallander se perguntou a mesma coisa. Por que ele não contava às pessoas que provavelmente era diabético? Tinha dificuldade de justificar seu comportamento.

Sentia sede e dores no corpo. Quando passou por um restaurante de beira de estrada, parou e tomou seu café da manhã. Aproveitou para comprar duas garrafas de água mineral. Chegou a Kalmar às nove horas. O telefone tocou. Era Höglund, que telefonou para lhe indicar o caminho logo que ele chegasse a Östergötland.

"Falei com um colega em Valdemarsvik", ela disse. "Achei que seria melhor parecer que se tratava de um favor pessoal."

"Boa ideia", disse Wallander. "Os policiais não gostam que invadam seu território."

"Você, especialmente", ela disse com uma gargalhada. Ela estava certa. Ele não gostava de ver policiais de outros distritos em Ystad.

"Como vou chegar à ilha?"

"Depende de onde está agora. Você está longe?"

"Acabo de passar por Kalmar. Västervik fica a cem quilômetros, depois são mais ou menos outros cem."

"Então vai ficar apertado."

"O que quer dizer?"

"O meu contato em Valdemarsvik sugeriu que você pegasse o barco dos correios, mas ele sai de Fyrudden entre onze e onze e meia."

"Não tem outro jeito?"

"Ah, com certeza deve ter. Mas você vai ter que arranjar quando chegar ao porto."

"Talvez eu consiga fazer isso. Será que alguém poderia ligar para os correios e avisar que estou a caminho? Onde as correspondências são separadas? Em Norrköping?"

"Tenho um mapa aqui", ela disse. "Acho que deve ser em Gryt, se existir um correio lá."

"Onde fica isso?"

"Entre Valdemarsvik e o porto de Fyrudden. Você não levou um mapa sequer?"

"Infelizmente, deixei um em cima da minha mesa."

"Te ligo daqui a pouco", ela disse. "Mas continuo achando que o melhor seria você ir com o barco dos correios. Se o meu colega tiver razão, é a maneira mais fácil de chegar às ilhas. Especialmente para quem não tem barco próprio nem ninguém que possa levá-lo."

Wallander percebeu aonde ela queria chegar.

“Bem pensado. Você está sugerindo que Isa Edengren possa ter pegado carona no barco dos correios?”

“Foi apenas uma ideia.”

Wallander pensou por uns instantes. “Mas você realmente acha que ela conseguiu chegar às onze horas, levando em conta que deve ter deixado o hospital às seis da manhã?”

“É possível”, respondeu Höglund. “Se ela tiver um carro, sim. Porque tem carteira de motorista. E não devemos esquecer que ela pode ter fugido do hospital às quatro horas da manhã.”

Höglund prometeu ligar para ele mais tarde. Wallander acelerou. O trânsito estava cada vez mais intenso, e vários carros rebocavam trailers na estrada. Isso lhe fazia lembrar que ainda era verão, tempo de férias. Por um instante considerou ligar a sirene da polícia, mas depois desistiu. Em vez disso, acelerou ainda mais.

Depois de vinte minutos, Höglund ligou de novo.

“Eu tinha razão. A correspondência é separada em Gryt. Falei até com o comandante do barco dos correios. Ele pareceu muito simpático.”

“Qual é o nome dele?”

“Não perguntei. Mas ele vai te esperar até o meio-dia. Se você não conseguir chegar a tempo, ele voltará pra te pegar à tarde, mas acho que vai sair mais caro para você.”

“Estava pensando em descontar como despesa de viagem”, disse Wallander. “Mas chegarei lá antes do meio-dia.”

“Tem um estacionamento ao lado do cais”, ela disse. “E o barco dos correios está atracado junto dele.”

“Você tem o número do telefone dele?”

Wallander parou no acostamento e anotou o número. Enquanto estava lá parado, passou um caminhão que ele havia finalmente conseguido ultrapassar um pouco antes.

Faltavam vinte para o meio-dia quando Wallander desceu a ladeira em direção ao porto de Fyrudden. Encontrou o estacionamento e andou até o cais. Tinha uma brisa suave no ar, e o porto estava cheio de barcos. Um homem de uns cinquenta anos estava levando umas caixas para uma lancha grande. Wallander hesitou, imaginando que esse tipo de barco fosse diferente. Esperava até que tivesse uma bandeira com o logo dos correios. O homem, que acabara de carregar um engradado de água com gás, olhou para ele.

"É a pessoa que vai para Bärnsö?"

"Eu mesmo."

O homem saltou para o cais e lhe estendeu a mão. "Lennart Westin."

"Desculpe o atraso."

"Não há pressa."

"Não sei se a mulher que ligou para você também disse que tenho que voltar, de alguma forma, hoje à tarde ou à noite."

"Não vai passar a noite lá?"

A situação começava a se tornar confusa. Wallander nem sabia se Höglund tinha dito ao homem que ele era um policial.

"Acho bom lhe dizer que sou detetive da Unidade de Homicídio de Ystad", disse Wallander e mostrou sua identificação. "No momento, estou investigando um caso particularmente difícil e desagradável."

Westin, o homem dos correios, tinha um raciocínio rápido. "Tem a ver com aquele caso dos jovens que li no jornal? Um policial também foi assassinado, não é?"

Wallander fez que sim com a cabeça.

"Achei que tinha reconhecido os jovens pela fotografia do jornal", disse Westin. "Pelo menos um deles. Tive a impressão de tê-los levado no barco até a ilha há cerca de um ano."

"Com Isa?"

"Isso mesmo. Eles estavam com ela. Acho que foi no final do outono, há uns dois anos. Tinha uma tempestade vindo do sudoeste. Eu não sabia se conseguiríamos atracar na ilha de Bärnsö. É um lugar que fica especialmente exposto quando o vento sopra naquela direção. Mas chegamos. A mala de um deles caiu na água, mas conseguimos pescá-la. É por isso que me lembro. Mas nunca se pode confiar totalmente na memória."

"Tem razão", disse Wallander. "O senhor viu Isa recentemente? Hoje ou ontem?"

"Não."

"Ela normalmente pega carona com o senhor?"

"Quando os pais estão na ilha, eles vêm buscá-la. Do contrário, ela vai comigo."

"Então ela não está aqui no momento?"

"Se está, foi levada por outro barco."

"Quem poderia tê-la levado?"

Westin deu de ombros. "Tem sempre pessoas por aqui dispostas a dar uma carona. Isa sabe com quem deve falar. Mas acho que ela pediria para mim primeiro."

O carteiro olhou para o relógio. Wallander correu até seu carro para buscar uma sacola. Em seguida, entrou no barco. Westin apontou para o mapa que estava ao lado do leme do barco.

"Eu poderia levá-lo diretamente a Bärnsö, mas para isso teria que desviar do meu caminho", ele disse. "Você está com muita pressa? Se seguirmos a rota, estaremos lá em uma hora. Primeiro, tenho que parar em três lugares."

"Está ótimo."

"A que horas quer que eu vá buscá-lo?"

Wallander pensou por um momento. O mais provável era que Isa não estivesse na ilha. Tinha tirado conclusões erradas, estava decepcionado. Porém, como já estava lá, aproveitaria para revistar a casa. Provavelmente ele precisaria de umas duas horas.

"Não precisa decidir já", disse Westin e lhe entregou seu cartão. "Pode me ligar. Eu posso vir à tarde ou à noite. Moro numa ilha próxima daqui."

Apontou-a no mapa.

"Eu telefono para você", disse Wallander e guardou o cartão.

Westin ligou os dois motores e arrancou.

"Há quanto tempo faz a entrega dos correios?", perguntou

Wallander. Por causa do barulho dos motores, tinha que gritar para se fazer ouvir.

"Há muito tempo", gritou Westin. "Mais de vinte e cinco anos."

"Como você faz no inverno?"

"Hidrocóptero."

Wallander sentiu a exaustão desaparecer. A velocidade, o fato de estar no mar, deram-lhe uma inesperada sensação de bem-estar. Quando foi a última vez que se sentiu assim? Talvez durante os dias que tinha passado com Linda em Gotland. Ele sabia que não devia ser fácil entregar o correio no arquipélago, mas agora as previsões de tempestades e a escuridão do outono tinham sumido. Westin olhou para ele como se soubesse o que ele estava pensando.

"Talvez fosse uma boa profissão pra mim", ele disse. "Ser policial."

Normalmente, Wallander era o primeiro a defender sua profissão. Mas ali, na companhia de Westin, enquanto eles navegavam pela superfície calma da água, aquela velha questão teve uma resposta diferente.

"Às vezes, tenho lá minhas dúvidas", gritou. "Mas quando se chega aos cinquenta, a gente fica de certa forma por conta própria. A maioria das portas se fecha."

"Eu fiz cinquenta na primavera", disse Westin. "As pessoas aqui da redondeza organizaram uma grande festa."

"Quantas pessoas você conhece por aqui?"

"Todo mundo. Foi uma festona."

Westin virou o leme e diminuiu a velocidade do barco. Ali, perto de um penhasco enorme, havia um galpão vermelho para barcos e um cais todo de pedra.

"A ilha de Båtmansö", disse Westin. "Quando eu era criança, viviam nove famílias aqui, mais de trinta pessoas. Agora tem muita gente durante o verão, mas no inverno só tem uma. O nome dele é Zetterquist, tem noventa e três anos, mas ainda consegue passar o inverno aqui. Ele enviuvou três vezes. É daquele tipo de idoso que já não se encontra mais. Acho que o Conselho Nacional de Saúde proibiu."

Essa última observação pegou Wallander de surpresa e o fez rir.

"Ele era pescador?"

"Ele era pau pra toda obra. Havia muitos anos trabalhava num rebocador."

"O senhor conhece todo mundo. E todos conhecem o senhor?"

"É assim que funciona. Se o velhote não aparecer para receber meu barco, eu vou lá ver se ele está doente ou se caiu. Um carteiro da região, seja na terra ou no mar, acaba sabendo da vida de todo mundo. O que fazem, aonde vão, quando devem regressar. Quer queira quer não."

Westin aproximou o barco lentamente até o embarcadouro e descarregou duas caixas. Algumas pessoas estavam reunidas no cais. Ele pegou a caixa de correio e levou-a para uma casa vermelha pequena.

Wallander esticou as pernas no cais, olhando para uma pilha de poitas de pedra. O ar estava mais fresco. Westin voltou depois de uns minutos, e eles partiram. A rota os levou através das diversas paisagens do arquipélago. Depois de mais duas paradas, se aproximaram de Bärnsö. Chegaram a uma área de mar aberto chamada Vikfjärden. A ilha de Bärnsö ficava estranhamente isolada, como se tivesse sido expulsa da comunidade de ilhas.

"Você deve conhecer toda a família Edengren", disse Wallander, quando Westin puxou para trás o acelerador, deslizando na direção do pequeno desembarcadouro.

"Acho que sim", respondeu Westin. "Embora eu não tenha tido muito contato com os pais. Para lhe falar francamente, acho que são muito esnobes. Mas Isa e Jörgen viajaram comigo várias vezes."

"Você sabe que Jörgen morreu?", Wallander disse com cautela.

“Ouvi dizer que foi num acidente de carro”, disse Westin. “O pai dele me contou. Tive que vir buscá-lo num dia em que teve um problema qualquer com seu barco.”

“A morte de um filho é uma tragédia”, comentou Wallander.

“Sempre pensei que a Isa é que acabaria sofrendo um acidente.”

“Por quê?”

“Ela leva a vida ao extremo. Isto é, se você acreditar no que ela diz.”

“Ela conversa com o senhor? Talvez, como carteiro, tenha se tornado uma espécie de confidente.”

“Que diabo, não”, disse Westin. “Meu filho é da idade dela. Eles namoraram por um tempo, uns dois verões atrás. Mas terminaram, como normalmente acontece nessa idade.”

O barco bateu na ponta do cais. Wallander pegou a sacola e saltou.

“Eu telefonarei à tarde.”

“Eu janto às seis”, disse Westin. “Antes ou depois, estou à disposição.”

Wallander observou o barco desaparecer. Pensou na forma como Westin havia descrito a morte de Jörgen. Os pais tinham alterado a história. Uma torradeira na banheira se transformou num acidente de carro.

Wallander andou pela ilha verde, de vegetação exuberante. Perto do cais havia um galpão para guardar os barcos e uma pequena casa de hóspedes. Parecia um pouco o gazebo da casa de Skårby onde ele havia encontrado Isa. Um velho barco a remo estava virado, apoiado em uns cavaletes. Sentiu um ligeiro odor de alcatrão. Havia vários carvalhos frondosos na colina que levava à casa principal, que era grande, de dois andares e pintada de vermelho, antiga mas em boas condições. Ele se aproximou, olhando em volta e escutando. Ao longe, viu um barco a vela e ouviu o som esmaecido de um motor de barco. Wallander suava. Pôs a sacola no chão, tirou o casaco e o pendurou no corrimão da escada na frente da casa. As cortinas das janelas estavam fechadas. Subiu os degraus, bateu à porta e esperou. Em seguida bateu com o punho fechado, mas ninguém respondeu. Experimentou a maçaneta da porta. Estava trancada. Hesitou por um instante, depois foi até os fundos da casa, sentindo como se estivesse repetindo a visita a Skårby. Havia um jardim com árvores frutíferas: macieiras, ameixeiras e uma única cerejeira. As ferramentas de jardinagem estavam empilhadas debaixo de um forro de plástico.

Tinha uma trilha que saía da casa e ia para a mata espessa. Wallander começou a percorrer essa trilha e chegou a um velho poço e uma adega subterrânea. Em cima da porta lia-se esculpido "1897", e a chave estava na fechadura. Abriu a porta. O interior era escuro, frio e cheirava a batatas. Quando seus olhos se adaptaram à escuridão, notou que o lugar estava vazio. Fechou a porta e continuou pela trilha, vendo de relance o mar à esquerda. Pela posição do sol, viu que estava caminhando em direção ao norte. Depois de percorrer cerca de um quilômetro, chegou a um cruzamento e notou que havia uma trilha mais estreita para a esquerda. Continuou indo em frente e, depois de uns duzentos metros, chegou ao fim do caminho. Adiante, só havia rochedos e penhascos. Depois disso, o mar aberto. Estava na ponta da ilha. Viu uma gaivota passar voando, subindo e descendo conforme o vento. Subiu até as rochas, sentou-se e enxugou o suor da testa, lamentando não ter levado na caminhada a água que deixara na sacola. Os pensamentos relacionados ao Svedberg e aos jovens mortos tinham sumido.

Depois de um tempo, levantou-se e resolveu voltar. Quando chegou ao cruzamento, seguiu pelo caminho mais estreito, que conduzia a um pequeno porto natural. Havia algumas argolas de ferro enferrujadas presas às rochas. A água parecia um espelho, onde se via as imagens das árvores altas. Virou-se e voltou à casa principal. Verificou seu celular, foi atrás de um dos carvalhos e urinou. Depois pegou uma garrafa de água na sacola e sentou-se nos degraus. Sua boca estava completamente seca. Enquanto dava uns goles, percebeu uma coisa estranha. Olhou para sua sacola no pé da escada. Ele tinha certeza de que a havia deixado num degrau mais alto. Pôs-se de pé e recapitulou todos os passos.

Primeiro deixei a sacola na escada, depois tirei o casaco e o pendurei no corrimão, pensou. Então, coloquei a sacola no segundo degrau.

Alguém tinha mudado a sacola de lugar. Olhou em volta com mais atenção. As árvores, os arbustos, a casa principal. As cortinas continuavam fechadas. Pensou no cais e na casa de hóspedes que parecia com o gazebo de Skårby. Desceu o morro e foi até o galpão dos barcos. A porta estava com o trinco. Abriu-a e olhou para dentro. Estava vazio, mas dava para perceber pelo tamanho do ancoradouro e das cordas que servia para guardar um barco grande. Havia redes de pescar penduradas na parede. Saiu e passou o trinco na porta. Parte da casa de hóspedes fora construída sobre a água e tinha uma escada pendurada para quem quisesse nadar. Ficou parado, observando por um tempo. Em seguida, foi até a porta e tentou abri-la. Estava trancada. Bateu de leve.

"Isa", chamou. "Sei que você está aí."

Esperou.

Quando Isa abriu a porta, não a reconheceu de imediato. Seu cabelo estava preso para cima, com um coque. Vestia um macacão preto. Wallander percebeu sua expressão de animosidade — ou seria medo?

"Como você sabia que eu estava aqui?", ela perguntou com uma voz rouca.

"Não sabia. Não até você me dizer."

"Eu não disse nada. E sei que você não me viu."

"Os policiais têm um péssimo hábito de reparar nos detalhes. Como quando alguém mexe numa sacola, por exemplo, e não a deixa de volta no lugar certo."

Isa ficou olhando para ele como se não conseguisse entender o que ele dizia. Wallander reparou que ela estava descalça.

"Estou com fome", ela disse.

“Eu também.”

“Tem comida na casa principal”, ela disse e começou a andar. “O que você veio fazer aqui?”

“Precisava encontrar você.”

“Por quê?”

“Como você sabe o que aconteceu, não preciso te contar.”

Ela caminhava em silêncio. Wallander observou como ela estava pálida e abatida.

“Como veio pra cá?”, ele perguntou.

“Telefonei pro Lage, que mora na ilha de Wettersö.”

“Por que não pegou carona com o Westin?”

“Imaginei que você tentaria descobrir se eu estava aqui.”

“E você não queria ser encontrada?”

Mais uma pergunta que ficou sem resposta. Isa abriu a porta, e eles entraram. Em seguida, abriu as cortinas, segurando-as desleixadamente como se quisesse quebrar tudo em volta. Wallander a seguiu até a cozinha. Ela abriu a porta dos fundos e ligou o botijão de gás ao fogão. Wallander já havia percebido que não tinha eletricidade na casa. Ela se virou e olhou para ele.

“Cozinhar é uma das poucas coisas que sei fazer.”

Apontou para a geladeira e o freezer que estavam ligados a botijões de gás. “Estão abarrotados de comida”, a jovem disse, com desprezo. “É assim que meus pais gostam. Pagam pra alguém vir aqui e trocar o gás. Eles querem que tenha comida aqui, caso decidam vir por uns dias, mas eles nunca vêm.”

Isa parecia cuspir as palavras. “Minha mãe é uma idiota”, ela disse. “É completamente ignorante, mas não é culpa dela. Meu pai, por outro lado, não é um idiota, mas é cruel.”

“Gostaria de saber mais.”

“Agora não. Depois que a gente comer.”

Era óbvio que ela queria que ele saísse da cozinha. Então, Wallander foi até a frente da casa e ligou para a delegacia de Ystad. Höglund atendeu.

“Eu tinha razão. Ela está aqui, como nós imaginamos.”

"Como você imaginou", ela o corrigiu. "Para falar a verdade, nenhum de nós acreditava muito nisso."

"Bem, uma vez ou outra todo mundo tem razão. Acho que voltaremos a Ystad ainda esta noite."

"Você já falou com ela?"

"Ainda não."

Höglund contou que eles haviam recebido alguns telefonemas de pessoas que acreditavam reconhecer Louise. Ainda estavam verificando essas informações. Ela prometeu ligar para ele assim que tivessem terminado.

Wallander voltou para dentro da casa. A mesma ideia não lhe saía da cabeça: ele devia convencê-la a contar o que nem ela mesma fazia ideia que sabia.

Isa pôs a mesa na varanda espaçosa e envidraçada que fora acrescentada a um dos lados da casa. Perguntou a ele o que gostaria de beber e ele optou por água. Ela bebeu vinho. O inspetor teve receio que a moça ficasse bêbada e não conseguisse conversar, mas ela só bebeu uma taça. Eles comeram em silêncio. Depois, ela serviu um pouco de café. Isa meneou a cabeça quando Wallander começou a tirar a mesa. Num canto da varanda havia um sofá e algumas cadeiras. Um barco solitário, com as velas frouxas, se afastava.

"É muito bonito aqui", ele disse. "É uma parte da Suécia em que eu nunca tinha estado."

"Meus pais compraram esta casa há trinta anos. Segundo eles, fui concebida aqui, o que até pode ser verdade, porque nasci em fevereiro. Compraram de um casal de idosos que viveu aqui a vida toda. Não sei como meu pai descobriu esta casa, mas um dia ele apareceu aqui com uma mala cheia de notas de cem coroas. Impressiona muito, mas não significa que era uma grande soma de dinheiro. O casal nunca tinha visto tanta grana. Demorou uns meses para convencer os velhinhos, e eles acabaram aceitando a oferta. Não sei qual foi a quantia exata, mas tenho certeza de que meu pai pagou muito menos do que valia."

"Você quer dizer que o casal foi enganado?"

"Quero dizer que meu pai sempre foi um canalha."

"Se ele simplesmente fez um bom acordo, talvez possa ser considerado um homem de negócios ambicioso."

"Meu pai tem negócios no mundo todo, já contrabandeou diamantes e marfim na África. Ninguém sabe o que ele faz hoje em dia, mas ultimamente vários russos têm vindo visitá-lo em Skårby. Não venha me dizer que se trata de negócios legais."

"Pelo que sei, ele nunca teve problemas conosco", disse Wallander.

"É, ele é esperto", ela disse. "E persistente. Podem acusá-lo de muitas coisas, mas ele não é preguiçoso. Pessoas sem escrúpulos não podem dormir sobre seus louros."

Wallander pousou a xícara de café. "Então, vamos falar de você. É por isso que estou aqui, e a viagem foi longa. Nós vamos ter que voltar logo."

"Por que acha que eu voltaria com você?"

Wallander olhou para ela por um bom tempo antes de responder. "Três dos seus amigos foram assassinados. E você deveria ter ido com eles. Ambos sabemos a conclusão que se pode tirar disso."

Isa se encolheu na cadeira, e Wallander percebeu que ela estava assustada.

"Como não sabemos o motivo do crime, temos que tomar todas as precauções", ele disse.

Ela finalmente percebeu a importância do que o detetive dizia. "Eu estou em perigo?"

"Não podemos descartar essa possibilidade. Como não conhecemos o motivo, temos que levar tudo em conta."

"Mas por que alguém ia querer me matar?"

"Por que alguém quis matar seus amigos? Martin, Lena e Astrid."

Ela balançou a cabeça. "Não dá para entender."

Wallander aproximou sua cadeira da dela. "Mesmo assim, você é a única pessoa que pode nos ajudar. Nós vamos pegar o assassino. E pra isso precisamos descobrir o motivo. Você escapou, então é a pessoa que vai nos dizer o que precisamos saber."

"Mas como? Eu não tenho a menor ideia."

"Pense bem no que se passou", disse Wallander. "Quem poderia visar seu grupo? O que unia vocês? Por quê? Existe uma resposta. Tem que existir."

Como ela estava começando a prestar atenção no que ele dizia, o detetive rapidamente mudou de tática. Não queria perder a oportunidade.

"Você precisa responder às minhas perguntas. E tem que me dizer a verdade, porque vou saber se estiver mentindo e não quero isso."

"Por que eu mentiria?"

"Quando te encontrei, você tinha acabado de tentar se suicidar", ele disse. "Por quê? Você já sabia o que havia acontecido com seus amigos?"

Ela olhou surpresa para ele. "Como eu poderia saber? Eu tinha as mesmas dúvidas de todo mundo."

Wallander sabia que ela estava dizendo a verdade. "Por que você queria se matar?"

"Eu não queria mais viver. Precisa de outra razão? Meus pais arruinaram minha vida, assim como fizeram com a do Jörgen. Eu só não queria viver mais."

Wallander esperou. Talvez ela continuasse a falar. Mas Isa não disse mais nada.

Nas três horas seguintes ele recapitulou, passo a passo, o que havia acontecido no verão. Não deixou nada de fora, nem o que parecia insignificante. Repassou tudo, às vezes mais de uma ocasião. Não havia limites, iria tão longe quanto fosse necessário. Quando conheceu Lena Norman? Em que ano, mês, dia? Como se reuniam, como se tornaram amigas? Sempre que ela dizia que não se lembrava ou que não tinha certeza, o detetive dava um tempo e recomeçava. Uma memória nebulosa poderia ser recuperada com paciência. O tempo todo ele estava tentando fazê-la pensar se havia mais alguma pessoa por perto.

"Uma sombra no canto", ele disse. "Tinha uma sombra num canto? Alguma coisa que você está esquecendo?"

Interrogou-a sobre tudo o que parecesse inesperado. Com o passar do tempo, ela começou a entender os métodos dele e tudo ficou mais fácil. Pouco depois das cinco da tarde, eles decidiram passar a noite na ilha e só partir no dia seguinte. Wallander ligou para Westin, que prometeu buscá-los quando o inspetor telefonasse. Não perguntou sobre Isa, mas Wallander estava convencido de que ele já sabia que ela estava em Bärnsö. Eles deram uma caminhada pela ilha, conversando o tempo todo. De vez em quando, Isa interrompia o que estava dizendo para apontar algum lugar onde brincara quando criança. Caminharam até a ponta norte da ilha. Para a surpresa de Wallander, a jovem mostrou uma cavidade na rocha onde, num certo verão, ela disse ter perdido a virgindade, mas não contou com quem.

Quando voltaram à casa, já começava a escurecer. Ela acendeu todas as lamparinas de querosene, enquanto Wallander ligava para Ystad e falava com Martinsson. Não tinha acontecido quase nada. Ninguém tinha identificado Louise. Wallander informou que passaria a noite na ilha e que regressaria com a moça no dia seguinte.

Isa e Wallander continuaram conversando noite adentro, parando somente para comer sanduíches e beber chá. Wallander saiu da casa no escuro e foi se aliviar no tronco de uma árvore. O vento gemia na copa das árvores. Tudo estava calmo. O inspetor começava a entender os jogos desses jovens — o jeito como se fantasiavam, as festas que organizavam e as viagens que faziam por épocas diferentes. Quando a conversa se aproximou da festa que viria a ser a última, Wallander procedeu com muita cautela. Quem poderia ter conhecimento dos planos deles? Ninguém? Simplesmente, não podia aceitar a resposta dela. Alguém devia saber.

Era uma e meia da manhã quando resolveram ir dormir. Wallander estava tão cansado que se sentia enjoado. Isa continuava sem revelar nada, mas ainda tinham uma longa viagem de carro pela frente. Ele não ia desistir.

A moça ofereceu um quarto no segundo andar. Ela dormiria no térreo. Deu boa-noite ao inspetor e lhe entregou uma lamparina. Wallander preparou a cama e abriu a janela. Estava muito escuro lá fora. Deitou-se e apagou a lamparina. Ouviu a moça arrumando a cozinha e, mais tarde, o som da porta da frente sendo trancada. Depois, silêncio.

Wallander adormeceu imediatamente.

Ninguém reparara no barco que cruzara Vikfjärden com as luzes apagadas, tarde da noite. E ninguém ouviu esse barco deslizar até o embarcadouro do lado oeste da ilha de Bärnsö.

19.

Linda gritou.

Ela estava ali por perto, e o seu grito invadiu o sonho de Wallander. Quando ele abriu os olhos, não tinha ideia de onde estava, mas o leve cheiro do querosene da lamparina fez com que percebesse que o grito não podia ter sido de sua filha. Sua pulsação estava acelerada. Fazia silêncio lá fora, só se ouvia o vento sussurrando nas árvores. Ficou à escuta. Teria sido um sonho? Sentou-se na cama, pegou os fósforos que deixara na mesa ao lado da lamparina, acendeu e se vestiu. Quando estava calçando os sapatos, ouviu um barulho. Tinha alguma coisa batendo na parede lateral da casa. Talvez fosse o varal batendo na calha. Mas vinha lá de baixo. Levantou-se, ainda com um sapato na mão, e foi até a porta. Abriu-a com cuidado, e o som ficou ainda mais claro. A cozinha. A porta da cozinha devia estar aberta e batia com o vento. Seu medo voltou como uma vingança. Não estava sonhando, o grito era real.

Em vez de calçar o sapato, ele descalçou o outro e desceu a escada, carregando a lamparina. Parou no meio do caminho e ficou à escuta. A luz da lamparina oscilava, suas mãos tremiam. Então percebeu que não tinha nenhuma arma para se defender. Tentou organizar seus pensamentos. Nada poderia acontecer ali. Estavam sozinhos na ilha. Talvez uma ave tivesse gritado do lado de fora da janela. E havia outra possibilidade: que ele não fosse o único que tinha pesadelos.

Continuou descendo a escada e parou à porta do quarto de Isa, escutou e depois bateu. Nenhuma resposta. Está silencioso demais, pensou. Girou a maçaneta. Estava trancada. Dessa vez não hesitou, bateu com força e sacudiu a maçaneta. Nada. Foi à cozinha. A porta dos fundos estava aberta, e ele a fechou. Vasculhou as gavetas do armário à procura de uma chave de fenda e usou-a para abrir a porta do quarto de Isa. A cama estava vazia, a janela aberta, mas não tinha sido arrombada. Wallander tentou imaginar o que teria acontecido. Recordou-se de ter visto uma lanterna grande na cozinha. Foi buscá-la e pegou também um martelo. Abriu a porta dos fundos e iluminou a escuridão.

Só então percebeu que estava descalço. Um pássaro levantou voo de algum lugar próximo. O som do vento estava agora mais forte. Chamou por Isa, mas não obteve resposta. Dirigiu a luz para o chão, perto da janela do quarto. Havia pegadas, mas estavam tão fracas que não dava para ver onde iam dar. Iluminou a escuridão e chamou por ela novamente. Ainda sem resposta. Seu coração batia forte. Voltou à cozinha e examinou a fechadura. Tinha sido forçada, como havia pensado. Seu medo se tornava cada vez mais intenso. Virou-se e ergueu o martelo, mas não tinha ninguém lá. Voltou para o quarto dele. Seu celular estava na mesa de cabeceira. Tentava imaginar o que teria acontecido.

Alguém arrombou a porta da cozinha. Isa acordou quando alguém tentava entrar no seu quarto. Então ela pulou pela janela.

Não conseguia achar outra explicação. Olhou para o relógio. Eram quinze para as três da manhã. Ligou para a casa de Martinsson, que atendeu no segundo toque. Wallander sabia que ele deixava o telefone ao lado da cama.

"Sou eu, Kurt. Desculpa te acordar."

"O que aconteceu?", disse Martinsson, ainda sonolento.

"Levanta", disse Wallander. "Lava o rosto com água fria. Te ligo daqui a três minutos."

Martinsson já ia reclamar, mas Wallander desligou e ficou olhando para o relógio. Depois de exatamente três minutos, telefonou de volta.

"Presta bem atenção", ele disse. "Não posso falar por muito tempo, a minha bateria está quase descarregada. Você tem papel e caneta?"

Agora, Martinsson estava bem acordado.

"Estou anotando enquanto você fala."

"Aconteceu uma coisa. Ainda não sei exatamente o quê. Isa gritou, e eu acordei. Mas ela desapareceu. A porta dos fundos foi forçada. Tem mais alguém na ilha, além de nós dois. Seja quem for, ele veio atrás dela. Meu medo é que a moça esteja correndo perigo."

"O que quer que eu faça?"

"Por ora, procure o número de telefone da Guarda Costeira em Fyrudden. Fique esperando minha próxima ligação."

"O que você vai fazer?"

"Procurá-la."

"Se o assassino está aí na ilha, você corre perigo. Precisa de ajuda."

"E de onde conseguiríamos reforços? De Norrköping? Quanto tempo eles levariam para chegar?"

"Você não pode revistar a ilha toda sozinho."

"Não é tão grande assim. Vou desligar agora, preciso poupar a bateria."

Wallander calçou os sapatos, pôs o celular no bolso, enfiou o martelo no cinto e saiu da casa. Foi até o embarcadouro e apontou a lanterna. Nada. Tanto o galpão dos barcos como a casa de hóspedes estavam vazios. Continuava gritando o nome de Isa. Voltou correndo para a casa principal, contornou-a e seguiu a trilha que saía do jardim. Os arbustos e árvores pareciam brancos sob a luz forte da lanterna. Abriu a porta da adega subterrânea, não tinha ninguém.

Prosseguiu, chamando pela jovem. Quando chegou ao cruzamento da trilha, hesitou. Para que lado deveria ir? Olhou para o chão, mas não viu nenhuma pegada. Optou pela extremidade norte da ilha. Estava sem fôlego quando chegou ao final da trilha. O vento que vinha do mar aberto soprava gelado. Usou a lanterna para percorrer as rochas. Dois olhos brilharam na escuridão. Mas era de um animal pequeno, talvez uma marta, que havia se esgueirado por entre as pedras. Foi até a ponta das rochas e iluminou as ravinas. Nada. Virou-se e resolveu voltar.

Algo o fez parar. Escutou. As ondas batiam nas rochas num movimento rítmico, mas havia outro som. A princípio não entendeu o que era. Percebeu, então, que era o barulho de um motor. O som vinha do oeste.

O porto, ele pensou, e começou a correr. Eu deveria ter tomado o outro caminho.

Só parou quando estava bem próximo à costa. Debruçou-se e dirigiu o foco da lanterna para a água. Não tinha nada ali, o som havia desaparecido. Um barco acabou de partir, pensou. Seu medo aumentou. O que teria acontecido com ela? Voltou para casa pelo mesmo caminho, tentando decidir como continuar a busca. Será que a Guarda Costeira tem cães? Mesmo sendo uma ilha pequena, ele não vasculharia tudo antes do amanhecer. Tentou imaginar como Isa teria reagido: fugindo do quarto, apavorada. Quem tentou arrombar a porta do quarto dela havia bloqueado o acesso ao quarto do detetive. Isa saltou pela janela e fugiu, às escuras. Ele duvidava que ela tivesse uma lanterna.

Wallander voltou para a interseção. De repente, entendeu. Quando caminhavam pela ilha, ela mencionou o esconderijo predileto dela e de Jörgen na infância. Tentou recordar o local onde estavam quando ela apontou para a rocha que ficava no ponto mais alto da ilha. Era perto da casa, e lembrou-se de dois zimbros. Saiu da trilha. Avançava com dificuldade por meio de troncos caídos e arbustos espessos. Iluminava o chão e desviava dos pedregulhos espalhados pelo caminho. Quando chegou perto do enorme rochedo, descobriu uma gruta escondida por samambaias. Aproximou-se da rocha, afastou as samambaias e apontou a lanterna para dentro.

Isa estava lá, encolhida contra um dos lados da rocha, vestindo apenas a camisola. Seus braços estavam sobre as pernas; e a cabeça, caída sobre o ombro. Parecia que ela estava dormindo, mas ele não teve dúvidas de que estava morta, com um tiro na cabeça.

Wallander despencou no chão. Sentiu o sangue subir à cabeça. Pensou que ia morrer, mas na verdade não se importava. Tinha falhado, não conseguiu salvá-la. Nem o esconderijo onde Isa brincava na infância conseguiu protegê-la. Não ouvira o tiro. A arma devia estar com um silenciador.

Levantou-se e encostou-se numa árvore. O celular escorregou de sua mão. Agachou-se, apanhou o telefone e cambaleou em direção à casa, ao mesmo tempo que ligava para Martinsson.

"Cheguei tarde demais", Wallander disse.

"Tarde demais pra quê?"

"Ela morreu. Com um tiro, como os outros."

Martinsson parecia não entender. Wallander teve que repetir tudo.

"Meu Deus. Quem a matou?"

"Um homem com um barco. Telefone pra polícia de Norrköping. Eles têm que se encarregar disso. E fale com a Guarda Costeira."

Martinsson prometeu fazer o que ele mandou.

"É melhor acordar os outros", disse Wallander. "Holgersson, todos. Assim que eu conseguir alguma ajuda aqui, volto a ligar."

Acabada a conversa, sentou-se numa cadeira na cozinha, com a luz da lanterna iluminando um tapete onde se lia: "Lar, doce lar". Passado algum tempo, fez um esforço para se levantar da cadeira, foi ao quarto de Isa e pegou o cobertor de sua cama. Então se embrenhou na escuridão. Assim que chegou à gruta da rocha, cobriu o corpo da jovem com o cobertor.

Sentou-se ao lado das samambaias que cobriam a entrada da rocha. Eram três e vinte da manhã.

O vento soprava mais forte com a chegada de uma manhã pálida. Wallander ouviu a Guarda Costeira se aproximar e se dirigiu ao desembarcadouro. Os policiais o cumprimentaram com um ar desconfiado. Wallander conseguia entender a reação deles. O que um policial da Escânia estava fazendo aqui na ilha deles? Seria diferente se estivesse de férias. Levou-os até a gruta e virou as costas quando eles levantaram o cobertor. Um dos policiais exigiu que o inspetor apresentasse sua credencial da polícia. Ele perdeu a paciência: puxou a carteira do bolso e jogou a credencial no chão. Em seguida, se afastou. Sua raiva praticamente se desvaneceu, substituída por um enorme cansaço que o deixava completamente prostrado. Pegou uma garrafa de água e sentou-se nos degraus da frente da casa.

Harry Lundström veio falar com ele. Ele tinha visto Wallander perdendo a calma e pensou que foi falta de tato exigir a identificação dele nessa altura do campeonato. Afinal, era evidente que se tratava de um colega. A chamada fora feita pela polícia de Ystad, com informações muito específicas. Um detetive chamado Kurt Wallander estava na ilha de Bärnsö. Encontrara uma moça morta e precisava de ajuda.

Harry Lundström tinha cinquenta e sete anos. Nasceu em Norrköping e era considerado o melhor detetive da cidade por todos, exceto por ele mesmo. Quando Wallander se afastou enfurecido, Lundström entendeu sua reação. Não sabia o que estava por trás daquele assassinato, mas sabia que tinha a ver com a morte do detetive e dos três jovens. Fora isso, tudo parecia muito nebuloso. Mas Harry Lundström era um cara compreensível e podia imaginar o que seria encontrar uma jovem vestida apenas com sua camisola, encolhida numa gruta, com uma bala na cabeça.

Sentou-se na escada, ao lado de Wallander.

"Foi uma ideia idiota pedirem para você mostrar sua identificação daquela maneira." Estendeu a mão e se apresentou.

De imediato, Wallander sentiu que podia confiar nele. "Podemos falar?"

Lundström assentiu.

"Então é melhor irmos lá pra dentro", disse Wallander.

Sentaram-se na sala de estar. Depois que Wallander ligou para Martinsson do celular de Lundström e deu as ordens necessárias para avisar os pais de Isa sobre sua morte, ele levou mais de uma hora para explicar quem era a moça e as circunstâncias que cercavam o assassinato dela. Lundström ouviu, mas não fez nenhuma anotação. De vez em quando, eram interrompidos por policiais que vinham fazer perguntas. Lundström dava instruções claras e simples. Quando Wallander terminou, o outro detetive ainda perguntou sobre alguns detalhes. Wallander notou que essas seriam exatamente as mesmas perguntas que ele teria feito.

Já eram quase sete horas e, através das janelas, eles viram o barco da Guarda Costeira atracando no cais.

"É melhor eu ir até lá", disse Lundström. "Você pode ficar aqui, é claro. Já viu mais do que o suficiente."

O vento soprava mais forte, e Wallander tremia.

"É o vento de outono", disse Lundström. "O tempo começou a mudar."

"Nunca tinha estado neste arquipélago", disse Wallander. "É muito bonito."

"Eu jogava handebol aqui quando era jovem. Tenho uma foto da equipe de Ystad no meu quarto, mas nunca fui pros seus lados."

Enquanto caminhavam ao longo da trilha, ouviam os cachorros latindo à distância.

"Achei que seria melhor passar o pente-fino na ilha", disse Lundström, "no caso de o assassino ainda estar escondido por aí."

"Ele veio de barco", disse Wallander. "Ancorou na parte oeste."

“Se dispuséssemos de mais tempo, poderíamos mandar vigiar os portos próximos. Mas agora é tarde demais.”

“Talvez alguém tenha visto alguma coisa”, respondeu Wallander.

“Estamos investigando. Também levei em conta essa possibilidade. Alguém pode ter visto o barco ancorado ontem à noite.”

Wallander permaneceu à distância enquanto Lundström ia até a gruta para falar com seus colegas. Sentiu uma pontada no estômago. O que mais queria era sair da ilha o quanto antes. A sensação de ser responsável pelo crime era muito forte. Eles deveriam ter saído da ilha na mesma noite. Ele deveria ter percebido o risco de ficar ali. O assassino parecia sempre saber o que eles estavam fazendo. Também foi um erro deixar que Isa dormisse no andar de baixo. Ele tinha consciência de que não era razoável culpar-se, mas não conseguia evitar.

Lundström reapareceu e, ao mesmo tempo, um policial com um cão vinha da direção oposta. Lundström o parou.

“Encontrou alguma coisa?”

“Não tem mais ninguém na ilha. O cachorro seguiu o rastro dele até a baía, no lado oeste, mas termina ali.”

Lundström olhou para Wallander. “Você tinha razão. Ele veio e partiu de barco.”

Voltaram para a casa principal. Wallander pensou no que Lundström acabara de dizer.

“O barco é um dado importante. Onde ele teria conseguido um?”

“Estava pensando a mesma coisa”, disse Lundström. “Se partirmos do princípio de que o assassino não é daqui, o que acho que devemos admitir, então precisamos descobrir onde ele arranjou o barco.”

“Ele roubou o barco”, sugeriu Wallander.

Lundström parou. “Mas como é que conseguiu chegar até aqui no meio da noite?”

“Ele pode já ter estado aqui ou usado mapas.”

“Acha que ele realmente esteve aqui antes?”

“Não podemos excluir essa hipótese.”

Lundström recomeçou a caminhar.

“Um barco roubado ou alugado. Ele deve ter obtido o barco aqui perto. Em Fyrudden, Snäckevarp ou Gryt. Isto é, desde que não o tenha roubado de um cais particular.”

“Ele não pode ter tido muito tempo”, respondeu Wallander. “Isa fugiu do hospital ontem pela manhã.”

“Os criminosos apressados são sempre os mais fáceis de pegar”, disse Lundström.

Chegaram ao cais, e Lundström falou com o policial que estava ajustando os cabos de amarração. Entraram no galpão para se proteger do vento.

“Não há razões para o mantermos aqui”, disse Lundström. “Imagino que queira ir para casa.”

Wallander sentiu necessidade de dizer o que sentia. “Isso não deveria ter acontecido. Me sinto responsável. Devíamos ter saído ontem daqui. E agora ela está morta.”

“Eu teria feito exatamente o que você fez”, disse Lundström. “Ela escolheu fugir pra cá. Então era aqui que talvez conseguisse fazê-la falar. Você não podia ter previsto o que ia acontecer.”

Wallander balançou a cabeça para os lados. “Eu devia ter percebido o perigo que ela corria.”

Voltaram à casa, e Lundström afirmou que faria tudo o que estivesse ao alcance para cooperar com a polícia de Ystad.

“Tenho certeza de que receberei uma ou outra queixa por você ter vindo investigar aqui sem nos informar antes, mas farei o possível para mantê-los calados.”

Wallander pegou a sacola e voltou para o embarcadouro. A Guarda Costeira ia levá-lo de volta ao continente. Lundström ficou no cais, olhando-o partir. Wallander acenou num gesto de gratidão.

Ele jogou a sacola no carro e foi pagar o estacionamento. Quando estava voltando, viu Westin se dirigindo para o porto. Wallander foi falar com ele e notou sua expressão sombria enquanto saía do barco e pisava na terra.

"Imagino que já tenha ouvido a notícia", disse Wallander.

"Isa morreu."

"Foi ontem à noite. Acordei com o grito dela, mas já era tarde demais."

Westin olhou para ele com o semblante carregado. "Então não teria acontecido se você não tivesse vindo aqui ontem?"

Lá vem a acusação da qual não posso me defender, pensou Wallander.

Tirou a carteira do bolso. "Quanto te devo pela viagem de ontem?"

"Nada."

Westin seguiu seu caminho. Wallander lembrou-se que tinha mais uma pergunta para lhe fazer.

"Só mais uma coisa."

Westin se virou.

"Você levou alguém para Bärnsö entre 19 e 22 de julho?"

"Em julho, todos os dias, transportei muitos passageiros."

"Outro detetive", disse Wallander. "Seu nome era Karl Evert Svedberg. Ele tinha um sotaque ainda mais forte do que o meu. Você se lembra dele?"

"Ele estava de uniforme?"

"Duvido."

"Pode descrevê-lo?"

"Era calvo, quase tão alto como eu, forte mas não gordo."

Westin pensou por um bom tempo.

"Entre 19 e 22 de julho?"

"O mais provável é que tenha atravessado na tarde do dia 19. Não sei quando regressou, mas seria no dia 22 o mais tardar."

"Vou consultar meus registros", disse Westin. "Não me lembro assim de repente."

Wallander o seguiu até o barco. Westin puxou um caderno que estava embaixo do mapa e saiu da casa do leme.

"Não há nada registrado aqui. Mas tenho uma vaga lembrança dele. O problema é que havia muita gente a bordo. Posso estar fazendo confusão com outra pessoa."

"Você tem um fax?", perguntou Wallander. "Podemos lhe enviar uma foto dele."

"Posso receber fax na agência dos correios."

Outra possibilidade passou pela mente de Wallander. "Você pode já ter visto uma foto dele. Talvez na TV. É o policial que foi assassinado em Ystad há alguns dias."

Westin franziu a testa. "Ouvi falar do policial, mas não me lembro de ter visto uma foto."

"Você vai recebê-la por fax", disse Wallander. "Qual é o número?"

Westin anotou para ele no caderno e arrancou a página.

"Você acha que a Isa esteve aqui entre os dias 19 e 22 de julho?"

"Não me lembro, mas ela veio pra cá muitas vezes no verão."

"Então, é possível?"

"Sim, é."

Wallander saiu de Fyrudden, parou num posto de gasolina em Valdemarsvik e depois pegou a estrada ao longo da costa. Não havia uma nuvem no céu. Baixou o vidro da janela. Quando chegou a Västervik, percebeu que não tinha mais energia para continuar. Precisava comer alguma coisa e dormir. Achou uma lanchonete na beira da estrada e pediu uma omelete, água mineral e um café. A mulher que anotou seu pedido sorriu para ele.

"Na sua idade não deveria ficar acordado a noite toda", ela disse.

Wallander encarou-a com surpresa. "É assim tão óbvio?"

Ela se abaixou, pegou sua bolsa atrás do balcão, tirou um espelho de maquiagem e entregou a ele. A mulher tinha razão: estava pálido, tinha olheiras e seu cabelo estava todo desgrenhado.

"Tem razão", concordou. "Vou comer a omelete e depois dar uma cochilada no carro."

Foi para fora e se sentou embaixo de um guarda-sol. Ela apareceu carregando uma bandeja com sua comida.

"Tenho um quartinho pequeno atrás da cozinha com uma cama. Se quiser, pode usá-la por um tempo."

Ela saiu sem esperar pela resposta. Wallander ficou olhando com surpresa a mulher se afastar. Depois de comer, caminhou em direção à porta da cozinha. Estava aberta.

"A oferta ainda está válida?", perguntou.

"Sempre dou a palavra."

Ela mostrou-lhe o quarto, que tinha uma cama simples dobrável com um cobertor.

"É melhor do que o banco traseiro do seu carro. Apesar de os policiais estarem habituados a dormir em qualquer lugar."

"Como sabe que sou da polícia?"

"Quando pagou, vi sua credencial na carteira. Fui casada com um policial, então reconheço uma."

"Meu nome é Kurt. Kurt Wallander."

"Eu sou Erika. Durma bem."

Wallander se sentou na cama. Seu corpo doía e sentia a cabeça oca. Sabia que devia ligar para a delegacia, informá-los que estava a caminho, mas não quis ser incomodado. Fechou os olhos e adormeceu.

Quando acordou, não tinha ideia de onde estava. Olhou para o relógio, eram sete da noite. Assustado, levantou-se num salto. Tinha dormido mais de cinco horas. Praguejando, pegou o telefone e ligou para a delegacia. Martinsson não atendeu, então tentou Hansson.

"Onde diabos você se meteu? Tentamos falar com você o dia todo. Por que o seu telefone estava desligado?"

"Houve um problema qualquer com o aparelho. Aconteceu alguma coisa?"

"Nada, só estávamos preocupados com o seu paradeiro."

Wallander desligou, e Erika apareceu à porta do quarto.

"Achei que precisava descansar."

“Uma hora teria sido suficiente. Devia ter pedido para você me acordar.”

“Tem café, mas não tem mais comida quente. Já fechei.”

“Você estava me esperando?”

“Sempre tenho coisas para fazer aqui.”

Foram até o restaurante vazio. Erika lhe trouxe um café e sanduíches, e se sentou na frente dele.

“Acabo de ouvir no rádio a notícia da jovem que foi assassinada no arquipélago e sobre o policial que a encontrou”, ela disse. “Foi você, não é?”

“Foi sim, mas prefiro não falar sobre isso. Então você já foi casada com um policial?”

“Quando eu vivia em Kalmar. Me mudei pra cá depois do divórcio, quando arranjei dinheiro pra comprar este lugar.”

Ela contou sobre os primeiros anos, quando o restaurante não dava quase dinheiro. Mas agora as coisas estavam melhores. Wallander ouvia, mas não tirava os olhos dela. Gostaria de estender a mão e tocá-la, segurar em algo normal e real. Ele se sentou com ela por meia hora, depois pagou e foi em direção ao carro. Erika o acompanhou até lá.

“Na verdade, não sei como te agradecer.”

“Por que as pessoas têm sempre a necessidade de agradecer umas às outras?”, a mulher replicou. “Dirija com cuidado.”

Wallander chegou à delegacia às onze da noite e se sentou com os outros na sala de reuniões. Nyberg e Holgersson estavam lá. Durante a viagem de volta, ele refletiu sobre tudo o que tinha acontecido, começando pela noite em que acordara pensando que havia um problema com Svedberg. Continuava a se sentir culpado pelo que acontecera com Isa, mas agora também estava furioso com a morte dela. A raiva fez com que ele acelerasse o carro, sem perceber que, a certa altura, estava dirigindo a mais de cento e cinquenta quilômetros por hora.

A raiva não era só resultado de um crime sem sentido, mas

também fruto da sensação de fracasso e incapacidade de descobrir o caminho a seguir. E agora Isa Edengren fora baleada na ilha de Bärnsö, praticamente diante de seus olhos.

Wallander contou a todos o que aconteceu na ilha. Depois de responder às perguntas e de ouvir um relatório sobre o que aconteceu em Ystad, ele resumiu a situação em poucas palavras. Já passava da meia-noite.

"Amanhã vamos recomeçar", ele disse. "Temos que voltar para o início e trabalhar a partir daí. Pegaremos o assassino mais cedo ou mais tarde. Nós temos que achá-lo. Mas a melhor coisa que podemos fazer agora é ir para casa e dormir um pouco. Tem sido duro até agora, e acho que vai piorar."

Wallander terminou. Martinsson deu a impressão de querer dizer alguma coisa, mas mudou de ideia. Wallander foi o primeiro a sair da sala de reuniões. Fechou a porta da sua sala, deixando bem claro que não queria ser incomodado. Sentou-se e pensou naquilo que ninguém havia mencionado na reunião, o que teriam de discutir no dia seguinte.

Isa Edengren estava morta. Será que isso significava que o assassino havia completado seu plano? Ou ele estaria se preparando para atacar novamente?

Ninguém sabia a resposta.

SEGUNDA PARTE

20.

Na manhã de quinta-feira, 15 de agosto, Wallander finalmente voltou ao consultório do dr. Göransson. Não tinha hora marcada, mas foi atendido assim que chegou. Não dormira bem e estava exausto, porém decidira deixar o carro em casa. Ele sabia que sempre acharia uma nova desculpa para não fazer exercícios. Hoje seria tão inconveniente quanto qualquer outro dia; então era melhor ir se habituando à ideia.

O tempo continuava calmo e bonito. Enquanto caminhava pela cidade, tentava se lembrar de quando houvera um mês de agosto tão quente. Contudo, sua mente teimava em voltar à investigação, e não só quando estava acordado. O trabalho também o perseguia durante o sono.

Na noite anterior, havia sonhado com Bärnsö. Ele ouvia os gritos de Isa. Quando acordou, Wallander estava com metade do corpo para fora da cama, encharcado de suor e com o coração acelerado. Levou horas para conseguir pegar no sono de novo.

Depois que acordou, passou um instante sentado à mesa da cozinha. Ainda estava escuro lá fora. Havia muito tempo o inspetor não se sentia tão impotente como naquele momento. Não se tratava apenas de um cansaço provocado pelos pequenos icebergs de açúcar que flutuavam em seu sangue. Estava também vencido pela idade. Será que tinha ficado velho demais? Ele ainda não tinha chegado aos cinquenta.

Ponderou se não estaria simplesmente começando a desmoronar sob o peso de tanta pressão e se já não estaria numa curva descendente em direção a um ponto onde só restava o medo. Ele estava prestes a tomar uma nova decisão: desistir e pedir à Lisa Holgersson que pusesse outra pessoa no controle.

A questão era quem ela deveria escolher. Pensou logo em Martinsson e Hansson, mas Wallander não sabia se um dos dois estava à altura. Teriam que trazer alguém de fora, o que não era a solução ideal. Seria como classificá-los de incompetentes.

Ele não chegou a nenhuma conclusão. Decidira ir ao médico na esperança de ouvir as palavras libertadoras, que lhe dessem a oportunidade de ser forçado a tirar uma licença por motivo de saúde.

Aconteceu, porém, que o dr. Göransson não tinha tal plano em mente. Depois de afirmar que o nível de glicose no sangue de Wallander ainda estava elevado, que o açúcar era eliminado pela urina e que sua pressão estava assustadoramente alta, o médico se limitou a prescrever uma receita e aconselhou uma mudança radical em sua dieta.

"Temos que atacar os sintomas por todos os lados", disse. "Eles estão ligados e devem ser tratados como tal. Mas só surtirá efeito se o senhor começar a tomar conta da sua saúde."

Deu-lhe o telefone de uma nutricionista. Wallander saiu do consultório com a receita na mão. Passava um pouco das oito horas, o inspetor sabia que deveria ir direto à delegacia, mas ainda não se sentia em condições. Foi ao bar da praça principal para tomar um café, mas dessa vez dispensou o bolo.

E agora, o que vou fazer?, ele pensou. Estou encarregado de resolver uma das séries de crimes mais brutais que já aconteceram na Suécia. Todos os policiais estão de olho em mim; afinal, uma das vítimas era da polícia. A imprensa anda na minha cola. E provavelmente vou ser criticado pelos pais das vítimas. Todo mundo espera que eu encontre o assassino em poucos dias e consiga reunir provas capazes de fazer o promotor mais durão chorar. O único problema é que, na realidade, eu não tenho nada. Logo mais vou me reunir como os meus colegas e vamos começar tudo de novo. Não chegamos sequer perto de qualquer descoberta. Estamos num vácuo.

Acabou o café. Um homem lia o jornal na mesa ao lado. O inspetor viu as manchetes e saiu apressado. Como tinha tempo de sobra, decidiu fazer algo antes de ir para a delegacia. Foi até Vädergränd e tocou a campainha da casa de Bror Sundelius. Talvez o homem não gostasse de visitas-surpresa, mas Wallander sabia que não seria por ele ainda não ter se levantado.

A porta se abriu. Mesmo sendo apenas oito e meia, Sundelius estava de terno. O nó da gravata era um modelo de perfeição. Abriu a porta sem hesitar, recebeu Wallander e desapareceu na cozinha para buscar um café.

"Mantenho a cafeteira sempre quente para o caso de aparecer alguém sem me avisar. A última vez que tive uma visita-surpresa foi no ano passado, mas nunca se sabe."

Wallander se sentou no sofá e segurou a xícara de café. Sundelius sentou-se à sua frente.

"A última vez que nos falamos fomos interrompidos", disse Wallander.

"Por um motivo perfeitamente claro", replicou Sundelius secamente. "Que tipo de gente deixamos entrar neste país?"

O comentário intrigou Wallander.

"Não temos provas de que um imigrante tenha cometido os crimes. Por que o senhor acha isso?"

"Me parece óbvio", respondeu Sundelius. "Nenhum sueco seria capaz de fazer algo semelhante."

Wallander percebeu que o melhor seria desviar a conversa para um território neutro. Sundelius não lhe parecia ser do tipo que facilmente arredaria o pé de suas convicções. Mas o policial não conseguiu deixar de se manifestar contra.

"Até onde sei, nada indica que o assassino seja de origem

estrangeira. Vamos falar sobre o Karl Evert. O senhor o conhecia bem?"

"Eu sempre o chamava de Kalle."

"Há quanto tempo o conhecia?"

"Em que dia ele morreu?"

Wallander estava novamente intrigado. "Ainda não sabemos ao certo. Por quê?"

"Se soubesse, poderia lhe dar a resposta precisa. Digamos, por ora, que nos conhecemos durante dezenove anos, sete meses e aproximadamente quinze dias, até sua morte tão trágica. Mantenho registros detalhados de toda a minha vida. A única data que não conseguirei registrar será a da minha própria morte, a não ser que eu resolva me suicidar, o que não está nos meus planos. Porém o meu advogado foi instruído a queimar todos os meus diários quando eu morrer. Eles só têm valor para mim, não interessam a mais ninguém."

O inspetor começava a perceber que Sundelius era um daqueles idosos que não tinham muitas oportunidades de conversar com outras pessoas. Wallander lembrou-se por um momento de seu pai, que era uma exceção a essa regra.

"O senhor e Svedberg se interessavam por astronomia, certo?"

"Certo."

"O senhor não tem o sotaque da Escânia. Quando se mudou para cá?"

"Eu sou de Vadstena e me mudei para cá no dia 12 de maio de 1959. Os móveis chegaram no dia 14. Pensei em morar aqui apenas por alguns anos, mas acabei ficando muito mais."

Wallander deu uma olhada na sala. Não viu nenhum retrato de família. Sundelius não usava aliança.

"O senhor é casado?"

"Não."

"Divorciado?"

"Sou solteiro."

"Como o Svedberg."

"Exato."

Talvez tivesse chegado o momento certo. Ele ainda tinha uma cópia da foto de Louise no bolso do paletó. O inspetor pegou a fotografia e a pôs em cima da mesa.

"O senhor já viu essa mulher alguma vez?"

Sundelius pôs os óculos, depois de limpar as lentes com o lenço, e examinou a imagem com cuidado.

"Não é a mesma foto que apareceu no jornal?"

"Isso mesmo."

"Pediram para quem tivesse alguma informação sobre essa mulher que entrasse em contato com a polícia."

Wallander assentiu. Sundelius pôs a foto de volta na mesa.

"Então eu já teria entrado em contato se soubesse alguma coisa sobre ela."

"E não sabe?"

"Não, eu nunca me esqueço de um rosto. É imprescindível para um banqueiro."

Wallander não conseguiu se conter. Por que um diretor de banco precisaria ser um bom fisionomista? Fez a pergunta e recebeu uma longa resposta.

"Quando eu era jovem, essa era a única informação que possuíamos sobre o caráter de uma pessoa. Isso foi antes de a nossa sociedade começar a registrar todos os movimentos dos cidadãos. Medimos o tempo com fatos que aconteceram antes e depois de Cristo, mas talvez devêssemos usar antes e depois da invenção dos números de identificação pessoal. Na minha juventude, as decisões eram tomadas de imediato. A pessoa sentada à minha frente era honesta? Será que dizia a verdade? Seria uma pessoa íntegra ou mentirosa? Lembro-me de um funcionário, de Vadstena, que nunca pesquisava sobre a situação financeira do cliente, mesmo depois que os regulamentos se tornaram mais rígidos e quando tinha ficado mais fácil obter essas informações. Independentemente da quantia do empréstimo que uma pessoa pedia, ele apenas analisava o rosto do cliente. E nunca se enganou, nenhuma vez durante toda a sua carreira. Ele rejeitou os malandros e ajudou as pessoas honestas e trabalhadoras. Mas é óbvio que é impossível prever a sorte das pessoas."

Wallander assentiu e continuou. "Essa mulher teve uma relação com o Kalle. Segundo uma fonte de confiança, eles se encontraram durante uns dez anos. Para ser mais preciso, tiveram um relacionamento por dez anos. Kalle continuava solteiro, mas aparentemente esteve envolvido com essa mulher por muito tempo."

Sundelius ficou parado como uma estátua, segurando a xícara de café no ar, a meio caminho da boca. Quando Wallander se calou, ele lentamente descansou a xícara no pires.

"A sua fonte não é tão confiável assim", replicou. "Está enganado."

"Em que sentido?"

"Em todos os sentidos. O Kalle não tinha namorada."

"Nós sabemos que eles se encontravam em segredo."

"Esses encontros não podem ter acontecido."

Sundelius tinha certeza disso. Mas Wallander notou, pelo tom de sua voz, que havia algo mais. No começo, ele não sabia dizer o que era. Então o inspetor percebeu que o homem estava chateado. Ele mantinha o autocontrole, mas sua voz era áspera.

"Quero deixar bem claro que nenhum dos meus colegas, nem mais ninguém sabia da existência dessa mulher", disse Wallander. "Só uma única pessoa sabia sobre ela. Portanto, estamos todos surpresos."

"Quem sabia?"

"Prefiro, por enquanto, não revelar o nome."

Sundelius fitou Wallander. Havia algo de resoluto, mas vago, em seu olhar. Porém o policial tinha certeza: havia ali indignação e irritação. Não era imaginação sua.

"Vamos deixar essa mulher desconhecida de lado por ora", disse Wallander. "Como vocês se conheceram?"

O comportamento de Sundelius mudou. Agora respondia às perguntas com relutância e sem a mesma fluência. Precisava lidar com algo que não havia previsto.

"Nos conhecemos na casa de um amigo em comum de Malmö."

"É isso que está escrito nas suas anotações?"

"Na verdade, não sei que interesse a polícia pode ter pelo que escrevi ou não no meu diário."

Agora ele quer mostrar que está completamente indiferente, pensou Wallander. A fotografia da mulher desconhecida mudou tudo. O inspetor prosseguiu com cautela:

"Mas foi nessa época que vocês se tornaram amigos?"

Sundelius parecia ter percebido que sua mudança de comportamento era evidente. Ele voltou a ser simpático e calmo, mas Wallander notava que o homem estava com o pensamento longe.

"Estudávamos o céu noturno juntos. Isso é tudo."

"Aonde vocês iam?"

"Para o campo, que é escuro. Principalmente no outono. Íamos para Fyledalen, entre outros lugares."

Wallander parou para pensar. "O senhor estava surpreso quando lhe telefonei pela primeira vez. Lembro que me disse que se sentia assim por eu não tê-lo contatado antes; afinal Kalle não tinha muitos amigos próximos. O senhor se considerava amigo dele?"

"Me lembro do que eu disse."

"Mas agora o senhor diz que a sua relação com Kalle era baseada num interesse mútuo em observar o céu à noite. Era só isso?"

"Nem eu nem ele éramos do tipo bisbilhoteiro."

"Mas isso dificilmente o qualifica como um amigo próximo, não é? Nem como o tipo de amigo que nós, os colegas dele, teríamos ouvido falar."

"Era o que era."

Não, pensou Wallander. Não era. Mas ainda não sei o que era.

"Quando foi a última vez que vocês se viram?"

"Meados de julho. No dia 16, para ser preciso."

"Vocês foram observar as estrelas?"

"Fomos a Österlen. A noite estava clara, embora o verão não seja a melhor época."

"Como ele estava?"

Sundelius o fitou com um olhar distante. "Não entendi a sua pergunta."

"Ele parecia normal? Disse alguma coisa inesperada?"

"Kalle estava exatamente o mesmo de sempre. Não se fala muito quando se observa as estrelas. Pelo menos nós nunca falamos."

"E depois desse dia?"

"Nunca mais nos vimos."

"Vocês chegaram a marcar um próximo encontro?"

"Ele disse que ia se ausentar por uns dias e que estava muito ocupado. Combinamos de nos falar novamente em agosto, quando ele saísse de férias."

Wallander prendeu a respiração. Três dias depois, seu colega foi a Bärnsö. O que Sundelius acabara de dizer parecia indicar que Svedberg já havia decidido ir até a ilha. Tinha dito que estava ocupado e que tiraria férias em agosto, embora já estivesse de férias desde meados de julho.

Svedberg estava mentindo, pensou Wallander. Até para Sundelius, que era seu amigo, ele mentira sobre as férias. Também não dissera nada aos colegas de trabalho. Pela primeira vez Wallander sentia que estava prestes a descobrir algo importante. Porém ainda não sabia o quê.

Wallander agradeceu o café, e Sundelius o acompanhou até a porta.

"Tenho certeza de que nos veremos de novo", disse Wallander enquanto saía. Sundelius havia recuperado completamente a compostura.

"Agradeceria se o senhor me informasse a data do enterro."

Wallander prometeu-lhe que avisaria. Caminhou até Vädergränd e se sentou num banco em frente ao Café Bäckahästen. Ele recordou a conversa com Sundelius enquanto observava os patos nadando no lago. Havia dois momentos especialmente importantes: primeiro ao mostrar a foto ao homem e depois quando percebeu que Svedberg mentira. Refletiu por mais uns minutos sobre a fotografia. Não foi só a imagem que transtornou Sundelius, mas também o fato de Wallander ter lhe contado sobre o caso de amor de dez anos.

Talvez fosse simplesmente isso, pensou Wallander. Quem sabe não houvesse apenas um caso de amor, mas dois. Será que Sundelius e Svedberg tinham um relacionamento? Será que o boato sobre Svedberg ser gay era verdadeiro? Wallander agarrou um punhado de cascalho e deixou-o cair por entre os dedos. Ele ainda tinha dúvidas. A foto era de uma mulher chamada Louise, e Sture Björklund estava convicto de que ela fazia parte da vida de Svedberg havia muito tempo. O que levantava outra questão importante: por que Björklund era a única pessoa que sabia da existência dessa mulher?

Wallander limpou as mãos e se levantou. Lembrou-se da receita médica e parou em uma farmácia. Quando tirou o papel do bolso, percebeu que seu celular estava desligado. Ele apressou o passo em direção à delegacia. A conversa com Sundelius estimulara o detetive a mergulhar numa investigação mais profunda.

Assim que Wallander entrou na delegacia, Ebba o informou que todos estavam à sua procura. Pediu que ela dissesse aos colegas que a reunião começaria dentro de meia hora. No caminho para a sua sala encontrou Hansson.

"Estava indo te procurar. Chegaram os resultados de Lund."

"O patologista já sabe a hora da morte?"

"Parece que sim."

"Vamos lá ver isso."

Wallander seguiu Hansson até sua sala. Quando passaram pela sala de Svedberg, ficou surpreso ao ver que tinham retirado a placa com o nome dele. A surpresa deu lugar à consternação, depois à raiva.

"Quem retirou a placa com o nome do Svedberg?"

"Não sei."

"Será que esses idiotas não poderiam pelo menos esperar até depois do enterro?"

"O enterro é na terça-feira", disse Hansson. "Lisa disse que a ministra da Justiça estará presente."

Wallander tinha visto a mulher várias vezes na TV, e ela parecia ser uma pessoa muito determinada e segura de si. Não conseguia se lembrar do nome dela. Hansson pôs os formulários num canto da mesa, abrindo espaço para o relatório do patologista. Wallander inclinou-se contra a parede enquanto Hansson folheava o relatório.

"Aqui está", ele disse finalmente.

"Vamos começar pelo Svedberg."

"Foi atingido por dois tiros disparados de frente. A morte foi instantânea."

"Mas quando?", perguntou Wallander com voz impaciente. "Pula o resto, a não ser que seja importante. Quero saber a hora."

"Quando você e o Martinsson o encontraram, ele não podia estar morto há mais de vinte e quatro horas nem há menos de dez."

"Eles têm certeza? Ou vão mudar de opinião?"

"Parecem ter certeza. E também afirmam que Svedberg estava sóbrio quando morreu."

"Houve alguma especulação que afirmava o contrário?"

"Estou apenas me referindo ao que está no relatório. Sua última refeição, duas horas antes de morrer, foi iogurte."

"Isso sugere que morreu pela manhã."

Hansson assentiu. Todos sabiam que Svedberg tomava iogurte no café da manhã. Sempre que tinha que trabalhar à noite, ele guardava uma embalagem de iogurte na geladeira da cantina.

"Então é isso."

"Tem mais", continuou Hansson. "Você quer saber os detalhes?"

"Vejo isso mais tarde", disse Wallander. "E que informação você tem sobre os três jovens?"

"Que é difícil determinar a hora da morte."

"Isso nós já sabíamos. Mas a que conclusão eles chegaram?"

"A conclusão é temporária; eles precisam pesquisar mais a fundo, mas não excluem a possibilidade de as vítimas terem sido mortas em 21 de junho, na noite do solstício, mas com uma ressalva..."

"Que os cadáveres não foram deixados ao ar livre."

"Exatamente. Mas eles não têm certeza."

"Mas eu tenho. Agora finalmente estabelecemos um período. Vamos começar a reunião falando sobre isso."

"Ainda não consegui localizar os carros", disse Hansson. "O assassino deve ter se livrado deles de alguma forma."

"Talvez ele tenha enterrado os carros também", disse Wallander. "Seja lá o que aconteceu, eles precisam ser encontrados o quanto antes."

Voltou à sua sala, pegou seu remédio e leu o rótulo. O nome do medicamento era Amaryl, e a bula orientava a tomar durante as refeições. Wallander se perguntou quando teria a oportunidade de comer novamente. Levantou-se com um suspiro profundo e se dirigiu à cantina, onde encontrou um prato com umas bolachas velhas. Ele conseguiu engolir algumas e tomou os comprimidos em seguida.

O inspetor voltou para sua sala, juntou os documentos e seguiu para a sala de reuniões. No momento em que Martinsson ia fechar a porta, Lisa Holgersson apareceu acompanhada do procurador-geral, Thurnberg. Ao vê-lo, Wallander percebeu que se esquecera de manter o procurador-geral a par da investigação. Como seria de esperar, Thurnberg estava com a cara emburrada. Sentou-se o mais longe que pôde de Wallander.

Holgersson informou a todos que o enterro de Svedberg seria na terça-feira, 20 de agosto, às duas da tarde.

Ela olhou para Wallander. "Farei um discurso. E a ministra da Justiça também, assim como o chefe de polícia. Mas talvez um de vocês pudesse dizer algumas palavras. Estava pensando em você, Kurt, já que é o que está há mais tempo aqui."

Wallander ergueu ambas as mãos. "Não posso falar. De pé na igreja, ao lado do caixão de Svedberg, eu não conseguiria dizer uma palavra sequer."

"Você fez um discurso quando Björk se aposentou", disse Martinsson. "Um de nós precisa dizer alguma coisa, e acho que deveria ser você."

Wallander sabia que não ia conseguir. Ele tinha pavor de enterros. "Não é que eu não queira fazer", argumentou. "Posso até escrever o discurso. Mas não serei capaz de falar."

"Eu leio o discurso se você escrever", disse Höglund. "Não acho certo forçar ninguém a falar num enterro. É um momento difícil. Posso me encarregar do discurso, a menos que alguém discorde."

Wallander tinha certeza de que a ideia não agradava a Hansson nem a Martinsson. Porém, como nenhum deles se manifestou, ficou combinado que Höglund faria o discurso.

O inspetor rapidamente voltou a falar do caso. Thurnberg continuava sentado, se mexendo na ponta da mesa, com uma expressão impenetrável. Sua presença deixava Wallander nervoso. Ele tinha um ar de desdém que chegava a ser hostil.

Eles analisaram os últimos acontecimentos. Wallander apresentou uma versão abreviada de sua conversa com Sundelius, deixando completamente de lado a reação que o homem teve quando soube da história da relação de dez anos de Svedberg com uma mulher desconhecida.

As pessoas continuavam ligando para a delegacia, mas ainda não havia nenhuma pista concreta sobre a identidade da mulher. Todos concordaram que era uma situação inusitada. Decidiram enviar a foto aos jornais dinamarqueses, assim como à Interpol. Passadas umas duas horas, eles chegaram ao relatório do patologista, e Wallander propôs um curto intervalo. Thurnberg se levantou de imediato e saiu. Não proferira uma única palavra. Lisa Holgersson continuou na sala depois de os outros terem saído.

"Ele não parecia muito satisfeito", disse Wallander, referindo-se ao procurador-geral.

"Não, acho que ele não está nada satisfeito. Você deveria falar com o Thurnberg. Ele acha que a investigação está demorando muito."

"Estamos fazendo tudo o que podemos."

"Mas não precisamos de reforços?"

"É claro que vamos discutir essa questão, mas posso lhe dizer desde já que não vou me opor a isso."

Holgersson pareceu aliviada com a resposta, e o inspetor saiu para buscar um café. Depois que todos voltaram, Thurnberg entrou e se sentou no mesmo lugar, tão sem expressão como antes. Começaram a analisar o relatório da autópsia, e Wallander foi escrevendo no quadro as possíveis datas das mortes.

"Svedberg foi assassinado no máximo vinte e quatro horas antes de eu encontrá-lo. Pelo que tudo indica, ele foi morto pela manhã. Com relação aos jovens, parece que a nossa hipótese funciona melhor do que havíamos esperado. Não nos fornece um motivo nem aponta um assassino, mas nos diz algo muito significativo."

Wallander sentou antes de continuar. "Esses jovens combinaram a festa em segredo. Escolheram um local onde tinham certeza de que estariam sozinhos. Mas alguém sabia desse plano. Alguém se manteve bem informado e teve tempo de se preparar meticulosamente. Continuamos sem um motivo, mas temos um assassino que não desistiu até achar a única sobrevivente daquela noite, Isa Edengren, e matá-la também. Ele sabia que ela havia fugido para Bärnsö e conseguiu encontrá-la no meio de todas aquelas ilhas. Isso nos dá um ponto de partida: estamos à procura de uma pessoa que sabia dos preparativos para a noite do solstício. Alguém que estava perto da fonte."

Ninguém disse nada por um bom tempo.

"Onde podemos encontrar essa pessoa que teve acesso a tantas informações?", disse Wallander. "É por aí que temos de começar. Se fizermos isso, mais cedo ou mais tarde descobrimos como Svedberg se encaixa nessa história."

"Nós já descobrimos isso", disse Hansson. "Sabemos que ele começou a investigar uns dias depois do solstício."

"Acho que podemos ir um pouco mais longe", observou Wallander. "Acho que Svedberg tinha uma suspeita concreta sobre a identidade de quem matou, ou estava para matar, os jovens na reserva."

"Por que o assassino esperou tanto tempo para matar Isa Edengren?", perguntou Martinsson. "Ele levou mais de um mês para matar a moça."

"Não sabemos por quê", concordou Wallander. "Não era difícil encontrá-la."

"E tem mais uma coisa", acrescentou Martinsson. "Por que ele desenterrou os cadáveres? Será que ele queria que os corpos fossem descobertos?"

"Não há outra explicação", disse Wallander. "Mas isso levanta uma nova série de questões sobre as motivações do assassino. E até que ponto ele e o Svedberg tinham alguma coisa a ver um com o outro."

Wallander se recostou na cadeira e olhou todos os presentes ao redor da mesa.

Svedberg sabia o que havia acontecido aos jovens quando eles não regressaram depois da celebração do solstício, o inspetor pensou. Ele sabia quem era o assassino, ou pelo menos estava com uma forte suspeita. É por isso que foi assassinado. Não há outra explicação. O que nos leva à pergunta mais importante: por que Svedberg não quis nos revelar a identidade do assassino?

21.

Pouco depois das duas da tarde, Wallander perguntou a Martinsson sobre um telefonema de um homem que tinha uma banca de jornal em Sölvesborg. Esse homem estava a caminho de uma festa em Falsterbo, mas parou na reserva natural de Hagestad na tarde da véspera do solstício. Ele havia percebido que estava muito adiantado e resolveu descansar um pouco. Disse que parecia se lembrar de ter visto dois carros estacionados na entrada da reserva. Mas Wallander não ouviu os detalhes adicionais sobre o relato do homem: quando terminou de falar com Martinsson, ele desmaiou.

Num instante, estava apontando o lápis na direção de Martinsson; no momento seguinte, caía na cadeira com o queixo encostado no peito. Holgersson e Höglund reagiram quase simultaneamente, antes dos outros. Hansson confessou, mais tarde, que achara que Wallander tinha tido um derrame e morrido. O que os outros haviam pensado ou temido, ele nunca soube. Eles tiraram Wallander da cadeira, deitaram-no no chão, abriram seu colarinho e tomaram o pulso dele. Alguém pegou o telefone e chamou uma ambulância. Mas o inspetor voltou a si antes da chegada do socorro. Enquanto o ajudavam a se levantar, ele deduzia que o nível de glicose em seu sangue havia caído. Então Wallander bebeu um pouco de água e engoliu uns cubos de açúcar que estavam na bandeja em cima da mesa. Ele começou a se sentir bem novamente.

Todos à sua volta pareciam preocupados. Os colegas achavam que ele deveria ir ao hospital para ser examinado ou, pelo menos, ir para casa descansar. Mas Wallander não quis, atribuindo o acontecimento ao fato de ter dormido pouco. Então voltou a tratar do assunto em questão com tanta determinação e energia que os outros não insistiram mais.

Thurnberg foi o único que não mostrou sinais de preocupação ou receio. Ele praticamente não reagiu. Levantou-se da cadeira enquanto Wallander estava deitado no chão, mas não saiu do lugar. De fato, ninguém notou a mais ligeira mudança em sua expressão.

Quando fizeram um intervalo, Wallander foi para a sala dele, ligou para o dr. Göransson e lhe contou sobre o seu desmaio. O médico não se surpreendeu.

"O nível de glicose no seu sangue continua flutuando. Vai levar algum tempo para conseguir estabilizá-lo. Se continuar a acontecer isso, vamos ter que reduzir a dose do seu medicamento, mas por enquanto tenha sempre uma maçã à mão para o caso de se sentir tonto."

Depois desse dia, Wallander passou a carregar torrões de açúcar no bolso, como se estivesse esperando encontrar um cavalo. Não contou a ninguém sobre o diabetes. Era o seu segredo.

A reunião se arrastou até as cinco da tarde, mas em compensação conseguiram recapitular todos os aspectos da investigação. Notava-se uma nova injeção de energia no ambiente. Decidiram pedir reforços de Malmö, embora Wallander soubesse que as pessoas sentadas ao redor daquela mesa continuariam sendo os membros principais da equipe de investigação.

Thurnberg permaneceu na sala depois que todos saíram, e Wallander percebeu que o procurador queria falar com ele. Quando se dirigiu para o outro lado da mesa, o inspetor lamentou a ausência de Per Åkeson, que estava em algum lugar da África.

"Faz tempo que espero ser informado do que se passa", disse Thurnberg. Sua voz era esganiçada e parecia sempre prestes a falhar.

"É claro que devíamos ter feito isso antes", respondeu Wallander, num tom amistoso. "Mas o rumo da investigação mudou drasticamente nos últimos dois dias."

Thurnberg ignorou o último comentário do inspetor. "Daqui para a frente, espero ser regularmente informado sobre os últimos acontecimentos sem ter que perguntar. Como é natural, o Ministério da Justiça está interessado, já que se trata do assassinato de um policial."

Wallander não viu necessidade de lhe responder. Esperou que ele prosseguisse.

"Até agora, não podemos dizer que a investigação está sendo bem-sucedida ou minuciosa, como era de esperar", disse Thurnberg, apontando para uma longa lista de questões que anotara em seu bloco. Wallander sentiu-se como nos tempos de escola, levando uma bronca por não ter ido bem na prova.

"Se as críticas tiverem fundamento, tomaremos as medidas necessárias para remediar a situação", replicou.

Ele se esforçava para parecer calmo e simpático, mas sabia que não conseguiria esconder a raiva por muito mais tempo. Quem esse promotor pensa que é? Que idade ele deve ter? Não mais que trinta e três anos.

"Até amanhã de manhã a minha lista de reclamações sobre a maneira como a investigação está sendo conduzida estará na sua mesa", disse Thurnberg. "Ficarei à espera da sua resposta, por escrito."

Wallander encarou-o com um ar sarcástico. "Tem certeza de que quer que eu desperdice o meu tempo me correspondendo com você enquanto um criminoso, que cometeu cinco assassinatos brutais, continua por aí à solta?"

"O que quero dizer é que, até agora, a investigação está longe de ser satisfatória."

Wallander deu um murro na mesa e levantou-se com tal

violência que derrubou a cadeira. “Não há investigações perfeitas!”, gritou. “Mas ninguém vai nos acusar de não termos feito tudo o que pudemos.”

A expressão de Thurnberg finalmente mudou. Toda a cor se esvaiu de seu rosto.

“Vá em frente e me envie o seu bilhetinho”, disse Wallander. “Se tiver razão, farei o que você disser. Mas não espere que eu te responda por carta.”

Dito isto, o inspetor saiu, batendo a porta.

Höglund estava a caminho do escritório dela e virou-se quando ouviu aquele barulho.

“O que aconteceu?”

“É o Thurnberg”, disse Wallander. “O sacana está se queixando da investigação.”

“Por quê?”

“Ele acha que não estamos fazendo o suficiente. Como poderíamos ter feito mais?”

“Talvez ele só esteja querendo mostrar quem é que manda.”

“Nesse caso, escolheu o homem errado.”

Wallander entrou na sala de Höglund e se jogou na cadeira de visitas.

“O que aconteceu lá dentro?”, ela perguntou. “Digo, quando você desmaiou.”

“Não tenho dormido bem”, ele disse, tentando se esquivar. “Mas eu me sinto bem agora.”

O inspetor teve a mesma sensação de quando estava em Gotland com Linda. Ela também não acreditava nele. Martinsson espreitou da porta.

“Estou interrompendo alguma coisa?”

“Não, ainda bem que você está aqui”, disse Wallander. “Precisamos conversar. Onde está o Hansson?”

“Investigando a questão dos carros.”

“Ele também deveria estar aqui. Você precisa deixá-lo a par do que se passa depois.”

Wallander fez sinal para Martinsson fechar a porta, então

lhes contou sobre a sua conversa com Sundelius e da sensação de que talvez Svedberg fosse mesmo gay.

"Não que isso seja importante. Os policiais têm direito de seguir a orientação sexual que lhes agrade. Mas prefiro não divulgar essa informação para não provocar boatos desnecessários. Como Svedberg nunca nos falou sobre sua sexualidade quando estava vivo, não vejo necessidade de alimentar especulações publicamente agora que ele está morto."

"Isso complica a questão da Louise", disse Martinsson.

"Ele poderia ter muitos interesses. Mas o que Sundelius sabe? Suspeito que ele não tenha me dito tudo. Portanto, precisamos cavar mais fundo na vida dos dois. Será que existem outros segredos? Devemos fazer o mesmo em relação aos jovens. Deve haver um ponto em comum. Uma pessoa que é como uma sombra que nos segue, mas que está em algum lugar."

"Tenho uma vaga lembrança de que, há alguns anos, alguém prestou queixa contra o Svedberg à Provedoria de Justiça", disse Martinsson. "Não me lembro do motivo da queixa."

"Temos que investigar essa questão além de todo o resto", disse Wallander. "Acho que podemos dividir as tarefas. Eu me encarrego do Svedberg e do Sundelius. Também tenho que falar com Björklund de novo, já que ele é o único que sabe alguma coisa sobre a Louise."

"Não dá pra entender como ninguém mais a viu", disse Höglund.

"Não é só incompreensível", disse Wallander. "É uma impossibilidade. Só precisamos descobrir o porquê."

"Será que não estamos sendo muito bonzinhos com o Björklund?", perguntou Martinsson. "Afinal, achamos o telescópio do Svedberg na casa dele."

"Ele é inocente até que se prove o contrário", disse Wallander. "Sei que é uma frase batida, mas não deixa de ser verdadeira." Ergueu-se da cadeira. "Não se esqueça de falar sobre essa questão com o Hansson", ele disse ao sair da sala.

Eram cinco e meia e o inspetor ainda não tinha comido nada o dia todo, exceto aqueles biscoitos velhos da cantina. Estava cansado demais para ir para casa e preparar o jantar. Em vez disso, foi a um restaurante chinês na praça principal. Ele bebeu uma cerveja enquanto esperava pela comida, e depois outra. Quando a comida chegou, comeu depressa demais, como sempre fazia. Estava a ponto de pedir a sobremesa, mas desistiu e foi para casa. Era mais uma noite quente, então abriu a janela da varanda. Tentou ligar para Linda três vezes, mas desistiu. O telefone dava sempre ocupado e ele se sentia cansado demais para pensar. A TV estava ligada, mas sem som. Deitou-se no sofá e olhou para o teto. Um pouco antes das nove, o telefone tocou. Era Lisa Holgersson.

"Acho que estamos com um problema", ela disse. "Thurnberg falou comigo depois da sua briga."

Wallander fez uma careta, já sabendo o que ela ia dizer. "Talvez o Thurnberg tenha ficado chateado porque gritei com ele. Fiz muito barulho, dei um murro na mesa, esse tipo de coisa..."

"É pior do que isso", ela disse. "Ele diz que você não está em condições de coordenar a investigação."

Wallander se surpreendeu com esse comentário. Não imaginava que Thurnberg pudesse ir tão longe. Devia ficar furioso, mas em vez disso ele ficou assustado. Uma coisa era ele mesmo duvidar de suas habilidades, mas nunca lhe ocorrera que outra pessoa pudesse fazer isso.

"Por que ele acha isso?"

"Tem a ver, sobretudo, com a investigação. Ele se preocupa especialmente com o fato de você estar tão mal informado sobre o andamento das coisas."

Wallander protestou. O que mais eles poderiam fazer?

"Estou apenas contando o que Thurnberg disse. Ele também considera uma falha grave de discernimento não termos contatado a polícia de Norrköping antes de você ter ido a Östergötland. Realmente, isso põe em dúvida a necessidade da sua viagem."

"Mas e o fato de eu ter encontrado Isa?"

"Ele acha que a polícia de Norrköping poderia ter feito isso, enquanto você ficaria aqui coordenando a equipe; e ele deu a entender que Isa talvez estaria viva se você tivesse seguido o procedimento."

"Que absurdo!", respondeu Wallander categoricamente. "Espero que você tenha dito isso a ele."

"Tem mais uma questão: a sua saúde."

"Eu não estou doente."

"Escuta, você desmaiou na frente de todo mundo. No meio da reunião."

"Isso poderia acontecer com qualquer pessoa que está trabalhando muito."

"Só estou te contando o que ele disse."

"Mas e o que você respondeu a ele?"

"Que eu iria falar com você e refletir sobre isso."

De repente, Wallander ficou inseguro quanto à opinião dela. Será que ainda poderia acreditar que ela estava do seu lado? Sentiu uma grande e súbita suspeita.

"Bom, agora você já falou comigo", ele disse. "O que acha?"

"O que você acha?"

"Que o Thurnberg é um sujeitinho irritante, que não gosta de mim nem dos outros. O que, aliás, é mútuo. Acho que ele vê esse cargo como um mero trampolim para outras posições mais importantes."

"Não me parece um argumento objetivo."

"Mas é a verdade. Acredito que agi certo quando fui para Bärnsö. A investigação aqui seguiu do mesmo jeito. Não havia motivo para notificar as autoridades de Norrköping porque nenhum crime tinha sido cometido, nem existia justificativa para suspeitarmos que aconteceria. Pelo contrário, tínhamos todas as razões do mundo para não divulgar nada. Isa Edengren poderia ter ficado ainda mais assustada."

"Thurnberg sabe disso. E eu concordo com você sobre ele demonstrar muita arrogância. O que parece preocupá-lo mais é a sua saúde."

“Não acho que ele se preocupe com alguém além de si mesmo. No dia em que eu não me sentir apto para conduzir a investigação, prometo que você será a primeira a saber.”

“Suponho que Thurnberg terá que aceitar essa sua explicação por ora. Mas seria melhor se, a partir de agora, você o mantivesse mais bem informado.”

“Daqui pra frente, vai ser difícil confiar nele”, disse Wallander. “Eu posso aturar muita coisa, mas odeio quando as pessoas falam de mim pelas costas.”

“Ele não estava falando de você pelas costas e fez bem de falar comigo sobre o que o preocupava.”

“Ninguém pode me obrigar a gostar dele.”

“Isso não tem nada a ver. Mas acho que ele vai estar atento a qualquer sinal de fraqueza da nossa parte.”

“Que diabos você quer dizer com isso?”

Aquele acesso de raiva aparecia do nada, e Wallander não conseguiu se controlar.

“Você não precisa ficar chateado. Eu só estava te contando o que aconteceu.”

“Nós temos cinco mortes para solucionar”, disse Wallander, “e um assassino frio e metódico. Não existe nenhum motivo aparente, nem sabemos se ele vai voltar a atacar. Uma das vítimas foi um colega próximo. Você precisa supor que as pessoas ficarão um pouco chateadas. Afinal, essa investigação não é exatamente um chá das cinco.”

Ela riu. “Nunca ouvi essa expressão usada nesse contexto.”

“Só queria que entendesse o que sinto”, disse Wallander. “Nada mais.”

“E eu, que você soubesse dos comentários do Thurnberg o mais rápido possível.”

“Eu sei e agradeço pela sua atenção.”

Terminada a conversa, Wallander voltou ao sofá. Suas suspeitas não lhe deixavam em paz, e ele já estava engendrando um ajuste de contas com Thurnberg. Não sabia se era por autodefesa ou autopiedade. Estava assustado com a hipótese de ser dispensado de suas responsabilidades. Conduzir uma investigação como aquela significava estar sob uma tensão quase insuportável, mas ele achava que uma humilhação dessas seria ainda pior.

Wallander sentiu uma vontade enorme de falar com alguém, com uma pessoa capaz de lhe dar o apoio moral que precisava. Eram nove e quinze. Para quem poderia telefonar? Martinsson ou Höglund? Mais do que qualquer outra coisa, ele gostaria de poder conversar com Rydberg, mas ele estava morto. Pensou em Nyberg. Eles nunca haviam conversado de fato sobre assuntos pessoais, mas Wallander sabia que Nyberg o entenderia. A sua natureza irascível e franca era uma vantagem naquela situação. Acima de tudo, Wallander sabia que Nyberg respeitava a sua capacidade, inclusive duvidava que ele conseguisse trabalhar para qualquer outro chefe.

Discou o número da casa de Nyberg. Como sempre, ele atendeu com uma voz irritada. Wallander havia comentado várias vezes com Martinsson que nunca tinha ouvido Nyberg ser simpático ao telefone.

"Preciso falar com você", disse Wallander.

"O que aconteceu?"

"Não tem nada a ver com o caso. Mas preciso vê-lo."

"Isso não pode esperar?"

"Não."

"Consigo chegar na delegacia dentro de quinze minutos."

"Vamos nos encontrar em outro lugar. Pensei que podíamos tomar uma cerveja."

"Ir para um bar? O que está acontecendo?"

"Você tem alguma sugestão de onde a gente pode ir?"

"Eu nunca saio", Nyberg disse, desdenhoso. "Pelo menos não em Ystad."

"Tem um bar e restaurante novo na praça principal. Perto da loja de antiguidades. Te vejo lá."

"Preciso ir de terno e gravata?"

"Não consigo imaginar você vestido de outra maneira", respondeu Wallander.

Nyberg prometeu estar lá em meia hora. Wallander trocou a camisa e depois saiu de casa a pé. Não havia muitas pessoas no restaurante. Depois de ter perguntado, informaram que fechavam às onze da noite. Ele percebeu que estava com muita fome, então deu uma olhada no cardápio e ficou chocado com os preços. Quem ainda podia se dar ao luxo de jantar fora? Mas ele queria convidar o colega para comer alguma coisa.

Nyberg chegou em exatamente trinta minutos. Estava de terno e gravata, e até molhou o cabelo, naturalmente rebelde, para penteá-lo. O terno parecia velho e grande demais. Ele se sentou diante do inspetor.

"Eu não fazia ideia de que houvesse um restaurante aqui."

"Abriu faz pouco tempo", contou Wallander. "Há mais ou menos cinco anos. O que você gostaria de comer?"

"Não estou com fome."

"Então escolha uma entrada", disse Wallander.

"Deixo isso por sua conta", disse Nyberg, pondo o cardápio de lado.

Eles tomaram umas cervejas enquanto esperavam pela comida. Wallander contou sua conversa com Lisa Holgersson. Narrou os detalhes, mas também acrescentou algumas coisas que pensara e não dissera.

"Não me parece o tipo de coisa com a qual deva se preocupar", disse Nyberg quando Wallander havia terminado. "Mas entendo por que você está chateado. Disputas internas são a última coisa de que precisamos agora."

Wallander fingiu tomar o partido de Thurnberg por um instante. "Você acha que ele talvez tenha razão? A investigação deveria ser coordenada por outra pessoa?"

"E quem seria essa pessoa?"

"O Martinsson?"

A sugestão foi recebida com descrença: "Você está brincando!".

"E que tal o Hansson?"

"Talvez daqui a dez anos. Mas esse é o pior caso que já tivemos. Não é uma boa hora para enfraquecermos a liderança da investigação."

A comida chegou e Wallander continuou falando do Thurnberg, mas Nyberg só lhe respondia em monossílabos e não fez mais nenhum comentário. Finalmente, Wallander percebeu que tinha ido longe demais. Nyberg tinha razão, não havia mais nada a dizer. Se necessário, ele o apoiaria. Uns dois anos antes, Wallander tinha reclamado sobre a carga horária de Nyberg com Lisa Holgersson logo depois que ela substituiu Björk como chefe da divisão. A situação dele melhorou depois disso. Nunca haviam conversado a respeito, mas Wallander tinha certeza de que Nyberg sabia do papel que ele havia desempenhado nesse caso.

Nyberg tinha razão. Eles não deveriam perder mais tempo com Thurnberg, e sim guardar suas forças para assuntos mais prementes. Pediram mais duas cervejas e foram informados de que seria a última rodada. Wallander perguntou se Nyberg queria café, mas ele respondeu que não.

"Tomo mais de vinte cafés por dia. Para me manter alerta. Na verdade, talvez seja só para me manter acordado."

"Nenhum policial consegue trabalhar sem café", disse Wallander.

"Nenhum trabalho seria possível sem café."

Ponderaram sobre a importância do café em silêncio. Algumas pessoas na mesa ao lado se levantaram e saíram.

"Acho que nunca estive envolvido num caso tão estranho como o desses assassinatos", disse Nyberg subitamente.

"Nem eu. É uma brutalidade sem sentido. Não consigo imaginar um motivo."

"Pode ser simplesmente pelo gosto de matar", disse Nyberg. "Um assassino obcecado por sangue, que cuidadosamente planeja e realiza seus crimes."

"Talvez você tenha razão", disse Wallander. "Mas como é que o Svedberg descobriu a identidade dele tão depressa? Não consigo entender."

"Só existe uma explicação racional: a de que Svedberg sabia quem era; ou pelo menos suspeitava. E então, a questão de por que ele não queria contar a ninguém sobre isso se torna crucial, talvez a pergunta mais importante de todas."

"Será que foi alguém que conhecemos?"

"Não necessariamente. Há outras possibilidades. Não que Svedberg soubesse quem era ou tivesse suspeitas concretas, mas ele temia que fosse algum conhecido."

Wallander viu lógica na declaração de Nyberg. Suspeitar de alguém e temer algo não são necessariamente a mesma coisa.

"Isso explicaria a necessidade de manter o segredo", acrescentou Nyberg. "Ele receava que o assassino fosse alguém que ele conhecia, mas não tinha essa certeza. Quis se certificar antes de nos contar o que sabia, para pôr uma pedra sobre esse assunto, caso sua desconfiança estivesse errada."

Wallander observou Nyberg com atenção. Ele estava vendo uma conexão que até então não lhe ocorrera.

"Vamos partir do princípio de que Svedberg soubesse do desaparecimento dos jovens", disse Wallander. "E também imaginar que ele foi movido pelo medo com base numa suspeita razoável. Podemos até supor que ele tinha razão e que conhecia a pessoa responsável pelo desaparecimento deles. Ele nem precisava saber que os jovens estavam mortos."

"Não é muito provável que ele soubesse", disse Nyberg. "Se fosse esse o caso, se sentiria obrigado a abrir o jogo. Não imagino que Svedberg seria capaz de carregar um peso como esse."

Wallander assentiu. Nyberg tinha razão.

"Ele não sabia que os jovens estavam mortos. Contudo, teve um forte receio e convicção suficiente para confrontar essa pessoa. Então o que acontece?"

"Ele é assassinado."

"A cena do crime é modificada às pressas, para que a nossa primeira impressão apontasse para um assalto. Daí a necessidade de faltar alguma coisa: o telescópio. Que estava escondido no galpão de Sture Björklund."

"A porta", disse Nyberg. "Estou convencido de que Svedberg deixou o assassino entrar no seu apartamento. Ou talvez ele tivesse uma cópia da chave."

"Deve ser alguém que ele conhecia, alguém que já esteve lá antes."

"Alguém que sabia que ele tinha um primo. E o assassino tenta incriminar Björklund, escondendo o telescópio no galpão dele."

A garçonete apareceu com a conta, mas Wallander relutava em terminar a conversa.

"Qual seria o denominador comum? Na verdade, temos apenas duas pessoas nessa história: Bror Sundelius e uma mulher desconhecida, que se chama Louise."

Nyberg balançou a cabeça. "Uma mulher não comete esse tipo de crime. Apesar de termos afirmado a mesma coisa há uns dois anos, e no final das contas estávamos enganados."

"Mas também é muito difícil considerar a teoria de Bror Sundelius", disse Wallander. "Suas pernas são fracas. Não tem nada de errado com a mente dele, mas sua saúde deixa muito a desejar."

"Nesse caso, trata-se de alguém que ainda não conhecemos. O Svedberg devia ter outros amigos."

"Vou recuar um pouco", disse Wallander. "Amanhã começo a investigar a vida do Svedberg."

"É provavelmente o melhor que temos a fazer. Vou verificar os resultados dos exames forenses, especialmente as impressões digitais. Espero que nos deem mais pistas."

"As armas", disse Wallander, "são importantes."

"O Wester, em Ludvika, é muito simpático", disse Nyberg. "Ele tem cooperado bastante."

Wallander pegou a conta. Nyberg queria rachar.

"Pensei em adicionar nas despesas da delegacia", disse Wallander.

"Eles nunca irão autorizar", disse Nyberg.

Wallander apalpou o bolso à procura da carteira, mas não

a encontrou. De repente, visualizou-a em cima da mesa de sua cozinha.

"Eu ainda quero lhe convidar, mas deixei a carteira em casa."

Nyberg abriu a carteira e viu que só tinha duzentas coroas. Mas a conta era quase o dobro disso.

"Tem um caixa automático na esquina", disse Wallander.

"Não uso esse tipo de cartão."

A garçonete, que já tinha apagado e acendido as luzes várias vezes, aproximou-se. Eram os últimos clientes. Nyberg apresentou sua carteira de identidade, que ela encarou com ceticismo.

"Não penduramos contas aqui", ela disse.

"Mas somos da polícia", disse Wallander zangado. "Acontece que eu deixei a carteira em casa."

"Não fazemos fiado", ela respondeu. "Se vocês não puderem pagar, vou dar queixa."

"Dar queixa pra quem?"

"Pra polícia."

Wallander quase perdeu as estribeiras, mas Nyberg tentou acalmá-lo. "Até pode ser interessante."

"Vocês vão pagar ou não?", perguntou a garçonete.

"Acho que você deve chamar a polícia", disse Wallander com ar prazenteiro.

A garçonete se afastou e deu um telefonema, depois de ter tomado a precaução de trancar a porta da frente.

"Estão a caminho", ela disse. "Vocês têm que ficar até eles chegarem."

Depois de cinco minutos, um carro da polícia parou em frente ao restaurante e dois policiais saltaram do carro. Um deles era Edmundsson. Ele encarou Wallander e Nyberg.

"Estamos com um probleminha", disse Wallander. "Deixei a carteira em casa e Nyberg não tem dinheiro suficiente para pagar a conta. Essa jovem não faz fiado, nem se impressionou com a identificação do Nyberg."

Edmundsson percebeu o que acontecera e caiu na gargalhada. “Quanto é a conta?”, perguntou.

“São quatrocentas coroas.”

Ele tirou sua carteira e pagou.

“Eu não tenho culpa”, disse a garçonete. “O meu chefe não nos autoriza a dar crédito pra ninguém.”

“Quem é o dono deste lugar?”, Nyberg perguntou.

“O nome dele é Fredriksson. Alf Fredriksson.”

“É um homem grandalhão?”, perguntou Nyberg. “Ele mora em Svarte?”

A garçonete assentiu.

“Então eu conheço ele”, disse Nyberg. “É um cara legal. Diga a ele que o Nyberg e o Wallander mandaram lembranças.”

O carro-patrulha já havia ido embora quando eles pisaram na rua.

“Este é o mês de agosto mais estranho que já vi”, disse Nyberg. “Já estamos no dia 15 e continua quente.”

Quando chegaram à Hamngatan, eles se separaram.

“Continuamos sem saber se ele vai atacar de novo”, disse Wallander. “Essa é a pior parte.”

“É por isso que precisamos pegá-lo”, respondeu Nyberg. “O mais rápido possível.”

Wallander caminhou lentamente de volta para casa. Estava inspirado pelo papo com Nyberg, mas ainda continuava preocupado. Não queria admitir, mas a reação de Thurnberg e a conversa que teve com Lisa Holgersson o deixaram deprimido. Será que estava sendo injusto com o Thurnberg? Será que ele tinha razão? Outra pessoa deveria liderar a investigação?

Quando chegou em casa, fez um café e se sentou à mesa da cozinha. O termômetro da varanda marcava dezenove graus Celsius. Pegou um bloco e um lápis, procurou os óculos e os encontrou embaixo do sofá.

Segurando uma xícara de café, voltou a rondar a mesa da cozinha algumas vezes, como se isso fosse ajudá-lo a encontrar a paz de espírito necessária para enfrentar o que vinha pela frente. Ele nunca havia escrito um discurso em memória de um colega assassinado. Já se arrependia de ter concordado em fazer isso. Como é que ele poderia descrever a sensação de encontrar um companheiro com o rosto esfacelado em seu apartamento há apenas uma semana?

Finalmente, sentou-se e começou a escrever. Ainda se lembrava do dia em que conheceu Svedberg, vinte anos antes, quando ele já começava a ficar calvo. Estava no meio do texto quando resolveu rasgar tudo e recomeçar. Só acabou depois da uma da manhã, quando achou que tinha ficado satisfatório.

Foi até a varanda. A cidade estava tranquila e ainda bastante quente. Recordou-se da conversa com Nyberg e soltou os pensamentos. De repente, a imagem de Isa Edengren lhe veio à mente. Ela estava enroscada na gruta que a protegera quando criança, mas que agora não lhe valeu de nada. Wallander voltou para a sala e deixou a janela da varanda aberta. Tinha uma coisa que não lhe saía da cabeça. O homem que se escondia na escuridão estava preparando um novo ataque.

22.

O dia fora longo. Havia muitos pacotes, cartas registradas e ordens de pagamento. Não conseguiu terminar a contabilidade antes das duas da manhã.

Antigamente teria ficado irritado com o fato de que o trabalho tinha demorado mais do que o previsto. Isso, porém, não lhe afetava mais. A enorme transformação pela qual passara o tornou insensível ao tempo. Ele compreendeu que o passado e o futuro não existiam, que não se podia ganhar ou perder tempo, só a ação contava.

Pôs de lado o saco dos correios e o cofre, depois tomou uma ducha e trocou de roupa. Não havia comido nada desde manhã, antes de se dirigir à central para recolher a sua correspondência. Mas não tinha fome. Essa era a sensação que recordava de sua infância. Quando tinha algo excitante esperando por ele, perdia o apetite. Entrou no quarto à prova de som e acendeu todas as luzes. Ele havia feito a cama antes de sair pela manhã e agora espalhava as cartas em cima da colcha azul-marinho. Sentou-se de pernas cruzadas no meio da cama. Ele havia lido essas cartas antes. Esse era o primeiro passo: escolher as cartas que chamassem sua atenção. Abriu-as cautelosamente, sem danificar o envelope. Copiou as cartas e depois as leu. Não sabia exatamente quantas já tinha aberto, copiado e lido naquele último ano. Cerca de duzentas, que, na sua maioria, não tinham nada de especial. Eram vazias, maçantes. Até ter deparado com a carta de Lena Norman para Martin Boge...

Interrompeu a linha de pensamento. Isso já era passado. Não precisava mais pensar nisso. A última fase tinha sido difícil e cansativa. Primeiro, foram as viagens a Östergötland, depois teve que procurar um barco apropriado, em plena escuridão, que fosse grande o suficiente para levá-lo até a pequena ilha na ponta mais longínqua do arquipélago.

Fora uma tarefa enfadonha, e ele não gostou de obrigar-se a esforços excessivos. Tivera que testar seus próprios limites, algo que tentava sempre evitar. Ele observou as cartas espalhadas à volta, em cima da cama. Até certa altura do mês de maio, ainda não havia pensado em escolher um casal que estava planejando se casar. A ideia ocorreu-lhe de modo inesperado, como foi com muitos dos acontecimentos em sua vida. Durante os anos que exercera a profissão de engenheiro, o acaso não tivera lugar em sua existência ordenada. Mas agora tudo tinha mudado. A interação entre a sorte e a coincidência significava que a vida de uma pessoa era uma corrente de oportunidades inesperadas. Ele podia escolher e pegar o que lhe apetecesse.

A pequena bandeira levantada na caixa do correio não lhe dizia nada. Todavia, quando ele bateu na porta e entrou na cozinha, deparou com mais de uma centena de convites em cima da mesa. A futura noiva deixou que ele entrasse. Já não conseguia se recordar o nome dela, mas lembrava-se de sua alegria, o que o deixou furioso. Pegou suas cartas e as postou, mas, se não estivesse tão envolvido com seus complicados planos de participar da próxima celebração do solstício, talvez tivesse dado mais atenção ao casamento.

Novas oportunidades continuavam aparecendo. Todos os seis envelopes na frente dele continham convites de casamentos. Havia lido as cartas e, assim, passara a conhecer cada casal. Sabia onde eles viviam, qual era a aparência de cada um e em que lugar se casariam. Os convites à sua frente não passavam de cartões impressos, que estavam ali para que ele se lembrasse de cada casal.

Agora tinha que encarar a tarefa mais importante: decidir qual dos casais era o mais feliz. Analisou os envelopes um por um, recapitulando o conteúdo de cada carta que eles haviam escrito entre si ou para seus amigos. Ele saboreou o momento, deixou-se invadir pela alegria, pela sensação de que estava no comando. Instalado naquele quarto à prova de som, ele não poderia ser atingido pelos males que o tinham feito sofrer na primeira fase de sua vida — pelo sentimento de ser um estranho e um incompreendido. Ali, não se importava de pensar na grande catástrofe, no dia em que fora despedido e considerado supérfluo.

Nada fora tão difícil. Ou quase nada. Ele continuava a pensar como pudera ter se sujeitado às humilhações durante mais de dois anos. Respondeu a anúncios, enviou seu currículo, foi a milhares de entrevistas de trabalho.

Isso fora antes de cortar os laços com a sua vida anterior, de deixar tudo aquilo para trás. Tornar-se outro.

Ele sabia que era um dos sortudos. Hoje em dia, nunca conseguiria um emprego de carteiro substituto, pois havia entraves para a maioria das profissões. Muita gente estava sendo demitida. Ele percebeu isso enquanto entregava a correspondência. As pessoas ficavam em casa, sentadas, à espera das cartas. Cada vez mais trabalhadores eram postos na rua, sem terem aprendido a se libertar.

Finalmente escolheu o casal que iria se casar no sábado, 17 de agosto, na casa deles perto de Köpingebro. Convidaram muita gente. Ele já nem se recordava de quantos convites deles havia entregado. Ambos estavam à porta quando ele entrou, e a felicidade deles parecia sem limites. Podia ter matado os dois ali mesmo, mas, como sempre, ele se controlou. Deu-lhes os parabéns, e ninguém poderia adivinhar o que ele realmente estava pensando.

A arte mais importante que alguém poderia aprender: autocontrole.

Na manhã de sexta-feira, Wallander iniciou a tarefa de reconstituir a vida de Svedberg. Chegou à delegacia pouco depois das sete horas e, um pouco relutante, meteu mãos à obra. Ele não sabia exatamente o que deveria procurar, mas em algum momento na vida de Svedberg algo explicaria o motivo de seu assassinato. Era como procurar um sinal de vida numa pessoa já morta.

O que mais o interessou naquela manhã foi um sujeito chamado Jan Söderblom, que, segundo Ylva Brink, conhecia Svedberg desde jovem, dos tempos de serviço militar obrigatório e do curso de treinamento da polícia. Ela contou que eles pararam de se ver quando Söderblom casou e se mudou para Malmö ou talvez Lansdkrona. O que interessava Wallander era o fato de Söderblom ter se tornado policial, tal como Svedberg. O inspetor estava prestes a ligar para a delegacia de Malmö quando Nyberg apareceu à porta de sua sala e, pela expressão dele, percebeu que algo tinha acontecido.

"As coisas vão acontecendo", disse Nyberg, sacudindo algumas folhas de fax que carregava. "Podemos começar pelas armas do crime, se você preferir. Pelo que parece, o revólver roubado em Ludvika, juntamente com a espingarda, poderia ser o mesmo que foi usado na reserva natural."

"Poderia ser?"

"Para mim, significa que foi."

"Ótimo", disse Wallander. "Estávamos precisando disso."

"Depois, temos as digitais", prosseguiu Nyberg. "Encontramos uma boa impressão do polegar na espingarda. E descobrimos outra boa numa taça de vinho da reserva natural."

"A mesma impressão?"

"A mesma."

"Tinha ficha na polícia?"

"Não nos nossos arquivos. Mas, se necessário, vou enviar essa impressão para os quatro cantos do mundo."

"Então é o mesmo homem", refletiu Wallander lentamente. "Pelo menos sabemos disso."

"No entanto, não existem impressões digitais no telescópio, exceto as do Svedberg."

"Isso quer dizer que foi Svedberg quem escondeu o telescópio no galpão do Björklund?"

"Não necessariamente. A pessoa pode ter usado luvas."

"Temos a impressão digital na espingarda. E quanto ao apartamento do Svedberg no geral? Precisamos saber quem criou aquele caos, se foi o Svedberg ou outra pessoa. Ou ambos."

"A gente continua à espera, mas eles estão trabalhando nisso."

Wallander se levantou e se encostou na parede. Sentiu que havia algo mais nisso tudo.

"Não encontramos nenhuma impressão digital do Svedberg na espingarda", continuou Nyberg. "Isso pode ou não significar alguma coisa."

"Já evoluímos bastante com a investigação", disse Wallander. "Temos um único assassino."

"Talvez devêssemos informar o procurador-geral", disse Nyberg, sorrindo. "Quem sabe isso não o anime mais."

"Ou não. Nós não estaríamos mantendo a nossa má reputação. Mas vamos enviar o relatório dele com certeza."

Nyberg saiu da sala; Wallander pegou o telefone, ligou para Malmö e pediu para falar com Jan Söderblom. De fato, havia um detetive com aquele nome, que se encarregava principalmente de casos de roubo, mas estava de férias, na Grécia, até a quarta-feira seguinte. O inspetor deixou um recado que queria falar com ele assim que possível. Também anotou o telefone da casa de Söderblom. Ele tinha acabado de desligar quando Höglund bateu à porta entreaberta. Ela trazia na mão o discurso que Wallander escreveu para o enterro de Svedberg.

"Já li. E achei sincero e comovente. Suponho que as duas

coisas sempre andem juntas. Ninguém se comove com aquela conversa fiada sobre a eternidade ou a luz que vence as trevas."

"Não está muito longo?", Wallander perguntou ansioso.

"Eu li em voz alta, só pra mim, e levei menos de cinco minutos. Não estou habituada a discursar em enterros, mas acho que está de bom tamanho."

Ela já estava de saída quando Wallander lhe contou as novidades do Nyberg.

"Um grande passo à frente", Höglund disse quando ele terminou. "Se ao menos pudéssemos encontrar quem roubou as armas..."

"Vai ser difícil, mas é claro que vamos tentar. Eu estava pensando se não valeria a pena pôr as fotografias das armas nos jornais. Tanto do revólver quanto da espingarda."

"Temos uma coletiva de imprensa às onze horas. Ultimamente, a imprensa não tem dado descanso à Lisa. Talvez devêssemos informar aos jornalistas o que descobrimos sobre as armas. O que temos a perder revelando a relação entre os dois casos? São crimes numa escala de grandeza que esse país não testemunhava havia muito tempo."

"Você tem razão. Estarei lá."

Höglund hesitou à porta. "Ainda resta a misteriosa Louise. A pessoa que ninguém reconhece. Recebemos vários telefonemas, mas nenhum confiável."

"É estranho", disse Wallander. "Mas alguém em algum lugar deve conhecê-la. Tínhamos falado sobre tentar na Dinamarca..."

"E por que não em toda a Europa?"

"É verdade", ele concordou. "Por que não? Mas vamos começar pela Dinamarca, o mais depressa possível."

"Estou a caminho de Lund, indo para o apartamento da Lena Norman. Vou pedir ao Hansson que se encarregue disso."

"O Hansson, não", respondeu Wallander. "Ele ainda está procurando os carros. Tem que ser outra pessoa."

"Vamos precisar de reforços", Höglund disse. "A Lisa disse que esta tarde chega o pessoal de Malmö."

"Precisamos de um Svedberg. O problema é esse: ainda não nos acostumamos com a ideia de não o termos mais."

Depois disso, eles ficaram em silêncio por um tempo. Então ela partiu. Wallander abriu a janela. O tempo continuava quente e tinha uma leve brisa. O telefone tocou. Era Ebba, com a voz aparentando cansaço, o que fez Wallander pensar sobre o quanto ela parecia ter envelhecido nos últimos anos. Antes, sempre os ajudara a manter a motivação; mas agora era ela quem andava meio deprimida e, às vezes, esquecia de passar os recados. Ela estava para se aposentar no próximo verão, e ninguém conseguia se convencer disso.

"Tem uma ligação pra você de um agente chamado Larsson. Ele disse que pertence à polícia de Valdemarsvik. Você pode atender? Estão todos ocupados."

Larsson falou com um dialeto de Östgöta.

"O Harry Lundström, de Norrköping, me pediu pra te informar sobre um roubo perto de Gryt, no dia em que aquela jovem foi morta na ilha de Bärnsö."

"Muito bem."

"Talvez tenhamos algo que te interesse, um roubo em Snäckvarp. O dono não sabe dizer o dia exato, pois estava fora quando aconteceu. Mas foi encontrado numa pequena ilha, ao sul de Snäckvarp. É um barco de seis metros, de fibra de vidro, com uma plataforma elevada de condução."

Wallander sentiu a habitual insegurança de falar sobre barcos.

"É grande o suficiente para ir até Bärnsö?"

"Se o vento não for muito forte, ele consegue ir até Gotland."

Wallander pensou por uns instantes. "Alguma impressão digital?"

"Já verificamos", disse Larsson. "Tinha óleo na roda do leme e encontramos um par de impressões nítidas. Já as enviamos para a sua delegacia, por intermédio de Norrköping. O Harry é que está encarregado de tudo."

"Tem alguma estrada perto de onde o barco foi encontrado?", perguntou Wallander.

"O barco estava escondido num juncal. Mas há uma estrada de terra batida, e Snäckvarp fica a uns dez minutos a pé."

"Esse dado é importante", disse Wallander.

"Como estão as coisas? Estão chegando perto do assassino?"

"Sim, mas essas investigações são demoradas."

"Eu nunca conheci a jovem, mas tive um bate-boca com o pai dela há uns dois anos."

"Hum, o que aconteceu?"

"Pesca ilegal. Ele foi apanhado lançando redes para pegar enguias em águas que não lhe pertenciam."

"A pesca aí não é livre?"

"Varia. Não que ele se preocupasse com isso. Para falar com franqueza, achei-o um verdadeiro chato de galochas. Mas não deixo de ter pena dele, por causa da jovem e tudo o mais."

"Foi só isso? Pesca ilegal?"

"Até onde sei, foi."

Wallander agradeceu-lhe pelo telefonema. Em seguida, tentou ligar para Harry Lundström, em Norrköping, e a chamada foi direcionada para o celular dele. Lundström estava no carro, em algum lugar em Vikboland. Wallander o informou que tinham uma identificação positiva da arma do crime da reserva natural e que dentro de pouco tempo saberiam sobre a arma usada em Bärnsö. Por sua vez, Lundström contou que eles não tinham certeza sobre nenhuma das impressões encontradas na ilha, mas supunha que o barco roubado em Snäckvarp fora mesmo usado pelo assassino.

"Os habitantes das ilhas da região estão ficando preocupados", ele disse "Vocês precisam apanhar esse homem."

"Sim", disse Wallander. "Sim, precisamos. E vamos conseguir."

Acabada a conversa, ele foi buscar um café. Já eram nove e meia da manhã. Uma coisa lhe veio à mente, e o inspetor voltou à sua sala e procurou o telefone da família Lundberg, em Skårby. A esposa atendeu. Wallander percebeu que não tinha mais falado com eles desde que Isa fora assassinada, então começou dizendo que lamentava a morte da jovem, manifestando condolências.

"O Erik ainda está deitado", ela disse. "Não se sente com forças para se levantar. Diz que devemos vender a casa e mudar. Quem poderia fazer uma coisa dessas com uma criança?"

Wallander achou que devia ter pensado naquilo antes: Isa era como uma filha para ela.

Era óbvio que ele não tinha resposta para a pergunta dela, mas sentiu que a mulher o responsabilizava pela morte de Isa.

"Telefonei para saber se os pais dela já voltaram."

"Chegaram ontem à noite."

"Isso era tudo o que eu queria saber", disse ele. Expressou seu pesar mais uma vez e, em seguida, desligou.

O inspetor planejou partir para Skårby logo que acabasse a coletiva de imprensa. Preferia ir imediatamente, mas não havia tempo. Pegou o telefone e ligou para Thurnberg. Sem mencionar o que lhe fora dito na noite anterior, deu a ele um resumo dos resultados recentes da investigação forense. Concluiu destacando que agora eles podiam se concentrar na busca de um único criminoso. Thurnberg disse que ficaria aguardando o relatório, e Wallander prometeu enviar-lhe uma cópia.

"A coletiva de imprensa começará às onze horas", disse Wallander. "Acho que devíamos divulgar as últimas descobertas e apresentar as fotografias das armas."

"Já temos fotografias disponíveis?"

"Devemos tê-las amanhã, o mais tardar."

Thurnberg não fez nenhuma objeção e decidiu participar da coletiva de imprensa. A conversa foi breve, mas, antes de terminar, Wallander notou que estava suando muito.

A coletiva de imprensa aconteceu na maior sala disponível. Wallander não se recordava de um caso ter merecido tanta atenção. Como era habitual, estava muito nervoso quando se dirigiu ao púlpito. Para sua surpresa, foi Thurnberg quem começou. Isso nunca tinha acontecido desde que começara a trabalhar na delegacia. Per Åkeson sempre delegara aquela tarefa a ele ou ao comandante da polícia. Thurnberg discursou como se estivesse habituado a falar com a imprensa. Entramos numa nova era, pensou Wallander. Ele ainda não tinha certeza se sentia um pouco de inveja, mas ouviu o procurador-geral com atenção e não pôde negar que o homem se expressava com facilidade.

A seguir, foi a vez dele. Chegou a fazer umas anotações num pedaço de papel para se recordar daquilo que pretendia dizer, mas agora, é claro, não conseguiu encontrá-lo. Informou que tinham rastreado as armas do crime até Ludvika, com a possível ligação de um roubo em Orsa. Também informou que ainda estavam à espera de uma identificação positiva da arma utilizada em Bärnsö, no arquipélago de Östergötland. Enquanto falava, o inspetor recordou-se de Westin, o carteiro que o levara à ilha. Não sabia por que havia pensando nele justo naquele momento. Também contou sobre as descobertas relacionadas ao barco roubado. Quando ele terminou, foram bombardeados com perguntas. Thurnberg respondeu à maioria delas, com Wallander fazendo alguns apartes de tempos em tempos. Martinsson assistia a tudo do fundo da sala.

Finalmente, uma repórter dos jornais da tarde indicou que gostaria de fazer uma pergunta. Wallander nunca a tinha visto antes.

"Seria correto dizer que a polícia ainda não tem nenhuma pista?", ela perguntou, dirigindo-se a Wallander.

"Temos várias pistas. Mas ainda não estamos no ponto de prender ninguém."

"Aparentemente, a investigação policial não produziu nenhum resultado. Parece haver todas as possibilidades de o assassino voltar a matar. Afinal, ao que tudo indica, estamos lidando com um louco."

"Não sabemos", respondeu Wallander. "É por isso que desejamos manter todas as hipóteses em aberto."

"Pode ser uma estratégia", disse a repórter. "Mas também

dá a impressão de que vocês não sabem o que fazer, que estão completamente impotentes."

Wallander olhou de relance para Thurnberg, que o incentivou a continuar, com um aceno de cabeça quase imperceptível.

"A polícia nunca é impotente. Se fôssemos, não seríamos policiais."

"O senhor não concorda que está à procura de um louco?"

"Não."

"O que mais essa pessoa pode ser?"

"Ainda não sabemos."

"Acha que vão conseguir pegá-lo, seja ele quem for?"

"Não temos a menor dúvida."

"Ele voltará a matar?"

"Não sabemos."

Houve uma pequena pausa. Wallander se levantou, e os outros tomaram como indicação de que a coletiva tinha acabado. O inspetor pensou que Thurnberg talvez quisesse encerrar de maneira mais formal, mas Wallander saiu da sala antes que o procurador tivesse a chance de falar com ele. As equipes de TV estavam na recepção esperando para entrevistá-lo, mas Wallander mandou-os falar com Thurnberg, que, segundo Ebba contou mais tarde, não se fez de rogado.

Wallander foi até a sua sala para pegar o casaco. Tentou pensar no que o fizera se recordar de Westin durante a coletiva de imprensa. Ele sabia que era importante e se sentou à mesa, tentando puxar pela memória, mas sem sucesso. Desistiu. Enquanto estava vestindo o casaco, Hansson telefonou.

"Encontrei os carros de Norman e Boge: um Toyota 1991 e um Volvo um ano mais velho. Estão num estacionamento de Sandhammaren. Chamei o Nyberg, e ele já está a caminho."

"E eu também."

Na saída da cidade, parou numa lanchonete e comeu um cachorro-quente. Adquirira o hábito de comprar água mineral em garrafas de um litro. Esqueceu-se de tomar o remédio prescrito pelo dr. Göransson e tinha esquecido de levar consigo.

Dirigiu, mal-humorado, de volta para a rua Mariagatan. Havia uma pilha de cartas no chão do hall, e reparou que tinha um cartão-postal de Linda, que estava visitando amigos em Hudiksvall, além de uma carta de sua irmã Kristina. Wallander levou sua correspondência para a cozinha. A irmã pusera o nome e o endereço de um hotel no envelope. Era em Kemi, e ele sabia que ficava no norte da Finlândia. Perguntou-se o que ela estaria fazendo lá, mas pôs as cartas de lado e decidiu tomar o remédio. Antes de sair da cozinha, deu uma olhada nas correspondências que havia deixado em cima da mesa, e seus pensamentos se voltaram para Westin. Agora se sentia capaz de se concentrar nisso.

Durante a viagem para Bärnsö, Westin lhe dissera algo que registrou no seu subconsciente, mas agora ficava martelando e tentando vir à tona. Ele tentou, sem êxito, recuperar a conversa na barulhenta casa do leme. Mas Westin tinha dito alguma coisa importante. Enfim, o inspetor decidiu ligar para o carteiro depois que visse os dois carros.

Nyberg já tinha chegado quando Wallander saiu do carro. O Toyota e o Volvo estavam estacionados um ao lado do outro. A área havia sido isolada, e fotografavam os veículos com suas portas abertas. Wallander se dirigiu a Nyberg, que tirava um saco do carro dele.

"Mais uma vez, obrigado pelo encontro de ontem à noite."

"Em 1973, um velho amigo de Estocolmo veio me visitar", disse Nyberg. "Numa noite, fomos a um bar. Acho que não saí mais depois disso."

Wallander se lembrou de que ainda não pagara o Edmundsson.

"Bem, de qualquer maneira, eu me diverti", ele respondeu.

"Um boato já está circulando de que nós fomos apanhados tentando fugir sem pagar a conta", disse Nyberg.

"Desde que o Thurnberg não fique sabendo... Ele pode interpretar mal."

Wallander se aproximou de Hansson, que estava fazendo umas anotações.

"Os carros são esses mesmo?"

"O Toyota é da Lena Norman, o Volvo pertence a Martin Boge."

"Há quanto tempo estão aqui?"

"Não sabemos. Em julho o estacionamento tem um fluxo grande de carros entrando e saindo. O movimento diminui só em agosto, e aí as pessoas começam a reparar nos veículos abandonados."

"Existe algum outro modo de sabermos se estão aqui desde a noite do solstício?"

"Isso você tem que perguntar pro Nyberg."

Wallander voltou para perto de Nyberg, que estava inspecionando o Toyota.

"As impressões digitais são o mais importante", Wallander disse. "Alguém deve ter trazido os carros da reserva até aqui."

"Quem deixa as impressões digitais num barco pode deixar também uma lembrança num volante de carro."

"Assim espero."

"O que provavelmente significa que o assassino esteja bastante convencido de que suas impressões digitais não constam em nenhuma ficha da polícia, aqui ou no exterior."

"Estava pensando a mesma coisa", disse Wallander. "Tomara que você esteja errado."

Wallander não precisava ficar ali mais tempo. Ao passar na frente da casa de seu pai, ele não resistiu em dar uma olhada. Tinha uma placa de "Vende-se" na entrada. Ele não parou e sentiu uma sensação estranha ao ver a placa. Acabara de chegar a Ystad quando seu celular tocou. Era Höglund.

"Estou em Lund", ela disse. "No apartamento da Lena Norman. Acho que você deveria vir pra cá."

"O que é?"

"Vai ver quando chegar aqui. Acho que é importante."

Wallander anotou o endereço e foi.

23.

O bloco de apartamentos ficava nos arredores de Lund. Cinco prédios de quatro andares dentro de um condomínio. Uma vez, há muitos anos, Wallander passou por ali com sua filha, e Linda apontou os prédios e lhe contou que eram residências de estudantes. Se ela tivesse decidido estudar em Lund, teria ido morar num lugar como aquele. Wallander sentiu um arrepio, imaginando Linda na festa da reserva natural.

Ele não precisou adivinhar qual era o prédio, pois havia um carro da polícia estacionado em frente a um deles. Pôs o celular no bolso e saiu do carro. Uma mulher tomava sol, estendida num dos gramados. Wallander também gostaria de se deitar ao lado dela e dormir um pouco: seu cansaço ia e vinha em ondas pesadas. Um policial estava de pé à porta, bocejando. Wallander mostrou sua credencial e o outro homem apontou, distraidamente, para a escada.

"É no último andar. Não tem elevador."

Então ele bocejou novamente, e o inspetor sentiu um desejo de dar uma sacudida no policial. Wallander era de patente superior, ainda por cima de um distrito diferente, e estava tentando apanhar um homem que tinha matado cinco pessoas até agora. Ele não precisava ser recebido por um agente que bocejava e mal conseguia articular uma palavra.

Porém conteve-se e subiu as escadas. Se não fosse pela música barulhenta que vinha de um dos apartamentos, poderia parecer que o prédio estava abandonado. Ainda estavam em agosto e o calendário escolar não havia começado. A porta do apartamento de Lena Norman estava entreaberta, mas Wallander não deixou de tocar a campainha.

Ann-Britt Höglund foi à porta. Ele tentou, sem êxito, ler a expressão em seu rosto.

"Eu não queria que achasse que eu estava sendo dramática demais ao telefone", ela disse rapidamente. "Mas você vai entender por que quis que visse isso."

Ele a seguiu para dentro do apartamento, que pelo jeito tinha ficado trancado por algum tempo. O ar tinha a secura característica, embora indescritível, que muitas vezes ele encontrara em prédios de concreto. Wallander lera em algum lugar que o FBI tinha criado um método para determinar há quanto tempo uma casa permanecera fechada, uma técnica que ele não sabia se Nyberg tinha a seu dispor.

Ao pensar em Nyberg, fez outra anotação mental para lembrar de pagar Edmundsson. O apartamento tinha dois cômodos e uma cozinha. Entraram na sala de estar que também servia de escritório. Da janela, o sol iluminava a poeira que pairava lentamente no ar parado. Havia uma série de fotografias na parede. Wallander pôs os óculos para vê-las. Reconheceu-a de primeira: Lena Norman fantasiada com trajes e cenário supostamente do século XVII. Martin Boge estava junto na foto, com o que parecia ser um castelo ao fundo. A imagem seguinte também era de uma festa, e dessa vez apareciam Lena Norman e Astrid Hillström. Foi tirada em algum lugar fechado, e estavam seminuas, o que levou o inspetor a pensar que elas representavam uma cena de bordel. Nem Norman nem Hillström pareciam muito convincentes. Wallander endireitou a foto e passou os olhos por toda a parede.

"Eles encenam papéis diferentes em suas festas", ele disse.

"É mais do que isso", Höglund respondeu e se dirigiu até a

mesa que ficava em ângulo reto em relação a uma das janelas. Estava cheia de pastas e arquivos de plástico.

"Analisei o material. Não li tudo, claro, mas o que vi até agora me deixa preocupada."

Wallander a interrompeu com um gesto. "Espere um pouco. Preciso de um copo de água e ir ao banheiro."

"Meu pai tem diabetes", ela disse.

Wallander, que ia em direção à porta, congelou. "O que você quer dizer?"

"Pela quantidade de água que você anda bebendo ultimamente, eu diria que você também tem diabetes. E ele também precisa ir a todo momento ao banheiro."

Por um instante, Wallander pensou em se abrir com ela e lhe falar a verdade: ela estava certa. Mas, em vez disso, murmurou algo ininteligível e deixou a sala. Quando ele apareceu na cozinha, ainda ouvia o som da descarga da privada.

"A descarga está quebrada", ele disse. "Acho que não é problema nosso."

Ela olhava para ele como se o esperasse para começar a falar.

"Por que você está preocupada?", ele perguntou.

"Vou contar o que descobri até agora. Mas estou convencida de que há mais, o que se tornará evidente quando analisarmos o resto do material."

Wallander se sentou à mesa. Ela permaneceu em pé.

"Eles se fantasiam", ela começou. "Fazem festas e se deslocam entre o nosso tempo e o passado. De vez em quando, até viajam para o futuro, mas não o fazem com muita frequência. Talvez por ser mais difícil, pois ninguém sabe o que as pessoas vestirão daqui a mil anos, ou mesmo daqui a cinquenta. Isso tudo já sabemos, é claro. Conversamos com os amigos que não estavam na festa do solstício. Você teve até a oportunidade de interrogar Isa Edengren. Já descobrimos que eles alugaram as fantasias em Copenhague, mas isso vai bem mais fundo."

Höglund pegou uma pasta coberta com figuras geométricas. "Dá a impressão de que eles pertenciam a uma seita, que tem raízes nos Estados Unidos, em Mineápolis. Parece uma versão atualizada do culto do Jim Jones ou do Ramo Davidiano. As regras são horripilantes e parecidas com as cartas de ameaça que as pessoas recebem por terem interrompido uma corrente de correspondência ou pirâmide de dinheiro. Se um membro divulgar os segredos, sofrerá um castigo violento, que é sempre a morte, claro. Eles pagam os tributos à sede, que por sua vez envia listas de sugestões para suas festas e explica como manter sigilo. Mas essas atividades têm também uma dimensão espiritual. Eles acreditam que as pessoas que praticam o deslocamento através do tempo dessa maneira também poderão escolher a época em que renascerão no momento de sua morte. Foi uma leitura extremamente desagradável. Acho que Lena Norman era a líder do grupo sueco."

Wallander ouvia embevecido. Höglund o havia chamado por uma boa razão.

"Essa organização tem nome?"

"Não sei como se chama na nossa língua, mas nos Estados Unidos são conhecidos como os 'Viajantes Divinos'."

O inspetor folheou a pasta que ela lhe entregara. Havia figuras geométricas por todos os lados, mas também gravuras de deuses da mitologia e corpos mutilados de pessoas torturadas. Repugnado, ele pôs o material de lado.

"Você acha que o que aconteceu na reserva natural foi um ato de vingança? Que eles divulgaram o segredo e por isso tinham que morrer?"

"Nos dias de hoje, acho difícil eliminar essa hipótese."

Wallander sabia que Höglund tinha razão. Pouco tempo antes, na Suíça e na França, vários membros de uma seita tinham cometido suicídio em massa. Em maio, Martinsson foi a Estocolmo para assistir a uma conferência dedicada ao papel das autoridades policiais no controle desse tipo de atividade, que tinha cada vez mais adeptos. O controle estava se tornando mais difícil, pois as seitas modernas já não giravam em torno de um único indivíduo louco. Agora são grupos bem organizados, que têm seus próprios advogados e contadores. Os membros pedem empréstimos para pagar anuidades que eles, na realidade, não podem pagar. Não está claro também se hoje em dia a chantagem emocional pode ser classificada como uma atividade criminal. Quando voltou da conferência, Martinsson contou a Wallander sobre as novas leis que teriam de ser colocadas em vigor, caso eles tivessem a intenção de processar esses sanguessugas que lucravam com a exploração de pessoas cada vez mais desamparadas.

"É uma descoberta importante", disse Wallander. "Vamos precisar de ajuda nisso. A polícia nacional tem uma divisão especial dedicada à investigação de novas seitas. Também será necessário pedir ajuda aos Estados Unidos em relação aos Viajantes Divinos. Acima de tudo, devemos envolver os outros jovens nessa conversa e levá-los a divulgar esses segredos que eles guardam com tanto cuidado."

"Fazem um juramento e depois comem fígado de cavalo. Cru", disse Höglund, enquanto folheava a pasta.

"Quem é que oficializa essas cerimônias?"

"Devia ser a Lena Norman."

Chocado, Wallander limitou-se a abanar a cabeça. "Que agora está morta. Você acha que ela quebrou o juramento? Haveria alguém esperando para substituí-la?"

"Não sei. Talvez a gente encontre um nome entre esses documentos quando houver a chance de examiná-los com cuidado."

Wallander se levantou e foi até a janela. A mulher continuava deitada na grama. Lembrou-se da mulher que havia conhecido no restaurante de beira de estrada nos arredores de Västervik. Ficou tentando se lembrar de como ela se chamava, mas de repente o nome lhe veio à cabeça: Erika. Sentiu um súbito desejo de voltar a vê-la.

"Não podemos perder muito tempo com isso", ele disse de maneira distraída. "Não devemos descartar as outras teorias."

"Quais?"

Ele não precisava explicitar. A única hipótese possível era a de um único assassino com problemas mentais. A teoria que sempre se recorre quando não se dispõe de nenhuma pista.

"Tenho dificuldade de entender como Svedberg se meteu nessa confusão", Wallander disse. "Mesmo que ele tenha nos surpreendido."

"Talvez ele não estivesse diretamente envolvido. Talvez só conhecesse alguém que estivesse", disse Höglund.

O inspetor voltou a pensar em Westin, o carteiro marítimo. Wallander continuava tentando desesperadamente se recordar de algo que o homem lhe dissera durante sua viagem de barco. Mas ainda não conseguia se lembrar.

"Há apenas uma coisa que precisamos saber", disse Wallander, "como acontece em todos os casos complicados. Um elemento que desencadeia a sequência de fatos."

"A identidade do assassino de Svedberg?"

Ele assentiu. "Exatamente. Se soubéssemos isso, teríamos a resposta para tudo, exceto talvez a questão do motivo. No entanto, até isso poderíamos descobrir."

Wallander voltou para a cadeira e se sentou.

"Você teve tempo de falar com os dinamarqueses sobre Louise?"

"A fotografia dela aparecerá amanhã nos jornais."

Wallander se levantou novamente. "Temos que inspecionar todo o apartamento", ele disse. "De cima a baixo. Mas acho que serei mais útil em Ystad. Se tivermos tempo, ainda hoje entramos em contato com a Interpol e envolvemos os americanos nesse caso. Martinsson vai adorar se encarregar dessa parte."

"Acho que é o sonho dele ser um agente do FBI", ela disse. "E não um mero policial de Ystad."

"Todos temos os nossos sonhos", disse Wallander, desconcertado numa tentativa desnecessária de defender o colega. Juntou os documentos que estavam na mesa enquanto Höglund procurava um saco plástico na cozinha onde pudesse guardá-los. Conversaram um pouco no hall antes de ele ir embora.

"Continuo com a sensação de que estou esquecendo alguma coisa", disse Wallander. "Acho que tem algo a ver com o Westin."

"Westin?"

"O homem que me levou à ilha de Bärnsö. É o carteiro do arquipélago. Ele me disse alguma coisa quando estávamos na casa do leme, mas não consigo me lembrar o quê."

"Por que você não liga pra ele? Vocês dois juntos talvez possam refazer a conversa. É provável que o simples fato de ouvir a voz dele já te faça recordar o que foi dito."

"Talvez você tenha razão", disse Wallander com uma expressão de dúvida. "Vou ligar para ele."

Então ele se lembrou de outra voz. "O que aconteceu com Lundberg? Quero dizer, a pessoa que se fez passar por ele e ligou para o hospital perguntando pela Isa."

"Martinsson ficou encarregado disso. Nós trocamos algumas tarefas, mas não me lembro agora quais foram. Fiquei com alguma coisa que ele não tinha tempo para fazer. E ele prometeu falar com a enfermeira."

Wallander sentiu um tom de crítica na voz dela. Todos tinham coisas demais a fazer. As tarefas se acumulavam.

O inspetor voltou de carro a Ystad, pensando nos últimos acontecimentos. De que forma essas novas descobertas feitas no apartamento de Lena Norman iriam alterar a investigação? Essas festas seriam muito mais sinistras do que ele pensava? Lembrou-se de uma época, uns anos antes, quando sua filha passou pelo que poderia se chamar de uma crise de fé. Foi logo depois do divórcio. Linda se sentia tão desamparada quanto ele; uma noite Wallander ouviu um murmúrio suave vindo do quarto da filha e achou que ela devia estar rezando. Mas ficou seriamente preocupado quando encontrou livros de cientologia no quarto dela. Tentou conversar com a filha, mas sem sucesso. Por fim, Mona resolveu a situação. Ele não sabe exatamente o que aconteceu, mas um dia os murmúrios no quarto da filha cessaram, e Linda voltou aos seus antigos interesses.

As seitas lhe davam um frio na espinha. Será que a solução para esse caso estava escondida naqueles sacos plásticos? Ele acelerou. Tinha pressa de saber.

A primeira coisa que fez ao chegar à delegacia foi procurar Edmundsson e lhe pagar o dinheiro que devia. Depois seguiu para a sala de reuniões, onde Martinsson estava dando instruções a três policiais de Malmö que foram ajudar na investigação. Wallander já conhecia um deles, um detetive de uns sessenta anos, chamado Rytter. Não reconheceu os outros dois, que eram mais jovens. Cumprimentou-os, mas não ficou na sala. Pediu a Martinsson que o contatasse mais tarde. Então foi para sua sala e começou a analisar os documentos que trouxera do apartamento de Lena Norman. Já estava quase terminando quando Martinsson apareceu, pouco depois das onze da noite, pálido e com os olhos vermelhos de cansaço. Wallander se perguntou como estaria seu próprio aspecto.

"Como é que vão as coisas?", ele perguntou.

"Eles são bons", disse Martinsson. "Especialmente o mais velho, o Rytter."

"Eles vão ajudar bastante", disse Wallander entusiasmado. "Isso vai nos dar a pequena folga de que estamos precisando."

Martinsson tirou a gravata e desabotoou o colarinho.

"Tenho uma tarefa pra você", disse Wallander, descrevendo em detalhes o material que fora encontrado no apartamento de Lena Norman. Martinsson parecia cada vez mais interessado. A ideia de que ele deveria contatar os colegas norte-americanos o deixou revigorado.

"O mais importante é termos uma imagem clara de quem é essa gente", disse Wallander.

Martinsson olhou para o relógio. "Acho que não é a melhor hora do dia para ligar para os Estados Unidos, mas vou tentar."

Wallander se levantou, juntou os documentos e foi xerocar o material que não teve tempo de analisar.

"Fora as drogas, as seitas são o que mais temo que meus filhos tenham contato", disse Martinsson. "Receio que eles sejam atraídos por um pesadelo religioso do qual não conseguirão sair sem que eu seja capaz de ajudá-los."

"Houve uma época em que eu tinha exatamente os mesmos receios em relação à Linda", respondeu Wallander. Ele não disse mais nada, e Martinsson também não perguntou.

A copiadora parou de funcionar de repente. Martinsson reabasteceu a máquina com mais papel. Wallander deixou o colega e voltou para sua sala. Em cima da mesa, encontrou o relatório da queixa contra Svedberg, que tinha sido arquivada. Fez uma leitura rápida para ter uma ideia do que havia acontecido. Era de 19 de setembro de 1985. Um homem chamado Stig Stridh, que fez a queixa, tinha sido atacado pelo irmão alcoólatra, que lhe pediu dinheiro. Stridh perdera dois dentes, tivera a câmera fotográfica roubada e metade de sua sala fora destruída. Dois policiais, um deles chamado Andersson, apareceram no apartamento e tomaram nota dos detalhes do incidente. Stridh foi chamado à delegacia no dia 26 de agosto para ser interrogado pelo inspetor Karl Evert Svedberg, que lhe explicou que não haveria nenhuma investigação, por falta de provas. Stridh argumentou com veemência que sua câmera fora roubada e grande parte de sua sala tinha sido destruída, e que além disso os dois policiais viram seus cortes e hematomas. Segundo o tal homem, naquele momento Svedberg começou a lhe ordenar que retirasse a queixa. Stridh foi embora e depois escreveu uma carta a Björk, na qual reclamava do tratamento que tinha recebido na delegacia.

Dois dias mais tarde, Svedberg apareceu à porta desse homem e repetiu as ameaças. Depois de conversar com alguns amigos, Stridh decidira dar queixa contra Svedberg para o Ministério da Justiça. Wallander prosseguiu a leitura do relatório cada vez mais descrente. Svedberg respondeu à queixa de forma breve e negou todas as acusações. O comportamento dele nesse caso simplesmente não podia ser explicado. Mas era exatamente esse tipo de coisa que eles precisavam investigar a fundo.

Já passava da meia-noite quando o inspetor terminou de ler

o relatório. Ele não conseguira arranjar tempo para encaixar a visita aos pais de Isa Edengren. Não conseguiu encontrar nenhum Stig Stridh na lista telefônica. Ambos os assuntos teriam que esperar até de manhã. Agora ele tinha que dormir. Pegou o casaco e saiu da delegacia. Havia uma brisa fraca na rua, mas o tempo continuava quente. Achou as chaves do carro e destrancou as portas.

De repente, Wallander sentiu um arrepio. Não sabia o que o havia assustado. Escutou atentamente e olhou as sombras que se projetavam no fundo do estacionamento. Não tinha ninguém ali, ele disse para si próprio. Entrou em seu carro. Eu sempre receio que o assassino esteja por perto, pensou. Quem quer que seja, ele se mantém bem informado; e meu medo é que volte a matar.

24.

No sábado, 17 de agosto, Wallander acordou com a chuva batendo na janela do seu quarto. O despertador mostrava que eram seis e meia da manhã. O inspetor ficou deitado, ouvindo a chuva. A luz da manhã atravessava a abertura entre as cortinas. Tentou se lembrar da última vez que chovera. Tinha sido antes da noite em que ele e Martinsson descobriram o corpo de Svedberg, ou seja, há oito dias. Um incompreensível período de tempo, pensou. Nem curto, nem comprido. Foi ao banheiro e urinou, depois foi à cozinha beber água e voltou para a cama. Ainda sentia intensamente o medo da noite anterior, tão misterioso e tão forte.

Tomou uma ducha e ficou pronto antes das sete e quinze. De desjejum, comeu um tomate e bebeu uma xícara de café. A chuva parara, o termômetro indicava quinze graus Celsius e as nuvens começavam a se dispersar. Decidiu fazer as ligações de seu apartamento em vez de ir à delegacia. Começaria ligando para Westin, depois pediria à telefonista o número de Stig Stridh. Ele conseguira encontrar o papel onde tinha anotado os números de telefone do carteiro e estava contando que o homem tirasse folga aos sábados, mas também não parecia o tipo que ficava na cama até tarde. Wallander levou o café até a sala e discou o primeiro de três números que estavam anotados num pedaço de papel. Uma mulher atendeu depois do terceiro toque. O inspetor se apresentou e pediu desculpa por estar telefonando tão cedo.

"Vou chamá-lo", ela disse. "Ele está cortando lenha."

Wallander achava que conseguia ouvir o som da madeira sendo rachada. Então o som parou, e ele ouviu vozes de crianças. Westin finalmente chegou ao telefone, e trocaram cumprimentos.

"Você estava cortando lenha."

"O tempo frio sempre chega antes do que se espera", disse Westin. "Como é que vão as coisas? Tenho acompanhado o caso nos jornais e na TV sempre que posso. Ainda não pegou o assassino?"

"Ainda não. Isso leva tempo, mas vamos pegá-lo."

Westin ficou em silêncio do outro lado da linha. Talvez ele conseguisse enxergar através do otimismo de Wallander, que era tão oco quanto necessário. Policiais pessimistas raramente solucionavam crimes complicados.

"Você se lembra alguma coisa da nossa conversa quando estávamos a caminho de Bärnsö?", perguntou Wallander.

"Qual parte? Se me lembro bem, falamos durante todo o caminho, entre as paradas."

"Uma das mais longas. Acho que foi durante o início da viagem."

De repente, Wallander se lembrou. Westin havia diminuído a velocidade do barco e estavam se dirigindo para a primeira ilha, talvez para a segunda. Tinha um nome parecido com Bärnsö.

"Foi uma das primeiras paradas", lembrou Wallander. "Quais são os nomes dessas ilhas?"

"É provável que esteja pensando em Harö ou Båtmansö."

"Båtmansö. É isso mesmo. É a ilha onde vive um senhor idoso."

"Zetterquist."

Começou a se lembrar da conversa. "Estávamos nos aproximando do cais. Você estava me falando sobre o Zetterquist, que passava o inverno sozinho na ilha. Você se lembra do que me disse?"

Westin riu, mas de uma maneira jovial. "Tenho certeza de que devo ter dito uma série de coisas."

"Sei que parece estranho, mas na verdade é muito importante", disse Wallander.

Westin percebeu que era sério. "Acho que você me perguntou o que eu achava da entrega dos correios."

"Então vou lhe fazer a mesma pergunta. Como é ser carteiro das ilhas?"

"Me dá uma sensação de liberdade, mas também é um trabalho duro. E ninguém sabe quanto tempo eu ficarei trabalhando como carteiro. Não me surpreenderia se eles cortassem de vez a minha rota e deixassem de servir o arquipélago. Zetterquist até me contou que talvez tenha que deixar encomendado antecipadamente que busquem o corpo dele quando morrer."

"Você não me respondeu assim. Se tivesse dito isso, eu teria lembrado. Vou lhe perguntar de novo. Como é ser carteiro das ilhas?"

Dessa vez, Westin hesitou. "Não me lembro de ter lhe dito mais nada."

Mas Wallander sabia que tinha mais alguma coisa, algo meio cósmico, sobre o que significava levar o correio às pessoas que viviam ali.

"Nós estávamos quase atracando", disse o inspetor. "Me lembro disso. A velocidade do barco tinha diminuído muito e você estava me falando do Zetterquist."

"Talvez eu tenha dito algo sobre como acabávamos procurando as pessoas. Se elas não vêm até o barco, você tem que ver se elas estão bem."

Quase, pensou Wallander. Estamos quase lá. Mas você disse algo mais, Lennart Westin. Eu sei que você disse.

"Não consigo me lembrar de mais nada. Realmente não consigo", disse Westin.

"Não vamos desistir tão facilmente. Tente de novo."

Mas Westin não se lembrava de nada, e Wallander não conseguiu arrancar-lhe o que quer que fosse.

"Vá pensando nisso", pediu. "Me ligue se lembrar de alguma coisa."

"Normalmente não sou do tipo curioso, mas por que isso é tão importante?"

"Não sei", disse Wallander simplesmente. "Mas quando eu souber, te aviso. Prometo."

O telefonema deixou Wallander desanimado. Não conseguira fazer Westin se lembrar do que havia dito, e provavelmente isso era irrelevante. Ele voltou a sentir, agora com mais intensidade, o desejo de pedir a Holgersson que achasse alguém para substituí-lo. Mas então se lembrou de Thurnberg e sentiu um desejo forte de provar que ele estava errado. Ligou para a telefonista e pediu que lhe desse o número de Stig Stridh. Ele fez a ligação e, depois de nove toques, uma voz arrastada de um velho atendeu.

"Stridh."

"Aqui quem está falando é o inspetor Kurt Wallander, da Polícia de Ystad."

Stridh parecia que estava cuspindo quando respondeu: "Não fui eu quem atirou no Svedberg, mas talvez eu devesse ter atirado".

Seu comentário irritou Wallander. Stridh deveria ter mais respeito, mesmo se Svedberg tivesse agido de forma inadequada no passado. Deveria ter ficado calado.

"O senhor deu queixa contra Svedberg há dez anos. O caso foi arquivado."

"Ainda hoje não consigo entender como puderam fazer isso. O Svedberg deveria ter perdido o emprego."

"Não liguei para discutir isso", disse Wallander num tom seco. "Eu gostaria de conversar sobre o que aconteceu."

"O que é que há para falar? O meu irmão estava bêbado."

"Como ele se chama?"

"Nisse."

"Ele mora em Ystad?"

"Morreu em 1991. Cirrose no fígado, que surpresa!"

Wallander ficou, momentaneamente, perplexo. Tinha partido do princípio que falar com Stig Stridh seria o primeiro passo para finalmente encontrar o irmão que era o protagonista dessa história toda.

"Meus pêsames", disse Wallander.

"Não estou nem aí. Na realidade, não lamento. Agora vivo em paz e tenho a casa só pra mim. Pelo menos, na maioria das vezes."

"O que quer dizer com isso?"

"O Nisse deixou uma viúva, ou sei lá como chamá-la."

"É a viúva dele?"

"É isso que ela diz, mas nunca se casaram."

"Eles tinham filhos?"

"Ela tem, mas não com ele. Ainda bem. Uma das crianças está cumprindo pena."

"Por quê?"

"Assalto a banco."

"Como é que ele se chama?"

"É uma mulher. Stella."

"A enteada do seu irmão assaltou um banco?"

"O que tem de tão estranho?"

"Não é comum uma mulher cometer esse tipo de crime. Onde é que foi?"

"Em Sundsvall. Ela disparou uns tiros para o alto."

Wallander tinha uma vaga recordação do caso. Procurou um papel para fazer umas anotações e voltou-se para o assunto em questão. Stridh respondia às perguntas devagar e com má vontade. Pareceu levar uma eternidade, mas Wallander finalmente conseguiu ter uma ideia clara dos acontecimentos. Stig Stridh fora casado, tinha dois filhos adultos que viviam em Malmö e Laholm. Seu irmão, Nils, cujo apelido era Nisse, era três anos mais novo e se tornara alcoólatra ainda jovem. Ele começou a carreira militar, mas foi dispensado por causa da bebida. A princípio, Stig tentara ser paciente com o irmão, porém o relacionamento entre os dois deteriorou, sobretudo porque o caçula sempre ia lhe pedir dinheiro. A tensão atingira o pico havia onze anos. Era nesse ponto que Wallander pretendia chegar.

"Não precisamos entrar em detalhes", ele disse. "Só quero saber uma coisa: por que você acha que Svedberg agiu daquela maneira?"

"Ele disse que não tinha provas, mas isso é mentira."

"Já sabemos. Não temos que falar sobre isso novamente. O que quero saber é por que você acha que ele agiu daquela maneira."

"Porque ele era um idiota."

Wallander estava preparado para esse tipo de resposta irritante e sabia que Stig tinha seus motivos para se mostrar hostil. O comportamento de Svedberg fora incompreensível.

"Svedberg não era idiota", o inspetor disse. "Deve haver outra explicação. Você já o conhecia?"

"Quando eu o teria conhecido?"

"Por favor, só responda à minha pergunta", disse Wallander.

"Eu não o conhecia antes."

"Você já teve problemas com a lei?"

"Não."

A resposta saiu meio atropelada, pensou Wallander. Não é verdade.

"Fale a verdade, Stridh. Se você mentir, eu arrasto você para a delegacia num piscar de olhos."

Funcionou. "Bem, eu vendia carros usados nos anos 1960. Uma vez houve um problema com um veículo que parecia ter sido roubado, mas foi só isso."

Wallander decidiu acreditar.

"E quanto ao seu irmão?"

"É possível que ele tenha feito um monte de besteiras, mas só foi preso por causa da bebida."

O inspetor sentiu novamente que Stridh estava dizendo a verdade. O homem não sabia de nenhuma ligação entre o irmão e Svedberg. Não tem jeito, pensou. Estou batendo a cabeça contra a parede. Wallander pôs fim à conversa, tendo decidido falar com Rut Lundin, a "viúva".

Saiu do apartamento e foi andando para a delegacia.

Pouco depois das onze horas, quando foi buscar mais um café, percebeu que a maioria de seus colegas estava por lá, incluindo os policiais de Malmö, e aproveitou a oportunidade para convocar uma reunião. Começou relatando sua tentativa de esclarecer os acontecimentos relacionados com a queixa contra Svedberg há onze anos. Martinsson contou que Hugo Andersson, o policial que havia atendido a chamada de Stridh naquela noite, agora trabalhava como zelador numa escola em Värnamo. O policial que era o parceiro dele se chamava Holmström e agora trabalhava em Malmö.

Martinsson prometeu falar com os dois, e Wallander informou que ia visitar os pais de Isa Edengren. Depois da reunião, ele rachou uma pizza com Hansson. Tentara o dia todo calcular quantos litros de água havia bebido e quantas vezes fora ao banheiro, mas já tinha perdido a conta. Ele telefonou para Rut Lundin. Depois de entender por que o inspetor estava ligando, ela respondeu à maioria das perguntas — mas Rut não tinha nada útil a acrescentar. Wallander perguntou especificamente sobre os colegas de bar de Nisse, e ela disse que se lembrava de alguns. Quando ele a pressionou para dizer os nomes, a mulher respondeu que precisava de tempo para pensar. Ele ficou de passar para vê-la no fim do dia.

Às quatro da tarde, ligou para Björk, o ex-comandante, que agora vivia em Malmö. Eles começaram colocando em dia as fofocas, e Björk demonstrou se condoer com o fato de eles terem que lidar com o caso em questão. Eles conversaram longamente sobre Svedberg, e Björk disse que estava planejando ir ao enterro, o que surpreendeu Wallander, apesar de ele não saber o porquê. Björk não tinha nada a dizer sobre a queixa apresentada contra Svedberg. Ele já não conseguia se lembrar por que Svedberg tinha sido dispensado da investigação, mas, já que o Ministério da Justiça resolvera não intervir, estava convencido de que o procedimento fora correto.

Wallander saiu da delegacia às quatro e meia, a caminho de Skårby. Primeiro passou pelo apartamento de Rut Lundin para recolher a lista de nomes que ela lhe prometera. A mulher abriu a porta assim que ele tocou a campainha, como se estivesse à sua espera no hall. Era evidente que estava bêbada. Ela entregou um pedaço de papel e disse que isso era tudo de que conseguia se lembrar. Wallander percebeu que a mulher não queria que ele entrasse, então ele agradeceu e foi embora.

De volta à rua, parou à sombra de uma árvore e deu uma olhada na lista. Reconheceu imediatamente um nome que aparecia no meio da lista: Bror Sundelius. Wallander perdeu o fôlego. Uma pista acabava de aparecer. Svedberg, Bror Sundelius, Nisse Stridh. Ele não pôde ir mais longe. Sentiu o celular tocar no seu bolso.

Era Martinsson e sua voz estava trêmula:

“Ele fez de novo”, disse. “Ele voltou a matar.”

Eram cinco para as cinco da tarde de sábado, 17 de agosto de 1996.

25.

Ele sabia que corria um risco. Nunca tinha feito isso antes, pois correr riscos não era digno dele e passara a vida toda aprendendo a fugir. No entanto, sentia-se atraído pelo desafio, e a situação era muito tentadora.

Quando foi buscar os convites, quase perdeu o domínio da situação. A alegria deles era tão intensa que se sentiu afrontado. Uma atitude cujo único objetivo era humilhá-lo, isso estava claro.

Então, depois de ler a carta, decidiu. Entre a cerimônia da igreja e a recepção, o casal ia parar numa praia próxima para tirar as fotos do casamento. O fotógrafo foi bem claro e até desenhou um pequeno mapa com instruções de como chegar ao local. Os noivos concordaram. Eles deveriam se encontrar lá por volta das quatro da tarde, se o tempo permitisse.

Foi até lá para explorar. As indicações do fotógrafo eram tão precisas que ele não teve nenhuma dificuldade para encontrar o local exato. Uma praia grande, com uma área de camping numa das extremidades. A princípio, não tinha certeza se conseguiria executar o plano, mas depois percebeu que eles estariam bem protegidos naquele lugar, entre as dunas de areia. Haveria outras pessoas na praia, mas manteriam distância enquanto o fotógrafo estivesse tirando as fotos. O desafio era descobrir de que direção ele deveria vir para abordá-los. Fugir depois seria relativamente fácil, pois o carro ficaria a apenas duzentos metros do local. Se alguma coisa desse errado e ele fosse perseguido, estaria armado. Alguém poderia notar o modelo do carro usado na fuga, mas ele teria três carros diferentes à disposição, podia mudar de um para o outro.

Na sua primeira visita, não achou solução para o problema de onde partiria para atacar. Mas, na segunda vez, percebeu o que lhe escapara. Encontrou uma solução espetacular que lhe permitiria transformar a comédia em tragédia.

De repente, tudo estava planejado e ele dispunha de pouco tempo. Precisava roubar os carros e estacioná-los em locais diferentes. Tinha que enterrar na areia um pequeno revólver embrulhado num saco plástico e também uma toalha.

A única coisa que ele não podia garantir era o clima, mas naquele ano o mês de agosto estava magnífico.

Casaram-se na igreja onde, nove anos antes, a noiva fora crismada. O ministro que a batizara já havia morrido, mas ela tinha um parente que também era ordenado e ele aceitou realizar a cerimônia. Tudo correu como previsto. A igreja estava cheia de parentes e amigos; uma vez terminada a sessão de fotos, haveria uma grande recepção. O fotógrafo estava na igreja tirando fotos. Ele já havia planejado as fotos que faria na praia: já fotografara naquele local, e tudo correra bem. Nunca teve tanta sorte com o tempo como naquele dia.

Chegaram à praia pouco antes das quatro horas. O estacionamento estava cheio de campistas, e havia um grande número de crianças brincando na praia. Um nadador solitário estava no mar. O fotógrafo levou apenas alguns minutos para preparar o equipamento, que incluía um tripé e refletores de luz. Nada os perturbava.

Tudo estava a postos. O fotógrafo se posicionou atrás da câmera, enquanto o noivo ajudava a noiva a retocar a maquiagem com a ajuda de um espelhinho. O nadador saía da água; a sua toalha estava estirada na areia. Ele se sentou na toalha, de costas para os noivos. A noiva reparou que ele parecia estar cavando um buraco na areia. O casal estava pronto, e o fotógrafo já explicara o que havia planejado para a primeira foto. Eles tentavam se decidir se deveriam ficar sérios ou sorrir, e o fotógrafo sugeriu que tentassem ambas as poses. Eram 16h09, havia tempo de sobra.

Tinham acabado de tirar a primeira foto quando o homem sentado na praia se levantou e começou a andar. O fotógrafo se preparava para a próxima foto, mas naquele momento a noiva viu que o homem mudara de direção e estava se aproximando deles. Ela ergueu a mão para que o fotógrafo não batesse a foto, pensando que seria melhor esperar o nadador passar. Ele estava agora muito próximo do casal, carregando a toalha à frente como se fosse um escudo. O fotógrafo sorriu para ele e se virou para os noivos. O homem retribuiu o sorriso, deixou cair a toalha que escondia a arma e atirou no pescoço do fotógrafo. Ele deu mais uns passos rápidos e, em seguida, atirou nos noivos. Tudo o que se ouviu foram apenas uns estampidos secos. Ele olhou à volta. Ninguém havia percebido nada.

Continuou caminhando pelas dunas até ficar fora da vista da área de camping. Começou, então, a correr. Chegou ao carro, abriu a porta e saltou para dentro. Todo o episódio se desenrolou em menos de dois minutos.

Percebeu que estava com frio. Era outro risco que corria, pois poderia pegar um resfriado. Mas a tentação simplesmente fora grande demais. Foi maravilhoso sair da água daquele jeito, como o homem invencível que ele era de verdade.

Parou na entrada de Ystad e vestiu o moletom que tinha deixado no banco de trás do carro. Depois, se instalou e ficou à espera.

Demorou um pouco mais do que ele imaginara. Será que foi uma das crianças que brincava na praia ou algum campista dando um passeio? Logo leria nos jornais.

Finalmente ouviu o barulho das sirenes, pouco antes das cinco da tarde. Os veículos, entre eles uma ambulância, passaram por ele em alta velocidade. Sentiu vontade de lhes acenar, mas se conteve. Foi para casa. Havia, mais uma vez, concluído o que se propusera a fazer. E tinha novamente escapado com dignidade.

Wallander foi apanhado em frente ao prédio onde morava Rut Lundin. Os policiais encarregados de buscá-lo só sabiam que tinham que levá-lo a Nybrostrand. Pelas informações transmitidas pelo rádio da polícia, ele percebeu que várias pessoas haviam sido mortas. Não conseguiu arrancar mais nenhuma informação de Martinsson. O inspetor recostou-se no assento com as palavras do colega martelando em sua cabeça: "Ele voltou a matar".

Abriu a porta antes de o carro parar. Viu uma mulher chorando, com o rosto escondido nas mãos. Ela usava shorts e uma camiseta com o slogan de apoio à entrada da Suécia na Otan.

"O que aconteceu?", perguntou Wallander.

Umas pessoas do camping corriam de um lado para o outro, acenando e gesticulando. Corriam pelas dunas. Wallander chegou ao local antes dos outros e ficou paralisado com o que viu. O pesadelo havia se repetido. A princípio ele não conseguia entender o que estava vendo, até reconhecer três cadáveres na sua frente. Havia também uma câmera fotográfica montada num tripé.

"Eles tinham acabado de se casar", ouviu Ann-Britt Höglund dizer, de algum lugar perto. Wallander se aproximou dos corpos e agachou. Os três tinham sido baleados. Os tiros atingiram o casal na testa. O véu branco da noiva estava manchado de sangue. O inspetor tocou no braço da noiva com cuidado. Ainda estava quente. Levantou-se, torcendo para não sentir nenhuma tontura. Hansson acabava de chegar, Nyberg também. Wallander foi ao encontro deles.

"É ele novamente. Aconteceu há poucos minutos. Alguma pegada? Alguém viu o que aconteceu? Quem os encontrou?"

Todos pareciam chocados, como se esperassem que o inspetor lhes desse as respostas.

"Não fiquem aí parados, mexam-se!", gritou. "Acabou de acontecer! Desta vez temos que pegá-lo!"

A paralisia geral se desvaneceu e, passados alguns minutos, Wallander conseguiu ter uma ideia mais clara do que havia acontecido. O casal tinha ido até a praia para tirar as fotos do casamento. Eles caminharam pelas dunas. Um menino que brincava na praia tinha se afastado das outras crianças para fazer xixi. Ele encontrou os cadáveres e saiu correndo, gritando na direção do camping. Ninguém ouviu os tiros, nem notou nada de anormal. Várias testemunhas confirmaram que o fotógrafo e o casal chegaram sozinhos.

"Umas crianças viram um homem nadando no mar", disse Hansson. "Contaram que ele saiu da água, sentou-se na areia e desapareceu."

"O que você quer dizer com 'desapareceu'?", perguntou Wallander, sem conseguir esconder sua impaciência.

"Uma mulher que estava estendendo sua roupa quando o casal chegou disse a mesma coisa", interrompeu Höglund. "Ela achava que tinha visto um nadador, mas, quando voltou a olhar, o homem tinha desaparecido."

Wallander balançou a cabeça. "O que isso quer dizer? Que ele se afogou? Se enterrou na areia?"

Hansson apontou para o trecho da praia que ficava logo abaixo da cena do crime.

"Ele se sentou bem ali. Pelo menos foi o que viu um menino que me pareceu bem convincente. Ele disse que prestou atenção."

Caminharam pela praia. Hansson foi falar com a criança de cabelo escuro e seu pai. Wallander mandou todos andarem em grandes círculos para evitar destruir as pegadas na areia e apagar as pistas, dificultando o faro dos cães. Eles podiam ver as marcas de alguém que esteve sentado na areia, os vestígios de um pequeno buraco e um pedaço de plástico.

Wallander gritou para que Edmundsson e Nyberg se juntassem a ele.

“Este plástico me faz lembrar de algo”, disse o inspetor, e Nyberg concordou. “Talvez seja o mesmo tipo do que achamos na reserva natural.”

Wallander se virou para Edmundsson. “Deixe o cachorro farejar para vermos o que ela descobre.”

Puseram-se de lado e observaram o cachorro, que imediatamente disparou em direção às dunas. Em seguida, ela virou para a esquerda. Wallander e Martinsson seguiam à distância. O cachorro continuava agitada. Chegaram a uma estrada estreita e o cheiro acabava ali. Edmundsson balançou a cabeça negativamente.

“Um carro”, disse Martinsson.

“Alguém deve ter visto”, disse Wallander. “Quero todos os policiais trabalhando nisso: estamos à procura de um homem em trajes de banho. Partiu há cerca de uma hora num carro que estava estacionado aqui.”

O inspetor voltou correndo para a cena do crime. Um dos técnicos forenses estava fazendo um molde de uma pegada gravada na areia. O cachorro de Edmundsson farejava o local.

Hansson acabara de falar com uma mulher do camping. Wallander acenou para ele.

“Mais pessoas o viram”, Hansson disse.

“O nadador?”

“O homem estava na água quando o casal chegou. Depois caminhou pela praia. Algumas pessoas disseram que parecia que ele estava construindo um castelo de areia, mas levantou-se e desapareceu.”

“E ninguém viu nenhuma outra pessoa neste local?”

“Um homem, nitidamente bêbado, disse que viu dois mascarados andando de bicicleta, mas acho que podemos desconsiderar isso.”

"Nesse caso, vamos nos concentrar no nadador, por ora", disse Wallander. "Você sabe quem eram as vítimas?"

"O fotógrafo tinha esse convite de casamento no bolso", disse Höglund ao entregar o papel a Wallander. O inspetor sentiu um desespero tão grande que teve vontade de gritar.

"Malin Skander e Torbjörn Werner", ele leu, em voz alta. "Casaram-se às duas da tarde."

Hansson tinha lágrimas nos olhos. Höglund não tirava os olhos do chão.

"Foram marido e mulher por apenas duas horas", disse Wallander. "Vieram até aqui para tirar fotos. Quem era o fotógrafo?"

"Encontramos o nome dele no fundo da bolsa com o equipamento", disse Hansson. "Chamava-se Rolf Haag e tinha um estúdio em Malmö."

"Temos que notificar os parentes mais próximos", disse Wallander. "A imprensa vai encher o local num piscar de olhos."

"Não seria melhor colocarmos barreiras na estrada?", perguntou Martinsson, que acabara de se juntar a eles.

"Por quê? Não fazemos ideia de como é o carro. Embora a gente saiba quando aconteceu, agora é tarde demais."

"Eu só queria pegar esse safado", disse Martinsson.

"É o que todos nós queremos", respondeu Wallander. "Então, vamos recapitular tudo o que sabemos até agora. A única pista é um nadador solitário, e temos que supor que se trata do nosso homem. Sabemos duas coisas sobre ele: é bem informado e planeja seus crimes meticulosamente."

"Você acha que ele estava nadando no mar enquanto esperava por eles?", perguntou Hansson, de forma hesitante.

Wallander tentou imaginar a sequência de eventos. "Ele sabia que os recém-casados iam tirar as fotos do casamento aqui. O convite diz que a recepção começaria às cinco da tarde. Então ele sabia que a sessão de fotos seria por volta das quatro. Esperou dentro da água, tendo estacionado o carro num local onde pudesse chegar sem passar pelo camping."

"E ele carregou sua arma o tempo todo em que ficou na

água?", perguntou Hansson, claramente cético, mas Wallander começava a encaixar as peças do quebra-cabeça.

"Não se esqueça de que estamos lidando com um criminoso bem informado e meticuloso. Ele esperou as vítimas na água. Isso significa que usava apenas uma roupa de banho e o seu cabelo estava molhado, o que muda completamente a sua aparência. Ninguém presta atenção num nadador. Todos o viram e sabiam que ele estava lá, mas ninguém conseguiu descrevê-lo."

O inspetor olhou à sua volta e todos concordavam. Nenhuma das testemunhas foi capaz de descrevê-lo.

"Os recém-casados chegaram acompanhados do fotógrafo", disse Wallander. "Essa é a deixa para ele sair do mar e se sentar na areia."

"Tinha uma toalha", acrescentou Höglund. "Uma toalha listrada. Várias pessoas se lembram desse detalhe."

"Isso é bom", observou Wallander. "Quanto mais detalhes, melhor. Ele se sentou na toalha listrada e o que fez depois?"

"Começou a cavar um buraco na areia", disse Hansson.

As peças começavam a se encaixar. O assassino seguia suas próprias normas e frequentemente fazia alterações, mas o detetive começava a ver um padrão.

"Ele não estava construindo um castelo de areia, mas sim pegando a arma que enterrou na areia, embrulhada num plástico."

Agora todos estavam seguindo sua linha de raciocínio. Wallander continuou, lentamente. "Ele enterrou a arma ali em algum momento. Só teve que esperar a hora certa, quando não tivesse ninguém passando. Ele se levantou, talvez tenha escondido o revólver na toalha. Aí disparou três vezes. As vítimas morreram imediatamente. Ele deve ter colocado um silenciador na arma. Continuou andando pelas dunas, chegou à estrada onde deixara o carro e escapou. Toda a operação não deve ter levado mais que um minuto. Mas não sabemos pra onde ele foi."

Nyberg se aproximou do grupo.

"Não sabemos nada sobre o assassino, a não ser os crimes

que cometeu", disse Wallander. "Mas vamos procurar semelhanças entre esses casos e descobriremos novas pistas."

Nyberg se intrometeu: "Eu sei uma coisa sobre o assassino: ele usa rapé. Tem um pouco lá, num buraco na areia. Ele deve ter tentado escondê-lo com o pé, mas o cachorro encontrou. Vamos mandar o rapé para o laboratório. Podemos descobrir muitas coisas sobre uma pessoa analisando sua saliva".

Wallander viu Holgersson se aproximando à distância com Thurnberg dois passos atrás dela. Foi novamente invadido pela sensação de fracasso, pois, embora ele tivesse agido como devia, falhara. Não encontraram o homem que matara seu colega, os três jovens na reserva natural, a jovem numa gruta de uma ilha do arquipélago de Östergötland e, agora, os recém-casados e seu fotógrafo. Só havia uma decisão a tomar: pedir a Holgersson que colocasse alguém no seu lugar para se encarregar da investigação. Talvez Thurnberg já até pedira à polícia nacional para intervir.

Wallander não tinha forças para voltar a analisar os acontecimentos com eles. Em vez disso, se aproximou de Nyberg, que estava examinando o tripé.

"Ele conseguiu tirar uma foto antes da tragédia", disse Nyberg. "Vamos mandar revelar o mais breve possível."

"Ficaram casados por duas horas", disse Wallander.

"Parece que esse louco odeia pessoas felizes e considera que sua missão neste mundo é transformar a alegria em pesar."

Wallander ouviu esse último comentário do colega com um ar ausente, nem lhe respondeu. Ele continuava sem forças para abarcar a enormidade do que havia se passado. Convencera-se de que o assassino voltaria a atacar, mas também alimentava a esperança de estar enganado.

Um bom policial sempre espera pelo melhor desfecho, Rydberg costumava dizer. E o que mais? Que o combate ao crime é apenas uma questão de resistência: qual dos dois lados aguenta mais.

Holgersson e Thurnberg apareceram ao lado do inspetor.

Wallander estava tão absorto em seus pensamentos que deu um pulo.

"A estrada deveria ter sido bloqueada", disse Thurnberg, em vez de cumprimentá-lo.

Wallander o encarou com frieza. Naquele preciso momento, tomou duas decisões: não ia abandonar a liderança do caso voluntariamente e ia começar de imediato a dizer o que lhe passava pela cabeça.

"Errado", ele respondeu. "As estradas não deveriam ter sido bloqueadas. É claro que você pode dar essa ordem, mas não terá meu aval."

Não era essa a resposta que Thurnberg esperava, por isso ficou surpreso.

Ele estava todo inflado, Wallander pensou com satisfação. Tão inflado por sua própria importância que acabou estourando. O inspetor deu as costas para Thurnberg e reparou que nunca vira Lisa Holgersson tão pálida. Os olhos dela revelavam o medo que ele próprio sentia.

"É o mesmo homem?"

"Tenho certeza."

"Mas um casal de recém-casados?"

Também foi a primeira coisa que ele pensou.

"Pode-se dizer que os trajes dos noivos eram uma espécie de fantasia."

"Será que é isso que ele busca?"

"Não sei."

"O que mais poderia ser?"

Wallander não respondeu. Só encarava a hipótese de estar lidando com um louco. Um louco que não era louco, mas que tinha assassinado oito pessoas, incluindo um policial.

"Eu nunca estive envolvida num caso tão horrível", ela disse e, em seguida, acrescentou: "Ouvi dizer que eles se casaram aqui perto".

"Em Köpingebro", disse Wallander. "A recepção está pra começar."

Lisa olhou para ele, que já sabia o que ela estava pensando.

"Vou pedir ao Martinsson que entre em contato com a família do fotógrafo", o inspetor disse. "Ele pode pedir ajuda à polícia de Malmö. Você vai comigo até Köpingebro."

Thurnberg permanecia um pouco afastado, falando no celular. Wallander se perguntou com quem o procurador-geral estaria conversando. Juntou todo mundo e pediu a Hansson para ficar no comando enquanto estivesse ausente.

"Responda todas as perguntas do Thurnberg", disse Wallander. "Mas me avise se ele começar a lhe dizer o que você tem que fazer."

"E por que diabos um procurador-geral tentaria dizer aos policiais como eles devem trabalhar?"

Boa pergunta, pensou Wallander. Mas ele foi embora sem responder e se juntou a Holgersson, que o esperava no carro, em silêncio.

Às dez da noite do sábado, 17 de agosto, começou a chover. Wallander já regressara à cena do crime. Notificar as famílias dos noivos, entrando naquele lugar de alegria com uma notícia brutal, tinha sido pior do que ele imaginara. Holgersson permanecera estranhamente passiva durante a visita, talvez porque os encontros com os pais dos jovens assassinados na reserva natural na semana anterior já tivesse consumido todo o vigor que lhe restava. Talvez exista uma quantia limitada de energia para lidar com experiências desse gênero, pensou Wallander. Devo ter esgotado a minha agora.

Era um alívio voltar a Nybrostrand. Holgersson já regressara a Ystad. O inspetor havia telefonado para Hansson várias vezes, mas não tinha nenhuma novidade. Hansson lhe disse que Rolf Haag era solteiro e não tinha filhos. Martinsson dera a notícia ao pai dele, um idoso internado numa casa de repouso. A enfermeira lhe assegurou que esse senhor já esquecera havia muito tempo que tinha um filho.

Nyberg acabara de receber a cópia da fotografia recém-revelada que Rolf Haag havia tirado. Os noivos sorriam para a câmera. Wallander examinou atentamente a imagem por um momento. De repente se lembrou de algo que Nyberg lhe dissera mais cedo.

"O que foi mesmo que você me disse?", ele perguntou. "Quando estávamos em pé aqui. Você tinha acabado de descobrir que ele havia conseguido tirar uma foto."

"Eu disse alguma coisa?"

"Você fez um comentário."

Nyberg se esforçou para lembrar. "Acho que eu disse que o assassino não gostava de pessoas felizes."

"O que quis dizer com isso?"

"O Svedberg foi a exceção, claro. Mas, quanto aos jovens da reserva natural, poderíamos dizer que era um momento alegre, de comemoração."

Wallander sentiu que ele tocara num ponto importante. Ele voltou a olhar a foto do casamento, depois a devolveu para Nyberg. Ia dizer alguma coisa para Höglund quando Martinsson o puxou para um canto.

"Acho que deveria saber que alguém apresentou uma queixa contra você."

Wallander o encarou. "Contra mim? Por quê?"

"Por agressão."

Martinsson coçou a cabeça, sem graça. "Você se lembra do homem que estava correndo na reserva natural? Nils Hagroth?"

"Ele estava invadindo a área isolada pela polícia."

"Bem, de qualquer maneira, ele deu queixa. O Thurnberg soube e parece ter levado a coisa a sério."

Wallander ficou boquiaberto.

"Eu só quis te prevenir", disse Martinsson. "Mais nada."

Chovia intensamente agora. Martinsson se afastou.

Um holofote da polícia iluminava o local onde, poucas horas antes, dois jovens recém-casados tinham sido assassinados. Eram dez e meia da noite.

26.

A chuva parou pouco depois da meia-noite e Wallander foi até a beira do mar para pensar. Era o que ele mais precisava naquele momento. Sentia o aroma fresco que permeava o ambiente depois da chuva. As algas em decomposição haviam sumido. O clima quente já durava duas semanas. Agora que a chuva tinha passado, esquentara novamente e não tinha vento nenhum. Mal se percebia o bater das ondas na praia.

Wallander urinou no mar. Conseguia visualizar os grãos brancos de açúcar coagulando em suas veias. Sua boca estava constantemente seca, e tinha dificuldade de fixar o olhar em algum objeto. Temia que os níveis de glicose no sangue estivessem aumentando.

Enquanto caminhava ao longo da praia escura, pensava nos últimos acontecimentos. Estava convencido de que o nadador solitário, o homem da toalha listrada, era o que procuravam. Não havia outro suspeito plausível. Era o mesmo que estivera na reserva natural, provavelmente escondido atrás da árvore para a qual Wallander apontara. Mais tarde, o indivíduo estivera no apartamento de Svedberg. E agora tinha emergido do oceano. Escondera a arma na areia e deixara o carro estacionado numa estrada próxima.

O nadador já estivera naquele local mais de uma vez, tinha

que conhecer o lugar exato para esconder a arma na areia. Talvez tivesse ido até no meio da noite. Wallander sentiu que agora eles estavam mais perto de desvendar o segredo, mas ainda não tinham chegado lá. A resposta é bem simples, pensou. É como procurar os óculos que estão no próprio nariz.

Resolveu voltar, caminhando lentamente. Os holofotes brilhavam à distância. Agora tentava refazer os passos de Svedberg. Quem seria a pessoa que ele deixara entrar em sua casa? Quem era Louise? Quem havia enviado os cartões-postais da Europa? O que você sabia, Svedberg? Por que você não me contou nada, já que, segundo Ylva Brink, eu era seu amigo mais próximo?

Ele parou. A pergunta que fez a si mesmo pareceu, de repente, mais importante do que nunca. Se Svedberg não quis contar para ninguém o que estava investigando, talvez fosse por receio de estar enganado. Na verdade, não existia outra explicação. Mas Svedberg estava certo e por isso foi morto.

Wallander tinha quase chegado às barricadas da polícia. Ainda havia um pequeno grupo de curiosos em volta da área isolada, tentando ver qualquer coisa relacionada com a tragédia que ocorrera. Quando Wallander se aproximou das dunas de areia, Nyberg tinha terminado de fazer algumas anotações.

"Temos algumas pegadas", disse Nyberg. "E não é força de expressão, pois o assassino estava descalço."

"Você conseguiu entender o que aconteceu?"

Nyberg guardou o bloco de anotações. "O fotógrafo foi alvejado primeiro. Não há dúvidas quanto a isso. Graças ao ângulo em que a bala perfurou seu pescoço, o tronco dele foi parcialmente virado para o lado. Se o primeiro tiro fosse dirigido aos noivos, o fotógrafo teria sido atingido de frente."

"E a próxima vítima?"

"É difícil dizer, mas acho que o noivo foi o segundo a morrer. Um homem representa sempre uma ameaça física maior. Então a moça foi a última."

"Mais alguma coisa?"

"Nada que você já não saiba. O assassino tem o controle total de sua arma."

"A mão dele não treme?"

"Quase nada."

"Você acha que ele é um assassino calmo e determinado?"

Nyberg lançou um olhar sombrio. "Imagino um louco com sangue-frio e sem sentimentos."

Quando Wallander regressou à delegacia, os telefones não paravam de tocar. Um dos policiais de plantão fez sinal para que ele se aproximasse. O inspetor esperou até que o colega terminasse a ligação sobre um motorista embriagado que fora visto em Svarte. O policial prometeu enviar um carro-patrulha assim que possível, mas Wallander sabia que nenhum carro iria para Svarte nas próximas vinte e quatro horas.

"Alguém de Copenhague ligou para você. Policial Kjær ou Kræmp."

"Era sobre o quê?"

"A foto daquela mulher."

Sem tirar o casaco, Wallander pegou um pedaço de papel com o nome e o número de telefone e se sentou à mesa para telefonar. A ligação fora recebida pouco antes da meia-noite. Kjær ou Kræmp ainda podia estar lá. Quando atenderam o telefone, Wallander disse quem ele estava procurando.

"Kjær."

Wallander esperava a voz de um homem, mas Kjær era uma mulher.

"Aqui é o Kurt Wallander, de Ystad. Estou retornando sua ligação."

"Temos uma informação para dar sobre a foto da tal mulher. Recebemos dois telefonemas de pessoas que afirmam tê-la visto."

Wallander bateu com o punho na mesa. "Finalmente."

"Eu mesma falei com uma das pessoas que telefonaram. O homem me pareceu bastante confiável. O nome dele é Anton Bakke. É gerente de uma empresa que fabrica móveis de escritório."

"Ele conhece pessoalmente a tal mulher?"

"Não, mas estava completamente convencido de que a viu em Copenhague, num bar, perto da Estação Central. Ele a viu várias vezes."

"É extremamente importante que possamos falar com essa mulher."

"Ela cometeu algum crime?"

"Ainda não sabemos, mas queremos interrogá-la por estar ligada a uma investigação de assassinato. É por isso que publicamos a foto dela nos jornais."

"Estou a par do que se passou aí. Aqueles jovens do parque. E o policial."

Wallander contou-lhe sobre o episódio mais recente.

"E o senhor acha que essa mulher tem alguma coisa a ver com isso?"

"Não necessariamente, mas eu gostaria de lhe fazer umas perguntas."

"Bakke disse que teve um período em que ele ia a esse bar com muita frequência, várias vezes por semana. Na metade das vezes em que foi lá, ele a viu."

"Ela costumava estar sozinha?"

"Ele não tem certeza, mas acha que em certas ocasiões a mulher estava acompanhada."

"Você perguntou quando o homem a viu pela última vez?"

"Quando ele esteve lá pela última vez, em meados de junho."

"E a outra pessoa que telefonou?"

"Era um taxista que disse que fez uma corrida com ela em Copenhague há umas duas semanas."

"Um taxista vê muitos passageiros. Como ele pode ter certeza?"

"Ele disse que se lembrou porque ela falava sueco."

"Onde ele a pegou?"

"Ela fez sinal na rua à noite, ou melhor, de madrugada. Foi por volta das quatro e meia da manhã, e disse que pegaria o primeiro ferry para Malmö."

Wallander sabia que tinha que tomar uma decisão. "Não podemos pedir que a prendam", ele disse. "Mas precisamos que a tragam até aqui. Temos que falar com ela."

"Acho que podemos fazer isso. Podemos inventar um motivo."

"Me avise quando ela aparecer novamente no bar. Qual é o nome do lugar?"

"O Amigo."

"Que tipo de bar é esse?"

"Bastante agradável na verdade, embora fique na Istedgade."

Wallander sabia que essa rua ficava no centro de Copenhague.

"Muito obrigado pela sua ajuda."

"Aviso assim que ela aparecer."

Wallander anotou o nome completo de Kjær e seu número de telefone. O primeiro nome dela era Lone. Em seguida, desligou.

Era uma e meia da manhã. Ergueu-se lentamente, foi ao banheiro masculino e depois bebeu mais água na cantina. Pegou um dos sanduíches ressecados que estavam numa bandeja. Ouviu a voz de Martinsson, no hall, falando com os policiais recém-chegados de Malmö. Eles entraram na cantina minutos depois.

"Como vão as coisas?", perguntou, entre uma mordida e outra no sanduíche.

"Não viram mais ninguém, a não ser o nadador."

"Já temos uma descrição dele?"

"Estamos tentando juntar todas as peças que recebemos até agora."

"A polícia dinamarquesa ligou. Talvez tenham achado a tal Louise."

"É mesmo?"

"Parece que sim."

Wallander serviu-se de café. Martinsson estava esperando que ele continuasse.

"Eles a prenderam?"

"Eles não têm motivos para prendê-la, só informações fornecidas por um taxista e um homem que a viu num bar. Os dois reconheceram a foto do jornal."

"Então o nome dela é mesmo Louise?"

"Ainda não sabemos."

Wallander bocejou, e Martinsson fez o mesmo. Um dos policiais de Malmö esfregou os olhos, como se tentasse afastar o cansaço.

"Eu gostaria de falar com todo mundo na sala de reuniões", disse Wallander.

"Dê quinze minutos pra gente", disse Martinsson. "Acho que o Hansson está a caminho. Vou ligar para a casa da Ann-Britt."

Wallander levou o café para a sala dele. Olhou para cima e ficou examinando o mapa da Escânia pregado na parede. Primeiro localizou Hagestad, depois Nybrostrand. Ystad ficava bem no meio. A área era pequena, mas isso não ajudava em nada. Por fim, ele pegou o bloco de anotações e se dirigiu para a sala de reuniões. Foi recebido por rostos cansados e desanimados, com suas roupas amassadas e os corpos pesados.

Enquanto estamos aqui tentando rastrear as pegadas do assassino, Wallander pensou, é provável que ele esteja dormindo pacificamente.

Analisaram os diversos aspectos da investigação e relataram as últimas novidades. A grande descoberta foi o fato de ninguém ter visto outra pessoa além do nadador solitário. O que indicava, cada vez mais, que ele era o assassino.

Wallander examinou suas anotações. "Infelizmente, as descrições dele são bem estranhas e contraditórias", disse, com ar melancólico. "As testemunhas não parecem concordar se ele tem cabelo curto ou se é careca. Os que dizem que ele tem cabelo não estão de acordo quanto à cor. Todos, porém, concordam que ele não tem um rosto redondo. Parece que é longo, tem uma 'cara de cavalo', segundo duas testemunhas. Além disso, todos parecem estar de acordo noutro ponto: o homem não estava muito bronzeado. Ele tem estatura mediana — o que, na realidade, pode significar qualquer coisa entre um anão e um gigante. Não é magro, nem gordo; e não havia nada de extraordinário na sua maneira de andar. Ninguém sabe dizer qual era a cor de seus olhos. O fator de maior confusão é quanto à idade dele. As descrições variavam de vinte a sessenta anos. A maioria das testemunhas disse que o homem deve ter entre trinta e cinco e quarenta e cinco anos, mas essas observações não parecem ter nenhum fundamento."

Wallander largou o bloco de lado e disse: "Em outras palavras, na realidade não temos descrição nenhuma".

Um silêncio tomou conta do ambiente. Wallander percebeu que deveria dizer algo que aliviasse o clima.

"Temos que nos lembrar que é impressionante a quantidade de informações que conseguimos recolher num espaço de tempo tão curto", disse ele. "Amanhã será ainda melhor. E já demos um passo enorme: agora podemos concentrar todos os esforços na busca de um suspeito. Eu não hesitaria nem um pouco em chamar isso de um avanço fundamental."

Eram vinte para as três da madrugada quando o inspetor deu a reunião por terminada. Martinsson foi o único que ficou. Ele queria passar as informações que recebera sobre os Viajantes Divinos. Começou falando dos relatórios que recebera dos Estados Unidos e da Interpol, mas Wallander o interrompeu, impaciente.

"Houve algum crime violento? Os membros da seita já foram, alguma vez, vítimas de agressão?"

"Até onde sei, não. Mas eles já enviaram mais arquivos de Washington e Bruxelas. Vou lê-los hoje à noite."

"Você devia ir para casa dormir", disse Wallander, com ar sério.

"Achei que isso fosse importante."

"É importante, mas não podemos fazer tudo de uma vez só. Agora, temos que nos concentrar em Nybrostrand. É o mais perto que já chegamos desse louco."

"Então, você mudou de ideia?"

"O que quer dizer?"

"Bem, agora você está falando de um 'louco'."

"Um assassino é sempre um louco, mas também pode ser astuto e covarde. Ele pode ser como você e eu."

Exausto, Martinsson assentiu e não conseguiu evitar um bocejo. "Vou para casa. Por que resolvi me tornar um policial mesmo?"

Wallander não respondeu. Ele entrou em seu escritório para pegar o casaco e ficou em pé, parado no meio da sala. O que deveria fazer em seguida? Estava muito cansado para pensar, mas também estava cansado demais para dormir. Sentou-se na cadeira e observou a foto de Louise que estava em cima da mesa. Sentiu, mais uma vez, que havia algo estranho naquele rosto, mas não sabia dizer o quê. Distraidamente, pegou a foto e enfiou no bolso do casaco. Fechou os olhos para descansá-los um pouco da luz e adormeceu quase de imediato.

Acordou com um salto e sem saber onde estava. Eram quase quatro da manhã e dormira praticamente uma hora. Sentia dores por todo o corpo e ficou sentado por um tempo, sem pensar em nada. Então foi ao banheiro e jogou água fria no rosto. Embora ainda estivesse atormentado pela indecisão, sabia que tinha que dormir, mesmo que fosse por poucas horas. Ele precisava tomar banho e mudar de roupa. Sem chegar a uma decisão concreta, saiu da delegacia e foi para casa.

Porém, uma vez dentro do carro, tomou a direção de Nybrostrand. Às quatro da manhã o lugar estaria deserto, exceto pelos policiais encarregados de guardar a área. Ficar sozinho na cena do crime poderia facilitar a procura de novos detalhes. Não levou muito tempo para chegar lá. Como ele esperava, já não havia mais curiosos em volta da área isolada pela polícia. Um carro-patrulha, com alguém dormindo ao volante, estava estacionado na praia. Outro policial estava do lado de fora, fumando um cigarro. Wallander se aproximou e o cumprimentou, sem deixar de reparar que era o mesmo policial que estivera na reserva natural naquela noite.

"Tudo parece estar bem calmo."

"Na realidade, alguns bisbilhoteiros saíram daqui quase agora. Sempre me pergunto o que eles tanto esperavam ver."

"Talvez se animem com o mero fato de estar na presença do impensável", disse Wallander. "Mas sabendo que eles mesmos estão seguros."

O inspetor atravessou a fita de isolamento da cena do crime. Só havia um holofote iluminando a grama pisada. Ele caminhou até o local onde o fotógrafo estivera, depois se virou lentamente e desceu a duna até o local do buraco na areia.

O homem da toalha listrada sabia de tudo, Wallander pensou. Não só estava bem informado, como sabia o que aconteceria nos mínimos detalhes. Era como se tivesse estado presente quando foram elaborados os planos.

Seria uma hipótese a se considerar? Se o assassino fosse o assistente de Rolf Haag, isso explicaria como ele sabia da sessão de fotos. Contudo, como é que um assistente desses poderia saber o que ia se passar na reserva natural? E na ilha de Bärnsö? E com o Svedberg?

Por enquanto, Wallander deixaria essa hipótese de lado, embora pudesse voltar a pensar nela. Caminhou de volta para o lado da duna, pensando num motivo que levaria o assassino a matar pessoas "fantasiadas". Svedberg foi uma exceção, mas isso era fácil de entender: ele nunca fora um alvo; só chegou perto demais da verdade.

Ocorreu-lhe também que Rolf Haag também poderia ter escapado: ele simplesmente estava no caminho. Restavam, então, seis vítimas. Seis jovens com trajes diferentes, seis pessoas muito felizes. Lembrou-se do que Nyberg havia dito: parece que esse louco odeia as pessoas felizes. Até então fazia algum sentido, mas não era o suficiente.

O inspetor foi até a estrada onde o carro da fuga deve ter ficado estacionado. Mais uma vez, o assassino planejara tudo nos mínimos detalhes. Não havia nenhuma casa por perto, nenhuma possível testemunha. Voltou à cena do crime, onde o policial de plantão ainda fumava.

"Continuo pensando nos curiosos", disse, jogando a bituca de cigarro no chão e esmagando-a na areia, onde já havia várias outras espalhadas. "Acho que nós também faríamos o mesmo se não fôssemos policiais."

"Provavelmente", concordou Wallander.

"A gente vê pessoas tão estranhas. Algumas fingem que não estão interessadas, mas ficam aqui por horas a fio. Esta noite, uma das últimas pessoas a ir embora foi uma mulher. Ela já estava aqui quando cheguei."

Wallander não estava prestando muita atenção, mas decidiu ficar e conversar um pouco enquanto esperava o amanhecer.

"De início, achei que era alguém que eu conhecia", disse o policial. "Mas não era. Tive a sensação de tê-la visto antes."

Demorou um pouco para as palavras dele penetrarem. Finalmente, Wallander olhou para o policial:

"O que você acabou de dizer?"

"Achei que a mulher que estava aqui era alguém que eu já tinha visto. Mas não era."

"Você achou que já a tinha visto em algum lugar?"

"Pensei que talvez fosse alguém que eu conhecia."

"Qual dos dois? Achou que era alguém que já tinha visto ou alguém que você conhecia?"

"Não sei. Tinha alguma coisa nela que parecia familiar, foi isso."

Era um tiro no escuro, como procurar agulha num palheiro, mas Wallander tirou a foto de Louise que ele tinha enfiado no bolso do casaco. Ainda estava escuro, porém o policial apontou a lanterna.

"Sim, é ela. Como você sabia?"

Wallander prendeu a respiração. "Tem certeza?"

"Absoluta. Eu sabia que já tinha visto esse rosto em algum lugar."

Wallander praguejou consigo mesmo. Um policial mais atento poderia tê-la identificado e alertado os outros. Mas ele sabia, porém, que estava sendo injusto. Havia muitas pessoas indo e vindo. Pelo menos esse policial tinha reparado nela.

"Me mostre onde a mulher estava."

O policial dirigiu o foco da lanterna para um local perto da praia.

"Quanto tempo ela ficou aqui?"

"Várias horas."

"Estava sozinha?"

O policial pensou por um momento, mas depois falou num tom que não deixava nenhuma dúvida. "Estava."

"E ela foi uma das últimas pessoas a ir embora?"

"Foi."

"Que direção ela tomou?"

"Ela foi rumo ao camping."

"Você acha que ela estava acampada lá?"

"Não vi exatamente para onde ela ia, mas não me pareceu uma campista."

"Bom, na sua opinião, que aparência tem um campista? Como ela estava vestida?"

"Ela estava com um tailleur azul. E acho que os campistas normalmente se vestem com roupas mais simples."

"Se ela voltar a aparecer, me avise imediatamente", disse Wallander. "Conte também aos outros policiais. Você tem uma foto dessas no carro?"

"Vou acordar o meu parceiro. Ele deve saber."

"Não o incomode."

Wallander entregou-lhe a foto que tinha na mão e foi embora. Eram quase cinco horas e ele começava a se sentir menos cansado. Estava cada vez mais animado. A mulher chamada Louise não era o nadador solitário que procuravam, mas talvez ela soubesse quem ele era.

27.

Ele acordou com o toque do telefone, sentou-se na cama de um salto e cambaleou até a cozinha. Era Lennart Westin.

"Você estava dormindo?", perguntou o carteiro, como se estivesse pedindo desculpa.

"De jeito nenhum. Mas eu estava no banho. Posso te ligar daqui a uns minutos?"

"Claro. Estou em casa."

Tinha uma caneta em cima da mesa, mas nenhum papel à vista, nem sequer um jornal. Wallander teve que escrever o número no tampo da mesa. Depois, desligou e descansou o rosto entre as mãos. Estava com uma tremenda dor de cabeça e sentia-se mais cansado do que quando foi deitar. Jogou água fria no rosto, procurou uma aspirina e pôs água na cafeteira. Mas o café havia acabado. Aquela foi a gota d'água. Depois de quase quinze minutos, ele ligou de volta para Westin. O relógio da cozinha marcava 8h09. O homem atendeu o telefone.

"Acho que você devia estar dormindo. Mas me disse para telefonar se me lembrasse de algo importante."

"Estamos trabalhando vinte e quatro horas por dia", respondeu o inspetor. "É difícil ter tempo para dormir direito. Mas que bom que telefonou."

"Na verdade, são duas coisas. Uma é sobre aquele policial

que veio aqui antes de você, o que foi assassinado. Quando acordei hoje de manhã, me lembrei de algo que ele me disse quando estávamos a caminho das ilhas."

Wallander pediu-lhe que esperasse um pouco, enquanto buscava um bloco de anotações na sala.

"Ele havia me perguntado se eu tinha levado uma mulher para Bärnsö recentemente."

"E tinha?"

"Sim. Por acaso, eu tinha transportado uma mulher."

"Quem?"

"Uma mulher chamada Linnea Vederfeldt, que mora em Gusum."

"O que ela foi fazer em Bärnsö?"

"A mãe da Isa encomendara novas cortinas para a casa. Ela e Linnea se conhecem desde pequenas. A mulher estava indo para tirar as medidas da cortina."

"Você contou isso ao Svedberg?"

"Não pensei que o assunto lhe interessasse e por isso não entrei em detalhes."

"Como ele reagiu?"

"Bem, foi só isso. Ele insistiu para que eu lhe falasse mais sobre a mulher. Então lhe contei que ela era amiga de infância da mãe da Isa, e ele pareceu perder completamente o interesse."

"Perguntou mais alguma coisa?"

"Nada que eu consiga me lembrar. Porém ele pareceu agitado quando soube que eu tinha levado uma mulher até Bärnsö. Lembro disso tão bem agora que não sei como pude ter me esquecido."

"O que você quer dizer com 'agitado'?"

"Não sou bom para descrever esse tipo de coisa, mas diria que ele parecia estar com 'medo'."

Wallander assentiu. Svedberg tinha medo que fosse a Louise.

"E quanto à outra coisa? Você disse que tinha duas coisas para me dizer."

"Eu devo ter dormido bem mesmo. Esta manhã até me lembrei do que lhe disse enquanto estávamos nos aproximando da nossa primeira parada. Eu disse pra você que acabamos sabendo tudo sobre as pessoas, querendo ou não. Lembra-se?"

"Me lembro."

"Foi isso. Espero que ajude."

"É claro que ajuda. Muito obrigado pelo telefonema."

"Você deveria vir aqui no outono", disse Westin. "Quando é mais tranquilo."

"Quer dizer que você está me convidando?", perguntou Wallander.

"Pode interpretar como quiser", riu Westin. "Mas normalmente sou um homem de palavra."

Terminada a conversa, o inspetor caminhou lentamente de volta à sala. Agora se lembrava da conversa, de terem falado da entrega dos correios nas ilhas. De súbito, tornou-se clara a ideia que ele tentava definir havia muito tempo. Estavam à procura de um assassino que planejava meticulosamente cada detalhe de seus crimes horripilantes. Sua maneira de agir implicava ter acesso a informações muito específicas sobre a vida de suas vítimas, sem que elas soubessem disso. Era como ler a correspondência dos outros. Wallander ficou parado, congelado, no meio da sala. Quem é que poderia ter acesso ilimitado às cartas das outras pessoas? Lennart Westin sugerira uma possibilidade: um carteiro. Alguém abria as cartas durante seu percurso, lia cada uma e as selava novamente, garantindo que chegassem aos destinatários. Ninguém jamais saberia que elas tinham sido abertas.

Wallander suspeitava que não pudesse ser tão simples. Não era assim que as coisas funcionavam. Era muito inverossímil. Contudo, isso responderia a uma das questões mais difíceis da investigação: como o assassino conseguia recolher todas aquelas informações?

Qualquer vestígio de sono havia passado. Ele percebeu que encontrara uma explicação plausível. É claro que havia lacunas, especialmente pelo fato de as vítimas não morarem no mesmo percurso postal. Mas talvez o assassino não fosse um carteiro de fato. Poderia ser alguém encarregado de separar a correspondência antes da entrega?

Tomou uma ducha rápida, vestiu-se e saiu. Eram nove e quinze quando entrou pela porta principal da delegacia. Wallander precisava discutir as últimas ideias com alguém e sabia exatamente com quem queria falar. Encontrou-a na sua sala.

"Espero que eu não esteja com a mesma aparência que a sua", disse Höglund ao vê-lo entrar. "Desculpe pela franqueza. Você dormiu esta noite?"

"Umas duas horas."

"Meu marido vai viajar para Dubai daqui a quatro dias. Você acha que teremos solucionado esse maldito caso até lá?"

"Não."

"Então, não sei o que vou fazer", ela disse, largando os braços ao longo do corpo.

"É simples, você só trabalha quando puder."

"Não é nada simples", Höglund respondeu. "Mas os homens raramente entendem."

Wallander não estava com vontade de ter uma conversa sobre o problema de ter de procurar uma creche para os filhos, então rapidamente mudou de assunto: queria falar sobre os últimos acontecimentos. Contou-lhe sobre o policial que tinha visto Louise em Nybrostrand e também descreveu a conversa que teve com Lone Kjær.

"Então a Louise existe. Já estava começando a achar que ela era um fantasma."

"Ainda não sabemos se esse é realmente o nome dela, mas a mulher existe. Tenho certeza disso. E ela está muito interessada na nossa investigação."

"Será que ela é a assassina?"

"Acho que não podemos eliminar essa possibilidade, mas também pode ser alguém que se encontre na mesma situação do Svedberg."

"Seguindo a trilha de outra pessoa?"

"Sim, mais ou menos isso. Quero todos atentos caso ela volte à cena do crime."

Em seguida, Wallander falou sobre sua conversa telefônica com Westin. Höglund ouviu com atenção, mas o inspetor percebeu que ela não estava confiante.

"Vale a pena olhar isso mais a fundo", Höglund disse depois que ele terminou. "Mas tem uma série de furos na sua teoria. Por exemplo, será que as pessoas ainda escrevem cartas?"

"Sei que não é perfeita, porém acho que responde a uma parte do problema. É uma ideia que pode complementar a cena, mas não nos dá uma solução completa."

"Já foram citados alguns carteiros no decorrer da investigação, certo?"

"Sim, dois", disse Wallander. "Além de Westin, teve o carteiro que o vizinho da Isa, Erik Lundberg, mencionou no dia em que ela foi levada para o hospital."

"Talvez devêssemos tentar descobrir se a voz dele combina com a de quem telefonou para o hospital."

Wallander levou uns instantes para entender o que ela estava dizendo. "Você está falando do homem que se fez passar por Lundberg?"

"Sim. O carteiro sabia que Isa estava no hospital desde que Lundberg te contou. Ele também sabia que Lundberg estava ciente de tudo."

Wallander sentiu a cabeça girar. Haveria uma explicação para tudo isso? Sentiu novamente um grande cansaço e não sabia se podia confiar na própria capacidade de raciocínio.

"Depois, tem um problema com o Svedberg", o inspetor disse, e então contou a Höglund sobre a queixa que tinha sido arquivada. "Não entendo por que ele não investigou as agressões de Nils Stridh contra seu irmão. Ele chegou até a ameaçar Stig Stridh para proteger Nils Stridh a todo o custo. Por quê? Svedberg teve sorte porque as autoridades não prosseguiram com a queixa. Ele poderia ter sido severamente repreendido."

"Isso não combina com o comportamento que Svedberg sempre teve."

"É isso que me faz suspeitar. Ele deve ter sido pressionado para agir dessa forma."

"Pelo Nils Stridh?"

"Quem mais poderia ter sido?"

Ficaram um tempo pensando. "Pra mim, parece chantagem", ela disse finalmente. "Mas o que Stridh poderia saber sobre Svedberg?"

"Temos que esperar para ver. Mas acho que Bror Sundelius sabe mais do que diz."

"Devíamos pressioná-lo um pouco."

"É o que vamos fazer", disse Wallander. "Assim que tivermos algum tempo."

Reuniram-se às dez horas, com a presença de Martinsson, Hansson e os três colegas vindos de Malmö. Nyberg continuava investigando a cena do crime, e Holgersson se fechou na própria sala. Ela estava lidando com a imprensa. Thurnberg mantinha-se à distância, embora Wallander o tivesse visto no hall. A reunião descambou para a brincadeira quando alguém começou a circular a informação de que o corredor Nils Hagroth deu queixa contra o inspetor, dizendo que tinha sido agredido por ele na reserva natural. Wallander era o único que não achou graça, não porque ele se preocupava com a queixa, mas sim porque não queria que sua equipe perdesse o foco.

Tinham muito que fazer. Wallander e Höglund iriam até Köpingebro, falar com os pais de Malin Skander, enquanto Martinsson e Hansson se encarregariam dos parentes de Torbjörn Werner. Wallander cochilou assim que entrou no carro de Höglund, que o deixou dormir.

Ele despertou quando pararam em frente ao portão de uma fazenda nos arredores de Köpingebro. Embora fosse um belo dia, um silêncio pouco natural pairava sobre a casa e o jardim.

Todas as portas e janelas estavam fechadas. Enquanto caminhavam em direção à casa principal, um homem de terno escuro veio ao encontro deles. Ele estava na meia-idade, era alto e robusto. Tinha os olhos vermelhos. Apresentou-se como Lars Skander, o pai da noiva.

"O senhor terá que falar só comigo", disse Lars Skander. "Minha mulher não está em condições de receber ninguém."

"Queremos dar nossos pêsames", disse Wallander. "E também nos desculpar por não o deixarmos em paz, mas precisamos lhe fazer algumas perguntas urgentes."

"É claro, se não podem esperar." Lars Skander não tentou esconder a amargura e o desgosto. "Vocês têm que apanhar esse maníaco." Encarou-os com um olhar suplicante. "Como é que alguém pôde fazer uma coisa dessas? Como alguém consegue matar duas pessoas que estavam tirando fotos de casamento?"

Wallander temia que o homem tivesse um ataque de nervos, mas Höglund tomou conta da situação.

"Só vamos fazer umas poucas perguntas essenciais", ela disse. "O mínimo que necessitamos para prender quem fez isso."

"Podemos sentar aqui fora?", perguntou Lars Skander. "Dentro de casa, a atmosfera está sufocante."

Dirigiram-se em silêncio para o jardim nos fundos da casa. Havia uma mesa e quatro cadeiras à sombra de uma antiga cerejeira.

"O senhor consegue imaginar quem poderia ter feito isso?", perguntou Wallander, depois de terem feito as perguntas de praxe sobre o casal assassinado. "Eles tinham inimigos?"

Lars Skander olhou fixo para eles, estupefato. "Por que razão Malin e Torbjörn teriam inimigos? Eles eram amigos de todo mundo. Você não conseguiria encontrar pessoas mais pacíficas."

"É uma pergunta importante. Preciso que o senhor pense com muito cuidado antes de responder."

"Pensei nisso. Mas não consigo imaginar uma única pessoa."

Wallander continuou. Informação, ele pensou. O que precisamos saber é como o assassino obteve a informação que precisava.

"Quando eles escolheram o dia do casamento?"

"Não me lembro exatamente. Acho que foi em maio. No mais tardar, na primeira semana de junho."

"Quando eles decidiram tirar as fotos do casamento em Nybrostrand?"

"Isso eu não sei. Torbjörn e Malin planejavam tudo cuidadosamente e com antecedência; além disso, Torbjörn e Rolf Haag já se conheciam havia muito tempo, então acho que as fotos devem ter sido planejadas bem cedo."

"Há uns dois meses, então?"

"Algo assim."

"Quem sabia que a sessão de fotos seria na praia?"

A resposta foi surpreendente: "Praticamente ninguém".

"Por quê?"

"Eles queriam estar a sós naquele momento, entre a igreja e a recepção. Só eles e o Rolf sabiam o lugar em que haviam combinado. Disseram que, por duas horas, seria um segredo de lua de mel."

Wallander e Höglund se entreolharam.

"Isto é extremamente importante", disse o inspetor. "Quero me certificar de que entendi corretamente. Com exceção de Malin e Torbjörn, só o fotógrafo sabia onde as fotos seriam tiradas?"

"Exatamente."

"E o local foi escolhido numa certa data, entre o final de maio e o início de junho."

"A princípio, eles haviam decidido tirar as fotos nas Pedras de Ale", disse Lars Skander. "Mas mudaram de ideia. Parece que virou moda os casais tirarem fotos de casamento nesse lugar."

Wallander franziu a testa. "Então o senhor sabia onde as fotos seriam tiradas."

"Eu soube do plano das Pedras de Ale. Mas depois eles mudaram de ideia, como já lhe disse."

Wallander suspirou fundo. "Nesse caso, quando foi que eles mudaram de ideia?"

"Há apenas umas duas semanas."

"E o novo local foi mantido em segredo?"

"Foi."

Sem falar, Wallander observou Lars Skander. Então se virou para Höglund. Ele sabia que estavam pensando a mesma coisa. O local fora trocado apenas umas duas semanas antes, e o casal tinha certeza de que só eles sabiam onde seria. No entanto, alguém conseguira descobrir esse segredo.

"Liga pro Martinsson", o inspetor disse para Höglund. "Pede pra ele confirmar essa informação com os Werner."

Ela se levantou e se afastou para dar o telefonema.

Nunca estivemos tão perto, pensou Wallander. Tentou explorar mentalmente todas as hipóteses. Ele ainda não sabia se Rolf Haag tinha ou não um assistente, nem se era possível que um amigo próximo soubesse dos planos, apesar do que Lars Skander lhes havia dito.

Naquele momento, a janela do andar de cima da casa foi escancarada. Uma mulher se debruçou para fora, gritando.

28.

Wallander guardaria por muito tempo a imagem da mulher gritando na janela. Aquele fora um dos dias mais belos de um verão especialmente quente, o jardim estava verde e exuberante, e Höglund estava encostada em uma pereira, falando em seu celular, enquanto o inspetor permanecia sentado, diante de Lars Skander, numa cadeira de madeira branca. Tanto Wallander quanto Höglund pensaram imediatamente que era tarde demais: a mulher que abrira a janela ia se jogar. Nunca conseguiriam chegar até ela a tempo.

Houve um momento de completo silêncio, como se a cena estivesse congelada. Então Höglund largou o celular e correu na direção da janela, enquanto Wallander gritou qualquer coisa — ele mal sabia o quê. Lars Skander levantou-se bem lentamente. A mulher na janela continuava a gritar. Era a mãe da noiva, e a sua dor arranhava aquele dia quente de agosto como um diamante faz com o vidro. Mais tarde, eles concordaram que o grito fora o que mais os abalara.

Höglund correu para dentro da casa, enquanto Wallander permaneceu embaixo da janela com os braços estendidos. O homem ficou parado ao seu lado, como um fantasma, olhando para a mulher atordoada na janela. Então Höglund apareceu atrás dela e a puxou para dentro do quarto. Tudo ficou quieto novamente.

Quando Wallander e Skander entraram no quarto, Höglund estava sentada no chão, abraçando a mulher. Wallander desceu as escadas e chamou uma ambulância. Depois da chegada e partida do socorro, voltaram para o jardim. Höglund pegou o celular que ficou caído na grama.

"Martinsson tinha acabado de atender a ligação quando aquilo aconteceu. Ele deve ter se perguntado o que estava se passando", ela disse.

Wallander se sentou em uma das cadeiras e disse: "Ligue para ele".

Ela se sentou em frente ao inspetor, enquanto uma abelha zumbia entre eles. Svedberg tinha fobia de abelhas, mas agora ele estava morto. Era por isso que estavam ali, no jardim dos Skander. Muitos outros também tinham morrido. Em demasia.

"Temo que ele volte a atacar", disse Wallander. "A cada segundo acho que vou receber um telefonema dizendo que ele matou novamente. Estou enlouquecendo, procurando sinais de que o pesadelo vai acabar logo, que não terei mais que me ajoelhar diante dos corpos de pessoas que foram mortas a tiro, mas não consigo encontrá-los."

"Todos nós temos esse medo", ela respondeu.

Não era necessário dizer mais nada. Höglund ligou para Martinsson, que, como era de esperar, quis saber o que havia acontecido. Wallander levou a cadeira para a sombra e ficou imerso em seus pensamentos.

Se a decisão de mudar o local da sessão de fotos para Nybrostrand fora tomada havia apenas duas semanas, quem teria tido acesso à informação? Por que ninguém sabia se Rolf Haag tinha ou não um assistente?

Höglund terminou a conversa e também levou sua cadeira para a sombra.

"Ele vai me ligar mais tarde", ela disse. "Aparentemente, os Werner são muito idosos. Martinsson não soube dizer se eles estão em estado de choque ou apenas senis."

"E quanto à questão de o Rolf Haag ter um assistente?",

perguntou Wallander bruscamente. “A polícia de Malmö ficou encarregada de verificar isso pra gente. Você se lembra do Birch? Trabalhamos com ele num caso no ano passado.”

“Como é que poderia me esquecer?”

Birch era um policial da velha guarda e foi um prazer conhecê-lo.

“Ele se mudou para Malmö”, ela disse. “Acho que está encarregado desse caso.”

“Então ele já fez o trabalho”, disse Wallander com firmeza.

Pegou o telefone e ligou para a delegacia de Malmö. Teve sorte: Birch estava em sua sala. Depois de trocarem cumprimentos, Birch foi direto ao assunto:

“Já mandei meu relatório para Ystad. Você ainda não o recebeu?”

“Ainda não.”

“Então vou lhe dizer quais são os pontos de maior interesse. O estúdio de Rolf Haag fica perto da praça Nobel, e o principal trabalho dele era fotografia de estúdio, embora já tivesse publicado alguns livros de viagem.”

“Vou ter que te interromper. O que preciso saber mesmo é se ele tinha um assistente.”

“Sim, tinha.”

“Qual é o nome dele?”, perguntou Wallander, enquanto fazia um gesto para Höglund lhe passar uma caneta.

“O nome dela é Maria Hjortberg.”

“Você falou com ela?”

“Não consegui, porque foi passar o fim de semana na casa dos pais, fora de Hudiksvall. É um lugar pequeno no meio da floresta, e eles não têm telefone. Ela voltará para Malmö hoje à noite, e pretendo encontrá-la no aeroporto. Mas duvido muito que ela seja a pessoa que matou seu chefe e o jovem casal.”

Essa não era a resposta que Wallander estava esperando, e isso o deixou irritado, fazendo-o pensar que era um sinal de que ele era um mau policial.

"O que preciso esclarecer é se mais alguém sabia onde as fotos do casamento seriam tiradas."

"Revistei o estúdio ontem à noite", disse Birch. "Passei metade da noite lá. Encontrei uma carta de Torbjörn Werner para Haag, do dia 28 de julho. Nela, ele confirmava a hora e o local da sessão de fotos."

"Onde a carta foi postada?"

"Ystad aparece no topo da página."

"Não tem nenhum envelope? Nenhum carimbo dos correios?"

"Tem um grande cesto de papéis no escritório do Haag, talvez possa estar lá. Mas, por outro lado, receio que ele já tivesse jogado o envelope fora. Afinal, a carta foi escrita há várias semanas."

"Preciso do envelope."

"Por que é tão importante? Não podemos presumir que a carta foi postada em Ystad, já que é o lugar onde foi escrita?"

"Preciso saber se, antes de chegar às mãos de Haag, o envelope foi aberto por outra pessoa. Quero que a minha equipe forense dê uma olhada nisso, nem que seja só para eliminar essa possibilidade."

Birch não precisou de mais explicações. Prometeu voltar imediatamente ao estúdio.

"É uma teoria sua?"

"É tudo o que tenho até agora", respondeu Wallander.

Birch prometeu telefonar se achasse alguma coisa.

Já era meio-dia. O inspetor foi para casa, fritou uns ovos para o almoço, então se deitou para descansar por meia hora. A uma e dez, estava de volta à delegacia.

Examinou suas anotações e decidiu que sua teoria sobre alguém ter aberto as cartas deveria ser explorada antes de ser descartada. Foi até a recepção e falou com a moça que ficava no lugar da Ebba nos fins de semana. Perguntou-lhe se sabia onde os correios de Ystad separavam as correspondências. Ela não sabia.

"Talvez você pudesse descobrir isso pra mim", disse Wallander.

“Mas hoje é domingo”, a moça respondeu.

“Pelo que me diz respeito, hoje é um dia normal de trabalho.”

“Não para os correios.”

Wallander estava começando a se irritar, mas conseguiu se controlar.

“As cartas são recolhidas todos os dias, inclusive aos domingos. Pelo menos uma vez. O que significa que alguém está trabalhando nos correios hoje.”

Ela prometeu tentar conseguir a informação. Wallander voltou correndo para sua sala, sentindo que havia perturbado a moça. Logo que fechou a porta da sala, ocorreu-lhe que tinha errado, pelo menos num detalhe. Ele disse a Höglund que dois carteiros já haviam aparecido na investigação. Mas na realidade eram três. O que Sture Björklund lhe contou naquele dia? Que tinha a sensação de que alguém tinha entrado na casa dele enquanto estivera ausente. Seus vizinhos sabiam o quanto ele prezava sua privacidade. A única pessoa que ia lá com regularidade era o carteiro.

Será que o carteiro colocou o telescópio de Svedberg no galpão de Björklund quando ele estava fora de casa? Não era apenas uma ideia sem pé nem cabeça: isso era insano. Era um chute. Resmungou com raiva e começou a folhear vários relatórios que estavam em cima da mesa. Ainda não tinha avançado muito quando Martinsson apareceu à porta.

“Como foi?”, perguntou Wallander.

“Ann-Britt me contou sobre a mulher que tentou se jogar da janela. Não foi tão ruim quanto isso, mas a situação é muito trágica. Torbjörn acabara de assumir o controle da fazenda. O casal de idosos estava se preparando para passar todas as responsabilidades para a próxima geração. Um dos filhos morreu num acidente de carro há alguns anos. E agora eles perderam o outro.”

“O assassino não leva esse tipo de coisa em consideração”, disse Wallander.

Martinsson atravessou a sala e foi até a janela. Wallander

percebeu o quanto ele estava abalado. Há alguns anos, ele era um jovem recruta, cheio das melhores intenções, numa época em que se tornar policial não era mais visto como um ato nobre. Na realidade, os jovens pareciam desprezar essa profissão. Mas Martinsson permanecera fiel aos seus ideais e desejava realmente se tornar um bom policial. Foi só nos últimos anos que Wallander percebeu que o colega tinha começado a perder a fé. Agora o inspetor duvidava que Martinsson aguentaria até a aposentadoria.

"Ele vai atacar novamente", disse Martinsson.

"Não temos certeza."

"Por que ele não faria isso? Ele mata por matar — não existe outro motivo."

"Não sabemos. Nós só não descobrimos o motivo ainda."

"Você está errado."

As últimas palavras do Martinsson foram proferidas com tal ímpeto que Wallander as tomou como uma acusação.

"Em que estou errado?"

"Até uns anos atrás, eu concordaria com você: existe uma explicação para toda essa violência. Mas já não é mais isso que acontece. A Suécia passou por uma transformação radical, há toda uma geração de jovens desnorteada. Eles não sabem mais o que é certo ou errado. E eu já não vejo nenhuma utilidade em ser um policial."

"Essa é uma questão que só você pode responder."

"Eu estou tentando." Martinsson se sentou. "Você sabe o que a Suécia se tornou? Uma nação sem lei. Quem imaginaria que isso poderia acontecer?"

"Ainda não chegamos a esse ponto", disse Wallander. "Embora eu concorde com você sobre o rumo que as coisas estão tomando. E é por isso que é tão importante não desistirmos da luta."

"Isso era o que eu costumava dizer para mim mesmo. Mas não acredito mais que a gente ainda possa fazer alguma diferença na situação atual."

"Não existe um policial em todo o país que não tenha se questionado a esse respeito", disse Wallander. "Mas isso não muda o fato de que temos que continuar trabalhando. Precisamos nos opor ao rumo que a nossa sociedade está tomando. Temos que prender esse louco, e já estamos bem perto disso. Nós vamos apanhá-lo."

"O meu filho também está convencido de que quer ser policial", disse Martinsson depois de um tempo. "Ele me pergunta como é ser um policial. Mas eu nunca sei o que dizer."

"Manda ele falar comigo", disse Wallander. "Vou ter uma conversa com seu filho."

"Ele tem onze anos."

"É uma boa idade."

"O.k., vou mandar o menino falar com você."

Wallander aproveitou para mudar de assunto:

"O que os Werner sabiam sobre a sessão de fotos?"

"Nada além do horário."

Wallander pôs as mãos sobre a mesa.

"Então temos uma nova descoberta. Diga a todos que quero vê-los na sala de reuniões às três da tarde."

Martinsson assentiu e se preparou para sair; mas quando chegou à porta, ele se virou.

"Você estava falando sério quando disse que conversaria com o meu filho?"

"Falarei com ele assim que tudo isso terminar", disse Wallander. "Vou responder todas as suas perguntas e até o deixarei experimentar a minha boina do uniforme da polícia."

"Você ainda tem uma?", Martinsson perguntou com surpresa.

"Está em algum lugar. Só tenho que achá-la."

Wallander foi para reunião naquela tarde com a sensação de que acabaria tendo outra desavença com Thurnberg. Com exceção do incidente infeliz de Nybrostrand, não tiveram mais nenhum contato. Wallander ainda não sabia quais seriam as consequências da queixa que o corredor fizera contra ele. Embora o procurador-geral não houvesse dito nada sobre isso, o inspetor sentia que existia uma guerra contínua entre ambos.

Após a reunião, ele percebeu que estava enganado. Thurnberg surpreendeu Wallander ao oferecer apoio quando os outros começavam a discordar. Todos os seus comentários tinham sido curtos e diretos. Talvez o inspetor tivesse se precipitado ao julgá-lo. A arrogância do procurador-geral seria apenas um blefe ou um sinal de insegurança?

Wallander hesitou por um momento, enquanto se preparavam para sair, perguntando-se se deveria dizer alguma coisa a Thurnberg. Mas não conseguia pensar em nada.

Eram quatro e meia da tarde. Em duas horas, a assistente de Haag chegaria ao aeroporto. Wallander tentou contatar Birch, mas não obteve resposta. Decidiu fazer uma coisa que nunca tinha feito na vida. Pegou um despertador velho na gaveta da sua mesa e ajustou o alarme. Trancou a porta de seu escritório, deitou no chão e pôs uma pasta velha embaixo da cabeça para servir de travesseiro. Alguém bateu na porta quando ele estava quase dormindo, mas o inspetor não respondeu. Se quisesse ter energia para continuar trabalhando, precisava dormir por uma hora.

Uma sequência de imagens desconexas passou por sua mente. Um vislumbre de seu pai, o cheiro de aguarrás, as férias em Roma. De repente Martinsson estava lá, em pé, num dos degraus da escadaria da Praça de Espanha. Ele parecia uma criança. Wallander o chamou, mas Martinsson não conseguia ouvi-lo. Então, o sonho acabou.

Teve dificuldade de se levantar. Suas articulações estalavam enquanto se dirigia ao banheiro dos homens. Detestava aquela fadiga incapacitante. Com o passar dos anos, tudo estava se tornando mais difícil de suportar. Lavou o rosto com água fria e urinou, mas evitou se olhar no espelho. Chegou ao aeroporto de Sturup faltando quinze para as sete da noite. Quando entrou na área de desembarque viu, quase de imediato, a figura imponente de Birch. Ele estava encostado à parede, de braços cruzados e com uma expressão fechada. Mas, ao ver Wallander, abriu um largo sorriso.

"Você também decidiu vir?"

"Achei que você não se importaria de ter companhia."

"Vamos tomar um café. O avião ainda não aterrissou."

Enquanto estavam na fila da cafeteria, Birch informou que não havia encontrado o envelope. "Mas falei com um dos nossos técnicos forenses", disse Birch, enquanto se servia de uma fatia de bolo e um folhado dinamarquês. "Ele me disse que nunca seria capaz de dizer se um envelope fora aberto e depois selado novamente. Segundo parece, houve avanços nessa área: já não se usa mais o vapor, como nos velhos tempos."

"Preciso daquele envelope", disse Wallander. Esforçou-se para não ir na onda do colega e pediu só uma xícara de café. Caminharam até o portão. Birch limpou as migalhas de sua boca.

"Não entendo a importância desse envelope. É óbvio que também gostaria de saber por que você decidiu vir até aqui. Maria Hjortberg deve ser importante."

Enquanto os passageiros começavam a sair do avião, Wallander pôs o colega a par dos últimos acontecimentos. Birch o surpreendeu ao tirar um pedaço de papel do bolso do casaco com o nome de Maria Hjortberg nele. Postou-se na frente do portão de desembarque e ergueu o papel, enquanto Wallander ficou de lado, observando.

Maria Hjortberg era uma mulher muito bonita, com olhos escuros profundos e compridos cabelos castanhos. Trazia uma mochila a tiracolo. Era provável que ainda não soubesse da morte de Rolf Haag, mas Birch já estava contando a ela. Maria meneou a cabeça, como se não pudesse acreditar. Birch pegou a mochila dela, levou-a até Wallander e os apresentou.

"Alguém vem buscá-la?", Birch perguntou.

"Eu ia pegar o ônibus."

"Então te damos uma carona. Infelizmente, temos algumas perguntas para fazer e isso é urgente. Podemos ir até a delegacia ou ao estúdio."

"Isso é mesmo verdade?", ela perguntou atordoada. "O Rolf está realmente morto?"

"Sinto muito, mas é verdade", disse Birch. Ele perguntou se ela tinha mais alguma bagagem, mas a mulher respondeu que não. "Há quanto tempo você trabalha como assistente dele?"

"Não muito tempo. Desde abril."

A resposta dela foi um alívio para Wallander. Seu sofrimento seria intenso demais — a menos, é claro, que ela tivesse um relacionamento com ele. Maria disse a Birch que preferia conversar no estúdio.

"Você a leva no seu carro?", disse Wallander. "Eu tenho que fazer alguns telefonemas."

Duas horas depois, ficou claro que Maria Hjortberg não tinha informações cruciais para lhes dar. Ela nem sabia sobre a sessão de fotos em Nybrostrand. Rolf Haag dissera-lhe que iria a um casamento no sábado, mas ela havia pensado que era um convite pessoal, não trabalho. Nunca ouvira falar de Malin Skander ou Torbjörn Werner. Eles tinham um calendário no escritório onde anotavam seus compromissos, mas não havia nenhuma anotação no sábado, 17 de agosto. Quando Birch lhe mostrou a carta que havia encontrado, ela apenas balançou a cabeça.

"Ele abria todas as correspondências", Maria disse. "Eu o ajudava durante as sessões de fotos, só isso."

"Quem mais poderia ter visto a carta?", perguntou Wallander. "Quem mais tinha acesso a este estúdio? Uma faxineira?"

"Nós mesmos fazíamos a limpeza. E os clientes não entram no escritório."

"Então era só você e o Rolf?"

"Sim, mas eu quase nunca ficava aqui."

"Houve algum roubo?"

"Não."

"Eu procurei o envelope desta carta por todos os cantos, mas não consegui encontrá-lo", disse Birch.

"Deve ter sido jogado fora", a mulher respondeu. "O Rolf gostava de tudo arrumado. O lixo é recolhido às segundas-feiras."

Wallander olhou para Birch. Maria não tinha motivos para mentir. Ele não achava que poderiam ir mais longe nesse assunto.

"Que tipo de relação vocês tinham?", perguntou.

Ela entendeu aonde o inspetor queria chegar, mas não pareceu se importar. "Não era nada pessoal. Trabalhávamos bem juntos e aprendi muito com ele. Eu gostaria de um dia montar meu próprio estúdio."

Era tudo. Birch se ofereceu para levar a moça até a casa dela, enquanto Wallander voltaria para Ystad. Despediram-se na rua.

"Continuo sem entender", comentou Maria. "Passei os últimos dois dias numa casa isolada e, quando regresso, recebo essa notícia horrível."

Ela começou a chorar, e Birch pôs o braço em volta dela de uma forma protetora.

"Vou levá-la para casa", disse Birch. "Você me telefona mais tarde?"

"Te ligo de Ystad", respondeu Wallander. "Onde você vai estar?"

"Vou revistar o apartamento do Haag hoje à noite."

Wallander verificou se tinha o celular do Birch, então atravessou a rua e entrou no carro. Eram dez e meia.

Antes que tivesse a chance de ligar o carro, o celular tocou e ele atendeu.

"É o Kurt Wallander?"

"Sim."

"Aqui é a Lone Kjær. Só queria te informar que a mulher que

chamamos Louise está neste momento no bar O Amigo. O que devemos fazer?"

Wallander pensou rápido para decidir. "Eu estou em Malmö. Daqui a pouco estarei aí. Se a mulher sair, mande alguém segui-la."

"Tem um barco que sai às onze da noite, acho. Você chegará a Copenhague faltando quinze pra meia-noite. Esperarei por você do outro lado."

"Não a percam de vista", disse Wallander. "Preciso dela."

"Vamos vigiá-la com toda a atenção, prometo."

Wallander desligou e olhou fixo para a escuridão; sentia a tensão aumentar.

29.

Wallander a viu logo que saltou do barco. Ela vestia um casaco de couro, tinha o cabelo curto e louro. Era mais jovem do que ele havia imaginado e mais baixa. Mas não havia dúvidas de que era uma policial. Como sabia, o inspetor não conseguia explicar, mas ele sempre conseguia apontar um policial num grupo de desconhecidos.

Parou em frente a ela e se cumprimentaram.

"A Louise continua no bar", ela disse.

"Se esse for realmente o seu nome", disse Wallander.

"Por que ela é tão importante para a sua investigação?"

Wallander pensara nisso durante a viagem. Não conseguia ligar essa mulher com nenhum dos crimes. Tudo o que queria era falar com ela. Tinha muitas perguntas para lhe fazer.

"Acho que ela talvez tenha informações interessantes para nós. É claro que um bar não é o lugar indicado para esse tipo de conversa."

"A minha sala está à sua disposição."

Um carro de polícia estava à espera, e eles partiram em silêncio. Wallander pensou na última vez em que estivera em Copenhague. Tinha ido assistir a uma apresentação da *Tosca* no teatro Det Kongelige. Ele fora ao bar depois da ópera e, quando pegou o último barco de volta a Malmö, estava completamente bêbado.

Lone Kjær estava falando com alguém no rádio do carro.

"Ela continua lá", ela disse, apontando para a janela. "É do outro lado da rua. Quer que eu espere por você?"

"Por que você não entra comigo?"

O letreiro em neon só mostrava as letras *igo*. Wallander estava prestes a encontrar a mulher em quem não deixara de pensar desde que descobrira a foto dela que Svedberg tinha escondido em seu compartimento secreto debaixo do assoalho.

Abriram a porta, empurraram a cortina pesada e entraram no bar. O ambiente era quente e cheio de fumaça, com uma luz vermelha, e o salão estava lotado. Um homem se dirigiu até eles.

"No fim do balcão do bar", ele disse, dirigindo-se a Lone Kjær.

Wallander assentiu, então deixou a policial cobrindo a porta e abriu caminho através da multidão.

Avistou-a. Estava sentada na ponta mais afastada do balcão. Usava o mesmo penteado da foto. Wallander ficou paralisado, observando-a. A mulher estava bebendo uma taça de vinho e parecia estar só, embora houvesse pessoas de ambos os lados. Quando ela se voltou em sua direção, Wallander se escondeu atrás de um homem alto que bebia cerveja. Quando ele voltou a olhar, a mulher parecia examinar a taça de vinho. Wallander fez um sinal afirmativo com a cabeça para Lone Kjær e caminhou na direção de Louise.

O inspetor teve sorte, pois o homem que estava do lado esquerdo de Louise se levantou e partiu. Wallander sentou-se pesadamente no banco do bar, e ela o olhou de relance.

"O seu nome é Louise, não é?", disse Wallander. "Me chamo Kurt Wallander e sou da polícia de Ystad. Preciso falar com você."

A mulher ficou tensa por um momento, mas depois relaxou e sorriu. "Tudo bem, mas antes, se não se importa, preciso ir ao banheiro. Eu estava para levantar quando você chegou."

Louise se levantou e foi até o fundo do salão, onde havia os sinais indicando os banheiros masculino e feminino.

O barman se dirigiu a Wallander, mas ele balançou a cabeça para indicar que não queria pedir nenhuma bebida. O sotaque dela não é da Escânia, ele pensou. Mas ela é sueca.

Kjær se aproximou. O inspetor fez sinal de que tudo estava indo bem. O relógio de parede tinha a propaganda de uma marca de uísque que Wallander nunca tinha ouvido falar. Passaram-se quatro minutos e ele ficou olhando para a área dos banheiros. Viu um homem saindo de lá, depois outro. Tentou se concentrar nas perguntas, matutando por onde deveria começar.

Depois de sete minutos, percebeu que algo estava errado. Levantou-se e foi até os banheiros. Kjær apareceu ao seu lado.

"Entre no banheiro feminino e dê uma olhada."

"Por quê? Ela ainda não saiu. Eu teria visto se ela tentasse escapar."

"Tem alguma coisa errada", respondeu o inspetor. "Quero me certificar."

Kjær entrou no banheiro feminino, e Wallander esperou. Ela reapareceu quase de imediato.

"Ela não está lá."

"Que droga!", disse Wallander. "Tem uma janela no banheiro?"

Sem esperar a resposta, ele empurrou a porta e entrou. Havia duas mulheres retocando a maquiagem em frente ao espelho, mas mal reparou nelas. Louise desaparecera. Wallander correu novamente para fora.

"Ela tem que estar por aqui", disse Kjær estupefata. "Eu teria visto se ela tentasse sair."

"Mas não está."

Ele abriu caminho para sair por entre uma multidão que dava a impressão de aumentar a cada instante. O segurança parecia um lutador de luta livre.

"Pergunte a ele", disse Wallander. "Estamos procurando uma mulher de cabelo na altura do ombro. Alguém saiu daqui agora há pouco? No máximo uns dez minutos."

Kjær perguntou ao segurança, mas ele meneou a cabeça e disse algo que Wallander não entendeu.

“Ele tem certeza que não”, ela gritou, sobrepondo-se ao barulho do bar.

Wallander se virou e recomeçou a abrir caminho por entre a multidão. Procurava Louise, embora parte dele soubesse que ela já tinha fugido.

O inspetor acabou desistindo e caminhou na direção do barman. Não viu a taça de vinho que Louise estava bebendo.

“Onde está a taça que estava aqui?”

“Já lavei.”

Wallander acenou para Kjær e, quando ela se aproximou, apontou para canto do balcão.

“Não sei se conseguiremos mais alguma coisa, mas é melhor tentarmos achar impressões digitais.”

“Esta será a primeira vez que terei que isolar uma parte de um balcão de bar”, disse Lone Kjær. “Mas vou providenciar.”

Wallander saiu para a rua. Estava encharcado de suor e tremia de raiva. Como pudera ser tão estúpido? Aquele sorriso, a disposição de Louise para falar com ele, mas só depois de ir ao banheiro feminino. Como é que não percebera?

Após dez minutos, Kjær veio falar com ele. “Realmente não consigo entender como ela conseguiu escapar. Tenho certeza de que eu teria visto se ela tentasse sair.”

Contudo as peças começavam a se encaixar. Pouco a pouco, Wallander percebeu o que devia ter acontecido. Só havia uma resposta, mas era tão inesperada que ele precisava de tempo para conseguir compreender todas as implicações.

“Podemos ir ao seu escritório?”, ele pediu. “Preciso de tempo para pensar.”

Quando chegaram lá, Lone Kjær entregou-lhe uma xícara de café e repetiu a dúvida que a preocupava:

“Não consigo entender como é que ela conseguiu sair sem ser vista.”

“Porque ela nunca saiu”, disse Wallander. “Louise continua lá, em algum lugar.”

Ela olhou-o com um ar de surpresa. "Ela continua lá? Então por que nós viemos pra cá?"

Wallander balançou a cabeça lentamente. Estava frustrado por sua falta de consciência. Ele sentira que havia alguma coisa estranha a respeito do cabelo dela desde a primeira vez que a vira na foto do apartamento do Svedberg.

Eu deveria ter percebido naquele momento, ele pensou. Era uma peruca.

Lone Kjær repetiu a pergunta.

"De certa forma, Louise ainda está no bar", ele respondeu, "porque Louise é apenas uma máscara usada por outra pessoa. Por um homem. O brutamontes que fica de segurança na porta do bar disse que viu três homens saírem nos últimos dez minutos. Um deles era Louise, com a peruca dela no bolso e sem maquiagem."

Ela se recusava a acreditar, e ele estava muito cansado para dar mais detalhes. Para o inspetor, o importante era que ele sabia. No entanto, devia uma explicação à colega, pois Lone Kjær o ajudara. Embora já passasse da meia-noite, ele continuou explicando:

"Quando ela foi ao banheiro, tirou a maquiagem e a peruca, e depois saiu de novo", disse Wallander. "Provavelmente também alterou algum detalhe na roupa. Nenhum de nós dois notou qualquer coisa porque estávamos esperando que saísse uma mulher. Quem é que repararia num homem?"

"O Amigo não tem fama de ser um bar de travestis."

"Ele pode ter ido lá só para fazer o papel de uma mulher", disse Wallander, imerso em reflexões. "Não foi lá para estar entre os seus."

"O que isso significa para a investigação?"

"Não sei. É provável que tenha um grande significado, mas ainda não tive tempo para pensar nisso."

Ela olhou para o relógio.

"O último barco para Malmö já partiu. O primeiro do dia só sai às quinze para as cinco."

"Ficarei num hotel", disse Wallander.

Lone fez que não. "Pode dormir no sofá da minha sala", ela disse. "O meu marido chega em casa por volta desta hora. Ele é garçom. Normalmente comemos um sanduíche e bebemos uma cerveja juntos antes de nos deitarmos."

Os dois deixaram a delegacia.

Wallander dormiu mal. A certa altura se levantou e foi até a janela. Ficou olhando a rua vazia e se perguntou se todas as ruas da cidade se pareciam umas com as outras. Esperou que alguém passasse, mas o sossego era absoluto. Sentia-se cada vez mais angustiado. Até agora, todas as vítimas vestiam fantasias, tal como Louise. Quando Wallander se apresentou, ela fugiu.

Era ele, pensou. Não há outra explicação. Tive o assassino ao meu lado sem perceber. Mas não consegui ver através de seu disfarce, e ele desapareceu. Agora ele sabe que estamos cada vez mais próximos, mas também sabe que não adivinhamos sua verdadeira identidade.

Wallander voltou para o sofá e cochilou até a hora de pegar o ferry de volta para Malmö.

Telefonou para Birch logo que chegou do outro lado, esperando que ele levantasse cedo. Birch atendeu e disse que estava bebendo o seu primeiro café do dia.

"O que aconteceu com você na noite passada? Pensei que íamos nos falar?"

Wallander explicou o que houve.

"Você esteve mesmo tão próximo?"

"Fiz papel de bobo. Devia ter esperado na porta do banheiro."

"É fácil dizer depois que já aconteceu", disse Birch. "Você já voltou pra Malmö agora, não é? Deve estar cansado."

"O pior é que não consigo fazer o carro pegar. Deixei as luzes ligadas."

"Eu vou aí. Tenho cabos para ligar a bateria. Onde você está?"

Wallander deu as instruções.

Birch levou menos de vinte minutos para chegar; enquanto isso, Wallander aproveitou para tirar uma soneca no carro.

Birch observou-o bem de perto. "Você deveria realmente tentar dormir umas horas", ele disse. "Senão vai acabar pifando."

Enquanto instalava os cabos para ligar a bateria, Birch contou para Wallander que havia revistado o apartamento do Haag e não encontrara nada de importante.

"Faremos outra revista no apartamento e no estúdio dele", disse Birch. "Vamos ficar em contato."

"Eu te informo sobre as nossas descobertas", disse Wallander.

Saiu de Malmö às 6h25. Quando chegou ao desvio para Jägersro, ele parou no acostamento e telefonou para Martinsson.

"Eu estava tentando te achar", disse Martinsson. "Tínhamos combinado uma reunião ontem à noite, mas ninguém conseguiu falar com você."

"Eu estava na Dinamarca. Diga a todos que temos reunião às oito."

"Aconteceu alguma coisa?"

"Aconteceu, mas falamos disso mais tarde."

Wallander continuou dirigindo em direção a Ystad. O tempo continuava bonito, não havia nuvens no céu, nem vento. Sentia-se agora menos cansado e o seu cérebro voltava a funcionar. Recapitulou várias vezes seu encontro com Louise, tentando reconstituir o rosto por trás da maquiagem e da peruca. Algumas vezes, ele quase conseguia.

Chegou a Ystad às vinte para as oito da manhã. Viu Ebba, que estava na recepção, espirrar.

"Você está resfriada?", perguntou Wallander. "Em pleno verão?"

"Até uma velha como eu tem lá as suas alergias", retrucou bem-humorada. Depois lançou um olhar severo para ele.

"Você não pregou os olhos, não é?"

"Estava em Copenhague, num lugar não muito propício para uma boa noite de sono."

Ela não pareceu achar nada engraçado. "Se você não começar a levar a sério a sua saúde, vai se dar mal", disse ela. "Não esqueça que te avisei."

Wallander não respondeu. Por vezes, ficava irritado com a habilidade de Ebba de entendê-lo tão bem. Ela tinha razão, é claro. Pensou nos grânulos de açúcar na sua corrente sanguínea.

Pegou um café e foi para seu escritório. Logo seus colegas o esperariam na sala de reuniões. Teria que informá-los o que tinha acontecido na noite anterior: o assassino estivera ao seu lado, foi ao banheiro e desapareceu.

Uma mulher que se evaporara na fumaça ao se transformar num homem. Não existia mais nenhuma Louise. Restava apenas um homem desconhecido que havia simplesmente tirado a peruca e desaparecera sem deixar vestígios. Um homem que já tinha assassinado oito pessoas e que talvez estivesse preparando novos crimes.

Ele pensou em Isa Edengren, escondida na gruta, e sentiu um arrepio.

O que devo lhes dizer?, pensou. Como posso encontrar o rumo certo naquele território desconhecido? Estamos pressionados pelo tempo e não podemos nos dar ao luxo de explorar todas as possibilidades, cada pista hipotética. Como saber qual é o caminho certo?

Wallander deixou suas perguntas sem resposta e foi ao banheiro. Olhou-se no espelho. Estava inchado e pálido, com olheiras. Pela primeira vez na vida sentiu-se mal ao ver a própria imagem.

Preciso pegar esse assassino, ele pensou. Aí pelo menos posso tirar uma licença médica e tomar conta da minha saúde.

Passava das oito horas quando Wallander saiu do banheiro.

Todos já estavam na sala de reuniões quando ele entrou. Sentiu-se como um aluno atrasado, ou talvez como um professor atrapalhado. Thurnberg ajeitava o nó perfeito da gravata. Lisa Holgersson lhe deu um sorriso rápido e nervoso. Os outros, esgotados, cumprimentaram o inspetor da melhor forma que puderam: simplesmente estando lá.

Wallander sentou-se e disse a eles em que pé as coisas estavam. Contou-lhes que estivera a alguns centímetros do assassino e que o deixara escapar. Narrou a história calmamente, começando por Maria Hjortberg, com o sorriso de Louise e a aparente disposição dela para conversar, dizendo que só precisava ir ao banheiro primeiro.

"Ele deve ter tirado a peruca enquanto estava lá. Aliás, era a mesma da foto. Também deve ter removido a maquiagem. É cauteloso por natureza e talvez previra o risco de ser reconhecido. É provável que tenha levado um produto para remover a maquiagem. Eu não o vi escapar porque estava esperando uma mulher."

"E quanto à roupa?", perguntou Ann-Britt.

"Vestia uma espécie de tailleur", disse Wallander. "E sapatos baixos. Suponho que seria evidente que se tratava de um homem se o examinasse de perto. Mas não dava para ver enquanto ele estava sentado no bar."

Höglund foi a única a fazer uma pergunta.

"Não tenho dúvidas de que é ele", disse Wallander depois de um intervalo. "Por que mais sairia daquele jeito?"

"Considerou o fato de que ele poderia estar no mesmo barco que você hoje de manhã?", perguntou Hansson.

"Cheguei a pensar nisso. Mas já era tarde demais."

Eles devem me culpar por isso, Wallander pensou. Por isso e por muitos outros aspectos da investigação. Eu devia ter percebido que era uma peruca desde a primeira vez que vi a foto. Se soubéssemos desde o início que estávamos à procura de um homem, tudo teria sido diferente. Eu teria dado prioridade a essa busca. Mas não percebi. Não entendi o que estava diante dos meus olhos.

O inspetor serviu-se de um copo de água mineral. "Devemos supor que ele pode atacar de novo a qualquer momento, por isso não temos tempo a perder. Precisamos reexaminar os dados da investigação para ver se conseguimos encontrar qualquer traço desse homem."

"A fotografia", disse Martinsson. "Podemos manipular a imagem no computador e fazer com que se pareça mais com um homem."

"Essa é a nossa prioridade agora", disse Wallander. "Vamos fazer isso assim que terminar a reunião. Um rosto pode ser significativamente alterado com maquiagem e uma peruca, mas não pode ser mudado por completo."

Havia uma nova onda de energia na sala. Wallander não queria segurá-los por mais tempo, mas, ao notar que ele estava prestes a terminar a reunião, Holgersson levantou a mão.

"Gostaria de lembrá-los que o funeral do Svedberg é amanhã, às duas da tarde. E, por causa dessa investigação, cancelei a recepção depois."

Ninguém disse nada. Todos pareciam ansiosos para sair.

Wallander foi até sua sala para buscar o casaco. Ele tinha uma pista a seguir que talvez não desse em nada. Quando estava à porta, Thurnberg apareceu.

"Nós realmente dispomos de recursos para manipular a foto aqui?", ele perguntou.

"Martinsson sabe praticamente tudo sobre esse tipo de coisa", disse Wallander. "Não se preocupe, se ele tiver a mínima dúvida quanto a sua capacidade de fazer um bom trabalho, vai pedir ajuda aos técnicos."

Thurnberg assentiu. "Eu só queria ter certeza." Mas ele claramente tinha mais alguma coisa a dizer. "Não acho que você devia se culpar por tê-lo deixado fugir do bar. Não tinha como adivinhar que se tratava de um disfarce."

Ele parecia realmente se importar. Será que estava tentando fazer as pazes? Wallander decidiu aceitar.

"Agradeço a sua opinião", respondeu. "Esta investigação está longe de ser simples."

"Vou entrar em contato se me ocorrer alguma ideia útil", disse Thurnberg.

Wallander saiu da delegacia. Hesitou por um instante no estacionamento antes de decidir caminhar. Só tinha que ir até o centro e precisava continuar se movimentando ou seria vencido pelo sono.

Levou dez minutos para chegar ao edifício vermelho, que era o centro de distribuição dos correios. As cartas e pacotes estavam sendo descarregados das vans amarelas. Wallander nunca tinha estado ali. Procurou uma entrada e achou, mas estava trancada. Apertou um botão, e a porta se abriu.

Foi recebido pelo gerente, um jovem de no máximo trinta anos. Chamava-se Kjell Albinsson e passava uma boa impressão. Albinsson o levou até seu escritório, onde um ventilador girava na velocidade máxima em cima do armário. Wallander se muniu de papel e caneta, enquanto procurava a melhor maneira de fazer uma pergunta do gênero: "Será que os seus funcionários alguma vez já abriram as cartas que chegam aqui?". Era uma pergunta impossível, um insulto à profissão. O inspetor pensou em Westin, que sem dúvida ficaria profundamente ofendido. Decidiu, em vez disso, começar do zero.

Eram 10h43 de segunda-feira, 19 de agosto.

30.

Havia um mapa pendurado na sala de Albinsson. Foi por ali que Wallander começou, perguntando sobre os itinerários dos carteiros em zonas rurais. O gerente quis saber por que a polícia estava tão interessada nessa informação, e Wallander quase lhe disse. Percebeu, porém, quão absurdo soaria se ele dissesse que a polícia suspeitava que alguém de sua equipe fosse um assassino em série; portanto, manteve a explicação tão vaga quanto possível, assegurando-se de que Albinsson não esperaria grandes esclarecimentos.

O gerente descreveu os vários itinerários, com grande entusiasmo. Wallander fazia algumas anotações.

“Quantos carteiros trabalham aqui?”, perguntou depois que Albinsson se afastou do mapa para se sentar à sua mesa.

“Oito.”

“O senhor tem os nomes deles registrados em algum lugar? Fotos também ajudariam.”

“Os correios, hoje em dia, são uma empresa proativa”, disse Albinsson. “Temos um folheto que acho que é exatamente o que o senhor está procurando.”

Quando Albinsson saiu da sala, Wallander pensou consigo mesmo que isso era um verdadeiro golpe de sorte. Se tivesse a oportunidade de analisar as fotos dos carteiros, poderia imediatamente determinar se o homem em Copenhague trabalhava ali ou não. Assim, identificaria o assassino num único golpe.

Albinsson voltou com o panfleto, e Wallander procurou seus óculos, sem sucesso.

"Talvez consiga ver com os meus", sugeriu Albinsson. "Qual é o seu grau?"

"Não sei, uns dez e meio, acho."

Albinsson olhou com curiosidade. "Então você seria completamente cego. Acho que você quis dizer um e meio. Eu tenho dois graus, experimente."

Wallander pôs os óculos e percebeu que ajudavam. Abriu o panfleto e observou atentamente as fotos dos oito carteiros. Havia quatro homens e quatro mulheres. Examinou os rostos dos homens, mas nenhum deles se parecia com Louise. Hesitou por um momento diante da foto de um homem chamado Lars-Göran Berg, mas logo percebeu que não podia ser ele. Deu uma olhada nas mulheres, reconhecendo uma que regularmente entregava as cartas na casa de seu pai, em Löderup.

"Posso ficar com esse panfleto?"

"Pode levar quantos quiser."

"Só um está bom."

"Respondi a todas as suas perguntas?"

"Ainda não. Tenho mais um ponto para esclarecer. Toda a correspondência é separada neste prédio, certo? E os carteiros separam suas próprias cartas."

"Sim."

Devolveu os óculos a Albinsson. "É tudo. Não quero mais interromper seu trabalho."

Ficou em pé, parado. "O que está tentando descobrir?", Albinsson perguntou.

"Só o que eu disse. É apenas uma visita rotineira."

Albinsson meneou a cabeça. "Não acredito. Por que um inspetor-chefe que está trabalhando num caso de assassinato viria aqui numa visita rotineira? O senhor está tentando resolver o assassinato de um dos seus colegas, além daqueles jovens da reserva natural de Hagestad e os recém-casados. Sua visita aqui tem algo a ver com isso tudo, não é?"

"Isso não mudaria o fato de que se trata de uma visita de rotina", disse Wallander.

"Acho que está procurando alguma coisa específica", disse Albinsson.

"Não posso lhe dizer mais do que disse."

Albinsson não fez mais perguntas. Despediram-se à porta, e Wallander saiu pelo jardim ensolarado. Que mês de agosto estranho, pensou. O calor permanece e não há sinal de brisa.

Caminhou de volta para a delegacia, perguntando-se se deveria vestir o uniforme para o funeral do Svedberg. Também se questionava se Höglund não estaria arrependida de ter se oferecido para fazer um discurso, ainda mais um que ela mesma não tinha escrito.

Quando passou pela recepção, notou que Ebba parecia deprimida.

"Como estão as coisas ultimamente?", ele perguntou. "Já nem temos tempo para conversar."

"As coisas são como são", ela disse.

Era o tipo de comentário que seu pai fazia quando ele falava sobre a velhice.

"Assim que isso tudo terminar, vamos conversar", disse Wallander.

Ebba concordou. O inspetor sentiu que havia algo de diferente nela, mas ele não dispunha de tempo para perguntar. Foi até a sala de Holgersson. A porta estava aberta, como de costume.

"Esse é um passo importante", ela disse assim que ele se sentou confortavelmente na poltrona a sua frente. "Thurnberg está impressionado."

"Impressionado com o quê?"

"Você terá que perguntar para ele. Mas está fazendo jus à sua reputação."

Wallander foi pego de surpresa. "As coisas estão tão ruins assim?"

"Ao contrário."

Ele fez um gesto impaciente com a mão. Não queria comentar seu próprio trabalho, especialmente por saber que havia falhas graves.

"Amanhã o comandante-geral da polícia falará no funeral", ela disse, "junto com a ministra da Justiça. Chegarão ao aeroporto de Sturup amanhã, às onze horas. Estarei lá para recepcioná-los. Ambos pediram uma reunião para saber sobre o andamento da nossa investigação; então marquei para as onze e meia, na sala de reuniões. Estarão presentes você, Thurnberg e eu."

"Você não poderia fazer isso sozinha ou com o Martinsson? Ele é mais articulado do que eu."

"Você é o responsável pela investigação", Holgersson respondeu. "Não levará mais do que meia hora, depois vamos almoçar. Eles vão pegar o avião de volta para Estocolmo logo depois do enterro."

"Estou apreensivo com o funeral", disse Wallander. "É diferente quando o morto foi brutalmente assassinado."

"Você está pensando no seu velho amigo Rydberg?"

"Sim."

O telefone tocou e ela atendeu, ouviu por uns instantes e depois pediu que ligassem mais tarde.

"Você já escolheu a música?", perguntou Wallander.

"Deixamos por conta do regente do coral da igreja. Tenho certeza de que será apropriada. Normalmente, eles tocam o quê? Bach ou Buxtehude? E depois os velhos hinos de sempre, é claro."

Wallander se levantou para sair. "Espero que você aproveite ao máximo essa oportunidade de ter o comandante-geral da polícia e a ministra da Justiça."

"Que oportunidade?"

"De dizer para eles que não podemos continuar assim. Os cortes de pessoal e de financiamento começam a se assemelhar a uma conspiração para nos tornar incapazes de desempenhar o nosso trabalho, parece não ser apenas uma questão orçamental. Os criminosos estão tomando conta de tudo. Diga a eles que será o fim de todos nós se não fizerem nada para mudar a situação. Ainda não chegamos lá, mas não levará muito tempo."

Holgersson balançou a cabeça espantada. "Não acho que estejamos de acordo quanto a isso."

"Sei que você também já percebeu."

"Então por que você não fala com eles?"

"Talvez eu faça isso. Mas, por enquanto, tenho que achar o assassino."

"Você, não", ela o corrigiu. "Nós."

Wallander foi até a sala de Martinsson. Höglund estava com ele, e os dois analisavam uma foto na tela do computador: o rosto de Louise. Martinsson havia apagado o cabelo dela.

"Estou usando um programa desenvolvido pelo FBI", disse Martinsson. "Podemos adicionar detalhes, como penteados, barbas e bigodes. Dá até para acrescentar espinhas."

"Acho que ele não tinha espinhas", disse Wallander. "A única coisa que me interessa é o que está por baixo da peruca."

"Liguei para um fabricante de perucas em Estocolmo", disse Höglund. "Perguntei a ele quanto cabelo é possível esconder por baixo de uma peruca, mas foi difícil arrancar-lhe uma resposta clara."

"Portanto, ele poderia ter bastante cabelo", disse Wallander.

"O programa também tem outras opções", disse Martinsson. "Podemos dobrar as orelhas ou achatar o nariz."

"Não precisamos dobrar nem achatar nada", disse Wallander. "A foto já está bem parecida com o seu rosto."

"E quanto à cor dos olhos?", perguntou Martinsson.

Wallander pensou por uns instantes e respondeu. "Azul."

"Você viu os dentes dela?"

"Não dela. *Dele*."

"Você viu os dentes?"

"Não muito de perto. Mas acho que eram brancos e bem tratados."

“Os psicopatas geralmente são fanáticos por higiene bucal”, comentou Martinsson.

“Não sabemos se ele é psicopata”, respondeu Wallander.

Martinsson inseriu no programa as informações sobre os olhos e os dentes.

“Que idade ela tem?”, perguntou Höglund.

“Você quer dizer *ele*”, disse Wallander.

“Mas a pessoa que você viu era uma mulher. Só depois você percebeu que era um homem.”

Ela tinha razão. O inspetor vira uma mulher, não um homem, e essa era a imagem que tinha de recordar para poder avaliar a idade.

“É sempre difícil avaliar a idade de uma mulher muito maquiada. Mas a fotografia que temos deve ser bem recente. Eu diria que ela tem uns quarenta anos.”

“E a altura dela?”, Martinsson perguntou.

Tentou se recordar. “Não tenho certeza. Mas acho que era alta, entre 1,70 m e 1,75 m.”

Martinsson inseriu os números. “E quanto ao corpo dela? Usava enchimentos?”

Wallander percebeu que não tinha reparado muito nela.

“Não sei”, ele disse.

Höglund o encarou com um sorrisinho. “Os estudos mais recentes indicam que a primeira coisa que um homem repara numa mulher são os seios. Vê se são pequenos ou grandes. Depois as pernas e, finalmente, o traseiro.”

Martinsson, sentado diante do computador, deu uma risada; Wallander pensava no absurdo da situação. Ele deveria descrever uma mulher, que na verdade era um homem, mas que deveria ser considerada como mulher, pelo menos até Martinsson acabar de inserir todos os dados no programa.

“Ela estava usando um casaco”, disse o inspetor. “É provável que eu não seja um homem típico, mas realmente não reparei nos seios. E o balcão escondia a maior parte do seu corpo.

Não vi muito quando ela se levantou para ir ao banheiro porque foi logo engolida pela multidão. O bar estava cheio."

"Já temos muitos dados", disse Martinsson, tentando tranquilizá-lo. "Só temos que imaginar que tipo de penteado ele usa por baixo da peruca."

"Deve haver centenas de estilos possíveis", disse Wallander. "Vamos tentar circular o rosto sem cabelo. Alguém poderá reconhecê-lo pelos traços."

"Segundo o FBI, isso é quase impossível."

"Mesmo assim, é o que vamos fazer."

De repente lhe ocorreu algo: "Quem interrogou a enfermeira que recebeu a ligação do homem fingindo ser Erik Lundberg?".

"Fui eu", disse Höglund.

"O que ela se lembrava sobre a voz dele?"

"Não muito. Ele tinha um sotaque da Escânia."

"E o sotaque parecia verdadeiro?"

Ela olhou para o inspetor com surpresa. "Na realidade não. A enfermeira disse que tinha alguma coisa estranha no sotaque dele, mas não sabia dizer o quê."

"Então poderia ser falso?"

"Sim."

"Era uma voz grave ou aguda?"

"Grave."

Wallander recordou do momento no bar. Louise sorriu para ele e, em seguida, pediu licença. A voz dela era grave, apesar de tentar soar feminina. "Acho que podemos assumir que foi ele. Apesar de não termos mais nenhuma prova."

Contou-lhes sobre a visita que fizera ao centro de distribuição dos correios. "Até agora só consegui encontrar um denominador comum: a família de Isa Edengren e Sture Björklund têm o mesmo carteiro. As outras pessoas envolvidas na investigação recebem a correspondência de três carteiros diferentes, além de uma pessoa que trabalha fora de Ystad. Então me parece razoável descartar essa teoria, já que é absurdo pensar que existe uma conspiração entre os trabalhadores dos correios."

Recostou-se na cadeira e olhou para os outros dois. "Não consigo achar nenhum padrão. Só temos trajes de fantasia e segredos, nada mais."

"O que acontece se ignorarmos os trajes de fantasia?", perguntou Höglund. "O que sobra?"

"Jovens", disse Wallander. "Pessoas felizes que participam de uma festa ou que acabaram de se casar."

"Você não acha que Haag era um dos alvos?"

"Não. Ele não se enquadra nos parâmetros."

"E Isa Edengren?"

"Ela deveria ter estado com os outros jovens."

"Isso altera nosso quadro", disse Höglund. "Aparece um novo motivo. Ela não conseguiu escapar, mas escapar do quê? Era vingança ou ódio? Também não parece existir nenhuma ligação entre os jovens e os recém-casados. E resta ainda Svedberg. Que pista ele estaria seguindo?"

"Acho que posso responder à última pergunta", disse Wallander. "Ao menos por ora. Svedberg sabia que esse homem se vestia de mulher. E desconfiava de alguma coisa. Em algum momento, no verão, sua suspeita foi confirmada. E é por isso que ele foi morto: por saber demais. Mas ele não teve tempo de nos contar o que havia descoberto."

"Mas isso tudo nos leva aonde?", perguntou Martinsson. "Segundo seu primo, Svedberg tinha um relacionamento com uma mulher chamada Louise. Agora descobrimos que se trata de um homem. Nosso colega devia saber disso havia anos, mas concluímos o quê? Que Svedberg era travesti? Será que ele era gay afinal?"

"Há várias explicações possíveis", disse Wallander. "Duvido que Svedberg tivesse paixão por se vestir com roupas de mulher, mas ele podia muito bem ter sido gay sem que a gente soubesse."

"Tem uma pessoa na investigação que está se tornando cada vez mais importante", disse Höglund.

Wallander sabia a quem ela estava se referindo: Bror Sundelius.

"Concordo", ele disse. "Precisamos manter essa via de investigação aberta, não como alternativa, mas como parte do nosso esforço para encontrar o assassino. Precisamos saber mais sobre as pessoas envolvidas naquela queixa contra o Svedberg. Afinal de contas, ele pode ter sido vítima de chantagem ou tinha motivos para manter Stridh calado."

"Tudo começaria a fazer sentido se soubéssemos que Bror Sundelius é propenso a desvios sexuais", disse Martinsson.

Wallander se irritou com o comentário de Martinsson. "É um absurdo, nos dias de hoje, considerar a homossexualidade um 'desvio'. Talvez nos anos 1950, mas não agora. O fato de as pessoas ainda esconderem suas preferências sexuais é outra questão."

Martinsson registrou a desaprovação de Wallander, mas não disse nada.

"A questão é descobrir qual é a ligação entre esses três homens: Sundelius, Stridh e Svedberg", disse Wallander. "Um diretor de banco, um criminoso insignificante e um policial, cujos sobrenomes começam com a letra *S*."

"Gostaria de saber como se enquadra a Louise nesse cenário", disse Höglund.

Wallander fez uma careta. "Temos que chamá-lo de outro jeito. A Louise desapareceu no banheiro daquele bar em Copenhague. Vamos acabar nos confundindo se não usarmos outro nome."

"Que tal *Louis*?", disse Martinsson. "Assim ficaria mais fácil."

Todos concordaram, e Louise foi rebatizada. A partir daquele momento, os policiais estavam procurando um homem chamado Louis. Decidiram que Martinsson deveria ficar de olho no Sundelius. Wallander foi para o seu escritório; esbarrou com Edmundsson no corredor.

"Não encontramos nada na área da reserva natural que você pediu para investigarmos."

Wallander demorou um pouco para se lembrar do que o agente estava falando. "Nada?"

"Encontramos um chumaço de fumo de mascar junto de uma árvore. Foi só."

Wallander fitou-o atentamente. "Espero que tenham recolhido esse chumaço de fumo ou, pelo menos, tenham alertado o Nyberg."

Edmundsson se surpreendeu com a resposta. "Na realidade, foi isso que fizemos."

"Pode ser mais importante do que você imagina."

O inspetor continuou caminhando em direção ao seu escritório. Ele tinha razão: o assassino esteve lá naquela noite, escondido num local onde podia observar muito bem as idas e vindas. O homem cuspiu um pouco de fumo de mascar, tal como fez na praia. E depois apareceu perto das barreiras colocadas pelos policiais em Nybrostrand, mas dessa vez foi disfarçado de mulher.

Ele está nos seguindo, pensou Wallander. Anda por perto, um passo à frente ou um passo atrás. Será que está tentando descobrir o que já sabemos? Ou tentando provar a si próprio que não podemos encontrá-lo?

Ocorreu-lhe uma ideia, então ligou para Martinsson. "Você reparou se alguém mostrou um interesse inesperado pela nossa investigação?"

"Um jornalista, por exemplo?"

"Divulgue a informação de que estamos procurando alguém que demonstre um interesse fora do comum pelo caso. Não consigo lhe dar uma descrição mais precisa: só alguém que pareça estranho."

Martinsson prometeu repassar o pedido. Wallander desligou.

Era meio-dia, e a fome lhe provocava um enjoo. Ele saiu da delegacia e se dirigiu a um restaurante no centro da cidade. Regressou à uma e meia, tirou o casaco e deu uma olhada no panfleto que trouxera do centro de distribuição dos correios.

O primeiro carteiro se chamava Olov Andersson. Wallander

pegou o telefone e discou o número dele, perguntando-se por quanto tempo conseguiria continuar.

Regressou a Ystad pouco depois das onze da manhã. Como não queria correr o risco de se encontrar com o policial que o encontrara em Copenhague, pegou o barco em Helsingør. Quando chegou a Helsingborg, foi de táxi para Malmö, onde seu carro ficou estacionado. A herança inesperada que recebera de um parente significava que não precisava se preocupar com o dinheiro. Antes de se aproximar do carro, observou o estacionamento de longe. Em nenhum momento achou que não conseguiria escapar, como também não tinha duvidado de que escaparia do bar O Amigo na noite anterior. Fora um grande triunfo. Não esperava que um policial fosse aparecer no bar e se sentar ao seu lado, mas não entrou em pânico nem perdeu o controle: limitou-se a fazer o que muito tempo antes havia planejado para tais situações.

Foi calmamente até o banheiro das mulheres, enfiou sua peruca na camisa, acima de sua cintura, tirou a maquiagem com o creme que sempre carregava consigo e depois saiu, cronometrando o tempo para fazer isso no mesmo momento em que um homem deixou o banheiro masculino. Ele mantinha a capacidade de fuga, que não falhou.

Quando teve certeza de que o estacionamento não estava sendo vigiado, entrou no carro e seguiu para Ystad. Assim que chegou em casa, tomou um longo banho e se arrastou para a cama, no quarto à prova de som. Tinha tanto em que pensar. Não sabia como aquele policial Wallander o encontrara. Talvez tivesse deixado para trás, inadvertidamente, algum vestígio. Isso o deixou mais chateado do que preocupado. A única coisa que ele podia supor era que, no fim das contas, Svedberg havia guardado uma foto dele em seu apartamento. Uma fotografia da Louise, que ele não encontrara durante sua busca no apartamento. Mesmo assim, a ideia o acalmou. O policial estava esperando falar com uma mulher. Nada indicava que seu disfarce tivesse sido descoberto, embora agora não pudesse deixar de relacionar os dois detalhes.

Pensar que quase fora pego era excitante. Isso o estimulou, embora agora tivesse um problema para resolver. Não selecionara mais vítimas para matar. Segundo seus planos originais, ele aguardaria um ano inteiro antes de agir novamente. Precisava planejar com cuidado seu próximo passo para que pudesse se superar. Esperaria o quanto fosse necessário para que as pessoas começassem a se esquecer dele e depois atacaria de novo.

Mas aquele encontro recente com o policial havia mudado tudo. Agora não suportava mais a ideia de esperar um ano inteiro para entrar novamente em ação. Passou a tarde toda na cama analisando a situação de forma metódica. Havia vários meios de agir que precisavam ser avaliados. Algumas vezes, quase desistiu.

Por fim, encontrou uma saída. Ia contra o plano original, e essa era a falha mais importante, mas ele sentiu que não tinha alternativa. Era também uma grande tentação. Uma solução que lhe parecia mais engenhosa cada vez que pensava nela. Criaria um cenário completamente inesperado, um enigma que ninguém conseguiria decifrar.

Ele teria que ser Wallander, o policial, e depressa. O funeral de Svedberg era amanhã. Precisaria daquele dia para se preparar. Sorriu ao pensar que Svedberg acabaria por ajudá-lo. Durante o funeral, o apartamento do policial estaria vazio. Svedberg havia lhe dito em várias ocasiões que Wallander era divorciado e vivia sozinho. Ele esperaria até quarta-feira. A ideia o deixou animado. Atiraria nele primeiro, depois lhe daria um disfarce. Um disfarce muito especial.

31.

Segunda-feira tinha sido um dia perdido. Foi o que Wallander pensou assim que acordou na manhã de terça. Pela primeira vez em muito tempo sentia-se completamente repousado, pois deixara a delegacia às nove da noite anterior.

Eram seis horas e ele ficou deitado na cama sem se mexer. Pela fresta da janela, via o céu azul. Segunda-feira fora um dia desperdiçado, porque não o aproximara do seu objetivo. Tinha interrogado dois carteiros cujos itinerários cobriam as zonas rurais, mas nenhum deles lhe fornecera qualquer dado importante. Por volta das seis da tarde, Wallander se reuniu com outros membros da equipe de investigação. Até então, foram interrogados seis carteiros. Mas o que deveriam ter perguntado? E que respostas esperavam?

Wallander foi forçado a admitir que sua suspeita estava errada. E não foi apenas a hipótese dos carteiros que acabou não dando em nada: Lone Kjær telefonou de Copenhague para informar que não fora possível recolher nenhuma impressão digital no balcão d'O Amigo. Examinaram até o banco do bar. Wallander sabia que dificilmente descobririam qualquer coisa, mas, mesmo assim, alimentara a esperança de que obteriam alguma informação. Uma impressão digital identificaria o assassino sem sombra de dúvida. Agora tinham que lidar com uma ansiedade vaga e desconcertante de que a outra pista também não levaria a nada; que o homem da peruca escura era apenas mais um passo ao longo do caminho, não a própria resposta que buscavam.

Passaram muito tempo especulando se deveriam ou não publicar a foto editada de Louis — tempo demais para o gosto de Wallander. Ele enviara a foto para Thurnberg. Os membros da equipe tinham opiniões totalmente diferentes, mas Wallander insistia na publicação. Alguém poderia reconhecer aquele rosto, agora que a peruca havia desaparecido. Só precisavam de uma pessoa. Thurnberg juntou-se à discussão pela primeira vez, apoiando Wallander. Na opinião dele, a imagem deveria ser mandada para a imprensa o mais rápido possível.

Decidiram esperar até quarta-feira, um dia depois do funeral.

“As pessoas adoram essas montagens”, disse Wallander. “Não importa se realmente se parece com ele ou não. Tem algo de extraordinário, quase mágico, no fato de lançar um rosto semiacabado esperando que alguém vá fisgar.”

Haviam trabalhado sem parar na segunda à tarde. Hansson vasculhara diversos bancos de dados da polícia sueca à procura de qualquer referência sobre Bror Sundelius. Como era esperado, não encontrou nada. Pelo menos em termos de impressões digitais, o homem estava limpo. Decidiram que Wallander voltaria a interrogá-lo e pressioná-lo na quarta-feira. O inspetor sabia que Sundelius viria ao funeral, então lembrou os colegas desse fato.

Aconteceram outras coisas durante aquela segunda-feira, embora Wallander considerasse que desperdiçara um dia. Pouco depois das quatro da tarde, um repórter de um jornal nacional telefonou para dizer que Eva Hillström tinha entrado em contato com eles. Os pais dos jovens assassinados estavam planejando criticar a investigação policial. Não achavam que a polícia fizera o suficiente e julgavam ainda que ela não havia divulgado a informação a que as famílias tinham direito. O homem lhe disse que as críticas eram fortes. Além disso, Eva Hillström parecia apontar Wallander como a pessoa responsável, ou melhor, como aquele que não se mostrava responsável o suficiente. O artigo seria extenso e sairia na manhã seguinte. O repórter havia telefonado com a intenção de dar a Wallander a possibilidade de responder às alegações. Para sua própria surpresa, Wallander se recusou claramente a fazer qualquer comentário. Disse que entraria em contato depois que lesse o artigo e visse com seus próprios olhos o que os pais tinham a dizer. Se houvesse alguma razão para discordar das afirmações deles, enviaria uma refutação. Fim da conversa.

Assim que falou com o jornalista, sentiu mais um nó no estômago já sobrecarregado. Um nó que se instalou junto com o medo de que o assassino estivesse se preparando para atacar de novo. Recapitulou mentalmente todo o caso, perguntando-se se poderiam ter agido mais, se até então tinham feito tudo o que de fato estivera ao alcance deles. O assassino ainda não fora apanhado por se tratar de uma investigação bem complicada, não por uma questão de preguiça, falta de interesse ou falha técnica por parte da polícia. Tinham pouquíssimas pistas para seguir. Os erros internos ao longo da investigação eram outra questão. Não existia investigação perfeita; nem mesmo Eva Hillström poderia discordar disso.

Depois da reunião das seis da tarde, quando já tinham descartado a hipótese dos carteiros e examinado com os olhos exaustos as diversas imagens de Louis, Wallander contou ao grupo sobre a conversa que tivera com o jornalista. Thurnberg, que ficou imediatamente preocupado, questionou a decisão de Wallander de não responder às acusações.

"Não há tempo para fazer tudo de uma vez só", disse Wallander. "Estamos tão sobrecarregados de trabalho agora que até essas alegações terão que esperar."

"Amanhã receberemos a visita do comandante-geral da polícia", disse Thurnberg. "E a ministra da Justiça. É realmente muito desagradável que o artigo coincida com a visita deles."

Wallander compreendeu de repente a verdadeira preocupação de Thurnberg. "As acusações não vão afetá-lo nem um pouco. Pelo que parece, as críticas da Eva Hillström e dos outros pais são sobre o trabalho dos policiais, e não do procurador-geral."

Thurnberg não tinha mais nada a dizer. Logo em seguida, encerraram a reunião. Höglund seguiu Wallander até o hall e lhe disse que Thurnberg andava fazendo perguntas sobre o incidente com o corredor, Nils Hagroth, que afirmava ter sido agredido pelo inspetor na reserva natural. Ao ouvir aquilo, Wallander sentiu-se atingido por outra onda de exaustão. Será que eles já não estavam atolados de trabalho o suficiente sem as acusações absurdas de Nils Hagroth? Fora naquele momento que, apesar do grande número de atividades realizadas, todo o dia tinha começado a parecer um completo desperdício.

Às sete e meia da manhã, levantou-se da cama com relutância. Ele já temia o que vinha pela frente. Seu uniforme estava pendurado na porta do armário. Devia vesti-lo agora, pois não teria tempo suficiente entre a reunião com o comandante-geral e a ministra da Justiça e o enterro propriamente dito. Depois de se vestir, olhou-se no espelho. A calça estava muito apertada na cintura. O jeito era desabotoar o botão de cima. Não conseguia se lembrar da última vez que usara o uniforme, mas devia ter sido há muito tempo.

A caminho da delegacia, o inspetor parou na banca e comprou o jornal. O repórter não exagerara: o artigo era extenso e incluía fotos. Havia três críticas dos pais. Em primeiro lugar, a polícia esperara tempo demais para agir depois do desaparecimento dos filhos. Em segundo, sentiam que a investigação não fora organizada como deveria ter sido. Terceiro, achavam que tinham sido mal informados sobre o desenvolvimento do caso.

O comandante-geral não vai ficar muito feliz, pensou Wallander. De nada servirá dizer-lhe que as críticas são injustas. O fato de terem sido feitas prejudicará a polícia.

Aproximou-se da delegacia se sentindo abalado e irritado. Faltava pouco para as oito da manhã. Aquele seria um dia longo e deprimente, embora o tempo continuasse quente e bonito.

Lisa Holgersson telefonou-lhe do carro, às onze e meia. Eles já tinham saído do aeroporto de Sturup e chegariam à delegacia em cinco minutos. Wallander se dirigiu à recepção para recebê-los. Thurnberg já estava lá. Falaram de amenidades, mas nenhum dos dois mencionou o artigo do jornal. O carro parou em frente à porta e todos saíram. Tanto a ministra da Justiça quanto o comandante-geral da polícia vestiam roupas apropriadas para um funeral. Fizeram as apresentações e se dirigiram à sala de Holgersson, onde tomaram café. Antes de entrarem na sala, ela puxou Wallander para um canto:

"Eles leram o artigo durante o voo, e o comandante-geral não gostou nada."

"E a ministra?"

"Pareceu mais inclinada a ouvir sua versão da história antes de dar uma opinião."

"Devo dizer alguma coisa?"

"Não, a menos que eles abordem o assunto."

Sentaram-se com o café na mão, e Wallander recebeu as condolências pela morte de Svedberg. Depois disso, chegou sua vez de dizer alguma coisa. Porém, como de costume, ele tinha se esquecido de levar a folha de papel onde fizera um rascunho. Mas isso também não lhe importava, pois sabia muito bem o que queria lhes dizer: existia uma pista, eles tinham identificado o assassino. A situação estava melhorando, havia progressos.

"Toda essa questão tem sido uma verdadeira desgraça", disse o comandante-geral depois que Wallander terminou. "Um policial e alguns jovens inocentes assassinados. Espero que, em pouco tempo, possamos desvendar o caso. Fico contente por saber que você está progredindo."

Era evidente que ele estava extremamente ansioso.

"Nenhuma sociedade conseguirá algum dia se livrar dos

lunáticos", disse a ministra. "Assassinatos em série acontecem no mundo todo, tanto nas democracias quanto nas ditaduras."

"E os lunáticos não agem de acordo com um padrão previsível", acrescentou Wallander. "Não podem ser facilmente divididos em categorias. Eles planejam seus crimes com cuidado e muitas vezes aparecem do nada, sem qualquer antecedente criminal."

"Policiamento nas comunidades", disse o comandante-geral. "É por onde devemos começar."

Wallander não percebeu muito bem a ligação entre os lunáticos e o policiamento nas comunidades, mas não fez nenhum comentário. A ministra fez algumas perguntas a Thurnberg, e depois a reunião terminou. Quando se preparavam para sair e ir almoçar, o comandante-geral deu por falta de alguns documentos que deveriam estar na sua pasta.

"Estou com uma secretária temporária", disse desanimado. "Aí nunca sei onde está nada. Mal tenho tempo de decorar seus nomes, e esses funcionários já foram substituídos novamente."

Enquanto faziam um tour pela delegacia, a ministra se pôs ao lado de Wallander.

"Ouvi dizer que foi apresentada uma queixa contra o senhor. Ela tem algum fundamento?"

"Não estou preocupado com isso", respondeu Wallander. "O homem tinha ultrapassado o cordão de isolamento da cena do crime. Não houve nenhuma agressão."

"Foi o que pensei", disse a ministra, encorajando-o.

Quando voltaram à recepção, o comandante-geral lhe fez a mesma pergunta. "É muito inconveniente neste momento."

"Seria inconveniente em qualquer momento", disse Wallander. "Mas tenho que dar a você a mesma resposta que dei à ministra: as queixas de agressão não têm fundamento."

"Então o que aconteceu?"

"Um homem invadiu a cena da investigação de um crime."

"É importante para a polícia manter um bom relacionamento com o público e a mídia."

"Uma vez solucionado este caso, enviarei um comunicado aos jornais", respondeu o inspetor.

"Eu gostaria de ler esse comunicado antes de seguir para os jornais", disse o comandante-geral.

Wallander prometeu que enviaria o texto. Recusou o convite para o almoço e, em vez disso, dirigiu-se à sala de Höglund. Estava vazia. Foi para o seu escritório e se sentou à mesa. Uma ideia germinava no fundo de sua mente, mas ele não conseguia alcançá-la. Seria alguma coisa que a ministra disse? Ou algo que o comandante-geral disse? A ideia se foi.

Às duas da tarde, a catedral de Santa Maria, na praça principal, estava cheia. Wallander era um dos homens que carregava o caixão branco adornado simplesmente com rosas. Levaram-no para dentro da igreja.

O inspetor buscava um rosto na multidão, embora não esperasse a presença de Louis. Não o viu, mas Bror Sundelius estava lá. Wallander o cumprimentou. Sundelius quis saber sobre o andamento da investigação.

"Conseguimos uma pista. É o que posso lhe adiantar."

"Não desista de prendê-lo", disse Sundelius.

O assassinato do amigo certamente o abalara. Wallander se perguntava se Sundelius estava a par do que Svedberg sabia. Será que ele sentia o mesmo medo? O inspetor precisava interrogá-lo de novo o mais depressa possível.

Wallander sentou-se na primeira fila da catedral com uma sensação de pavor no estômago. Temendo a ideia da sua própria aniquilação. Perguntava-se se os funerais precisavam ser tão penosos. A ministra da Justiça discursou sobre a democracia e o direito à vida em segurança; o comandante-geral da polícia falou sobre a natureza trágica daquela morte. Wallander receou que ele fosse discursar sobre o policiamento nas comunidades, mas percebeu que estava sendo injusto. Não tinha nenhum motivo para duvidar da sinceridade do homem. Quando o comandante terminou, foi a vez de Ann-Britt Höglund. O inspetor nunca a tinha visto usando seu uniforme. Ela leu as palavras escritas por Wallander em voz alta e clara. Para sua surpresa, ele não sentiu desconforto ao ouvi-las.

No final da cerimônia, logo antes do cortejo fúnebre, finalmente ficou clara a ideia que o inspetor estava matutando. O comandante-geral havia dito qualquer coisa enquanto remexia os papéis, algo que tinha a ver com os funcionários temporários, que iam e vinham, cujos nomes ele nem chegava a decorar antes que fossem embora. A princípio não sabia por que esse comentário ficara martelando em sua cabeça, mas de repente Wallander viu a conexão: provavelmente os funcionários dos correios tinham substitutos temporários quando se ausentavam.

Passava das cinco da tarde quando Wallander pôde voltar para casa e tirar o uniforme apertado. Ligou para o centro de distribuição dos correios, mas ninguém atendeu. Antes de tentar encontrar Kjell Albinsson, tomou uma ducha e trocou de roupa. Encontrou os óculos e procurou na lista telefônica. O homem morava em Rydsgård. Discou o número e a esposa de Albinsson atendeu. O marido estava jogando futebol com o time dos correios. Não sabia onde eles estavam jogando, mas prometeu que lhe daria o recado de telefonar para Wallander.

Esquentou uma sopa de tomate, comeu umas fatias de pão torrado e deitou-se, exausto, apesar da noite bem-dormida. O funeral cansou o inspetor. Acordou com o telefone tocando às sete e meia da noite. Era Kjell Albinsson.

"Como foi a partida?", perguntou Wallander.

"Mais ou menos. Jogamos contra o time do matadouro, que tem bons jogadores. Mas foi apenas um jogo de pré-temporada. Os torneios só começam mais pra frente."

"É uma ótima maneira de se manter em forma."

"Ou de quebrar uma perna."

Wallander decidiu ir direto ao assunto. "Tem uma coisa que me esqueci de te perguntar no outro dia. Imagino que vocês de vez em quando contratem carteiros temporários."

"Sim, claro. Contratamos a curto e a longo prazo."

"Quem vocês chamam normalmente?"

"Preferimos pessoas com experiência e temos tido bastante sorte. Com o desemprego atual, muita gente se oferece. São duas pessoas que cobrem a maioria das substituições. Uma delas é uma mulher chamada Lena Stivell, que era funcionária contratada, mas depois preferiu trabalhar meio período e, por fim, esporadicamente."

"E o outro também é uma mulher?"

"Não, é um homem chamado Åke Larstam. Trabalhava como engenheiro, mas fez um novo treinamento."

"Para trabalhar como *carteiro*?"

"Não é tão estranho quanto parece. O horário é bom e você conhece um monte de gente."

"Esse Larstam está trabalhando no momento?"

"Ele substituiu alguém há cerca de uma semana. Não sei o que está fazendo agora."

"Tem mais alguma coisa que você poderia me dizer sobre ele?"

"É uma pessoa muito reservada, mas responsável. Deve ter uns quarenta e quatro anos e mora aqui em Ystad, na rua Harmonigatan, número 18, se não me engano."

Wallander pensou por um instante. "E esses substitutos podem fazer qualquer itinerário?"

"É assim que funciona. Nunca sabemos quando alguém vai ficar gripado."

"Qual foi o itinerário que Larstam fez da última vez?"

"A zona oeste de Ystad."

Errei de novo, pensou Wallander. Nem a reserva natural, nem Nybrostrand ficam na zona oeste.

“Obrigado, era tudo o que eu precisava saber. Obrigado também por me ligar de volta.”

O inspetor desligou e decidiu retornar à delegacia. A equipe de investigação não havia planejado se reunir naquela noite, mas ele usaria esse tempo para reexaminar o arquivo do caso. O telefone tocou. Era Albinsson outra vez.

“Cometi um erro. Misturei os itinerários da Lena e do Åke. A Lena é que ficou com a zona oeste de Ystad.”

“E o Åke Larstam também estava trabalhando?”

“O erro foi esse: ele ficou com o itinerário de Nybrostrand.”

“Quando foi isso?”

“Em julho. A substituição era só por duas semanas.”

“O senhor se lembra do itinerário que ele fez antes?”

“Ele trabalhou por um bom tempo entregando cartas na região de Rögla. Acho que foi de março a junho.”

“Muito obrigado por essa informação”, disse Wallander.

Desligou o telefone. Åke Larstam entregara cartas na área onde Torbjörn Werner e Malin Skander viviam. Antes disso, ele havia entregado cartas na região de Skårby, onde Isa Edengren morava. Talvez fosse mera coincidência, mas não conseguiu resistir e procurou o nome de Larstam na lista telefônica. Não constava. Ligou para o serviço de informações, mas responderam que o número dele não estava listado.

Vestiu-se e foi para a delegacia. Para sua surpresa, encontrou Höglund na sala dela, analisando uma pilha volumosa de papéis.

“Achei que ninguém estaria aqui.”

Ela ainda estava uniformizada. Wallander já havia elogiado Ann-Britt pelo discurso.

“Minha babá está lá em casa esta noite. Preciso aproveitar. Tenho muita papelada pra analisar.”

“Eu também. É por isso que decidi vir pra cá.”

Sentou-se na cadeira das visitas. Ela percebeu que ele queria conversar e empurrou a papelada para o lado. Wallander lhe contou sobre a ideia que tivera depois de ouvir o comandante-

-geral mencionar a secretária temporária. Em seguida, narrou a conversa dele com Albinsson.

"Pela descrição, eu diria que esse homem não se parece nem um pouco com um assassino em série", ela disse.

"E quem parece? O ponto é o seguinte: finalmente temos alguém cujas atividades podemos relacionar com as casas das três vítimas."

"Então o que você está sugerindo que devemos fazer?"

"Só vim aqui conversar com você sobre o assunto, mais nada."

"Já interrogamos todos os carteiros contratados, de maneira que devemos falar com esses substitutos também. É isso que você quer?"

"Não acho que precisamos nos preocupar com Lena Stivell", respondeu Wallander.

Höglund olhou para o relógio. "E se déssemos um passeio curto? Respirar um pouco de ar fresco. Podíamos ir até a rua Harmonigatan e tocar a campainha de Larstam. Não é tão tarde assim."

"Nem tinha pensado nisso. Mas acho que é uma boa ideia."

Levaram dez minutos para caminhar até a Harmonigatan, uma rua da zona oeste da cidade. O número 18 era um prédio velho, com três andares. Larstam morava no último. Wallander tocou a campainha e aguardou. Tocou novamente.

"Acho que ele não está em casa", Höglund disse. Wallander atravessou a rua e olhou para o apartamento. Havia luz em duas das janelas. Voltou e tentou abrir a porta. Como não estava trancada, eles entraram. Não havia elevador, então subiram os três andares. O inspetor tocou a campainha do apartamento, e eles ouviram ressoar lá dentro. Nada aconteceu. Tocou mais três vezes. A policial se agachou e espreitou pela abertura do correio.

"Não dá para ouvir nenhum som", ela disse. "Mas a luz está acesa."

Wallander tocou a campainha pela última vez, em seguida Höglund bateu na porta com força.

"Vamos tentar de novo amanhã", ela disse.

Wallander sentia que havia algo errado. Ann-Britt percebeu de imediato.

"O que você está pensando?"

"Não sei. Que alguma coisa não faz sentido."

"Provavelmente não tem ninguém em casa. O gerente dos correios disse que ele não está trabalhando no momento. Pode ter ido viajar por uns dias. É uma explicação lógica."

"Deve ser isso", disse Wallander, mas com pouca convicção.

Ela começou a descer as escadas. "Amanhã a gente tenta de novo."

"Talvez pudéssemos tentar hoje mesmo."

Höglund ergueu os olhos, surpresa. "Você está querendo arrombar a porta? Ele nem sequer é suspeito."

"Já que estamos aqui..."

Ela se opôs vigorosamente. "Não posso permitir que faça uma besteira dessas. Vai contra todas as regras."

Wallander deu de ombros. "Tem razão. Vamos tentar amanhã."

Eles voltaram para a delegacia. Durante a caminhada, conversaram sobre a distribuição das tarefas para os próximos dois dias. Despediram-se na recepção, e Wallander voltou ao seu escritório para resolver umas tarefas burocráticas inadiáveis.

Pouco antes das onze da noite, ligou para o restaurante de Estocolmo onde a filha trabalhava. Pela primeira vez, conseguiu completar a chamada; mas Linda estava muito ocupada. Combinaram que ela telefonaria pela manhã.

"Como você está?", ele perguntou. "Já decidiu para onde quer ir?"

"Ainda não. Logo decido."

A conversa lhe deu uma injeção de ânimo. Voltou à papelada. Às onze e meia, Höglund foi avisá-lo que estava indo embora.

"Vou tentar chegar amanhã antes das oito", ela disse. "Podemos começar com uma visita ao Larstam."

"A gente decide isso quando tiver tempo", respondeu o inspetor.

Wallander esperou cinco minutos, abriu a gaveta, tirou de lá um molho de chaves mestras e saiu do escritório. Ele já tinha decidido enquanto pensavam no que fazer, diante da porta de Larstam. Se Höglund não queria participar do arrombamento, ele teria que fazer isso sozinho. Havia alguma coisa sobre Åke Larstam que o incomodava.

Voltou para a rua Harmonigatan. Faltava pouco para a meia-noite e sentia a brisa suave que vinha do leste. O ar parecia anunciar a chegada do outono e, talvez, o fim do calor. Ele tocou a campainha da portaria e reparou que as mesmas luzes continuavam acesas. Como não obteve resposta, abriu a porta do prédio e subiu as escadas.

Tinha a sensação de estar de volta onde tudo havia começado, de reviver a noite em que ele e Martinsson entraram no apartamento de Svedberg. Sentiu um calafrio e ficou à escuta, com a orelha encostada à porta do apartamento. Silêncio absoluto. Abriu cautelosamente a fenda do correio. Nenhum som, apenas um feixe de luz fraco. Tocou a campainha e esperou, então tocou de novo. Depois de esperar por cinco minutos, pegou o molho de chaves mestras e analisou a porta atentamente: estava equipada com o sistema de trancas mais elaborado que ele já vira. Åke Larstam era, sem sombra de dúvida, uma pessoa que prezava sua privacidade. Estava claro que o inspetor não conseguiria abrir essas fechaduras com suas chaves mestras. Ao mesmo tempo, queria entrar no apartamento de qualquer maneira. Hesitou por um momento, mas acabou pegando o celular e ligando para Nyberg.

Nyberg atendeu com a mesma voz irritada de sempre. Wallander não precisou perguntar se ele estava dormindo.

"Preciso da sua ajuda."

"Não me diga que aconteceu novamente", Nyberg gemeu.

Wallander o sossegou: "Ninguém morreu. Mas preciso da sua ajuda para abrir uma porta".

"Você não precisa de um técnico pra isso."

"Neste caso, preciso."

Nyberg resmungou do outro lado da linha, mas agora estava bem acordado. Wallander descreveu a fechadura e deu-lhe o endereço. Nyberg prometeu ir até lá. O inspetor desceu a escada calmamente e esperou por ele na rua. Precisaria explicar o que estava acontecendo, e era provável que Nyberg gritasse reclamando. E com razão.

Wallander sabia que estava fazendo algo que não deveria. Nyberg chegou em dez minutos. O inspetor percebeu que ele ainda vestia o pijama por baixo do casaco. Como esperava, protestou furioso.

"Você não pode simplesmente invadir a casa de pessoas inocentes."

"Preciso de você para abrir a porta. Depois pode ir embora. Assumo toda a responsabilidade e não vou contar a ninguém que você esteve aqui."

Nyberg continuava relutante, mas — diante da insistência de Wallander — subiu as escadas e analisou as fechaduras com todo o cuidado.

"Ninguém vai acreditar em você", ele disse. "Sem ajuda, você nunca conseguiria abrir esta porta."

Então Nyberg começou a trabalhar. Finalmente, um pouco antes da uma da manhã, a porta se abriu.

32.

A primeira coisa que ele reparou foi o cheiro. Depois de entrar no hall, ficou parado à escuta do mais leve som no apartamento. Foi então que sentiu o cheiro. Nyberg esperou do lado de fora da porta. Era um cheiro sufocante.

Percebeu que era apenas o cheiro de um lugar que nunca foi arejado. Na verdade, o ar havia se deteriorado. Wallander fez um gesto para que Nyberg o seguisse, o que fez a contragosto. O inspetor disse para ele esperar ali e foi inspecionar o resto do apartamento sozinho. O apartamento tinha três cômodos e uma cozinha pequena, tudo limpo e arrumado. A limpeza contrastava com o ar pútrido.

A porta de um dos quartos era diferente das outras. Parecia ter uma fabricação especial. Wallander empurrou a porta, viu que era extremamente grossa. Ele lembrou das portas de estúdio de gravação, como as que vira nas raras ocasiões em que dera entrevistas de rádio. Entrou. Havia algo de estranho naquele quarto; não tinha janelas e as paredes eram reforçadas. Apenas uma cama e uma lâmpada, nada mais. A cama estava feita, mas havia uma ligeira marca de um corpo sobre a colcha. Levou algum tempo para perceber: o quarto tinha aquela aparência porque era à prova de som. Cada vez mais curioso, Wallander percorreu o resto do apartamento, esperando encontrar uma foto do homem que vivia ali. Havia prateleiras cheias de bibelôs, mas nenhuma foto. Parou na sala, tomado subitamente pela sensação de estar violando a privacidade de alguém.

Ele não tinha nada que estar ali. Deveria sair do apartamento imediatamente. Mas alguma coisa o detinha. Voltou para o hall, onde Nyberg estava esperando.

"Só mais cinco minutos. Depois, vamos."

Nyberg não respondeu nada. Wallander voltou a inspecionar metodicamente. Sabia o que procurava. Revistou os três armários, um por um. Nos dois primeiros, encontrou apenas roupas masculinas. Estava prestes a fechar a porta do terceiro quando alguma coisa chamou sua atenção. Estendeu a mão para o fundo do armário, onde havia roupas penduradas atrás das outras, e pegou um cabide. Era um vestido vermelho. Começou a vasculhar as gavetas com o mesmo cuidado, tateando embaixo das roupas masculinas cuidadosamente dobradas. Foi estimulado pela sensação de que o tempo estava acabando, de que precisava se apressar. Mais uma vez, teve sorte: descobriu várias roupas de baixo femininas escondidas. Voltou ao terceiro armário, agachou-se e encontrou sapatos de mulher. Ele teve o cuidado de colocar tudo como estava. Nyberg entrou no quarto enquanto isso.

Wallander percebeu que ele estava furioso. Ou talvez com medo.

"Já se passaram quase quinze minutos", sussurrou. "Que diabo está fazendo aqui?"

O inspetor não respondeu. Procurava uma escrivaninha. Havia uma, antiga, no canto. Estava trancada. Fez sinal para que Nyberg a abrisse, mas ele se opôs.

Wallander interrompeu os protestos, dando-lhe a mais curta das respostas que pôde pensar:

"A Louise mora aqui. A mulher da foto que achamos no apartamento do Svedberg. A mulher em Copenhague. A que não existe. Ela mora aqui."

"Você poderia ter dito isso antes", disse Nyberg.

“Eu não tinha certeza. Não até este momento. Você poderia abrir a escrivaninha sem deixar marcas?”

Nyberg abriu rapidamente o tampo da escrivaninha com suas ferramentas.

Wallander com frequência achava que o trabalho da polícia era caracterizado por uma série de expectativas que muitas vezes resultavam em decepção. O inspetor não seria capaz de lembrar mais tarde o que ele esperava naquele momento específico, mas certamente não seria o que seus olhos contemplaram.

Havia uma pasta de plástico com recortes de jornais, todos relacionados com a investigação dos assassinatos. Encontrou uma cópia da certidão de óbito de Svedberg, que Wallander não tinha visto até então.

Nyberg estava esperando atrás dele.

“Você devia dar uma olhada nisso”, disse o inspetor lentamente. “Vai explicar o que estamos fazendo neste apartamento.”

Nyberg deu uns passos para a frente, recuou em seguida e encarou Wallander.

“Podemos ir embora”, disse Wallander, “e colocar a casa sob vigilância. Ou talvez pedir reforços e começar imediatamente a vasculhar todo o apartamento.”

“Ele matou oito pessoas”, disse Nyberg. “Isso significa que está armado e é perigoso.”

Wallander não tinha percebido que eles poderiam estar correndo perigo. Isso o fez tomar uma decisão: pediriam reforços. Nyberg fechou a escrivaninha, e Wallander foi até a cozinha, onde vira uns copos na bancada. Embrulhou um dos copos com papel e guardou-o no bolso. Estava prestes a sair da cozinha quando percebeu que a porta dos fundos estava entreaberta. Sentiu uma onda de medo tão forte que quase caiu. Pensou que alguém abriria a porta e atiraria. Mas nada aconteceu. Aproximou-se cuidadosamente da porta e deu um empurrãozinho. As escadas estavam vazias. Nyberg já saía pela porta da frente, e Wallander o seguiu.

Puseram-se à escuta. Nada. Nyberg fechou a porta da frente sem ruído e examinou-a à luz da lanterna.

"Tem uns arranhões. Mas quase não se vê, a menos que você os procure."

Wallander pensava na porta dos fundos que foi deixada entreaberta. Decidiu não mencionar o fato, por enquanto. Assim que chegaram à delegacia, o inspetor foi correndo para o seu escritório. Martinsson foi a primeira pessoa a ser convocada, queria que ele viesse o mais rápido possível.

Nos dez minutos seguintes, Wallander ligou para vários membros de sua equipe, que logo despertavam quando ouviam a descoberta que ele fizera. Martinsson foi o primeiro a chegar, depois Höglund e os outros, numa rápida sucessão.

"Tive sorte", ela disse. "Minha mãe veio me visitar."

"Voltei para a Harmonigatan", disse Wallander. "Tive um pressentimento de que não podia esperar."

Lá pelas duas da manhã, todos estavam reunidos. Wallander olhou ao redor da mesa de reunião, perguntando-se como Thurnberg tinha arranjado tempo para dar aquele nó de gravata perfeito. Em seguida, contou o que descobrira.

"O que foi que levou você lá no meio da noite?", perguntou Hansson.

"Normalmente, sou bem cético quanto à minha intuição, mas dessa vez ela funcionou."

Sacudiu o cansaço, pois agora tinha que transformar sua equipe de investigação em caçadores, que perseguiriam a presa em círculos cada vez mais estreitos, até que ela fosse pega.

"Não sabemos onde ele está agora, mas a porta dos fundos do apartamento estava aberta. Dada a complexidade das fechaduras da porta da frente, podemos supor que ele nos ouviu tentando abri-la e fugiu. Resumindo, ele sabe que estamos nos aproximando dele."

"Isso quer dizer que talvez ele não volte ao apartamento", disse Martinsson.

"Não temos certeza. Quero manter o local vigiado. Um carro

será suficiente, desde que haja vários outros nas proximidades."
Wallander deu um murro na mesa. "Esse homem é extremamente perigoso. Quero que vocês todos andem bem armados."

Hansson e um dos policiais de Malmö se ofereceram para fazer o primeiro turno. Nyberg disse que os levaria até o apartamento e verificaria se houve alguma alteração nas luzes da janela.

"Quero falar com o Kjell Albinsson, que mora em Rydsgård", continuou Wallander. "Mandem um carro para buscá-lo."

Ninguém se lembrava de Albinsson. Wallander explicou que ele era o gerente do centro de distribuição dos correios, depois seguiu em frente:

"Precisamos saber se Åke Larstam consta em alguma ficha da polícia. Martinsson, deixo isso nas suas mãos. Pode ser meio da noite para os outros, mas para nós é um dia normal de trabalho. Sintam-se à vontade para falar com qualquer pessoa que talvez tenha informações importantes. Albinsson vai nos dar alguns detalhes sobre o Larstam, mas talvez não seja suficiente. Esse homem se veste de mulher e pode assumir outra persona. Pode até nem se chamar Larstam. Temos que procurar pistas em todos os cantos. Em qualquer lugar."

Wallander pegou o copo que trouxera do apartamento e pôs na mesa.

"Se tivermos sorte, há impressões digitais neste copo. E se eu estiver certo, serão as mesmas que encontramos no apartamento do Svedberg e na reserva natural."

"E quanto ao Sundelius?", perguntou Höglund. "Não deveríamos acordá-lo também? Talvez ele saiba alguma coisa sobre o Larstam."

Wallander assentiu e olhou de relance para Thurnberg, que parecia não fazer nenhuma objeção.

"Por que não faz as honras da casa, Ann-Britt? Mas, desta vez, seja dura. Tenho certeza de que ele está escondendo alguma coisa. Não temos mais tempo para segredos."

Thurnberg assentiu. "Me parece bastante razoável", ele disse. "Mas preciso fazer esta pergunta: existe alguma possibilidade de estarmos enganados?"

"Não", disse Wallander. "Não estamos enganados."

"Só quero ter certeza, já que a única coisa que de fato temos sobre esse homem é uma pasta com recortes de jornais."

Wallander sentia-se perfeitamente calmo quando lhe respondeu: "É ele. Não tenho a menor dúvida".

Transformaram a sala de reuniões num quartel-general provisório. Wallander continuava na ponta da mesa, quando trouxeram Kjell Albinsson. Ele estava muito pálido e parecia assustado por ter sido acordado no meio da noite e levado à delegacia. Wallander pediu que alguém lhe trouxesse um café. Viu, ao fundo, Sundelius indignado sendo levado por Höglund para ser interrogado.

"Vou lhes explicar toda a situação", o inspetor começou. "Achamos que Åke Larstam é o homem que matou o nosso colega Svedberg há algumas semanas, o mesmo que foi enterrado ontem."

Albinsson empalideceu ainda mais. "Não é possível."

"Tem mais", continuou Wallander. "Também estamos convencidos de que ele matou três jovens na reserva natural de Hagestad, bem como uma jovem numa ilha do arquipélago de Östergötland e, finalmente, um casal de jovens recém-casados em Nybrostrand. O que estou dizendo é que esse homem já assassinou oito pessoas num espaço de tempo relativamente curto, o que faz dele o pior assassino em série que a Suécia já teve."

Albinsson se limitou a balançar a cabeça para os lados. "Não pode ser verdade. Não pode ser o Åke."

"Eu não estaria te falando isso se não tivesse certeza. Você tem que acreditar no que estou dizendo e precisa me dar as respostas mais completas que puder. Entendeu?"

"Entendi."

Thurnberg entrou e sentou-se de frente para Albinsson sem dizer nada.

"Este é o procurador-geral. O fato de ele estar aqui significa que você não é suspeito de nada."

O homem parecia não entender. "Não estou sendo acusado?"

"Foi o que eu disse. Agora, tente se concentrar nas minhas perguntas."

Albinsson assentiu. Lentamente, se deu conta do que estava fazendo ali e percebeu a gravidade da situação.

"Åke Larstam vive no número 18 da rua Harmonigatan", disse Wallander. "Sabemos que ele não está lá agora e suspeitamos que tenha fugido. Você faz alguma ideia de onde ele possa ter ido?"

"Na verdade, não o conheço fora do trabalho."

"Ele tem uma casa de veraneio? Quaisquer amigos próximos?"

"Não que eu saiba."

"Você deve saber alguma coisa."

"Há algumas informações sobre ele na ficha dos empregados. Mas fica guardada lá no trabalho."

Wallander xingou em voz baixa. Devia ter pensado nisso. "Então vamos buscar essa ficha. Agora."

Chamou uns policiais e pediu que levassem Albinsson no carro-patrulha. Quando voltou a se sentar, percebeu que Thurnberg estava fazendo umas anotações em seu bloco.

"Primeiro, como você entrou no apartamento?"

"Arrombei a porta. Nyberg estava comigo, mas a responsabilidade é toda minha."

"Espero que tenha razão sobre o Larstam. Caso contrário, as coisas podem ficar feias."

"Invejo você por conseguir arranjar tempo para pensar nessas coisas agora."

"Você precisa entender a minha posição", disse Thurnberg. "Às vezes, as pessoas cometem erros."

Wallander controlou, com certa dificuldade, a sua raiva.

"Não quero mais nenhum assassinato nas minhas mãos", ele disse. "Esse é o meu limite. E Åke Larstam é a pessoa que procuramos."

"Ninguém quer mais nenhum assassinato", respondeu o procurador-geral. "Mas também não queremos novos erros da polícia."

Wallander estava prestes a perguntar o que Thurnberg queria dizer com isso, quando Martinsson entrou:

"O Nyberg ligou. As janelas continuam iluminadas."

"E quanto aos vizinhos?", perguntou o inspetor.

"Por onde quer que eu comece?", perguntou Martinsson. "Por Larstam e os registros da polícia? Ou pelos vizinhos?"

"Você devia fazer as duas coisas ao mesmo tempo. Mas se encontrarmos qualquer coisa sobre o Larstam nos nossos registros, seria útil."

Martinsson saiu, e a sala ficou em silêncio. Em algum lugar um cachorro latia, e Wallander ficou pensando distraído se não era o Kall. Eram quase três da manhã. Wallander resolveu pegar um café. A porta do escritório de Höglund estava fechada. Ela continuava lá dentro com Sundelius. Por um momento se perguntou se deveria entrar, mas depois decidiu que não.

Quando voltou para a sala de reuniões, viu que Thurnberg tinha saído. Deu uma olhada no bloco de anotações para ver o que o procurador-geral havia escrito. *Sorte, morte, consorte.* Uma série de palavras aleatórias que rimavam. Wallander meneou a cabeça.

Passaram-se cinco minutos até que Albinsson apareceu, agora menos pálido e com uma pasta amarela nas mãos.

"São os registros confidenciais. Na verdade, eu deveria consultar o diretor-geral dos correios antes de entregar este material."

"Se você fizer isso, chamo o procurador-geral aqui para prendê-lo por obstrução da justiça e por ajudar um criminoso."

Albinsson pareceu levar a ameaça a sério. Wallander estendeu a mão para pegar a pasta. Os registros confirmavam o que Albinsson já havia dito. Larstam tinha coberto a rota de Skårby do início de março a meados de junho. Em julho ele entregou cartas em Nybrostrand.

Havia poucas informações pessoais. Åke Larstam nascera no dia 10 de novembro de 1952, em Eskilstuna. Seu nome completo era Åke Leonard Larstam. Terminou a escola em 1970, fez o serviço militar obrigatório em Skövde no ano seguinte, depois se matriculou na prestigiada Escola de Engenharia da Universidade de Tecnologia Chalmers de Gotemburgo, em 1972. Formou-se em 1979 e conseguiu um emprego em Estocolmo, na empresa Strand Consultoria. Trabalhou lá até 1985, quando foi demitido e começou o treinamento para trabalhar nos correios. Naquele ano mudou-se primeiro para Höör e depois, Ystad. Não era casado, nem tinha filhos. O espaço da ficha destinado para "contato de emergência" estava em branco.

"Esse homem não tem nenhum parente?"

"Aparentemente, não", respondeu Albinsson.

"Mas deve ter algum amigo."

"Como eu disse, ele é muito fechado."

Wallander pôs a pasta sobre a mesa. Todos os fatos seriam verificados, mas agora precisava se concentrar em descobrir onde Larstam estava.

"Ninguém consegue viver sem relacionamentos pessoais", disse Wallander. "Com quem ele falava? Com quem tomava café? Tinha opiniões firmes sobre algum assunto? Deve haver mais alguma coisa que você possa me dizer sobre ele."

"Nós conversamos sobre ele algumas vezes", disse Albinsson. "Era uma pessoa difícil de se aproximar. No entanto, como sempre foi tão simpático e prestativo, todos o deixavam em paz. É possível nos afeiçoar a pessoas de quem nada sabemos."

Wallander pensou no que acabara de ouvir. Em seguida, decidiu enveredar por um novo caminho.

"Alguns desses contratos foram de longa duração, outros só por alguns dias. Você se lembra se alguma vez ele rejeitou um trabalho?"

"Não."

"Então ele não tinha outro trabalho?"

"Não que a gente soubesse. Precisava de poucas horas pra ele se apresentar quando era chamado para cobrir alguém."

"Quer dizer que sempre conseguia encontrá-lo?"

"Sim."

"Ele estava sempre em casa, esperando o telefone tocar?"

Albinsson respondeu com um ar muito sério. "Era o que parecia."

"Você descreveu Larstam como consciencioso, prestativo, cuidadoso e responsável. E introvertido. Alguma vez ele fez qualquer coisa que o surpreendeu?"

Albinsson pensou por uns instantes. "Ele cantava para si mesmo."

"Cantava?"

"Sim, cantarolava melodias baixinho."

"Que gênero de melodias?"

"Principalmente hinos, acho. Quando estava separando a correspondência ou indo para o carro. Não sei bem como descrever. Cantava em voz muito baixa, talvez por não querer incomodar ninguém."

"Cantava hinos?"

"Ou canções religiosas."

"Ele era religioso?"

"Como eu poderia saber?"

"Apenas responda à pergunta."

"Neste país temos direito à liberdade de religião. Pelo que sei, o Åke Larstam poderia até ser budista."

"Os budistas não andam por aí atirando nas pessoas", repreendeu Wallander. "Você notou algo diferente nele?"

"Lavava as mãos com muita frequência."

"Mais alguma coisa?"

"A única vez que o vi mal-humorado foi quando as pessoas à sua volta estavam rindo. Mas pareceu que passou logo."

Wallander olhou fixo para Albinsson. "Pode explicar melhor o que acaba de dizer?"

"Não há mais o que explicar. Foi só isso."

"Ele não gostava de ver as pessoas felizes?"

"Eu não diria isso, mas o Åke parecia se retrair ainda mais quando as pessoas estavam rindo. Acho que se pode dizer que essas pessoas estavam felizes. Isso parecia irritá-lo."

Wallander teve um flashback da cena do crime em Nybrostrand. Nyberg se virara para ele e dissera que o assassino parecia não gostar de pessoas felizes.

"Alguma vez ele aparentou ser violento?"

"Nunca."

"Ou alguma outra tendência?"

"Nunca demonstrou tendência nenhuma. Mal se percebe que ele está por perto."

Wallander sentia que havia algo mais onde Albinsson estava tentando chegar. Ele esperou.

"Talvez pudéssemos dizer que sua característica mais forte era o fato de que ele não parecia querer ser notado. Era o tipo de pessoa que nunca ficava de costas para a porta."

"O que você quer dizer com isso?"

"Que ele sempre queria saber quem estava chegando e saindo."

Wallander pensou que sabia o que o gerente dos correios estava dizendo. Olhou para o relógio. Eram 3h41. Ligou para Höglund.

"Você ainda está com o Sundelius?"

"Sim."

"Gostaria de conversar com você no corredor por um instante."

Wallander se levantou.

"Posso ir para casa?", perguntou Albinsson. "A minha esposa deve estar preocupada."

"Por favor, fique à vontade para fazer uma ligação, se quiser. Mas ainda não pode ir para casa."

Wallander foi para o hall e fechou a porta. Höglund já estava à espera dele.

"O que o Sundelius disse?"

"Jura que não sabe quem é Åke Larstam. Continua repetindo

que ele e o Svedberg nunca fizeram nada além de observar as estrelas e que, só uma vez, foram juntos ver uma curandeira. Ele está muito transtornado. Não acho que se sinta à vontade de falar com uma policial."

Wallander assentiu com um ar pensativo. "Acho que podemos deixá-lo ir para casa agora. É provável que ele não conheça mesmo o Larstam. Acho que são duas fontes de segredos separadas. Temos Larstam, que espionava os assuntos mais íntimos de suas vítimas. E temos o Svedberg, que escondia de Sundelius uma parte da sua vida."

"E que parte seria essa?"

"Pense um pouco."

"Você quer dizer que havia um triângulo amoroso por trás de tudo isso?"

"Não por trás. No centro."

Ela assentiu. "Vou mandá-lo para casa. Quando o Hansson e os outros têm de ser substituídos?"

Wallander percebeu que já havia se decidido.

"Eles podem ficar, pois estamos a caminho. Åke Larstam não voltará hoje à noite. Ele está escondido em algum lugar, só nos resta saber onde. Se quisermos descobrir, o melhor local para começar a investigar é no apartamento dele."

O inspetor voltou à sala de reuniões, e Albinsson estava falando com a esposa pelo telefone. Fez um gesto para ele terminar a ligação.

"Você se lembrou de mais alguma coisa? Onde Åke Larstam poderia ter ido?"

"Não tenho ideia. Mas isso me fez pensar em outra maneira de descrevê-lo."

"Como?"

"Que ele estava sempre tentando se esconder."

Wallander assentiu. "Vou mandar alguém levar você para casa agora, mas me telefone se lembrar de mais alguma coisa."

Às quatro e quinze da manhã estavam de volta ao apartamento de Åke Larstam. Wallander juntou todos do lado de fora da porta do quarto à prova de som.

"Procuramos duas coisas. A primeira é saber onde ele poderia estar escondido. Será que há um esconderijo secreto? Como vamos forçá-lo a aparecer? A segunda é descobrir se ele está planejando matar novamente. Esse é o ponto mais importante. Também seria útil se alguém encontrasse uma foto dele."

Depois de terminar, o inspetor chamou Nyberg de lado. "Precisamos de impressões digitais. Thurnberg está nervoso. Temos que achar alguma coisa que prove que Larstam esteve na cena do crime. As impressões digitais têm precedência sobre todo o resto."

"Vou ver o que posso fazer", disse Nyberg.

"Não preciso saber o que você pode fazer, só faça", disse Wallander.

Depois foi até o quarto à prova de som e se sentou na cama. Hansson apareceu à porta, mas foi mandado embora.

Por que construir um quarto à prova de som? Para não deixar que o som entre ou para que não saia? Para quê, numa cidade como Ystad? O trânsito não é assim tão barulhento. Deixou a mente divagar. A cama era desconfortável para ficar sentado. Levantou-se e olhou por baixo dos lençóis. Não havia colchão, apenas a superfície dura do estrado. É um masoquista, pensou Wallander. Por quê? Agachou-se para olhar embaixo da cama. Não havia nada ali, nem mesmo um grão de poeira. O inspetor tentou compreender o espírito do homem que vivia ali. Åke Larstam, quanrenta e quatro anos, natural de Eskilstuna, formado na Chalmers. Um engenheiro que virou carteiro. Subitamente, sai e mata oito pessoas. Fora o Svedberg e o fotógrafo, todas as vítimas estavam vestidas elegantemente. O fotógrafo tivera a infelicidade de estar no caminho e Svedberg morrera pelo perigo que representava; seus piores medos foram confirmados. Mas todas as outras pessoas estavam bem-vestidas e felizes. Por que as matou? Será que foi aqui, neste quarto à prova de som, que ele planejou tudo?

Wallander não se sentiu mais próximo dos pensamentos do assassino. Voltou à sala e olhou ao redor, observando os bibelôs de porcelana. Cachorros, galos, bonecas com trajes do século XIX, gnomos e *trolls*. Parece uma casa de bonecas, pensou o inspetor. Uma casa de bonecas habitada por um lunático com mau gosto. Ele se perguntou por que razão Larstam guardava esses suvenires cafonas.

Höglund veio da cozinha e interrompeu sua linha de pensamento. Na hora, Wallander percebeu que ela havia encontrado alguma coisa.

"Acho melhor você dar uma olhada nisso", ela disse. O inspetor a seguiu até a cozinha. Uma das gavetas fora tirada do lugar e colocada em cima da mesa. No topo de uma pilha de papéis guardados na gaveta havia uma folha de papel quadriculado, com alguma coisa escrita a lápis. Se essa fosse a caligrafia de Larstam, ele tinha uma letra excepcionalmente pontiaguda. Wallander pôs os óculos e leu o que estava escrito.

Havia apenas onze palavras, que formavam uma espécie de poema macabro: *Número 9. Quarta-feira, dia 21. Quem dá é quem pode tirar.* Para Wallander o sentido estava bem claro, como Höglund também deve ter entendido.

"Ele já matou oito pessoas", disse Wallander. "Está se referindo à nona vítima."

"Hoje é dia 21", ela disse. "E é quarta-feira."

"Temos que encontrá-lo, antes que ele tenha oportunidade de agir."

"E quanto à última parte? O que quer dizer com 'Quem dá é quem pode tirar'?"

"Significa que Larstam odeia as pessoas felizes. Ele quer o que elas têm e precisa tirar delas."

Wallander disse a ela o que Albinsson havia lhe contado.

"Como se faz para localizar pessoas felizes?", Höglund perguntou.

"Você tem que sair e procurar por elas."

Sentiu novamente um nó no estômago.

"Há um detalhe estranho", ela disse. "O número 9 soa como uma pessoa só. Mas, se pusermos de lado o Svedberg, ele está sempre procurando por algum tipo de grupo no passado."

"Você está certa em não incluir o Svedberg. Ele não se enquadra no padrão. Bem observado."

Eram quatro e vinte. Wallander foi até a janela e olhou para fora. Ainda estava escuro. Åke Larstam estava por ali, em algum lugar na escuridão. Wallander sentiu uma súbita pontada de pânico. Não vamos conseguir pegá-lo a tempo, ele pensou. Vamos chegar tarde demais. Ele já escolheu sua vítima e não temos ideia de quem possa ser. Andamos às voltas por aí, como ratos cegos, sem saber para onde devemos ir. Não sabemos nada.

Vestiu um par de luvas de borracha e começou a examinar o restante dos papéis que estavam na gaveta.

33.

O mar. Seria o seu último refúgio, se em algum momento tivesse que chegar a esse ponto. Imaginou-se caminhando em linha reta, afundando lentamente até onde reinava a escuridão eterna e o silêncio. Um lugar onde ninguém jamais conseguiria encontrar um simples vestígio dele.

Pegou um dos seus carros e foi para a costa a oeste de Ystad, até Mossbystrand, que estava deserta naquela noite de agosto. Poucos carros passavam na estrada para Trelleborg. Estacionou de forma que nenhuma das luzes do tráfego no sentido contrário pudesse denunciar sua presença e para que conseguisse fugir com facilidade caso fosse seguido.

Havia um detalhe sobre os últimos acontecimentos que o perturbava. Ele teve sorte. Se naquela noite a porta do quarto estivesse totalmente fechada, como sempre ficava, não teria ouvido ninguém invadindo o apartamento. Acordou em sobressalto, percebeu o que estava acontecendo e fugiu pela porta dos fundos. Não fazia ideia se tinha lembrado de fechar a porta antes de sair. Além de algumas roupas, só teve tempo de pegar sua arma.

Embora estivesse abalado, obrigou-se a dirigir com calma. Não queria correr o risco de sofrer um acidente.

Agora eram quatro horas da manhã e levaria um tempo para

o sol nascer. Ele pensou em tudo o que tinha acontecido e ponderou se teria cometido algum erro. Mas não conseguiu encontrar nenhuma falha. Não ia alterar seus planos.

Tudo correra bem. Foi ao apartamento do policial, na Mariagatan, durante o funeral de Svedberg. Abriu a fechadura com facilidade. Deu uma rápida olhada pelo apartamento e concluiu que o homem vivia sozinho. Em seguida, elaborou o plano. Seria mais fácil do que esperava, pois encontrou um jogo de chaves sobressalentes numa gaveta da cozinha. Da próxima vez, não teria que se preocupar com a fechadura. Por pura diversão, deitou-se na cama do policial. Mas achou-a macia demais, sentia como se estivesse se afogando.

Depois disso, foi para casa, tomou banho, comeu e descansou no quarto à prova de som. Mais tarde, fez algo que havia planejado muito tempo antes: tirou pó de todos os bibelôs. Isso levou bastante tempo. Quando terminou, jantou e foi se deitar. Já estava dormindo por várias horas quando ouviu os policiais à porta.

Pensou sobre o fato de que a polícia estava no apartamento dele naquele exato momento, abrindo gavetas, sujando o chão, mexendo em seus bibelôs. Ficou furioso e quase não conseguia controlar seu desejo de voltar correndo e atirar neles todos. Mas sua sobrevivência era mais importante do que a vingança, e ele sabia que não encontrariam nada de mais no apartamento. Não guardava nenhuma foto lá, nenhum documento, nada. Eles não sabiam sobre o cofre que mantinha no banco, registrado com um nome falso. Era lá que guardava todos os documentos importantes, como os documentos do carro e seus dados financeiros.

Provavelmente ficariam em seu apartamento por muitas horas, mas cedo ou tarde o policial voltaria para casa, exausto depois da noite sem dormir. E ele estaria lá, esperando por esse homem.

Voltou para o carro. O mais importante era recuperar as horas de sono perdidas. Poderia, é claro, dormir em um de seus automóveis, mas havia uma pequena chance de ser descoberto. Também lhe desagradava a ideia de se enrolar no banco traseiro. Não era digno. Queria se esticar numa cama de verdade, de onde pudesse retirar o colchão para dispor do apoio firme que ele gostava.

Pensou em ir para um hotel e se registrar com um nome falso, mas descartou essa possibilidade quando teve um lampejo súbito de inspiração. Havia um local onde ninguém iria perturbá-lo. E podia sempre recorrer à porta dos fundos caso alguém aparecesse inesperadamente. Ligou o motor e os faróis. O sol não tardaria a aparecer. Precisava dormir e descansar para poder programar o dia que vinha pela frente.

Virou numa rua principal e dirigiu de volta para Ystad.

Eram quase cinco da manhã quando Wallander começou a perceber a melhor forma de descrever que tipo de pessoa era Åke Larstam. Ele era um homem que não deixava vestígios. A busca do apartamento estava quase terminada, mas não encontraram nada que revelasse qualquer coisa sobre a pessoa que morava ali. Não havia correspondência, nem mesmo uma simples folha de papel com o nome de Åke Larstam nela.

"Nunca vi algo assim", disse Wallander. "Parece que Åke Larstam não existe. Não encontramos um único documento que prove sua existência, embora saibamos que ele é real."

"Talvez tenha outro apartamento em algum lugar", disse Martinsson.

"Talvez tenha dez outros apartamentos", respondeu Wallander. "Ele pode ter moradias ou casas de veraneio de todos os tipos. Mas, se for esse o caso, não temos nada aqui que nos permita encontrar esses outros lugares."

"Talvez tenha levado tudo com ele, quando fugiu", disse Hansson. "Deveria saber que estávamos chegando perto dele."

"O estado em que deixou o apartamento não sugere isso", disse Wallander. "Acho que é assim mesmo que ele vive. Tem até um quarto à prova de som. Mas você pode ter razão. Espero que esteja certo, assim talvez a gente acabe encontrando alguma coisa."

O pedaço de papel estava em cima da mesa, na frente deles.

"Será que estamos interpretando corretamente essa mensagem?", perguntou Höglund.

"Ela quer dizer o que diz. O Nyberg tem certeza de que a escrita é recente. Ele consegue afirmar isso pela consistência do grafite ou algo do gênero."

"Por que você acha que ele escreveu isso?"

Foi Martinsson quem fez a última pergunta, e Wallander sabia que ela era importante.

"Boa pergunta. Essa é a única evidência pessoal que encontramos. O que significa? Vou partir do princípio de que ele estava aqui quando o Nyberg e eu batemos na porta da frente. O fato de ter deixado a porta dos fundos destrancada indica uma fuga apressada."

"Nesse caso, o pedaço de papel foi deixado inadvertidamente?", perguntou Martinsson.

"É a explicação mais plausível. Ou melhor, a mais óbvia. Mas é a verdadeira?"

"Qual seria a alternativa?"

"Talvez ele quisesse que a gente encontrasse o bilhete."

Ninguém entendia o que Wallander queria dizer. Ele sabia que era uma teoria sem fundamento.

"O que sabemos sobre Åke Larstam? Que é bom para recolher as informações que necessita, que descobre os segredos das outras pessoas. Não estou afirmando que esteja por dentro da nossa investigação, mas acho que a informação que ele tem é complementada por uma boa dose de previsão. Deve ter considerado a possibilidade de que o encontraríamos. O fato de eu ter aparecido naquele bar em Copenhague o teria forçado a estudar essa hipótese. O que ele faz? Prepara a fuga, mas antes resolve nos deixar uma mensagem. Larstam sabe que vamos encontrá-la, já que não tem muito mais para descobrir por aqui."

“Mas isso ainda não nos revela nada sobre o motivo”, disse Martinsson.

“Ele está nos provocando, o que não é novidade. Lunáticos desse calibre gostam muito de zombar da polícia. Deve ter se sentido exultado com seu triunfo em Copenhague. Lá estava ele, desfilando vestido de Louise, logo depois de os jornais dinamarqueses terem publicado sua foto, mas mesmo assim conseguiu escapar.”

“Continuo achando estranho o fato de encontrarmos esse pedaço de papel no mesmo dia em que ele planeja matar novamente.”

“Ele não tinha como saber quando é que chegaríamos aqui.”

Mas as palavras pareciam pouco convincentes até para os ouvidos do inspetor.

“Temos que levar as ameaças dele a sério”, disse ele. “Devemos supor que a sua intenção é atacar de novo.”

“Nós temos alguma pista?”, perguntou Thurnberg, que tinha aparecido à porta.

“Não”, respondeu Wallander. “Não temos nenhuma pista. O melhor é sermos francos quanto a isso.”

Ninguém disse nada. O inspetor sabia que tinha que combater aquela sensação de desesperança que estava afetando toda a equipe. Eram cinco e vinte da manhã. Ele sugeriu que voltassem a se encontrar às oito horas, o que daria a cada um a oportunidade de descansar por mais ou menos uma hora. Dois policiais ficariam vigiando o prédio e começariam a interrogar os vizinhos sobre Larstam.

Nyberg esperou até que todos saíssem para se aproximar de Wallander.

“Ele mantém a casa limpa. Mas conseguimos recolher as impressões digitais.”

“Mais alguma coisa?”

“Nada de importante.”

“Alguma arma?”

"Não, eu já teria te informado se tivesse feito uma descoberta dessas."

Wallander assentiu. O rosto de Nyberg estava sem cor de tão cansado.

"Acho que você tinha razão no que disse sobre o assassino e as pessoas felizes."

"Será que vamos conseguir pegá-lo?"

"Cedo ou tarde. Mas tenho medo do que possa acontecer hoje."

"Será que não poderíamos fazer um comunicado geral?"

"E dizer exatamente o quê? Que durante o dia de hoje as pessoas evitem dar risadas? Ele já escolheu a próxima vítima. Provavelmente alguém que não faz ideia de que está sendo vigiado."

"Acho que teremos mais chances de localizar o esconderijo dele se ficarmos quietos."

"Concordo. Só não sei quanto tempo nos resta."

"Não deveríamos considerar também a possibilidade de que Larstam tenha outro apartamento ou uma casa de veraneio para se esconder? E então? Para onde ele iria?"

Nyberg estava certo. Wallander não havia levado isso em conta. O cansaço tinha esvaziado sua mente. "O que você acha?", perguntou.

Nyberg deu de ombros. "Sabemos que ele tem um carro. Talvez esteja dormindo no banco traseiro. O tempo ainda está quente o suficiente, é possível dormir na rua. Essa é outra hipótese. Ou pode ter um barco. Existem muitas opções."

"Muitas", concordou Wallander. "E não temos tempo de procurá-lo."

"Eu entendo o inferno que você está vivendo agora", disse Nyberg. "Sei bem como é."

Era raro Nyberg expressar algo remotamente associado à emoção. O inspetor sentiu seu apoio e também, pela primeira vez, teve a sensação de estar um pouco menos sozinho.

Uma vez à rua, Wallander não tinha certeza do que deveria fazer. Sabia que precisava ir para casa, tomar banho e dormir pelo menos meia hora. Mas a ansiedade o levava a prosseguir. Um carro-patrulha o levou de volta à delegacia. Ficou angustiado e achou melhor comer alguma coisa, mas em vez disso bebeu mais café e tomou seu remédio. Sentou-se à escrivaninha e começou a reler o processo. Viu-se de novo no apartamento de Svedberg, com Martinsson logo atrás. Åke Larstam foi o único que esteve lá antes deles e matou o Svedberg. O inspetor continuava sem entender claramente o relacionamento dos dois, mas a foto que o amigo assassinado guardara mostrava Larstam vestido de mulher. Agora ele entendia o estado em que ficou o apartamento, pois a maior preocupação do assassino fora não deixar vestígios de sua passagem por ali. Só depois de matar é que começou a revirar o apartamento de pernas para o ar, procurando aquela fotografia. Mas Svedberg também mantinha seu próprio segredo.

A equipe reuniu-se pontualmente às oito horas. Quando Wallander percebeu o cansaço e a ansiedade nos rostos à sua volta, sentiu que os havia decepcionado. Não que os tivesse conduzido pelo caminho errado, mas porque não fora capaz de levá-los pelo caminho certo. Continuavam tateando no escuro, sem saber qual direção tomar. O inspetor tinha um pensamento claro em sua mente.

"A partir de agora, vamos trabalhar juntos", ele disse. "Esta sala será o nosso quartel-general e o nosso ponto de encontro."

Os outros foram para seus escritórios buscar os materiais que precisavam. Só Martinsson permaneceu à porta.

"Você não dormiu nada, não é?", ele perguntou.

Wallander balançou a cabeça para os lados.

"Você tem que dormir", disse Martinsson com a voz firme. "Não podemos ir em frente se você pifar."

"Dá pra aguentar um pouco mais."

"Você já ultrapassou o limite. Eu dormi uma hora e ajudou."

"Vou fazer uma caminhada daqui a pouco", disse Wallander. "Vou para casa mudar de camisa."

Martinsson olhou para ele como se fosse dizer mais alguma coisa, mas Wallander fez um gesto com a mão para que não falasse nada. Ele não tinha forças para escutar. Nem sabia se teria forças para se levantar da cadeira em que estava sentado. Todos voltaram à sala, e a porta foi fechada. Thurnberg soltou o nó da gravata. Ele também estava com um aspecto cansado. Holgersson mandou dizer que estava na sua sala lidando com a imprensa.

Todos olharam para Wallander.

"Temos que tentar entender como ele pensa. E adivinhar onde podemos procurar as respostas. Não vamos apenas rever o processo da nossa investigação; uma parte da equipe terá que examinar o passado desse homem. Precisamos saber se tem algum parente vivo, se alguém se lembra dele na época da faculdade, em Chalmers, ou do emprego anterior. Onde foi que ele fez o treinamento para trabalhar nos correios? O nosso maior problema é o tempo. Temos que partir do princípio de que o pedaço de papel que nos deixou era uma mensagem sobre suas intenções. Seja como for, temos que decidir quais informações vamos procurar primeiro."

"Precisamos saber mais sobre seus pais", disse Höglund. "Tomara que sua mãe ainda esteja viva. Uma mãe conhece bem os filhos; nós já aprendemos essa lição."

"Por que você não fica com essa tarefa?", disse Wallander.

"Só mais uma coisa", ela acrescentou. "Acho que tem algo estranho nessa mudança de carreira dele de engenheiro para carteiro. Precisamos pesquisar isso."

"Há pouco tempo ouvi falar de um bispo que virou motorista de táxi", disse Hansson.

"É diferente", Höglund respondeu. "Também ouvi falar desse bispo. Ele já tinha cinquenta e cinco anos e talvez quisesse viver uma experiência totalmente diferente antes de ficar velho demais. Mas Åke Larstam fez essa mudança aos quarenta anos."

Wallander sentiu que isso era importante. "Você está querendo dizer que deve ter acontecido alguma coisa?"

"Sim, algo importante deve ter ocorrido para fazê-lo mudar de vida desse jeito."

"E mudar de cidade também", disse Thurnberg. "O que sugere que Ann-Britt tem razão."

"Eu mesmo me encarregarei disso", disse Wallander. "Vou telefonar para a empresa de engenharia... Como é mesmo que se chama?"

Martinsson folheou os papéis. "Strand Consultoria. Saiu de lá em 1985, o que significa que ele tinha trinta e três anos na época."

"Vamos começar por aí", disse Wallander. "Os outros vão continuar analisando o material que já temos. Tentem descobrir onde é que ele poderia estar ou quem é a próxima vítima."

"E se chamássemos o Kjell Albinsson de novo?", perguntou Thurnberg. "Talvez ele possa se lembrar de mais alguma coisa, sobretudo se participar das nossas discussões."

"Você tem razão", disse Wallander. "Vamos trazê-lo de volta. Alguém também tem que procurar o nome do Larstam no banco de dados."

"O nome dele não consta no nosso banco de dados", disse Martinsson. "Eu já verifiquei."

O inspetor se surpreendeu por ele ter encontrado tempo para fazer a busca, porém percebeu que Martinsson talvez tivesse mentido quando disse que tinha dormido uma hora. Ficara trabalhando tão duro quanto Wallander, mas mentiu por consideração ao chefe. Não sabia se devia se zangar ou se comover. Decidiu apenas seguir em frente.

"Me dê o telefone da empresa."

Discou, mas ouviu uma gravação dizendo que o número havia mudado. Ligou para o número novo, em Vaxholm, uma ilha muito próxima de Estocolmo. Dessa vez, alguém atendeu.

"Strand Consultoria", disse uma voz feminina.

"Meu nome é Kurt Wallander, sou detetive da delegacia de Ystad. Preciso de informações sobre um ex-funcionário de sua empresa."

“E quem seria?”

“Um engenheiro chamado Åke Larstam.”

“Não tem ninguém aqui com esse nome.”

“Eu sei. Foi o que acabei de lhe dizer: é um antigo funcionário. Por favor, preste atenção.”

“Não precisa usar esse tom comigo. E, a propósito, como é que eu sei que você é realmente da polícia?”

Wallander estava prestes a arrancar o telefone da parede, mas conseguiu se controlar.

“É claro que não tem uma forma de você saber quem eu sou, mas, mesmo assim, preciso de informações sobre Åke Larstam, que saiu da empresa em 1985.”

“Isso foi antes de eu começar a trabalhar aqui. É melhor você falar com o Persson.”

“E se eu te desse o meu número? Dessa forma, ele pode verificar se estou falando da delegacia de Ystad.”

Ela anotou o número.

“É um assunto urgente. O sr. Persson está disponível?”

“Neste momento ele está com um cliente, mas vou pedir para te ligar assim que a reunião acabar.”

“Não dá pra esperar tanto”, disse Wallander. “Ele vai ter que interromper essa reunião e me ligar imediatamente.”

“Vou dizer ao Persson que é importante, mas é tudo o que posso fazer.”

“Nesse caso, diga pra ele o seguinte: se não me ligar de volta em três minutos, um helicóptero levantará voo de Estocolmo para trazê-lo aqui e ser interrogado.”

Dito isto, o inspetor desligou, sentindo os olhares de todos cravados nele. Olhou para Thurnberg, que soltou uma gargalhada.

Wallander se desculpou. “Desculpe, mas eu tinha que dizer alguma coisa.”

O telefone tocou em menos de dois minutos. O homem do outro lado se identificou como Hans Persson. Wallander lhe disse o que queria saber, sem revelar que Åke Larstam era procurado por assassinato.

“Pelas informações que temos, ele saiu da sua empresa em 1985.”

“Isso mesmo. Foi em novembro, se me lembro bem.”

“O senhor se lembra dele?”

“Como se fosse hoje.”

Wallander apertou o fone mais perto do ouvido.

“Por que foi tão marcante? O que aconteceu?”

“Ele foi despedido: o único engenheiro que tive que demitir. Devo explicar que sou o fundador da empresa. Nunca houve um ‘Strand’ aqui, mas achei que esse nome soava melhor do que ‘Persson’.”

“Então o senhor despediu Åke Larstam. Por quê?”

“É difícil explicar, mas ele simplesmente não se ajustava aqui.”

“Por que não?”

“Vai soar estranho se eu tentar explicar.”

“Sou um policial, estou acostumado com coisas esquisitas.”

“Larstam não era independente o bastante. Ele sempre concordava com tudo, mesmo quando sabíamos que a opinião dele divergia da nossa. Não é possível ter uma discussão construtiva com alguém que apenas procura agradar os outros. Não dá pra trabalhar com pessoas assim.”

“E ele era assim?”

“Era. As coisas não funcionavam. Nunca apresentou uma ideia própria.”

“E quanto à sua competência técnica?”

“Excelente. O problema nunca foi esse.”

“Como ele reagiu quando foi despedido?”

“Não demonstrou nenhuma emoção, tanto quanto pude perceber. Eu esperava mantê-lo por mais meio ano, pelo menos, mas ele saiu imediatamente. Deixou a minha sala, vestiu o casaco e desapareceu. Nem veio receber a indenização que lhe era devida. Parecia que tinha evaporado.”

“E depois disso teve algum contato com ele?”

“Eu tentei, mas nunca consegui falar com ele pessoalmente.”

"Você sabia que ele foi trabalhar nos correios?"

"Ouvi falar disso. Vieram uns papéis do Fundo de Desemprego."

"Sabe se ele tinha amigos próximos?"

"Eu não sabia nada de sua vida pessoal. Ele não era particularmente próximo de ninguém no escritório. Às vezes, tomava conta dos apartamentos de outras pessoas, enquanto estavam fora, mas Larstam vivia praticamente isolado."

"Você sabe se os pais dele ainda estão vivos ou se ele tem irmãos?"

"Não faço ideia. A vida dele fora do trabalho era uma página em branco. Isso é um verdadeiro problema pra uma empresa pequena."

"Entendo. Obrigado pela colaboração."

"Você entende a minha curiosidade", disse Persson. "Poderia me dizer o que está acontecendo?"

"O senhor saberá muito em breve. No momento, não posso te dizer mais nada."

Wallander desligou abruptamente. Ficou matutando sobre algo que Persson disse, relacionado com o fato de Larstam tomar conta da casa das pessoas que estavam de férias. Hesitou, mas decidiu que isso deveria ser examinado.

"Alguma coisa já foi feita com o apartamento do Svedberg?", o inspetor perguntou.

"Ylva Brink disse no funeral que ela iria esvaziá-lo em breve, mas ainda não tinha começado."

Wallander se lembrou do molho de chaves que ainda estava na gaveta da escrivaninha.

"Hansson, vá com outra pessoa dar uma olhada no apartamento. Veja se alguém esteve lá recentemente. As chaves estão na minha gaveta."

Hansson saiu com um dos colegas de Malmö um pouco antes das nove horas. Höglund tentava achar os pais de Larstam. Martinsson foi conferir novamente o banco de dados. Wallander foi ao banheiro e não quis se olhar no espelho. Quando voltou à sala, alguém estava distribuindo sanduíches, mas ele recusou.

Höglund apareceu à porta.

“Os pais morreram”, disse ela.

“Algum irmão?”

“Duas irmãs mais velhas.”

“Encontre-as.”

Ela saiu, e Wallander pensou na sua própria irmã, Kristina. Como é que ela iria descrevê-lo se aparecesse um policial fazendo perguntas?

Ouviu alguém gritando no corredor. Levantou-se no momento em que um policial apareceu à porta.

“Um tiroteio”, gritou. “Na praça principal.”

Wallander sabia o que aquilo significava. “Deve ser no apartamento do Svedberg”, ele disse gritando. “Alguém se feriu?”

“Não sei, mas o tiroteio foi confirmado.”

Em menos de um minuto saíram quatro carros com as sirenes ligadas. Wallander foi no banco de trás de um deles, com uma arma na mão. O Larstam estava lá, pensou. O que teria acontecido com Hansson e o colega de Malmö? Ele temia o pior, mas afastou a ideia. Era insuportável.

Saltou do carro ainda em movimento. Uma multidão havia se juntado à porta do prédio da Lilla Norregatan. Wallander atravessou a multidão a toda velocidade — mais tarde lhe disseram —, como um touro atacando. Foi então que ele viu Hansson e o colega, ambos ilesos.

“O que aconteceu?”, gritou Wallander.

Hansson estava pálido e tremia. O colega estava sentado no meio-fio.

“Ele estava lá dentro”, contou Hansson. “Eu tinha acabado de abrir a porta. Ele apareceu do nada e disparou sua arma. Em seguida, desapareceu. Foi pura sorte não termos levado um tiro. Nós viramos e ele correu. Pura sorte.”

Wallander não disse nada, mas sabia que a sorte não tinha nada a ver com aquele desfecho. Larstam era um excelente atirador. Se quisesse, poderia ter matado os dois. Mas ele não quis. Outra pessoa foi escolhida para ser sua vítima.

O apartamento agora estava vazio; a porta dos fundos, entreaberta. Uma saudação, Wallander pensou quando a viu. Uma segunda porta fora deixada aberta. Ele está nos mostrando sua perícia na fuga.

Martinsson apareceu, vindo do quarto de Svedberg.

"Estava dormindo aqui. Pelo menos agora sabemos como Larstam pensa: ele se abriga em ninhos vazios."

"Nós sabemos como ele pensava", corrigiu Wallander. "Ele não vai fazer a mesma coisa duas vezes."

"Você tem certeza?", perguntou Martinsson. "É provável que ele esteja tentando adivinhar como pensamos. Talvez faça sentido deixar alguns homens aqui. Como não esperamos que Larstam volte para cá, ele pode fazer exatamente isso."

"Ele não pode ler os nossos pensamentos."

"Me parece", disse Martinsson, "que está bem perto de conseguir. Ele está sempre um passo à frente e um passo atrás ao mesmo tempo."

Wallander não lhe respondeu. Estava pensando a mesma coisa.

Eram dez e meia. Wallander tinha certeza de apenas uma coisa: Larstam ainda não havia assassinado a nona vítima. Do contrário, Hansson teria sido a décima; e o colega de Malmö, a décima primeira.

Por que ele está esperando?, pensou o inspetor. Por necessidade? A vítima está fora de alcance, ou teria outra explicação? Wallander saiu do apartamento de Svedberg com nada além de mais perguntas. O melhor seria encarar a verdade, pensou. Estou de volta à estaca zero.

34.

Sentiu certo arrependimento quando acabou. Será que deveria ter atirado neles? Sabia que só podiam ser policiais. Quem mais teria motivos para visitar o apartamento de Karl Evert, agora que ele estava morto e enterrado? Também sabia que eles estavam tentando seguir sua pista. Não havia outra explicação razoável.

Mais uma vez conseguira escapar — era, ao mesmo tempo, reconfortante e satisfatório. Embora não esperasse que o procurassem ali, tomara as precauções necessárias deixando a porta dos fundos aberta e colocando uma cadeira encostada à porta da frente. A queda da cadeira indicaria que alguém estava tentando entrar. A arma estava carregada, em cima da mesa de cabeceira. Ele dormiu de sapatos.

O barulho da rua perturbava. Não era o mesmo que dormir no seu quarto à prova de som. Quantas vezes tentara convencer Karl Evert a isolar o som do quarto? Mas nunca fizera nada, e agora era tarde demais.

As imagens eram desfocadas e indistintas, mas ele sabia que estivera sonhando com sua própria infância. Estava em pé, atrás do sofá. Era muito pequeno. Duas pessoas estavam brigando, provavelmente seus pais. Havia a voz áspera e dominadora de um homem. E, em seguida, uma voz fraca e medrosa de mulher. Ao ouvi-la, pensou estar ouvindo a própria voz, embora ainda estivesse seguro, escondido atrás do sofá.

Então fora acordado pelos sons vindos do hall. Os dois homens haviam entrado à força em seus sonhos. Quando a cadeira caiu, ele já estava de pé, com a arma engatilhada na mão. Seria obrigado a mudar seus planos, mas devia ter atirado neles. Enfiou a arma no bolso do casaco e saiu do prédio. O carro estava estacionado perto da estação de trem. Lá longe, ouviu as sirenes. Entrou no carro e passou por Sandskogen, a caminho de Österlen. Parou em Kåseberga e resolveu dar um passeio até o porto. Pensou sobre o que fazer em seguida. Precisava dormir um pouco mais, mas estava ficando tarde e ele não sabia quando Wallander voltaria para casa. Tinha que chegar lá antes dele. Já decidira o que deveria acontecer hoje e não podia se arriscar mudando seus planos.

Quando chegou ao ponto mais afastado do cais, já havia se decidido. Voltou para Ystad e estacionou o carro atrás do prédio na Mariagatan. Ninguém o viu entrar pela porta da frente. Tocou a campainha do apartamento e ficou quieto, à escuta. Não havia ninguém. Destrancou a porta, entrou e se sentou no sofá da sala. Pôs a arma em cima da mesa de centro. Passavam alguns minutos das onze horas.

Hansson e o policial de Malmö continuavam tão abalados que precisaram ser mandados para casa. Isso significava que a equipe tinha perdido duas pessoas, e Wallander detectara um novo nível de tensão entre os outros policiais do grupo quando se reuniram após o caótico episódio da Lilla Norregatan.

Holgersson o chamou de canto e perguntou se não era a hora de pedir reforços. O inspetor hesitou, exausto e com dúvidas sobre sua capacidade de julgamento, mas acabou respondendo com um enfático "não". Eles não necessitavam de reforços, só precisavam se concentrar.

"Você realmente acha que podemos encontrá-lo?", ela perguntou. "Ou está apenas esperando que haja uma nova pista?"

"Não sei", ele admitiu.

Voltaram a sentar-se à mesa de reunião. Martinsson continuava sem conseguir nenhuma informação sobre Larstam nos arquivos da polícia; então passou essa tarefa para um subordinado, que buscaria mais informações nos arquivos do porão. Höglund ainda não sabia nada sobre as irmãs. Com Hansson fora do jogo, Wallander pediu que ela fizesse uma pausa nessa busca. Precisava de Ann-Britt por perto; as irmãs podiam esperar. Deviam se concentrar na busca de Larstam, antes que ele atacasse a nona vítima.

"Precisamos nos perguntar o que sabemos", disse Wallander, pela enésima vez.

"Ele continua na cidade", disse Martinsson. "O que deve significar que está se preparando para atacar em algum lugar perto daqui."

"Ele sabe que estamos buscando por ele", disse Thurnberg, que raramente tecia comentários. "Sabe que estamos bem próximos."

"Também é possível que ele prefira assim", disse Wallander.

Kjell Albinsson, que estava sentado num canto da sala, ergueu a mão para indicar que queria falar. Wallander assentiu, e ele se levantou e se aproximou da mesa.

"Não sei se isso é importante. Mas acabo de me lembrar que no verão passado alguém da agência central me disse que vira Larstam na marina. Isso pode significar que ele tem um barco."

Wallander bateu na mesa. "Como podemos levar isso a sério?"

"Foi um dos outros carteiros que o viu; tinha certeza de que era ele."

"Mas ele viu de fato Larstam entrando em algum dos barcos?"

"Não, mas o viu carregando um galão de combustível."

"Então, não pode ser um barco a vela", disse um dos policiais de Malmö. Mas esse comentário provocou uma enxurrada de protestos.

"Os barcos a vela muitas vezes têm motores", disse Martinsson. "Não podemos descartar nada, nem mesmo um pequeno hidroavião."

A última sugestão provocou ainda mais protestos, até Wallander os silenciar.

"Um barco é um bom esconderijo", ele disse. "A questão é quanto à credibilidade dessa hipótese."

Virou-se para Albinsson novamente. "Você tem certeza do que disse?"

"Tenho."

Wallander olhou de relance para Thurnberg, que assentiu.

"Quero uns policiais à paisana investigando a marina", disse o inspetor. "Do modo mais discreto possível. Se houver a mínima suspeita de que Larstam pode estar lá, devem voltar. Precisaremos decidir o que faremos a partir daí."

"Como o tempo está bom, deve haver muita gente por lá", disse Höglund.

Martinsson e um dos policiais de Malmö foram para a marina. Wallander pediu a Albinsson que se sentasse à mesa.

"Se tiver mais dessas histórias guardadas na manga, eu gostaria muito de ouvi-las."

"Estou tentando me lembrar ao máximo, mas isso só me faz perceber quão pouco eu sabia sobre ele", disse Albinsson.

Wallander olhou para o relógio. Eram onze e meia. Não vamos conseguir encontrá-lo a tempo, pensou. O telefone vai tocar a qualquer momento anunciando outro crime.

Höglund começou a discorrer sobre o motivo de Larstam.

"Tem que ser uma espécie de vingança", disse Wallander.

"De quê? Por ter sido demitido do emprego? O que os recém-casados tinham a ver com isso?"

O inspetor se levantou para pegar um pouco de café e Höglund foi junto.

"Você tem razão, deve haver outro motivo", disse Wallander, enquanto seguravam suas canecas de café na cantina. "Pode ser que haja um motivo de vingança por trás de tudo isso, mas Larstam mata pessoas que estão felizes. Nyberg chegou a essa conclusão quando estávamos em Nybrostrand. Albinsson confirmou isso: Åke Larstam não gosta quando as pessoas riem."

"Então ele é mais perturbado do que imaginávamos. Não se mata uma pessoa só porque ela está feliz. Em que espécie de mundo estamos vivendo?"

"Boa pergunta", disse Wallander. "Nós nos perguntamos em que tipo de mundo vivemos, mas é doloroso demais encarar a verdade. É provável que o nosso maior receio já tenha acontecido: talvez o sistema de justiça já tenha entrado em colapso. Mais e mais pessoas se sentem ignoradas e descartáveis, e isso alimenta a escala de violência sem sentido que estamos presenciando. A violência se tornou parte da vida cotidiana. Reclamamos do que está se passando, mas às vezes acho que as coisas estão piores do que queremos admitir."

Wallander ia continuar com aquela linha de raciocínio, mas foi interrompido pela informação de que Martinsson estava no telefone. Quando voltava correndo para a sala de reuniões, o inspetor derramou café na camisa.

"Não encontramos nada", disse Martinsson. "Não tem nenhum barco registrado no nome de Larstam."

Wallander refletiu por um momento. "Talvez ele tenha registrado seu barco no nome de outra pessoa."

"Essas marinas são tão pequenas que todas as pessoas geralmente se conhecem. Duvido que ele se sentiria tão seguro usando um nome falso."

Mas Wallander ainda não estava preparado para desistir da ideia. "Você procurou algum registro no nome de Svedberg?"

"Na verdade, procurei. Mas não encontrei nada."

"Quero que veja o registro mais uma vez. Tente o nome de qualquer pessoa associada a esta investigação, direta ou indiretamente."

"Está pensando em nomes como Hillström ou Skander?"

"Exato."

"Entendi aonde quer chegar, mas você acha realmente que é uma suposição razoável?"

"Nada é razoável. Só faça. E me ligue se descobrir alguma coisa."

Desligou e olhou para a grande mancha de café na camisa. Tinha quase certeza de ter pelo menos uma camisa limpa na gaveta da cômoda de casa, mas levaria vinte minutos para ir até lá. Decidiu esperar até que Martinsson telefonasse novamente.

Thurnberg se aproximou. "Gostaria de mandar o Albinsson pra casa", ele disse. "Não acho que ele tenha mais nada a acrescentar agora."

Wallander levantou-se, foi até Albinsson e apertou-lhe a mão. "Você nos ajudou bastante."

"Eu ainda não consigo entender nada disso."

"Nenhum de nós consegue."

"Nada que foi dito deve sair desta sala", Thurnberg disse.

Albinsson prometeu manter-se calado.

"Alguém sabe onde foi parar o Nyberg?", perguntou o inspetor.

"Ele está usando o telefone da sala do Hansson."

"Se o Martinsson ligar, me procurem lá."

Wallander foi à sala de Hansson, onde encontrou Nyberg sentado com o fone colado ao ouvido e anotando alguma coisa num bloco. Ele ergueu os olhos quando Wallander entrou.

"Antes do fim do dia saberemos se a impressão digital é do Larstam", disse Nyberg quando desligou.

"É o polegar dele", disse Wallander. "Só precisamos da confirmação."

"O que você vai fazer se não for a impressão dele?"

"Desisto desta investigação."

Nyberg ponderou a resposta. O inspetor sentou na cadeira de Hansson.

"Você se lembra do telescópio?", perguntou Wallander. "Por que ele estava na casa do Björklund? Quem pôs o telescópio lá?"

"Você acha que só poderia ter sido o Larstam, não é?"

"Por que o levou para lá?"

"Talvez para causar confusão. Quem sabe foi uma tentativa não convincente de pôr a culpa no primo do Svedberg."

"Ele deve ter pensado em tudo."

"Se não pensou, vamos prendê-lo."

"Suas impressões digitais deviam estar no telescópio."

"Só se ele não se lembrou de limpá-las."

O telefone tocou e Wallander atendeu. Era Martinsson.

"Você tinha razão", disse ele.

Wallander levantou-se tão rápido que a cadeira caiu no chão.

"O que você descobriu?"

"Um lugar de amarração no nome de Isa Edengren. Vi o contrato e parece que ele imitou a assinatura dela. Eu me lembro de como era a letra de Isa. Há alguém no escritório que se recorda da pessoa que assinou o contrato. Foi uma mulher de cabelo escuro."

"Louise."

"Exatamente. Ela até informou que seu irmão usaria o barco com frequência."

"Ele é esperto", disse Wallander.

"É um barco pequeno de madeira", disse Martinsson. "Grande o suficiente para dois beliches abaixo do convés. Tem mais um barco de um lado, mas nada do outro."

"Vou até aí", disse Wallander. "Mantenha distância e, acima de tudo, fique alerta. Devemos supor que agora ele está agindo com muito cuidado e não vai se aproximar da marina, a menos que tenha certeza de que o caminho está livre."

"Acho que não fomos discretos como deveríamos ter sido."

Wallander desligou e contou a Nyberg o que tinha acontecido. Voltou à sala de reuniões e deixou Höglund e Thurnberg encarregados de coordenar as operações, caso fosse necessário.

"O que você vai fazer se encontrar Larstam?", ela perguntou.

Wallander meneou a cabeça. "Vou pensar nisso quando eu chegar lá."

Era quase uma da tarde quando Wallander chegou à doca. O tempo estava bom, com uma leve brisa que vinha do sudoeste. Pegou o binóculo, que se lembrara de levar, e deu uma primeira olhada no barco.

"Parece vazio", disse Martinsson.

"Há alguém no barco da esquerda?", perguntou Wallander.

"Não."

Wallander deixou o binóculo escanear os outros barcos. Vários deles estavam cheios de gente.

"Não podemos arriscar um possível tiroteio", disse Martinsson. "Mas também não vejo como evacuar toda a marina."

"Não podemos esperar", disse Wallander. "Precisamos saber se ele está lá ou não, e se estiver, temos que rendê-lo."

"Não deveríamos começar isolando a área em volta do barco?"

"Não", disse Wallander. "Vou subir a bordo."

Martinsson deu um pulo. "Você enlouqueceu?"

"Levaríamos pelo menos uma hora para isolar a área. Neste caso, o tempo é um luxo que não temos. Eu entro, e você me cobre do cais. Vou tentar ser o mais rápido possível, mas duvido que ele esteja vigiando. Se estiver mesmo no barco, é provável que esteja dormindo."

"Não posso deixar você fazer isso", disse Martinsson. "É suicídio."

"Lembre-se de que Larstam não matou Hansson nem o policial de Malmö, e não porque perdeu a chance. Nenhum deles era a nona vítima. Ele sabe exatamente quem vai matar e quando."

"Então ele não vai atirar em você?"

“Acho que tenho uma boa chance, nada mais.”

Mas Martinsson não parecia disposto a desistir. “Desta vez ele não tem para onde escapar. O que poderá fazer? Pular na água?”

“Temos que arriscar”, respondeu Wallander. “Eu sei que a falta de uma rota de fuga altera tudo.”

“É uma irresponsabilidade.”

O inspetor estava decidido. “Tudo bem, então vamos prosseguir com o máximo de cautela. Vá até a delegacia e peça reforços. Vou ficar vigiando o barco.”

Martinsson partiu. Wallander deu instruções ao policial de Malmö para vigiar o estacionamento. Ele deixou o cais, sabendo que iria violar a regra mais fundamental do trabalho policial. Estava prestes a enfrentar um assassino violento, sozinho, sem uma única pessoa para ajudá-lo, numa área que não estava devidamente segura. Algumas crianças estavam se divertindo no cais. Da forma mais severa que pôde, o inspetor mandou as crianças brincarem em outro lugar. Apertou a arma que carregava no bolso. Ele já tinha engatilhado. Examinou cuidadosamente o barco e percebeu que não poderia aproximar-se dele pelo cais. Se Larstam estivesse a bordo, ele o veria. A única possibilidade seria se aproximar do barco pela popa, mas para isso precisava de um bote. Olhou à volta. Havia uma festa num barco próximo, com um pequeno bote vermelho atracado a uma das amuradas. Não hesitou: saltou para o bote e mostrou aos donos surpresos o seu crachá da polícia.

“Preciso pegar o seu bote emprestado”, disse Wallander.

Um homem calvo, com um copo de vinho na mão, se levantou.

“Houve algum acidente?”

“Não. Mas não tenho tempo pra explicar. Fiquem todos quietos, ninguém deve saltar para o cais. Entenderam?”

Ninguém reclamou. Wallander saiu desajeitadamente no bote e se atrapalhou com os remos, acabando por deixar cair um na água. Quando se debruçou para pegá-lo, o revólver quase escorregou do bolso. Praguejou e começou a transpirar. Acabou por conseguir pegar os remos e foi até o porto. Temeu que o bote fosse afundar com o seu peso, mas conseguiu se aproximar da popa do barco de Larstam sem mais contratempos. Agarrou a murada com uma mão e sentiu o seu coração bater forte. Amarrou o bote com cuidado, para não permitir que o outro barco deslizasse. Depois parou e ficou à escuta. O único som que ouviu foram as batidas do próprio coração. De arma em punho, desatou lentamente as correias da cobertura da popa do barco. O silêncio continuava. Uma vez solta uma boa parte da cobertura, precisava enfrentar o momento mais difícil. Agora tinha que virar a cobertura e se jogar para um lado, evitando a pessoa que talvez o tivesse esperando lá dentro, com uma arma apontada para sua cabeça. Não conseguia pensar em nada, e a mão que segurava a arma estava trêmula e suada.

Fez a manobra num só movimento. O bote rolou tão violentamente que ele achou que ia cair na água, mas conseguiu agarrar na grade do lado do barco e recobrou o equilíbrio. Nenhuma reação. Ele espiou para dentro e viu que o barco estava vazio. As pequenas portas da cabine inferior estavam abertas, permitindo que o inspetor visse todo o interior. Não tinha ninguém. Subiu a bordo, sempre com a arma apontada. Havia dois degraus que desciam até os beliches. Viu que as camas não estavam feitas. Os colchões foram cobertos com plástico.

O homem calvo segurou o cabo de amarração quando Wallander devolveu o bote. "Agora talvez possa nos dizer o que foi tudo aquilo."

"Não."

Ele tinha pressa agora, pois os outros poderiam já estar a caminho e precisava avisá-los. Larstam não estava no barco. Isso poderia significar que, pela primeira vez, eles estavam um passo à frente dele. O inspetor parou no cais e ligou para Martinsson.

"Já estamos indo", disse Martinsson.

"Cancele!", gritou Wallander. "Não quero ver um único carro aqui! Venha pra cá, mas sozinho."

"Aconteceu alguma coisa?"
"Ele não está aqui."
"Como você pode ter certeza?"
"Sei porque sei."
Martinsson ficou em silêncio. "Você subiu a bordo", disse finalmente.
"Estamos sob pressão", disse Wallander. "Vamos discutir isso outra hora."
Martinsson chegou cinco minutos depois e Wallander lhe contou a ideia de que, finalmente, se encontravam um passo à frente de Larstam. Quando o parceiro viu a cobertura da popa do barco solta, abanou a cabeça num gesto de reprovação.
"Precisamos resolver isso", disse Wallander rapidamente. "Fique de guarda para o caso de ele aparecer."
Martinsson ficou no cais, enquanto Wallander subiu a bordo e entrou na cabine. Olhou ao redor, mas não viu nada. Depois de amarrar a cobertura, voltou ao cais.
"Como conseguiu chegar ao barco?"
"Peguei um bote emprestado."
"Você está maluco."
"Talvez. Mas acho que não."
Wallander foi até o policial de Malmö que estava vigiando o estacionamento e pediu que ele ficasse de olho no cais e na marina. Ligou também para a delegacia e convocou mais policiais para trabalhar.
"Você deveria ir para casa trocar a camisa", disse Martinsson, olhando firme para Wallander.
"Já vou. Só quero conversar com os outros sobre isso."

Na delegacia, ninguém questionou como ele entrara no barco. Ninguém parecia disposto a perguntar ao inspetor se tinha agido sozinho. Martinsson se sentou e passou toda a reunião mudo. Wallander percebeu bem como ele estava chateado, mas isso era assunto para ser tratado mais tarde.

"Devemos continuar procurando Larstam", disse Wallander. "Ele usou o nome de Isa Edengren para alugar o local de amarração. Não parece estar seguindo um padrão, mas alguma hora vamos encontrar uma pista que esclarecerá tudo. Tenho certeza."

Por um momento, Wallander sentiu como se estivesse pregando para fiéis convertidos, mas ele não sabia o que mais poderia fazer.

"Por que Larstam escolheu o nome da Isa Edengren? Seria pura coincidência ou teria alguma coisa a mais?"

"O enterro da Isa é depois de amanhã", disse Martinsson.

"Ligue para os pais dela. Quero que venham até aqui, assim alguém pode fazer umas perguntas para eles sobre o barco."

Wallander se levantou. "Agora me desculpem, mas preciso me ausentar por vinte minutos. Vou correndo para casa mudar de camisa."

Ebba entrou na sala com um prato cheio de sanduíches. "Se me der as suas chaves, eu busco a camisa pra você", ela disse. "Não me custa nada."

Wallander agradeceu, mas recusou a oferta. Precisava sair dali, mesmo que fosse por pouco tempo. O telefone tocou quando ele estava prestes a sair da sala. Höglund atendeu e imediatamente fez um sinal para que ele esperasse.

"É a polícia de Ludvika", ela disse. "É onde mora uma das irmãs do Åke Larstam."

O inspetor decidiu ficar. Olhou à volta para procurar Ebba, mas ela já tinha ido embora. Martinsson atendeu o telefonema de Ludvika, enquanto Höglund ligava para os pais de Isa Edengren e Wallander observava a mancha de café na camisa. Martinsson desligou.

"Berit Larstam", ele disse. "Ela tem quarenta e sete anos, é assistente social, mas está desempregada. Vive em Fredriksberg, onde quer que isso fique."

"Foi lá que as armas foram roubadas", disse Wallander.

"Talvez Larstam estivesse visitando a irmã nessa época."

Martinsson mostrou um pedaço de papel para ele e, em seguida, discou o número.

Wallander sentiu que, naquele momento, não precisavam dele ali. Procurou Ebba na recepção, mas não a encontrou, então decidiu voltar à sala de reuniões.

"Axel Edengren, o pai, prometeu vir aqui", disse Höglund. "Acho que podemos esperar um burro pomposo, que não leva muito a sério o trabalho da polícia."

"Por que você diz isso?"

"Ele me passou um sermão de como somos incompetentes, quase perdi a cabeça."

"E deveria ter perdido."

Martinsson terminou sua conversa. "Åke Larstam costuma visitar a irmã de três em três anos, mais ou menos. Nunca houve grande intimidade entre eles."

Wallander o encarou com ar de surpresa. "Só isso?"

"O que quer dizer."

"Você não perguntou mais nada?"

"É claro que sim, mas ela perguntou se poderia me ligar de volta mais tarde, porque estava ocupada naquele momento."

Wallander começou a ficar irritado, e Martinsson ficou na defensiva. A tensão era grande. Wallander saiu e foi até a recepção, onde encontrou Ebba.

"Acho que vou acabar aceitando a sua oferta", ele disse ao entregar-lhe o molho de chaves. "Deve ter uma camisa lavada no armário. Se não houver, traz a mais limpa que encontrar no cesto de roupas sujas."

"Pode deixar que cuido disso."

"Precisa que alguém te leve lá?"

"Eu tenho meu bom e velho Volvo", ela disse. "Você não se esqueceu dele, não é?"

Wallander sorriu e ficou olhando enquanto Ebba saía. Pensou de novo a respeito de como esses últimos anos tinham sido duros para ela. Regressou à sala de reuniões e se desculpou com Martinsson por sua irritação. Continuaram a trabalhar.

35.

Quando Axel Edengren chegou à delegacia, Ebba ainda não tinha voltado com a camisa lavada. Wallander começou a se preocupar com essa demora. Será que ela estava tendo dificuldade para encontrar uma camisa limpa? Wallander sentiu um desconforto enquanto se dirigia à recepção para receber o sr. Edengren; não tanto pela grande mancha de café que ostentava na camisa, mas pela recordação da forma estranha com que os Edengren tratavam a própria filha. O inspetor se perguntava que tipo de homem estava prestes a encontrar e, pela primeira vez, a realidade correspondia às expectativas. Axel Edengren era um homem grande e robusto, com um corte de cabelo militar e olhos bem azuis. Era um dos homens mais altos que o inspetor já tinha visto, e havia algo desagradável em sua aparência. Seu aperto de mão refletia seu desdém. Enquanto Wallander andava à frente para lhe indicar o caminho, sentia-se como se estivesse sendo perseguido por um touro prestes a lhe dar uma chifrada. O homem começou a falar antes de se sentarem.

"Foi o senhor quem encontrou minha filha. Afinal, por que resolveu ir à Bärnsö?", perguntou, usando o tratamento mais formal entre os suecos.

"Por favor, pode me chamar de 'você'", disse Wallander.

A resposta de Edengren foi rápida e inesperada. "Prefiro usar o tratamento formal com pessoas que não conheço e com quem tenho a intenção de encontrar apenas uma vez. O que o senhor foi fazer em Bärnsö, inspetor?"

Wallander sentiu uma pontada de raiva, mas achava que não tinha forças para impor sua autoridade de sempre.

"Eu tinha motivos para acreditar que Isa tivesse fugido para lá. E, como o senhor sabe, eu estava certo."

"Fui informado sobre a sequência dos eventos. Não posso acreditar que o senhor tenha deixado tal coisa acontecer."

"Não deixei nada. Se eu tivesse a menor ideia do que estava prestes a acontecer, teria feito tudo que estava ao meu alcance para evitar. Presumo que se possa dizer o mesmo do senhor, não só no caso de Isa, mas também no de Jörgen."

Edengren vacilou ao ouvir o nome do filho. Foi como se tivesse caído de joelhos enquanto corria a toda velocidade. Wallander aproveitou a oportunidade para mudar o rumo da conversa.

"Estamos pressionados pelo tempo. Então, por favor, deixe-me simplesmente expressar as minhas condolências pelo que se passou. Estive com Isa várias vezes e percebi que ela era uma jovem muito simpática."

Edengren ia dizer alguma coisa, mas Wallander prosseguiu. "Na marina de Ystad há um lugar de amarração que foi alugado no nome dela."

O homem olhou para o inspetor com um ar de suspeita. "É mentira."

"Não, é bem verdade."

"Isa não tem um barco."

"Foi o que pensei. O senhor tem uma vaga aqui?"

"Não, os meus barcos ficam numa marina em Östergötland."

Wallander não tinha razão para duvidar dele. "Achamos que alguém alugou o lugar no nome de sua filha."

"Quem poderia ser?"

"A pessoa que acreditamos ser o assassino de sua filha."

Edengren olhou fixamente para o inspetor. "Quem é essa pessoa?"

"O nome dele é Åke Larstam."

Não houve nenhuma reação. Ele não reconheceu o nome.

"Você já o prendeu?"

"Ainda não."

"Por que não? Você acredita que ele matou a minha filha, certo?"

"Ainda não conseguimos localizá-lo. Foi por isso que pedi ao senhor para vir até aqui. Esperávamos que o senhor pudesse nos ajudar."

"Quem é ele?"

"Por razões de segurança, agora não posso dar todas as informações. Por enquanto, só posso dizer que, há alguns anos, ele trabalhava como carteiro."

Edengren balançou a cabeça. "Isso é uma piada? Um carteiro matou a minha filha?"

"Infelizmente não é uma piada."

O homem ia perguntar mais alguma coisa, mas Wallander o interrompeu. Percebeu que a fraqueza havia passado.

"Sabe se Isa tinha contato com o clube de vela? Ou se algum dos amigos dela tem barco?"

Sua resposta foi uma surpresa. "Isa não, mas Jörgen sim. Ele tinha um barco a vela que, durante o verão, mantinha em Gryt. Velejava em volta de Bärnsö. No resto do ano, ficava guardado aqui."

"Mas Isa nunca usou o barco?"

"Só com o irmão. Eles se davam bem, pelo menos na maior parte do tempo."

Pela primeira vez, Wallander percebeu uma ponta de tristeza na voz de Edengren. O homem conseguia manter o rosto sem expressão, mas Wallander suspeitava que pudesse haver um vulcão de emoções dentro daquele corpo enorme.

"Por quanto tempo Jörgen velejou?"

"Começou em 1992. Ele frequentava um pequeno clube de

vela que organizava regatas regularmente. Davam festas e enviavam mensagens uns para os outros dentro de garrafas. Jörgen muitas vezes era o secretário. Eu tive que ensinar a ele como escrever atas."

"O senhor ainda tem essas atas?"

"Lembro de ter guardado todas numa caixa depois que ele morreu. Ainda devem estar lá."

Preciso de nomes, pensou Wallander.

"O senhor se lembra dos nomes dos amigos dele?"

"De alguns, não de todos."

"Mas é provável que os nomes constem nas atas."

"Possivelmente."

"Nesse caso, gostaria que o senhor fosse buscá-las", disse Wallander. "Pode ser importante."

Wallander propôs enviar um carro da polícia para Skårby, mas Edengren preferiu ir por conta própria. Já à porta, virou-se.

"Não sei como vou suportar isso", ele disse. "Perdi os meus dois filhos. O que me sobra?"

O homem não esperou a resposta, e Wallander não teria sido capaz de dar-lhe uma. Levantou-se e voltou para a sala de reuniões. Ebba não estava lá, ninguém a tinha visto. Wallander ligou para a própria casa. O telefone tocou oito vezes, mas ninguém atendeu. Ebba já deveria estar de volta.

Edengren voltou depois de quarenta minutos e entregou a Wallander um envelope pardo grande.

"É tudo o que guardei. Acho que tem onze atas. Eles pareciam não levá-las muito a sério."

Wallander folheou os papéis. As atas tinham sido datilografadas e havia muitos erros. Ele encontrou sete nomes, mas não reconheceu nenhum deles. Mais um beco sem saída, pensou. Eu ainda estou à procura de um padrão, mas o Åke Larstam não parece seguir nenhum. Foi até a sala de reuniões, mostrou o material a Martinsson e pediu que pesquisasse os nomes. O inspetor estava saindo da sala quando Martinsson soltou um berro, que obrigou Wallander a dar meia-volta. Martinsson apontou o nome "Stefan Berg".

"Não tinha um carteiro que se chamava Berg?"

Wallander havia apagado esse nome da mente, mas agora se dava conta de que Martinsson estava certo.

"Vou ligar pra ele", disse Martinsson.

Wallander voltou até onde Edengren estava. Parou antes de entrar na sala. Será que havia mais alguma coisa que ele precisava perguntar? Achou que não. Abriu a porta e viu Edengren de pé em frente à janela. Ele se virou quando ouviu Wallander entrar e, para a surpresa do inspetor, seus olhos estavam vermelhos.

"O senhor pode voltar para casa agora. Não temos motivos pra mantê-lo aqui."

Edengren olhou de maneira penetrante para ele. "Vocês vão pegá-lo? O desgraçado que matou Isa?"

"Sim, vamos."

"Por que ele fez isso?"

"Ainda não sabemos."

O homem apertou-lhe a mão, e Wallander o acompanhou até a porta. Ainda nenhum sinal de Ebba.

"Vamos ficar na Suécia até depois do enterro", disse Edengren. "Depois, não sei. Talvez deixemos o país. Teremos que vender a casa de Skårby e também a de Bärnsö. A ideia de voltar lá é insuportável."

Saiu sem esperar uma resposta. Wallander ficou parado um bom tempo depois de o homem ter ido embora. Quando voltou à sala de reuniões, Martinsson estava terminando um telefonema.

"A gente tinha razão. Stefan Berg é o filho do carteiro. No momento, está matriculado numa universidade no Kentucky."

"O que isso tem a ver?"

"Na realidade, nada. Berg me contou tudo o que sabia, acho. Me disse que, quando estava trabalhando, falava frequentemente dele e de sua família. O que significa que Åke Larstam teria tido muitas oportunidades de ouvir sobre Stefan e o clube de vela."

Wallander se sentou. “Mas onde tudo isso nos leva realmente? Tem alguma coisa que nos indica o caminho que devemos seguir?”

“Não é o que parece.”

De repente, o inspetor explodiu, jogou a pilha de papéis que tinha à frente no chão.

“Não vamos conseguir encontrá-lo!”, ele gritou. “Onde diabos ele está? Quem é a nona vítima?”

Os outros que estavam na sala cravaram os olhos nele para ver se havia terminado. Wallander levantou os braços, num gesto de desculpas, e saiu. Caminhou para um lado e para o outro no corredor, depois foi ver se Ebba já tinha voltado, mas ela continuava sumida. Provavelmente não encontrou uma camisa limpa e decidiu comprar uma nova, pensou.

Eram 15h27, só restavam oito horas e meia até Åke Larstam cumprir sua promessa.

Wallander voltou para a sala de reuniões e esperou até seu olhar se cruzar com o de Höglund. Quando ela se aproximou, o inspetor pediu que fosse falar com ele na sua sala e que levasse Martinsson com ela.

“Vamos pensar nisso juntos”, disse Wallander, quando estavam reunidos. “Ainda temos duas questões: onde ele está e quem planeja matar. Mesmo que o crime esteja marcado para a primeira badalada da meia-noite, nos restam menos de nove horas.”

Ele sabia que tanto Höglund quanto Martinsson já deviam ter pensado a mesma coisa, mas era como se a perspectiva tivesse sido realmente encarada só agora.

“Onde ele está?”, repetiu Wallander. “O que está pensando? Nós o encontramos no apartamento do Svedberg, o que sugere que ele não imaginou que pudéssemos ir lá. Mas fomos. Depois, tem o barco. Mas agora ele pode presumir que é muito perigoso usá-lo. Então o que vai fazer?”

“Se seus crimes anteriores nos fornecem alguma chave”, disse Martinsson, “Larstam escolheu uma vítima e uma situação de pouco perigo pra ele. A maneira como está brincando com a gente é diferente. Ele sabe que estamos atrás dele e que já o vimos usando seu disfarce."

"Ele deve estar se perguntando como nós pensamos", disse Höglund.

Wallander sentiu que agora todos estavam sintonizados. "Você é o Larstam", ele disse. "O que você está pensando?"

"Ele pretende prosseguir com o plano da vítima número 9. Tem quase certeza de que não sabemos quem ela é."

"Como pode ter tanta certeza?"

"Porque, se soubéssemos, já teríamos cercado essa pessoa com a proteção da polícia. Ele sabe que isso ainda não aconteceu."

"Também poderíamos chegar a uma conclusão diferente", disse Martinsson. "Talvez ele esteja concentrando suas forças para encontrar um esconderijo seguro. E pode ser que não esteja extremamente empenhado em atacar o número 9."

"Talvez isso seja o que ele quer que a gente pense", disse Höglund.

"Então temos que pensar de forma diferente", disse Wallander. "Temos que dar mais um passo para o desconhecido."

"Larstam deve ter escolhido o lugar onde menos se esperaria que o procurássemos."

"Nesse caso, ele estaria aqui, no porão da delegacia", disse Martinsson.

Wallander assentiu. "Ou algo simbolicamente equivalente à delegacia. Onde poderia ser?"

Nenhum dos três tinha sugestões.

"Será que ele supõe que a gente já sabe qual é a sua aparência como homem?"

"Ele não pode correr mais riscos."

De repente, Wallander teve uma ideia e virou-se na direção de Martinsson. "Você pediu uma foto dele à irmã?"

"Pedi, mas ela me disse que a única que tem é de quando Larstam tinha catorze anos e não está lá muito boa."

"Não podemos contar com a ajuda da irmã então."

"Onde está Åke Larstam neste exato momento?"

Ninguém sabia a resposta porque não havia nenhuma pista. Apenas aquela especulação fatigante. Wallander sentiu uma pontada de medo. Os ponteiros do relógio avançavam inexoravelmente.

"E quanto à pessoa que ele está perseguindo?", perguntou Wallander. "Até agora, assassinou seis jovens, um fotógrafo um pouco mais velho e um policial de meia-idade. Acho que devemos descartar os dois últimos. Isso nos deixa com seis jovens, assassinados em dois grupos, em duas ocasiões diferentes."

"Três ocasiões", protestou Höglund. "Ele matou Isa Edengren em outra circunstância, quando ela estava sozinha numa ilha no meio do nada."

"Isso nos mostra que ele acaba o que começa", disse Wallander. "Segue a vítima até onde for necessário. Existe alguma coisa inacabada na situação atual? Ou será que ele está iniciando um novo projeto?"

Antes que alguém pudesse responder às últimas perguntas, bateram à porta. Era Ebba, que trazia uma camisa pendurada num cabide.

"Desculpa por ter demorado tanto, mas aproveitei para resolver outros assuntos e também tive muitos problemas com a fechadura da sua porta."

Wallander franziu a testa. Não havia nada de errado com a fechadura da porta, que ele soubesse. Ebba devia ter tentado enfiar a chave errada. Ele pegou a camisa e agradeceu pela ajuda. Então pediu licença e foi se trocar.

"Mesmo a caminho da própria execução, o condenado se sente bem vestindo uma camisa limpa", ele disse quando voltou e enfiou a camisa suja na gaveta da escrivaninha. "Onde paramos?"

"Não conseguimos pensar em nenhum plano inacabado", disse Martinsson. "Nenhum, exceto no caso de Isa, que deveria ter ido à celebração do solstício. E quanto ao casamento, só duas pessoas se casam por vez."

"Devemos começar de novo", disse Wallander. "O pior cenário possível. Não temos nenhuma pista para seguir."

A sala ficou em silêncio. Era como se não houvesse mais nada a dizer. De duas alternativas impossíveis, temos que escolher a que parece menos impossível, o inspetor pensou.

"Nós nunca vamos descobrir onde ele está se escondendo", disse finalmente. "A nossa única opção é focarmos na possível vítima. É nisso que devemos nos concentrar a partir de agora, antes que ele tenha a oportunidade de executar o seu plano. Posso contar com vocês?"

Wallander sabia que isso ainda era uma tarefa impossível.

"Você acha que conseguiremos fazer alguma coisa?", perguntou Höglund.

"Não podemos desistir", respondeu Wallander.

Eles recomeçaram. Já passava das quatro da tarde. Wallander sentia uma dor no estômago, de ansiedade e fome. Ele estava tão cansado que começava a sentir que aquele era o seu estado natural. E pressentia a mesma fadiga desesperada nos dois colegas.

"No geral, temos o quê? Pessoas felizes. Pessoas alegres. E o que mais?"

"Jovens", disse Martinsson.

"Pessoas com trajes de fantasia", acrescentou Höglund.

"Não acho que ele vai se repetir", disse Wallander. "Mas não podemos ter certeza disso. Então se trata de saber onde podemos encontrar pessoas alegres, jovens com trajes de fantasia que estão se reunindo por alguma razão hoje que não seja um casamento ou um piquenique à meia-noite na reserva natural."

"Talvez alguém esteja dando uma festa à fantasia?", sugeriu Martinsson.

"O jornal", Wallander disse de repente. "O que vai acontecer em Ystad esta noite?"

Ele mal acabara de falar e Martinsson já saiu correndo da sala.

"Não deveríamos voltar para a sala de reuniões?", perguntou Höglund.

"Ainda não. Vamos voltar logo. Mas antes eu gostaria de ter alguma pista para pôr na mesa, mesmo que não dê em nada."

Martinsson entrou apressado com o *Ystad Allehanda* na mão. Abriram o jornal em cima da mesa e se debruçaram sobre ele. Haveria um desfile de moda em Skurup que imediatamente chamou a atenção de Wallander.

"Modelos vestem 'fantasias'", ele disse. "E podemos presumir que geralmente são pessoas que se sentem bem consigo."

"Isso é só na quarta-feira que vem", disse Höglund. "Você não leu direito."

Continuaram virando as páginas, até que todos viram um anúncio ao mesmo tempo. Naquela noite haveria um evento no Hotel Continental para a Sociedade Amigos de Ystad. Os convidados deveriam se vestir com roupas do século XVII. De cara, Wallander duvidou. Algo lhe dizia que não era aquilo, mas os dois colegas não partilhavam de suas dúvidas.

"Esse evento deve ter sido planejado com muita antecedência", disse Martinsson. "Tiveram bastante tempo para organizar os preparativos."

"Os membros desse tipo de sociedade raramente são jovens", disse Wallander.

"Há pessoas de diversas idades", disse Höglund. "Essa é a minha impressão, pelo menos."

Wallander não estava convencido, mas não tinham nada a perder. O jantar estava programado para as sete e meia. Ainda dispunham de algumas horas. Sendo assim, resolveram terminar de ver o resto do jornal, mas não encontraram nada de interessante.

"É você que tem que decidir", disse Martinsson. "Vamos nos concentrar nisso ou não?"

"A decisão não é minha: é nossa. E concordo com vocês: o que a gente tem a perder?"

Voltaram à sala de reuniões. O inspetor queria que Thurnberg e Holgersson estivessem presentes, então mandou alguém buscá-los. Enquanto esperavam, Martinsson tentava saber quem era o responsável pelos preparativos da festa naquela noite.

"Ligue para o hotel. Eles têm que saber quem reservou o salão."

Embora Martinsson estivesse sentado ao seu lado, Wallander percebeu que estava quase gritando. O cansaço e a tensão estavam pesando.

Quando Thurnberg e Holgersson entraram na sala, o inspetor teve o cuidado de fechar a porta, dando ênfase à gravidade do momento. Explicou as razões que os levaram a crer que Åke Larstam poderia estar planejando um ataque naquela noite, no Hotel Continental. Talvez estivessem enganados, e era provável que a decisão os levasse a outro beco sem saída. No entanto, era tudo o que tinham, pois a alternativa era simplesmente esperar. Ele pensou que Thurnberg seria contra o plano, mas para sua grande surpresa ele aprovou. O procurador-geral usou, aliás, o mesmo argumento: o que mais podemos fazer?

Tomada a decisão, meteram mãos à obra. Eram cinco e quinze e dispunham de duas horas para se preparar. Wallander foi para o hotel com Martinsson, enquanto Höglund permaneceu na sala de reuniões. Pediram reforços para aquela noite, e Wallander insistiu que todos estivessem equipados com os melhores meios de proteção. Åke Larstam era um homem perigoso.

"Acho que nunca vesti um colete à prova de balas", disse Wallander. "A não ser durante os exercícios de treinamento."

"Vai ajudar, se ele ainda estiver armado", disse Martinsson. "O único problema é que ele atira na cabeça das vítimas."

Ele tinha razão. Wallander deu um telefonema enquanto estava no carro e pediu capacetes além dos coletes. Estacionaram na entrada principal do hotel.

"O gerente do restaurante se chama Orlovsky", disse Martinsson.

"Eu o conheço", disse Wallander.

Orlovsky foi avisado sobre a visita deles e os aguardava no

lobby. Era um homem alto e magro, na casa dos cinquenta. Wallander resolveu contar a ele exatamente o que estava acontecendo. Juntos, dirigiram-se para o salão onde estavam preparando a festa.

"Precisamos ser o mais eficiente possível", disse Wallander. "Será que alguém pode mostrar as instalações ao Martinsson enquanto conversamos?"

Orlovsky fez sinal para um garçom que estava pondo a mesa. "Ele trabalha aqui há vinte anos."

O garçom se chamava Emilsson. Ele ficou surpreso com o pedido, mas obedeceu e conduziu Martinsson para fora do salão. Wallander contou o suficiente ao gerente para que ele soubesse o que estava acontecendo.

"Não seria melhor cancelar a festa?", Orlovsky perguntou depois que Wallander terminou.

"Talvez. Mas só faremos isso se acharmos que a segurança dos convidados está comprometida, o que ainda não é o caso."

Wallander quis saber onde os convidados ficariam sentados e pediu para ver a distribuição dos lugares. Esperavam trinta e quatro pessoas. O inspetor andou em volta da sala, tentando imaginar os preparativos de Larstam. Ele não quer ser apanhado, pensou. Então terá uma rota de fuga bem preparada. Duvido que esteja planejando matar trinta e quatro pessoas, mas ele vai precisar se aproximar das mesas.

Teve uma ideia. "Quantos garçons estão trabalhando hoje à noite?", ele perguntou.

"Seis no total."

"Você conhece cada um pessoalmente?"

"Todos, exceto um que foi arrumado para esta noite."

"Qual é o nome dele?"

Orlovsky apontou para um homem pequeno e gorducho de uns sessenta e cinco anos, que estava arrumando os copos na mesa.

"Ele se chama Leijde e costuma ser chamado para os jantares mais numerosos. Você gostaria de falar com ele?"

Wallander fez que não com a cabeça. "E quanto ao pessoal da cozinha? E o bartender? Quem é que está trabalhando na chapelaria?"

"São todos empregados permanentes."

"Algum convidado está hospedado no hotel?"

"Duas famílias alemãs."

"Mais alguém estará aqui hoje à noite?"

"Não, toda a área do restaurante foi reservada para a festa, embora tenhamos espaço para mais gente. Só sobra o recepcionista."

"Ainda é o Hallgren?", perguntou Wallander. "Eu já o conheço."

Orlovsky confirmou que Hallgren continuava trabalhando lá. Martinsson e Emilsson voltaram da cozinha. O garçom voltou à tarefa de pôr a mesa, enquanto Martinsson sentou-se para fazer um esboço da área do restaurante, banheiros e cozinha com a ajuda do gerente. Wallander pensou por algum tempo se seria melhor fornecer coletes de proteção aos empregados, mas decidiu que não. Subitamente, o inspetor teve a nítida impressão de que o assassino estava por perto, vigiando as entradas e saídas do hotel.

O tempo estava se esgotando. Wallander e Martinsson voltaram à delegacia, onde foram informados de que os reforços estavam a caminho. Höglund e Holgersson precisavam agir rápido.

O esboço de Martinsson foi colocado no retroprojetor.

"O nosso plano é o seguinte", disse Wallander. "Em algum momento, Larstam vai tentar entrar no hotel. Entretanto, teremos cercado todo o prédio, embora eu queira que os nossos homens se mantenham invisíveis, mesmo sabendo o quanto isso é difícil. Do contrário, vamos afugentá-lo."

Olhou em volta, mas não houve comentários. Então continuou: "Se, de qualquer maneira, ele conseguir ultrapassar a nossa barreira de policiais do lado de fora, teremos uma equipe no interior do restaurante. Sugiro que Martinsson e Höglund se disfarcem de garçons".

"Com capacete e colete à prova de bala?", perguntou Martinsson.

"Não. Se ele entrar na festa, vamos ter que pegá-lo de imediato. Todas as saídas do restaurante deverão ser bloqueadas. Eu vou circular por toda a área, pois sou a única pessoa que consegue de fato identificá-lo."

Fez uma pausa. Antes de encerrar a reunião, tinha mais um aviso para fazer.

"Não podemos esquecer que talvez ele apareça vestido de mulher. Não como Louise, mas como qualquer outra. Nem temos ideia se ao menos ele vai aparecer de fato."

"E se não aparecer?"

"Aí nós vamos para casa e teremos uma boa noite de sono. Afinal, é isso que mais precisamos."

Tomaram suas posições no hotel um pouco depois das sete da noite. Martinsson e Höglund vestiram uniformes de garçons, e Wallander se posicionou atrás do balcão da recepção. Ele estava em contato por rádio com oito agentes do lado de fora do prédio, além de outro policial que não sairia da cozinha. Mantinha o revólver no bolso. Os convidados começaram a chegar. Höglund tinha razão: muitos deles eram jovens, da idade de Isa Edengren. Estavam fantasiados e a atmosfera era alegre. Ouviam-se as gargalhadas no lobby e no restaurante. Åke Larstam odiaria, sem sombra de dúvida, aquela demonstração de felicidade.

Eram oito horas. Wallander estava em contato permanente com todos os policiais, mas ninguém viu nada suspeito. Às 20h23, houve um alerta vindo de Supgränd, na parte sul do hotel. Um homem estava parado na calçada, olhando para as janelas do hotel. Wallander correu para o local, mas o homem já tinha ido embora quando ele chegou. Um dos policiais identificou o sujeito: era o dono de uma sapataria em Ystad. Wallander voltou para o lobby, onde podia ouvir as canções alegres vindas da festa. Alguém se levantou e propôs um brinde.

Nada estranho havia acontecido. Martinsson apareceu na

entrada do restaurante. Wallander sentia a angústia permanente da tensão, que não dava sinais de diminuir. Mais canções, mais brindes. Às vinte para as onze, a festa estava chegando ao final. Larstam não tinha aparecido. Nós erramos, pensou Wallander. Ele não apareceu. Ou viu os policiais.

Sentiu uma mistura de decepção e alívio. A nona pessoa, fosse quem fosse, continuava viva. No dia seguinte, examinariam cada nome da lista de convidados e tentariam identificar a possível vítima. No entanto, Larstam continuava à solta em algum lugar.

Às onze e meia da noite, as ruas estavam desertas mais uma vez. Os convidados foram embora, e todos os policiais tinham voltado para a delegacia. Wallander assegurou-se de que a marina e o apartamento na Harmonigatan continuariam sendo vigiados a noite toda. Ele voltou para a delegacia com Martinsson e Höglund, mas nenhum deles tinha energia para discutir o que havia acontecido. Decidiram se reunir às oito da manhã. Thurnberg e Holgersson concordaram. No dia seguinte, teriam que descobrir por que Larstam não aparecera.

"Ganhamos um pouco de tempo", disse Thurnberg. "Pelo menos pra isso serviu essa manobra."

Wallander voltou para o seu escritório e guardou a arma trancada numa das gavetas. Em seguida, foi de carro para a rua Mariagatan. Era quase meia-noite quando começou a subir as escadas para o seu apartamento.

36.

Wallander enfiou a chave na fechadura e girou. Lembrou-se do comentário de Ebba sobre o emperramento. Era difícil abrir a porta se fosse trancada pelo lado de dentro e com a chave na fechadura, o que só aconteceria se alguém já estivesse dentro do apartamento, como quando Linda ia lá. Se ele chegasse e o trinco emperrasse, era um lembrete de que a filha estava passando uns tempos com ele.

Sua exaustão causava-lhe uma lentidão mental. Destrancou a porta pensando no que Ebba havia dito, mas agora a fechadura funcionava sem problemas. O motivo se tornou evidente quando o inspetor abriu a porta. Sentiu, mais do que viu, a figura no fundo do hall. Atirou-se para o lado e sentiu uma dor excruciante quando alguma coisa rasgou o lado direito do rosto dele. Em seguida, lançou-se escada abaixo, pensando que cada momento poderia ser o último.

Larstam.

Não era a mesma situação que Hansson e o policial de Malmö tinham enfrentado no início do dia. Nem a situação vivida por Ebba, embora o assassino já devesse estar lá quando ela entrou no apartamento. Eu sou a nona vítima, pensou Wallander. No térreo, abriu a porta da frente e correu. Assim que chegou ao final da rua, parou e se virou. Não viu ninguém. A via estava deserta. O sangue jorrava da ferida em sua bochecha. Sua cabeça latejava de dor. Enfiou a mão no bolso para pegar a arma, mas se lembrou de que a havia deixado na escrivaninha. Não tirou os olhos da porta do prédio, esperando que Larstam saísse. Escondeu-se no vão de outra porta. A única coisa que poderia fazer quando Larstam aparecesse era fugir. Agora o inspetor finalmente sabia onde o assassino estava, e dessa vez não havia uma porta dos fundos para escapar. Só tinha uma saída, e era pela porta da frente.

Wallander procurou seu celular com as mãos ensanguentadas. Será que estava no carro? Mas então se lembrou que havia deixado o aparelho em cima da escrivaninha na delegacia. Sussurrou uma série de xingamentos. Sem celular e sem revólver. Não podia pedir ajuda a ninguém. Sua mente trabalhava freneticamente tentando achar uma solução, mas não conseguia pensar em nada. Não tinha ideia de quanto tempo ficou escondido na sombra, com a gola do casaco pressionada contra a ferida do rosto. Não tirou os olhos da porta em nenhum momento. De vez em quando, dava uma olhada nas janelas escuras do seu apartamento. Larstam está lá em cima, pensou. Ele consegue me ver aqui embaixo, mas não sabe que estou desarmado. Passado um tempo, quando não chegar nenhum carro de polícia, ele vai entender a situação. Só então tentará sair.

Olhou para o céu. A lua estava quase cheia, embora as nuvens a cobrissem. O que estou fazendo aqui? E o que será que ele tem em mente?, pensou. Olhou para o relógio: era 0h07 de quinta-feira, 22 de agosto. O fato de já ter passado da meia-noite não o ajudaria em nada. Larstam armara uma cilada para ele. Será que tinha adivinhado que Wallander e seus colegas desviariam a atenção para o baile de máscaras no hotel?

Wallander tentava imaginar como Larstam conseguira entrar no seu apartamento. De repente, visualizou o que deveria ter acontecido, percebendo como funcionava a mente daquele criminoso. Ele se aproveitou da oportunidade: no dia anterior, durante o enterro de Svedberg, todos os policiais da cidade estavam reunidos na igreja. Isso teria dado tempo de sobra para Larstam tentar abrir a fechadura. Uma vez dentro do apartamento, provavelmente encontrou a chave reserva.

Os pensamentos disparavam na mente de Wallander, o rosto dele ardia e o medo pulsava em seu corpo. A questão mais importante era por que Larstam tinha escolhido o inspetor para ser a nona vítima, mas não queria se preocupar com isso por enquanto.

Tenho que fazer alguma coisa, pensou. Não só atrair atenção suficiente para que alguém chame a polícia. Se isso acontecer, não vou ter como explicar aos policiais da patrulha a situação em que eles estarão prestes a se meter. O resultado será o caos.

Ouviu passos. Um homem dobrou a esquina e caminhou na direção de Wallander, que saiu da porta obscura. Era bem jovem, provavelmente na casa dos trinta. Suas mãos estavam enfiadas nos bolsos do casaco de camurça. Quando viu o inspetor, tirou as mãos dos bolsos e deu um passo para trás, com um ar assustado.

"Sou da polícia", disse Wallander. "Houve um acidente. Preciso da sua ajuda."

O homem olhou para ele, sem compreender.

"Você entende o que estou dizendo? Sou da polícia e preciso que vá até a delegacia. Diga a eles que Larstam está no apartamento de Wallander na Mariagatan. Peça para terem cuidado. Entendeu?"

O homem fez que não com a cabeça, então disse alguma coisa numa língua estrangeira. Parecia polonês. Que droga, pensou. Era só o que me faltava. Tentou em inglês, mas o homem limitou-se a responder algumas palavras soltas. Wallander, quase perdendo a paciência, aproximou-se do sujeito e falou mais forte. O homem saiu correndo.

O inspetor estava sozinho novamente. Larstam continuava lá em cima, por trás das janelas escuras; e logo, bem daqui a pouco, adivinharia por que não aparecera ninguém. Então, a única opção de Wallander seria fugir. Ele tentou pôr as ideias em ordem. Devia haver alguma coisa que pudesse fazer. Ergueu a mão como se estivesse sinalizando para alguém do outro lado da rua. Depois apontou para a janela do seu apartamento e gritou umas palavras. Em seguida dobrou a esquina, fora da visão das janelas escuras de onde presumia que Larstam estivesse observando. Ele não tem como saber que não há ninguém lá do outro lado, pensou Wallander. Talvez eu ganhe tempo, embora exista a possibilidade de ele tentar sair.

Foi então que aconteceu algo inesperado: um carro entrou na rua e Wallander saltou na frente dele, agitando os braços. O motorista se mostrou relutante em se meter na história, especialmente depois de ver o sangue escorrendo do rosto de Wallander, mas o inspetor enfiou a mão pela janela e abriu a porta. Quem conduzia era um homem de cerca de cinquenta anos, com uma mulher bem mais jovem ao lado. Na hora teve uma sensação ruim sobre os dois, mas tentou não pensar nisso.

"Sou da polícia. Houve um acidente e preciso usar o seu celular." Puxou o crachá do bolso e mostrou ao casal.

"Eu não tenho celular."

Como pode nos dias de hoje alguém não ter celular?, pensou Wallander desesperadamente.

"O que aconteceu?", perguntou o homem ansioso.

"Deixa pra lá. Preciso que vá direto à delegacia. Sabe onde fica?"

"Não, eu não sou daqui", respondeu o homem.

"Eu sei onde é", disse a mulher.

"Vão até lá e digam que o Larstam está no apartamento do Wallander. Podem repetir isso pra mim?"

O homem assentiu. "Larstam está no apartamento do Wallgren."

"É Wallander, droga!"

"Larstam está no apartamento do Wallander."

"Digam a eles que Wallander precisa de ajuda, mas que devem se aproximar com cuidado."

O homem repetiu as palavras e depois partiu. Wallander

voltou correndo para a esquina da Mariagatan, onde podia vigiar o local. Não havia se ausentado por mais de um minuto, mal dera a oportunidade de o assassino escapar. Ele olhou para o relógio. O primeiro carro da polícia chegaria em dez minutos, no máximo. Quanto tempo será que Larstam estaria disposto a esperar?

Passaram quinze minutos sem nenhum sinal da polícia. Wallander finalmente percebeu que o casal havia mentido. Nunca tiveram a intenção de entregar sua mensagem. O que o fazia voltar à estaca zero. Ele tentava pensar em outra solução quando ouviu um barulho.

Era o som de um motor de um carro e vinha dos fundos do prédio. Sem saber explicar por que razão, ele imediatamente teve certeza de que era Larstam. Como é que escapara sem ser visto? Provavelmente pela laje. Na escada, logo acima do seu apartamento, havia uma janela que dava no telhado. Ele deve ter reparado nela e descido para a rua por trás do prédio.

Wallander correu para o fim da rua, ainda a tempo de ver passar um carro vermelho. Não conseguiu enxergar o rosto do motorista, mas sabia que era o assassino. Sem pensar duas vezes, pulou em seu próprio carro e iniciou a perseguição. Logo avistou os faróis traseiros de Larstam. Ele sabe que estou atrás dele, mas não que estou desarmado, pensou o inspetor.

Entraram na estrada Dezenove, em direção a Kristianstad. Larstam dirigia bem depressa. Wallander olhou para o indicador de combustível e viu que o ponteiro se aproximava do risco vermelho da reserva. Tentou pensar para onde Larstam pretendia ir. Talvez estaria apenas dirigindo sem rumo. Passaram por Stora Herrestad. Não havia nenhum tráfego. O inspetor só cruzou com dois carros.

O que eu faço se ele, de repente, brecar?, pensou. E se ele sair do carro com uma arma na mão? Tinha que estar pronto para parar, caso fosse necessário. Subitamente, Larstam aumentou a velocidade. Seguiam por uma parte da estrada cheia de curvas apertadas. Wallander começou a perder de vista o carro do assassino e tentou se preparar para a chance de Larstam frear na próxima curva e ficar esperando para atirar nele assim que aparecesse. Também tentou pensar no que deveria fazer. Estava sozinho. Ninguém saberia onde procurá-lo e ele não tinha como pedir para que enviassem a ajuda de que precisava.

Então avistou de novo o carro do assassino. Estava fazendo a volta em Fyledalen; depois Larstam apagou os faróis. Wallander freou e se aproximou do desvio com precaução. De vez em quando, a lua aparecia por trás das nuvens, mas na maior parte do tempo era só breu. Wallander parou no acostamento e apagou os faróis. Não se ouvia nenhum som. Larstam também deveria ter estacionado seu carro. O inspetor embrenhou-se na escuridão, dobrando o colarinho da camisa branca para dentro do casaco azul-escuro. Passou a mão no rosto, que recomeçara a sangrar. Ele desceu por uma vala e entrou num bosque. Pisou em cima de alguma coisa que fez um ruído repentino. Praguejou em silêncio e se afastou dali. Não sou o único que está à escuta do mais leve ruído, pensou.

Com todo o cuidado, continuou a caminhar em direção aos arbustos, onde parou. Se seus cálculos estivessem certos, agora ele estaria diante da estrada que dava acesso à reserva natural. De repente, sentiu que havia pisado em outro objeto. Tateou com a mão e percebeu que era um pedaço de madeira. Pegou-o.

Estou virando um homem da Idade da Pedra, pensou. A polícia sueca passara a incluir pedaços de madeira na sua lista de armas. Será que isso representava a tendência do rumo que as coisas estavam tomando na Suécia? Um retorno às velhas leis de vingança e retaliação que pudessem justificar o derramamento de sangue?

A lua apareceu por trás das nuvens. Wallander se agachou, sentindo o cheiro de terra e barro. Viu o carro de Larstam estacionado bem perto da estrada principal, porém não havia movimento em torno dele. Vasculhou a área, mas as nuvens voltaram e, com elas, a escuridão.

Larstam deve ter saído do carro, o inspetor pensou. Mas o

que estaria planejando? Sabe que estou atrás dele. E provavelmente ainda acredita que eu tenha uma arma, mas também sabe que não consegui estabelecer contato com a delegacia e que estou sozinho em Fyledalen. Apenas dois homens armados.

Tentava estabelecer as opções de que dispunha, enquanto se esforçava para ouvir qualquer ruído. Várias vezes sentiu um sopro desagradável de ar gelado no pescoço, que o fazia pensar que Larstam estava atrás dele com a arma apontada para sua nuca. A mesma arma que havia alvejado seu rosto. Não chegou a ouvir o disparo — apenas sentiu a dor e algo cortando sua bochecha. O criminoso tinha usado um silenciador.

O que será que ele planeja agora? Não poderia ter previsto essa perseguição e, portanto, também não teria escolhido antecipadamente uma rota de fuga. Wallander imaginava que Larstam deveria estar se sentindo tão confuso quanto ele. Não pudera permanecer no carro, não sabia se o perseguidor estava perto ou se tinha se embrenhado na reserva natural. Ele também mal consegue enxergar nessa escuridão, pensou. Estamos no mesmo barco.

Wallander decidiu atravessar a estrada e se aproximar do carro pela lateral. A lua ainda estava completamente encoberta, o que lhe permitiu correr agachado e mergulhar no meio dos arbustos no outro lado da estrada. O carro de Larstam estava agora a apenas uns vintes metros de distância. Tentou escutar, mas não ouviu nenhum som. Segurava o pedaço de madeira firme com as duas mãos. Foi então que ouviu um ruído, um galho se partindo num ponto qualquer à frente. Escondeu-se ainda mais nos arbustos e, em seguida, ouviu o som novamente, dessa vez mais fraco. Larstam estava se afastando do carro em direção ao vale e parecia que aguardava o momento oportuno, assim como o inspetor. Mas agora começava a se deslocar. Se Wallander não tivesse atravessado a estrada naquele momento, nunca teria ouvido aqueles sons fracos.

Finalmente eu estou em vantagem, pensou. Consigo te ouvir, mas você não tem ideia de que estou por perto. Ouviu mais um ruído. Larstam deve ter esbarrado em uma árvore. Os sons estavam se afastando cada vez mais. Wallander saiu de dentro dos arbustos e começou a se mover pela estrada. Permaneceu agachado o tempo todo, mantendo-se sempre perto da vegetação rasteira que o ladeava. A cada cinco passos, ele parava e escutava. Quando já tinha percorrido uns cinquenta metros, parou por cerca de cinco minutos. Uma coruja piou nas proximidades, mas não havia mais nenhum som do assassino em movimento. Será que ele havia parado ou estava mais à frente, a uma distância que já não se podia ouvir? O inspetor foi novamente invadido pelo medo. Estaria caminhando para uma armadilha? Será que Larstam havia deliberadamente quebrado os galhos só para atrair sua atenção? Sentiu o coração bater com força. Larstam e sua arma deveriam estar ali por perto.

Wallander olhou para o céu. As nuvens se espalhavam; logo a lua apareceria, e por isso ele não poderia ficar onde estava. Se Larstam criara uma armadilha, teria que estar em algum lugar mais à frente. O inspetor passou para o outro lado da estrada e subiu uma pequena ladeira. Lá, se escondeu atrás de uma árvore e esperou.

A lua surgiu e, de repente, o ambiente pareceu se tingir de azul. Olhou para a estrada à frente, mas não viu nada. Um pouco adiante, os arbustos estavam mais ralos e havia uma colina. No topo dela, uma única árvore.

A lua voltou a ser engolida pelas nuvens. Wallander pensou na árvore da cena do crime na reserva natural, que — o inspetor tinha certeza — Larstam usara para se esconder. Ele é como um gato, pensou. Procura lugares altos e isolados para manter sua sensação de controle.

Estava convencido de que Larstam se escondera atrás daquela árvore na colina. Não havia nenhuma razão para ele desistir enquanto não matasse Wallander, não só para garantir sua fuga, mas também porque o inspetor fora escolhido para ser a próxima vítima. Wallander viu ali sua única oportunidade. A atenção de Larstam estaria voltada para a estrada, de onde achava que o policial viria.

Wallander sabia qual era o melhor plano: faria um longo desvio por baixo ao longo da estrada, caminharia pelo lado esquerdo da colina e, em seguida, voltaria a subir em algum ponto que desse bem atrás da árvore. Não tinha ideia do que faria depois, nem achava que aquele era o momento para se preocupar com isso.

Seguiu com o plano, em três fases. Primeiro, voltou para baixo, ao longo da estrada. Depois, aproximou-se da colina bem devagar para não chamar a atenção. Por fim, caminhou paralelo à estrada e parou. As nuvens que cobriam a lua se tornaram ainda mais espessas, e ele não conseguia ver onde estava. Eram 2h06.

A lua só apareceu novamente às 2h27, com brilho suficiente para que Wallander pudesse ver que estava posicionado a certa distância abaixo da árvore, mas não dava para saber se tinha alguém escondido lá ou não. Era muito longe, e havia uma mata espessa no percurso. Mas ele tentou memorizar o caminho que o separava da árvore.

A lua desapareceu, a coruja piou novamente, agora mais distante. Wallander tentou argumentar em pensamento: Larstam não imagina que eu vou subir até ele indo por trás. Ao mesmo tempo, não posso subestimá-lo. Ele estará preparado para me receber, não importa de onde eu venha.

Wallander começou a aproximação. Deslocava-se muito devagar, como um cego tateando na escuridão. Transpirava por todos os poros, e seu coração batia com tanta força que teve medo de que Larstam pudesse ouvi-lo. Por fim, alcançou uma área de mata densa, que sabia estar a uns vinte ou trinta metros de distância da árvore.

Demorou vinte minutos para a lua se mostrar de novo; mas, quando apareceu, o inspetor finalmente viu Larstam. Ele estava encostado no tronco da árvore e parecia completamente absorto em observar a rua. Wallander conseguia ver as duas mãos dele, mas a arma devia estar guardada num dos bolsos. Larstam precisaria de alguns segundos para sacá-la e virar para trás. Seria o único tempo que Wallander teria. Tentou estimar a distância exata até a árvore, procurando qualquer obstáculo que existisse no caminho. Não viu nenhum. Olhou para o céu e percebeu que a lua estava prestes a ficar encoberta novamente. Se quisesse alimentar alguma esperança de chegar perto de Larstam, teria que se aproximar no momento em que a lua desaparecesse. Apertou o pedaço de madeira nas mãos.

Isso é loucura, pensou. Estou fazendo o que sei que não deveria. Mas preciso fazer isso.

Agora a lua estava desaparecendo. Começou lentamente a se levantar, e Larstam não se mexeu. No momento em que a lua desapareceu por completo, o inspetor saltou. Sentiu uma vontade de emitir um grito de guerra, o que talvez lhe propiciasse uns segundos a mais, desde que Larstam se assustasse. Mas ninguém sabia como o homem poderia reagir. Ninguém.

Wallander saltou para a frente e correu até a árvore. Estava quase lá, e Larstam ainda não tinha se virado. Quase não havia luz. Foi então que tropeçou numa pedra ou raiz. Perdeu o equilíbrio e mergulhou para a frente, aos pés do assassino, no preciso momento em que ele se virava. O inspetor agarrou uma de suas pernas, mas o homem conseguiu se soltar. Enquanto Larstam tentava pegar sua arma, Wallander voltou a atacá-lo. Com o primeiro golpe do pedaço de pau, só conseguiu atingir o tronco da árvore, por trás do criminoso. Ouviu o som da madeira rachando. Apontou o que restava da arma improvisada e deu outro golpe. Não sabia de onde viera toda aquela força, mas teve a sorte de atingir Larstam no queixo. Ouviu um som molhado desagradável, e o assassino desabou no chão. Wallander se jogou em cima dele e o esmurrou várias vezes, só parando quando percebeu que o homem estava inconsciente. Procurou a arma, a mesma que Larstam havia usado para matar tantas pessoas. Por uma fração de segundo, pensou em encostá-la à testa do criminoso e apertar o gatilho. Conseguiu, porém, se conter.

Arrastou Larstam para baixo, ao longo da estrada. Continuava inconsciente, e foi só quando chegaram perto do carro de Wallander que ele começou a gemer. Wallander foi buscar um pedaço de corda que tinha no porta-malas do carro e prendeu as mãos de Larstam junto às costas; em seguida, amarrou-o ao banco da frente de forma segura. Quando sentou-se ao volante, o inspetor examinou o homem com cuidado.

De repente, pareceu-lhe que a pessoa sentada no banco ao lado era Louise.

Faltando quinze para as quatro da manhã, Wallander chegou à delegacia. Quando saiu do carro, estava começando a chover. Ele deixou que a chuva escorresse pelo rosto antes de entrar para falar com o policial de plantão. Para sua surpresa, viu que era Edmundsson, que estava bebendo uma caneca de café e comendo um sanduíche. Ele estremeceu ao ver o rosto de Wallander, com suas roupas sujas de lama e cobertas de galhos e folhas.

"O que aconteceu?"

"Sem perguntas", respondeu Wallander com firmeza. "Tem um homem amarrado no banco da frente do meu carro. Peça para alguém ir com você buscá-lo. Mas não deixem de algemá-lo."

"Quem é?"

"Åke Larstam."

Edmundsson se levantou com o sanduíche ainda na mão. Parecia de presunto e queijo. Sem pensar duas vezes, Wallander arrancou o pão da mão do parceiro e começou a comê-lo. Seu rosto doía quando mastigava, mas sua fome era mais forte.

"Você quer dizer que o assassino está preso no seu carro?"

"Você ouviu o que eu disse. Ponha as algemas nele, leve-o para uma sala e tranque a porta. Qual é o número do Thurnberg?"

Edmundsson rapidamente o consultou em seu computador e depois saiu. Wallander acabou o sanduíche, mastigando lentamente. Já não tinha mais motivos para se apressar. Ligou para

Thurnberg. Depois de um bom tempo, uma mulher atendeu. O inspetor se apresentou, e ela passou para o procurador-geral.

"É o Wallander. Acho que você deveria vir até aqui."

"Para quê? Que horas são?"

"Não importa que horas são. Você tem que vir para cá e formalizar a prisão do Åke Larstam."

O inspetor ouviu Thurnberg prender a respiração.

"Você poderia repetir?"

"Eu peguei o Larstam."

"Pelo amor de Deus, como você conseguiu isso?"

Foi a primeira vez que Wallander testemunhou Thurnberg ser apanhado totalmente desprevenido.

"Encontrei o cara no bosque."

Thurnberg parecia finalmente ter entendido que Wallander falava sério. "Estou indo já."

Edmundsson e outro policial entraram com Larstam entre eles. Os olhos de Wallander se cruzaram com o do assassino, mas ninguém falou nada. O inspetor foi até a sala de reuniões e colocou a arma de Larstam em cima da mesa.

Thurnberg chegou depressa. Ele também se retraiu ao encarar Wallander, que ainda não tivera tempo de ir ao banheiro para conferir sua aparência, embora tivesse encontrado alguns analgésicos na gaveta de sua escrivaninha. E inclusive achou seu celular, que havia jogado dentro do lixo num acesso de raiva.

Wallander contou a Thurnberg, do modo mais sucinto possível, o que havia acontecido. Apontou para a arma de Larstam. Como se quisesse ressaltar a solenidade do momento, Thurnberg pescou uma gravata de seu bolso e a vestiu.

"Então você o prendeu. Nada mau."

"Ah, foi tudo mau", respondeu Wallander. "Mas podemos falar sobre isso outra hora."

"Talvez devêssemos chamar os outros para dar a notícia", disse Thurnberg.

"Pra quê? Por que não deixamos que eles durmam pela primeira vez?"

Thurnberg não insistiu e saiu da sala para ver Larstam. Wallander se levantou com esforço e foi até o banheiro. O corte na face era fundo e provavelmente precisaria de uns pontos, mas se sentiu fraco ante a ideia de se arrastar até o hospital. Isso teria que esperar. Eram cinco e meia da manhã. Foi para o escritório e fechou a porta.

Na manhã seguinte, Martinsson foi o primeiro a chegar. Tinha dormido mal, e a ansiedade o obrigara a ir para a delegacia. Thurnberg ainda estava lá e lhe deu a notícia. Numa sucessão rápida de telefonemas, Martinsson ligou para Höglund, Nyberg e Hansson. Em seguida, Holgersson chegou. Só depois que todos estavam reunidos é que alguém se lembrou de perguntar onde estava Wallander. Thurnberg disse que ele tinha desaparecido. Pensaram que o inspetor fora ao hospital para cuidar de seu rosto.

Às oito e meia, Martinsson telefonou para a casa de Wallander, mas ninguém atendeu. Foi quando Höglund se lembrou de que ele poderia estar em seu escritório. Foram juntos até lá, mas a porta estava fechada. Martinsson bateu levemente. Como não houve resposta, abriram a porta. Wallander estava estendido no chão e, sob sua cabeça, uma lista telefônica e o casaco dobrado serviam de travesseiro. Ele estava roncando.

Höglund e Martinsson se entreolharam. Depois fecharam a porta e deixaram o inspetor descansar.

Epílogo

Sexta-feira, 25 de outubro, não parava de chover em Ystad. Quando Wallander saiu na rua Mariagatan às oito da manhã, o termômetro marcava sete graus Celsius. Embora agora ele tentasse ir a pé para o trabalho sempre que possível, dessa vez resolveu ir de carro. Tinha tirado duas semanas de licença médica, mas o dr. Göransson recomendou que ficasse mais uma afastado do trabalho. Seus níveis de açúcar no sangue estavam muito mais baixos, porém sua pressão continuava alta.

Naquela manhã ia à delegacia, mas não para trabalhar: tinha um encontro importante, que havia marcado durante aqueles dias caóticos de agosto, quando todos estavam empenhados na busca do homem que cometera a mais pavorosa série de crimes que ele já investigara.

Wallander ainda se recordava com clareza daquele momento especial: Martinsson entrara em sua sala e, no final da conversa, havia lhe dito que seu filho de onze anos estava pensando em se tornar policial. Martinsson reclamou que não sabia o que dizer para o filho, e Wallander prometeu conversar com o garoto assim que a investigação estivesse encerrada. Agora, finalmente, chegou o momento. Prometera até deixar o menino, David, experimentar sua boina da polícia — e tivera que passar a noite inteira à procura dela.

O inspetor estacionou o carro e correu para dentro da delegacia, encolhendo os ombros para se proteger da chuva e do vento. Ebba estava gripada e avisou para não se aproximar dela enquanto assoava o nariz. Wallander lembrou-se que, em menos de um ano, ela não trabalharia mais ali.

David deveria chegar às quinze para as nove da manhã. Enquanto esperava, o inspetor decidiu arrumar a mesa. Em poucas horas, ele sairia de Ystad. Ainda não se sentia seguro sobre sua decisão, mas estava ansioso para passear de carro pela paisagem outonal, escutando ópera.

O menino foi pontual, e Ebba o levou ao escritório de Wallander.

"Você tem uma visita", ela disse sorrindo.

"E VIP, pelo que parece", respondeu Wallander.

David se parecia com o pai. Havia algo de introvertido nele, uma característica que também notara em Martinsson. Wallander pôs sua boina da polícia em cima da mesa.

"Por onde devemos começar? Por suas perguntas ou pela boina?"

"Pelas perguntas."

O menino tirou uma folha de papel do bolso. Viera bem preparado.

"Por que decidiu se tornar policial?"

A simplicidade da pergunta abalou Wallander. Foi forçado a pensar por um minuto, pois já havia decidido que levaria o encontro a sério. Queria que suas respostas fossem honestas e bem pensadas.

"Acho que eu acreditava que seria um bom policial."

"Os policiais não são todos bons?"

Essa pergunta não estava escrita no papel dele.

"A maioria, mas não todos. Da mesma forma que nem todos os professores são bons."

"O que seus pais disseram quando quis se tornar um policial?"

"Minha mãe não disse nada. Ela já havia morrido quando eu me decidi."

"E o seu pai?"

"Ele era contra. Inclusive se opôs tanto que quase paramos de falar um com o outro."

"Por quê?"

"Não sei exatamente. Pode parecer estranho, mas foi assim."

"Mas o senhor deve ter perguntado a ele o porquê."

"Nunca recebi uma boa resposta."

"Ele já morreu?"

"Morreu há pouco tempo. Então agora não tenho mais como perguntar, mesmo se eu quisesse."

A resposta de Wallander parecia deixar David preocupado. O garoto hesitou antes de fazer a próxima pergunta.

"Alguma vez o senhor já se arrependeu de ter se tornado um policial?"

"Muitas vezes. Acho que acontece com todo mundo."

"Por quê?"

"Porque temos que lidar com muito sofrimento. Você se sente impotente e começa a imaginar como vai fazer para aguentar até a aposentadoria."

"Nunca sente que está ajudando as pessoas?"

"Às vezes, mas nem sempre."

"O senhor acha que eu deveria me tornar um policial?"

"Acho que você deveria pensar por um tempo antes de tomar qualquer decisão. E que deveria esperar até ter uns dezessete ou dezoito anos para saber o que você realmente quer ser."

"Vou trabalhar na polícia ou na construção de estradas."

"Construção de estradas?"

"Ajudar as pessoas a dar uma volta também é bom."

Wallander assentiu. Era uma criança com bons pensamentos.

"Só tenho mais uma pergunta", disse David. "O senhor já sentiu medo?"

"Já."

"E o que faz nessas horas?"

"Não sei, acabo dormindo mal. Eu tento pensar em outras coisas, se puder."

O menino guardou a folha de papel no bolso e olhou para a boina. Wallander empurrou-a na direção dele e lhe entregou um espelho. A boina era tão grande que cobria as orelhas de David.

O inspetor acompanhou o garoto até a recepção. "Se tiver mais alguma pergunta, pode voltar e me procurar."

Ficou observando enquanto o menino ia embora, enfrentando o vento tempestuoso. Então voltou ao escritório para terminar de arrumar tudo, embora seu desejo de deixar a delegacia fosse cada vez maior. Höglund apareceu à porta.

"Pensei que estivesse de licença médica."

"E estou."

"Como foi seu encontro? Martinsson me contou."

"O David é um menino esperto. Eu tentei responder às perguntas da forma mais honesta possível, mas acho que o pai dele poderia ter feito o mesmo."

"Você tem um tempo para conversar?"

"Um pouco. Estou me preparando para sair da cidade por alguns dias."

Ela fechou a porta e sentou-se na cadeira à frente dele.

"Não sei por que estou te contando isso", ela disse. "Só peço que não comente com ninguém por enquanto."

Ela vai pedir demissão, pensou Wallander. Ela não aguenta mais.

"Promete?"

"Prometo."

"Às vezes, é um alívio poder desabafar."

"Eu sei."

"Estou me divorciando", ela disse. "Finalmente chegamos a um acordo, se é que se pode chamar dessa forma quando existem dois filhos pequenos envolvidos."

Wallander não se surpreendeu. Desde o início do verão, ela já dava a entender que estava enfrentando problemas sérios.

"Não sei o que dizer."

"Você não precisa dizer nada. Eu só queria que você soubesse."

"Eu já passei por um divórcio", ele disse. "Ou enfrentei um. Sei o inferno que isso pode se tornar."

"Mas você reagiu tão bem..."

"Acha mesmo? Eu diria que foi o oposto."

"Então você sabe disfarçar."

Lá fora, a chuva caía com mais intensidade.

"Tenho mais uma coisa pra te contar", ela disse. "O Larstam está escrevendo um livro."

"Um livro?"

"Sobre os assassinatos. Contando como ele se sentia ao cometer os crimes."

"Como você sabe disso?"

"Vi nos jornais."

Wallander ficou chateado. "Quem está pagando para ele escrever o livro?"

"Uma editora. Não divulgaram quanto estão dando de adiantamento, mas acho que dá pra imaginar que seja uma boa quantia. Tenho certeza de que as memórias de um assassino em série vai ser um best-seller."

Wallander balançou a cabeça com raiva. "Isso me deixa doente."

Ela se levantou. "Eu só queria que você soubesse." Quando chegou a porta, virou-se. "Boa viagem. Para onde quer que você esteja indo."

Höglund desapareceu. Wallander pensou no que ela havia dito sobre o divórcio e o livro. Eles prenderam Larstam antes que conseguisse matar sua nona vítima. Depois disso, todos os que tiveram contato com ele se surpreenderam com seu jeito educado e reservado. Esperavam encontrar um monstro, mas não era uma figura em que Sture Björklund pudesse se inspirar para um filme de terror. O inspetor às vezes pensava que Larstam parecia ser a pessoa mais normal que já conhecera.

Passou muitos dias interrogando o assassino. Várias vezes teve a impressão de que Åke Larstam não era um enigma apenas para o mundo ao redor, mas também para si mesmo. Ele parecia responder às perguntas de Wallander com franqueza, mas suas respostas nunca eram esclarecedoras.

"Por que você matou os jovens que comemoravam o solstício na reserva natural?", o inspetor questionou. "Você abriu as cartas deles, acompanhou os preparativos para a festa e atirou neles. Por quê?"

"Existe uma maneira melhor de terminar a vida?"

"Foi por essa razão que você os matou? Porque pensou que estava lhes fazendo um favor?"

"Acho que sim."

"Acha? Deve saber por que fez isso."

"É possível fazer planos e, ainda assim, não saber por que os fez."

"Você viajou por toda a Europa e enviou cartões-postais em nome daqueles amigos. Escondeu os carros deles e enterrou seus corpos. Por quê?"

"Eu não queria que fossem encontrados."

"Mas os enterrou de uma forma que tivesse a opção de desenterrá-los."

"Sim, eu também quis dispor dessa opção."

"Por quê?"

"Não sei. Talvez para fazer minha presença ser notada, não sei."

"Você se deu ao trabalho de seguir Isa Edengren até Bärnsö para matá-la na ilha. Por que não a deixou viver?"

"Precisamos terminar o que começamos."

Às vezes, Wallander tinha que sair da sala, ciente de que — apesar dos sorrisos e amabilidades exteriores — estava falando com um monstro e não com um ser humano. Mas ele sempre voltava, determinado a cobrir todos os aspectos daquele caso: desde os recém-casados, cuja alegria Larstam tinha sido incapaz de suportar, até Svedberg.

Svedberg. Eles discutiram o longo e complicado romance. Bror Sundelius não sabia que o policial o traía com outro homem. Nils Stridh descobriu isso e ameaçou contar. Falaram sobre os temores crescentes de Svedberg de que o homem que amava em segredo durante dez anos estivesse, de alguma forma, relacionado com o desaparecimento dos jovens.

Wallander nunca se sentia satisfeito com as respostas que recebia. Havia certa condescendência na maneira que Larstam falava sobre aquele assunto. Sempre educado e tentando se desculpar quando não conseguia se lembrar de algum detalhe que satisfizesse o inspetor. Mas havia um espaço dentro dele no qual Wallander nunca conseguiu entrar, ficando sem entender totalmente a relação que existia entre Larstam e Svedberg.

"O que aconteceu naquela manhã?", perguntou.

"Que manhã?"

"Quando você matou o Svedberg."

"Tive que matá-lo."

"Por quê?"

"Ele me acusou de estar envolvido com o desaparecimento dos jovens."

"Não tinham apenas desaparecido: foram assassinados. Como é que o Svedberg começou a suspeitar do seu envolvimento?"

"Eu conversei com ele sobre isso."

"Você disse para ele o que tinha feito?"

"Não, mas contei sobre os meus sonhos."

"Quais sonhos?"

"De que faço as pessoas pararem de rir."

"Por que você não quer que as pessoas deem risadas?"

"A felicidade sempre se transforma, mais cedo ou mais tarde, no oposto dela. Eu queria poupá-lo desse destino. Então contei os meus sonhos pra ele."

"Seus sonhos de matar pessoas que estivessem felizes?"

"É."

"Então ele começou a suspeitar de você?"

"Só percebi isso uns dias antes."

"Antes do quê?"

"Antes de atirar nele."

"O que aconteceu?"

"Ele começou a fazer perguntas. Parecia que estava me interrogando. Eu fiquei nervoso. E não gosto de perder a calma."

"E aí você foi até o apartamento dele e atirou nele?"

"A princípio, eu queria só lhe pedir que parasse de me deixar nervoso, mas ele continuava me fazendo perguntas. Foi então que percebi que eu tinha que fazer isso. Fui até o hall e peguei a arma que eu havia levado comigo por precaução. Aí apontei e atirei nele."

Wallander não disse nada por um longo período. Tentou imaginar como tinham sido os últimos momentos da vida de Svedberg. Será que ele teve tempo de prever o que iria acontecer? Ou tudo aconteceu rápido demais?

"Deve ter sido muito difícil pra você", disse enfim. "Ser forçado a matar a pessoa que amava."

Larstam fitou o inspetor sem responder, desprovido de qualquer expressão. Mesmo depois de o comentário ter sido repetido, não houve resposta. Finalmente, Wallander falou sobre a noite em que foi emboscado em seu apartamento na Mariagatan.

"Por que você me escolheu para ser sua nona vítima?"

"Eu não tinha mais ninguém."

"Como assim?"

"Eu ia esperar, talvez um ano ou um pouco mais. Mas então, como tudo tinha corrido tão bem, senti a necessidade de continuar."

"Mas eu não sou uma pessoa feliz. Nem rio muito."

"Você tem um emprego e um motivo para se levantar da cama todas as manhãs. Eu tinha visto fotos suas nos jornais em que estava sorrindo."

"Mas eu não estava fantasiado naquele dia, nem mesmo uniformizado."

A resposta de Larstam o surpreendeu: "Mas eu pretendia te dar um".

"Me dar um o quê?"

“Um traje, um disfarce. Eu tinha planejado colocar uma peruca em você e fazer com que o seu rosto ficasse parecido com o da Louise. Eu não precisava mais dela. Ela poderia morrer. Havia decidido me transformar em outra mulher.”

Larstam mirou no fundo dos olhos de Wallander, que devolveu o olhar. O inspetor nunca soube ao certo o que tinha visto ali. Mas ele sabia que jamais se esqueceria.

Chegou um momento em que não havia mais perguntas. Wallander só conseguiu perceber que o homem era louco, que nunca se adaptara a lugar nenhum e que acabara explodindo numa violência incontrolável. Os exames psicológicos corroboraram com essa imagem. Na infância, Larstam fora constantemente ameaçado e intimidado, o que fez com que se tornasse um mestre na habilidade de se esconder e fugir. Ele não tinha sido capaz de lidar com sua demissão na empresa de engenharia, passando assim a acreditar que todas as pessoas sorridentes eram malignas.

Ocorreu a Wallander que havia uma assustadora dimensão social em tudo aquilo. Cada vez mais pessoas estavam sendo consideradas inúteis e, assim, jogadas às margens da sociedade, de onde eram forçadas a olhar com inveja os poucos que ainda tinham razões para ser feliz. Recordou-se de uma conversa que começara com Höglund, mas que nunca teve a chance de concluir. Eles estavam debatendo se o declínio da sociedade sueca avançara mais do que as pessoas geralmente admitiam. A violência irracional era quase aceita como parte da vida nos dias de hoje. Ele tinha a sensação de que já estavam um passo atrás e, pela primeira vez na vida, Wallander se perguntou se um colapso total da sociedade sueca era uma possibilidade concreta. A Bósnia sempre pareceu tão distante, ele pensou. Mas talvez estivesse mais próxima do que imaginavam. Pensamentos como esses voltavam à sua mente com frequência durante as longas sessões com Larstam, que talvez não fosse um enigma como deveria ter sido.

A crise de Larstam poderia estar ligada ao colapso da própria sociedade. Não havia mais nada a dizer. Wallander deu a sessão por encerrada; Larstam foi levado de volta à cela e só.

Dias depois, Eva Hillström cometeu suicídio. Foi Höglund quem contou a Wallander. Ele ouviu a notícia em silêncio, saiu da delegacia, comprou uma garrafa de uísque e bebeu até não poder mais. Nunca mais falou sobre isso, mas sempre pensou nessa mulher como a nona vítima de Larstam.

Por volta das duas da tarde, ele parou em frente ao restaurante na beira da estrada, nas redondezas de Västervik. Sabia que ficava fechado no inverno, mas mesmo assim esperava que ela estivesse lá. Várias vezes, durante o outono, pensou em telefonar, mas nunca o fez. Não sabia o que lhe dizer. Saiu do carro. O clima tempestuoso parecia tê-lo seguido desde a Escânia: as folhas de outono estavam presas ao chão úmido, o lugar parecia deserto. Foi até o quarto dos fundos onde havia dormido quando voltou de Bärnsö. Fazia apenas alguns meses, mas não parecia real.

Sentiu-se inquieto ao ver o prédio deserto. Voltou para o carro e continuou a viagem. Em Valdemarsvik, parou e comprou uma garrafa de uísque; depois tomou um café e comeu uns sanduíches. Pediu para não colocarem manteiga no pão.

Eram cinco da tarde e já estava escuro quando o inspetor entrou na estrada sinuosa ao longo da baía de Valdemarsvik, em direção a Gryt e Fyrudden. Lennart Westin telefonara do nada, numa tarde no início de setembro, depois de concluído o caso Larstam. Wallander estava interrogando um jovem que agredira o próprio pai. O interrogatório prosseguia devagar e parecia não levar a lugar nenhum. Finalmente, desistiu e passou o caso para Hansson.

Quando entrou em seu escritório, o telefone tocou. Era Westin perguntando quando Wallander planejava visitá-lo. O inspetor havia esquecido completamente o convite pendente e o último telefonema, quando acertara a visita — mas tinha achado que não daria em nada. Marcaram uma data em outubro,

Westin ligara umas semanas depois para confirmar. E Wallander agora estava a caminho.

Combinaram de se encontrar às seis da tarde, em Fyrudden, onde o anfitrião iria buscá-lo em seu barco. O inspetor ficaria até domingo. Sentia-se grato pelo convite, é claro, mas também um pouco nervoso. Ele quase nunca se socializara com pessoas que não conhecia. O outono fora marcado pela preocupação com sua saúde. Seu medo de ter um derrame era constante, embora o dr. Göransson tentasse tranquilizá-lo. Os níveis de açúcar no sangue se estabilizaram, ele tinha perdido peso e adotado uma dieta saudável. Mas Wallander achou que já era tarde demais. Embora ainda não tivesse completado cinquenta anos, sua sensação era a de viver num tempo emprestado.

Quando entrou no porto de Fyrudden, chovia mais do que nunca. Estacionou o carro no mesmo local que usara no verão, desligou o motor e ouviu as ondas baterem contra o cais. Pouco depois das seis da tarde, viu as luzes de um barco se aproximando. Era Westin.

Wallander saiu do carro, pegou sua mala e andou em direção ao barco. O homem dos correios colocou a cabeça para fora da casa do leme e sorriu.

"Bem-vindo!", gritou, tentando fazer-se ouvir apesar do vento. "Vou levá-lo imediatamente, o jantar está pronto."

Ele pegou a mala de Wallander, enquanto o convidado subia a bordo com alguma dificuldade. Ele estava congelando, a temperatura caía rapidamente.

"Então, enfim você veio até aqui", disse Westin quando Wallander entrou na casa do leme.

A partir daquele momento, o inspetor não teve mais dúvida: estava feliz de estar ali. Westin zarpou o barco e Wallander se segurou para não perder o equilíbrio. Depois de deixarem o porto, ele sentiu a intensidade das ondas aumentarem.

"Você fica enjoado ou nervoso com esse tipo de clima?", quis saber Westin. Ele fez a pergunta de forma leve, mas havia uma preocupação real em sua voz.

“Talvez eu fique”, respondeu Wallander.

Westin aumentou a velocidade ao entrar em mar aberto. De repente, Wallander percebeu que estava se divertindo. Ninguém sabia onde ele estava, ninguém poderia contatá-lo. Pela primeira vez em muito tempo, ele poderia relaxar.